#기본+응용
#리더공부비법
#수학응용력기르기
#학원에서검증된문제집

수학리더
기본+응용

Chunjae
Makes
Chunjae

▼

기획총괄 박금옥
편집개발 윤경옥, 박초아, 조은영, 김연정,
김수정, 임희정, 이혜지, 최민주
디자인총괄 김희정
표지디자인 윤순미, 박민정
내지디자인 박희춘, 이혜진
제작 황성진, 조규영

발행일 2024년 4월 15일 2판 2024년 4월 15일 1쇄
발행인 (주)천재교육
주소 서울시 금천구 가산로9길 54
신고번호 제2001-000018호
고객센터 1577-0902
교재 구입 문의 1522-5566

※ 정답 분실 시에는 천재교육 홈페이지에서 내려받으세요.
※ KC 마크는 이 제품이 공통안전기준에 적합하였음을 의미합니다.
※ 주의
책 모서리에 다칠 수 있으니 주의하시기 바랍니다.
부주의로 인한 사고의 경우 책임지지 않습니다.
8세 미만의 어린이는 부모님의 관리가 필요합니다.

수학리더 기본+응용 1-2

BOOK 1

진도책 차례

구성과 특징

BOOK 1 진도책

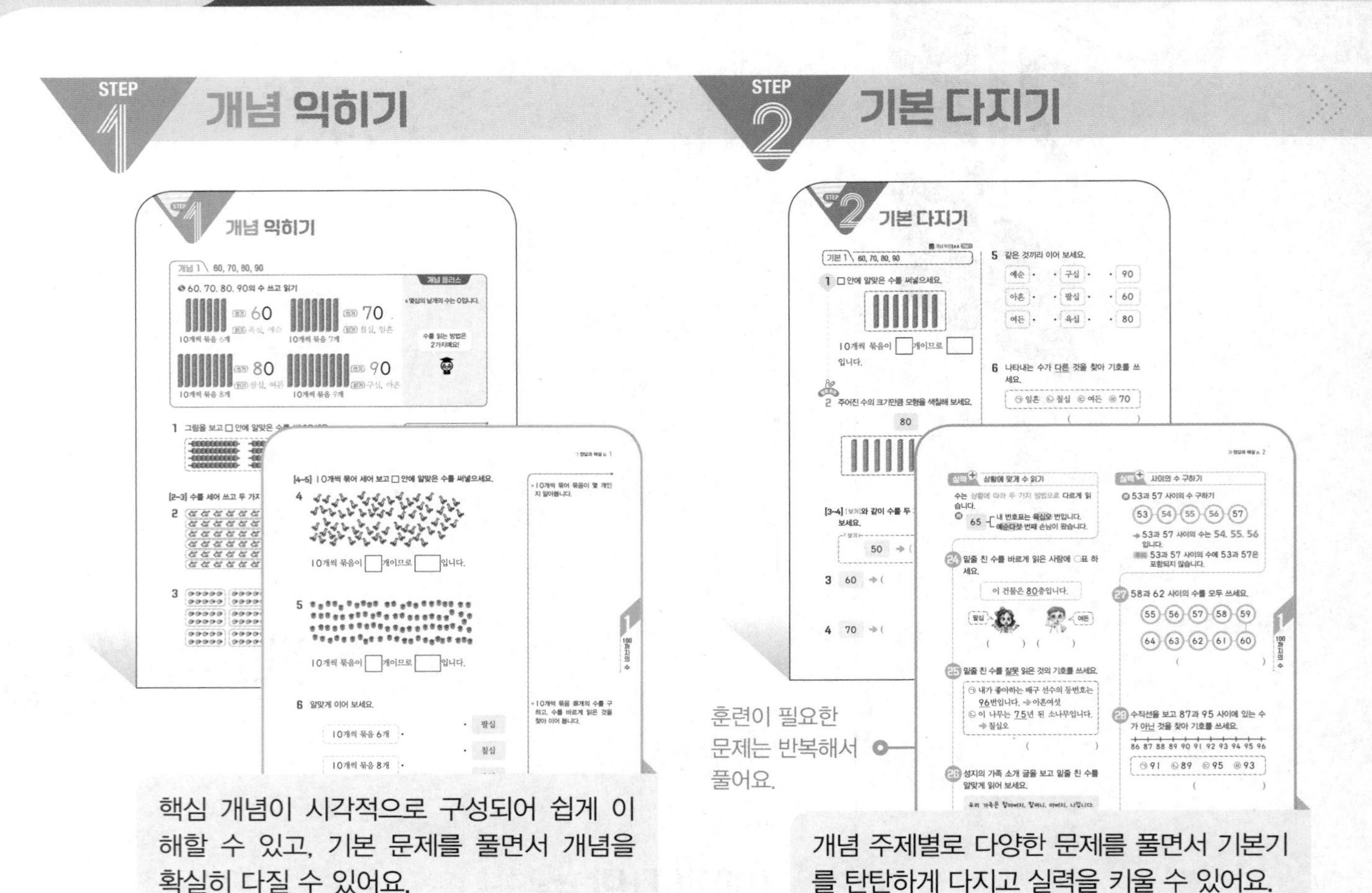

훈련이 필요한 문제는 반복해서 풀어요.

핵심 개념이 시각적으로 구성되어 쉽게 이해할 수 있고, 기본 문제를 풀면서 개념을 확실히 다질 수 있어요.

개념 주제별로 다양한 문제를 풀면서 기본기를 탄탄하게 다지고 실력을 키울 수 있어요.

BOOK 2 복습책

응용력 강화 문제

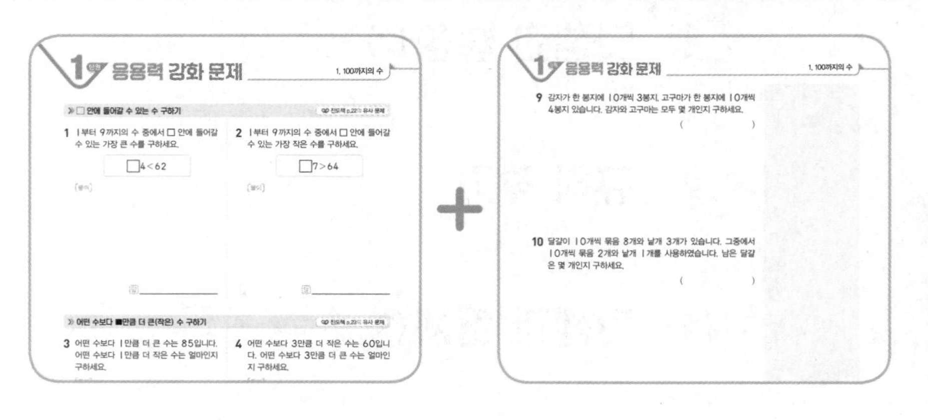

진도책 STEP3의 응용 문제를 한번 더 복습하고, 응용 유형을 보충하여 풀면서 응용력을 강화할 수 있어요.

『기본부터 응용까지 한 권으로 끝내는 실력서!』

STEP 3 응용력 올리기

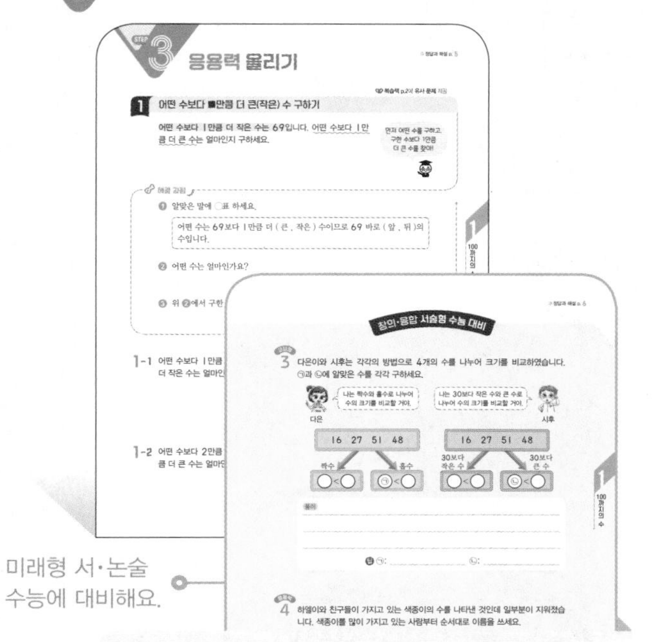

미래형 서·논술 수능에 대비해요.

대표 응용 문제를 해결 과정을 따라 풀면서 응용력과 수학적 문제 해결력을 기를 수 있어요.

TEST 단원 기본 · 실력 평가

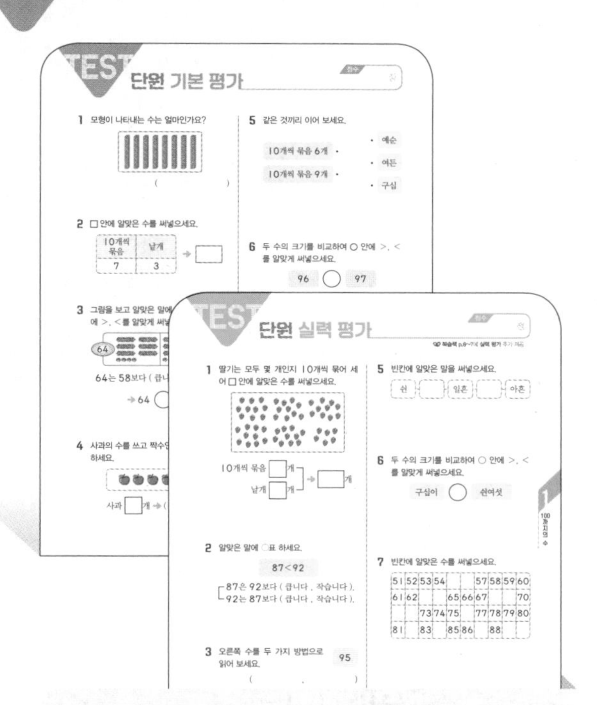

기본 · 실력 평가로 2회를 제공하여 각 단원을 얼마나 잘 공부했는지 확인할 수 있어요.

단원별 실력 평가 + 1~6단원 성취도 평가

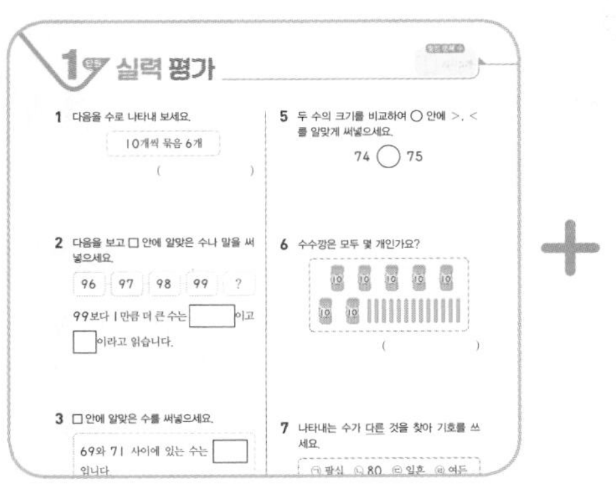

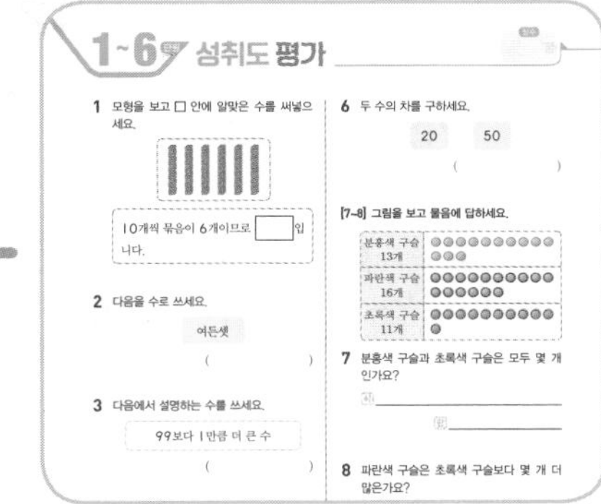

단원별 실력 평가와 1~6단원 성취도 평가를 풀면서 실력을 점검할 수 있어요.

100까지의 수

단원 내용 미리보기

본문 8쪽

99까지의 수

78

10개씩 묶음 7개와 낱개 8개를 **78**이라 하고 **칠십팔** 또는 **일흔여덟**이라고 읽습니다.

10개씩 묶음 7개는 70이고
낱개 8개가 더해져 78이 돼!

본문 10쪽

수의 순서

79 — 80보다 1만큼 더 작은 수

80

81 — 80보다 1만큼 더 큰 수

99보다 1만큼 더 큰 수는
100이라 하고 **백**이라고 읽어!

스마트폰을 이용하여 **QR 코드**를 찍으면
개념 학습 영상을 볼 수 있어요.

본문 16쪽

수의 크기 비교

69 < 91

6 < 9

87 > 83

7 > 3

10개씩 묶음의 수를 먼저 비교하고,
10개씩 묶음의 수가 같으면
낱개의 수를 비교해!

본문 18쪽

짝수와 홀수

짝수: 둘씩 짝을 지을 때 남는 것이 없는 수

예 2, 4, 6, 8, 10 ……

홀수: 둘씩 짝을 지을 때 하나가 남는 수

예 1, 3, 5, 7, 9 ……

낱개의 수가
0, 2, 4, 6, 8인 수는 모두 짝수이고,
1, 3, 5, 7, 9인 수는 모두 홀수야.

이제부터 **기본+응용**을
시작해 볼까요~

STEP 1

개념 익히기

개념 1 60, 70, 80, 90

◆ 60, 70, 80, 90의 수 쓰고 읽기

10개씩 묶음 6개 — 쓰기 60 / 읽기 육십, 예순

10개씩 묶음 7개 — 쓰기 70 / 읽기 칠십, 일흔

10개씩 묶음 8개 — 쓰기 80 / 읽기 팔십, 여든

10개씩 묶음 9개 — 쓰기 90 / 읽기 구십, 아흔

개념 플러스

- 몇십의 낱개의 수는 0입니다.

수를 읽는 방법은 2가지예요!

1 그림을 보고 □ 안에 알맞은 수를 써넣으세요.

10개씩 묶음 8개를 □ 이라고 합니다.

- 10개씩 묶음이 ■개이면 ■0입니다.
  예 10개씩 묶음 3개 → 30

[2~3] 수를 세어 쓰고 두 가지 방법으로 읽어 보세요.

2

쓰기 □

읽기 □, □

3

쓰기 □

읽기 □, □

- 수는 2가지 방법으로 읽을 수 있습니다.
  예 30 → 삼십, 서른

[4~5] 10개씩 묶어 세어 보고 □ 안에 알맞은 수를 써넣으세요.

4

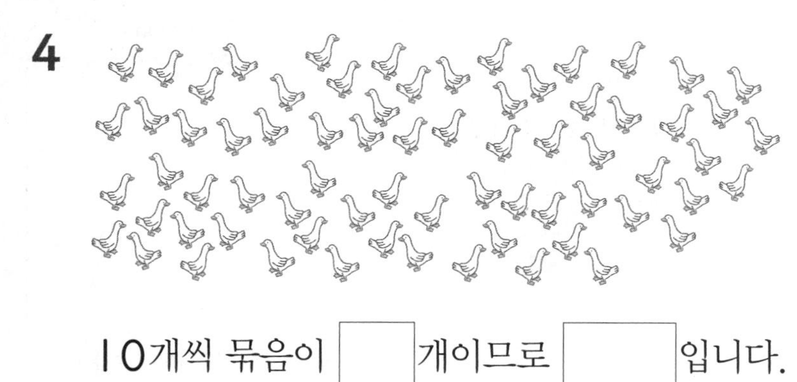

10개씩 묶음이 □ 개이므로 □ 입니다.

5

10개씩 묶음이 □ 개이므로 □ 입니다.

- 10개씩 묶어 묶음이 몇 개인지 알아봅니다.

6 알맞게 이어 보세요.

10개씩 묶음 6개 •		• 팔십
		• 칠십
10개씩 묶음 8개 •		• 육십

- 10개씩 묶음 ■개의 수를 구하고, 수를 바르게 읽은 것을 찾아 이어 봅니다.

7 붙임딱지가 일흔 개 있습니다. 붙임딱지의 수를 쓰세요.

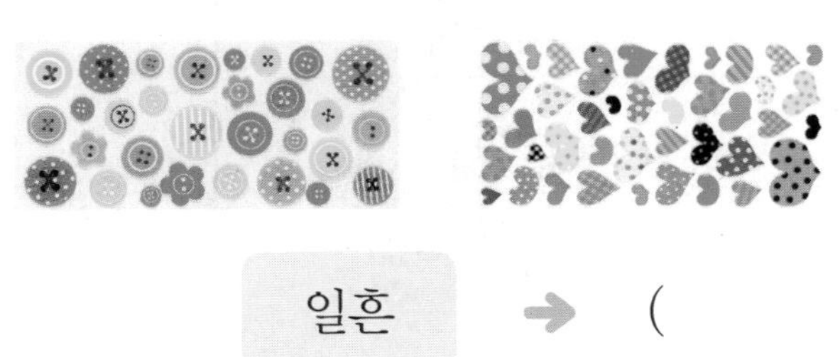

일흔 ➔ (   )

- '일흔'을 수로 씁니다.

STEP 1 개념 익히기

개념 2 \ 99까지의 수

1 64 알아보기

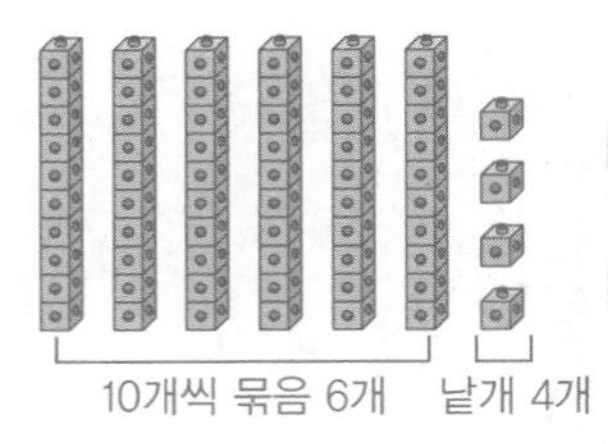

쓰기 64

읽기 육십사, 예순넷

10개씩 묶음 6개는 60개, 낱개는 4개이므로 64라고 해.

2 수를 넣어 이야기하기

예

➔ 버스 번호는 **육십사** 번이고, 할아버지 나이는 **예순네** 살입니다.

참고 낱개를 10개씩 묶어 수 세어 보기

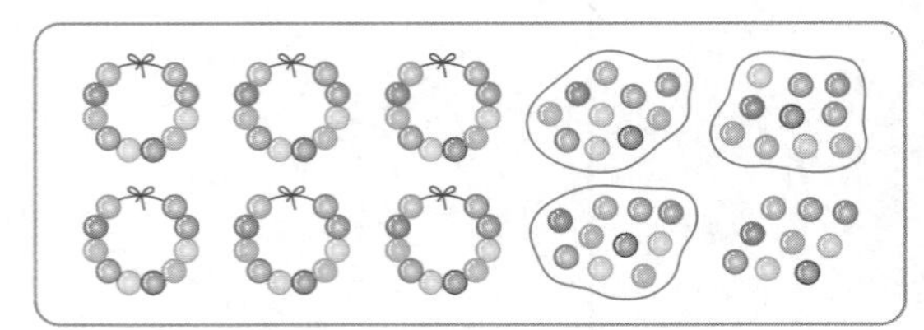

10개씩 묶음 **6**개,
낱개를 10개씩 묶은 것 **3**개,
낱개 **9**개

➔ 구슬의 수는 10개씩 묶음 **9**개, 낱개 **9**개이므로 **99**입니다.

개념 플러스

- 같은 수라도 상황에 따라 다르게 읽습니다.

99는 구십구 또는 아흔아홉이라고 읽어.

1 그림을 보고 □ 안에 알맞은 수를 써넣으세요.

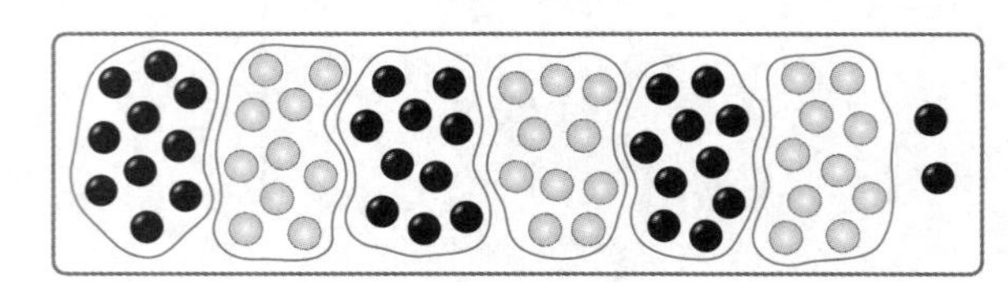

10개씩 묶음 6개와 낱개 □개는 □입니다.

2 수 71을 바르게 읽은 사람에 ○표 하세요.

(　　　) (　　　) (　　　)

- 71은 10개씩 묶음 7개와 낱개 1개입니다.

≫ 정답과 해설 p. 1

[3~5] 그림을 보고 □ 안에 알맞은 수나 말을 써넣으세요.

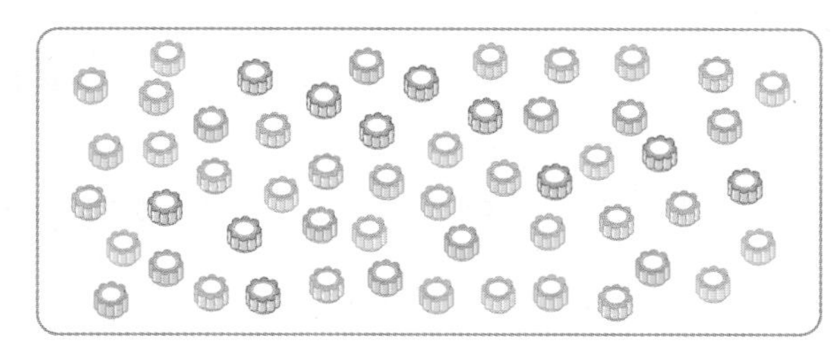

3 공깃돌을 10개씩 묶으면 10개씩 묶음은 □개입니다.

- 공깃돌을 10개씩 ◯로 직접 묶어 봅니다.

4 10개씩 묶고 남은 공깃돌은 □개입니다.

5 공깃돌은 모두 □개입니다.

6 밑줄 친 수를 상황에 맞게 각각 읽어 보세요.

문제집을 76쪽부터 풀기 시작하여 82쪽까지 풀었습니다.

□ □

7 10개씩 묶어 세어 빈칸에 알맞은 수를 써넣고, 구슬은 모두 몇 개인지 구하세요.

- 낱개로 있는 구슬을 10개씩 묶어 10개씩 묶음의 수와 낱개의 수로 구슬의 수를 확인합니다.

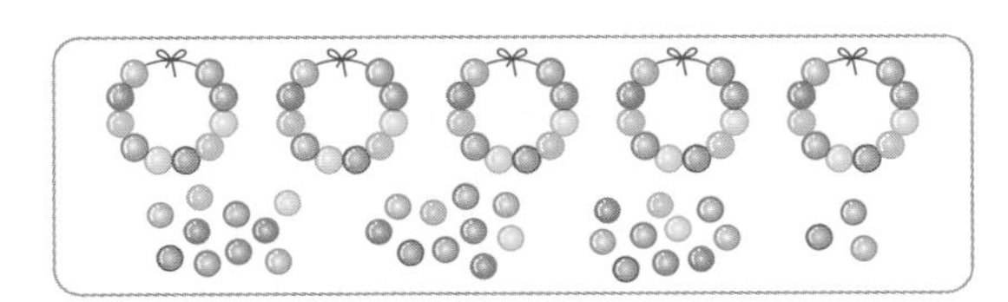

10개씩 묶음	낱개

꼭! 단위까지 따라 쓰세요.

(개)

1 100까지의 수

1 개념 익히기

개념 3 수의 순서

1 1만큼 더 작은 수, 1만큼 더 큰 수

1만큼 더 작은 수 / 1만큼 더 큰 수

54 — 55 — 56

(1) 55보다 1만큼 더 작은 수는 55 바로 앞의 수인 **54**입니다.
(2) 55보다 1만큼 더 큰 수는 55 바로 뒤의 수인 **56**입니다.

2 수의 순서와 100 알아보기

71	72	73	74	75	76	77	78	79	80
81	82	83	84	85	86	87	88	89	90
91	92	93	94	95	96	97	98	99	?

99보다 1만큼 더 큰 수를 **100**이라고 합니다. 100은 백이라고 읽습니다.

개념 플러스

- 수를 순서대로 썼을 때 ●보다 작은 수는 ●의 앞에 있는 수이고, ●보다 큰 수는 ●의 뒤에 있는 수입니다.

■보다 크고 ▲보다 작은 수는 ■와 ▲ 사이에 있는 수예요!

1 □ 안에 알맞은 수를 써넣으세요.

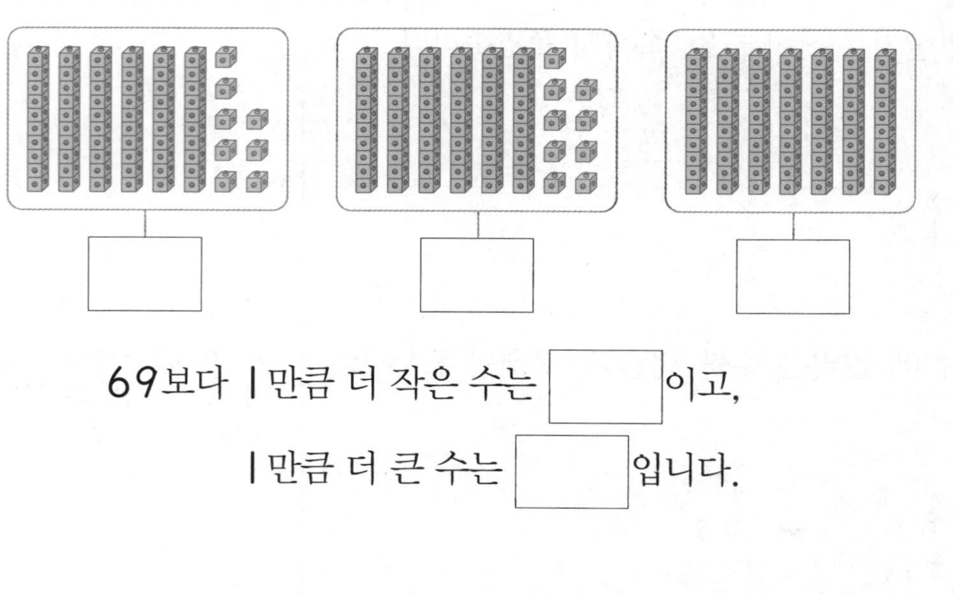

69보다 1만큼 더 작은 수는 □이고,
1만큼 더 큰 수는 □입니다.

- 1만큼 더 작은 수는 바로 앞의 수, 1만큼 더 큰 수는 바로 뒤의 수입니다.

2 빈 곳에 알맞은 수를 써넣고 읽어 보세요.

읽기 (   )

- 99보다 1만큼 더 큰 수를 쓰고, 읽습니다.

≫ 정답과 해설 p. 1

3 주어진 수보다 1만큼 더 큰 수에 ○표, 1만큼 더 작은 수에 △표 하세요.

60　　(58, 59, 60, 61, 62)

> • 60보다 1만큼 더 큰 수
> ➔ 60 바로 뒤의 수
> 60보다 1만큼 더 작은 수
> ➔ 60 바로 앞의 수

4 빈칸에 알맞은 수를 써넣으세요.

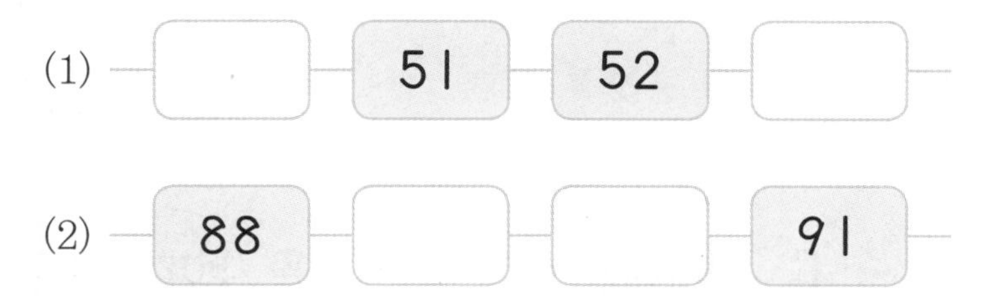

5 수를 순서대로 이어 그림을 완성해 보세요.

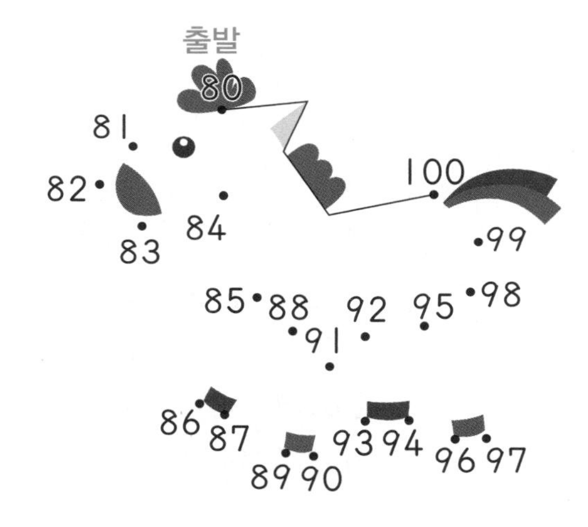

> • 80부터 100까지의 수의 순서를 생각해 선을 이어 봅니다.

6 상자를 번호 순서대로 쌓았습니다. 번호가 없는 상자에 알맞은 번호를 써넣으세요.

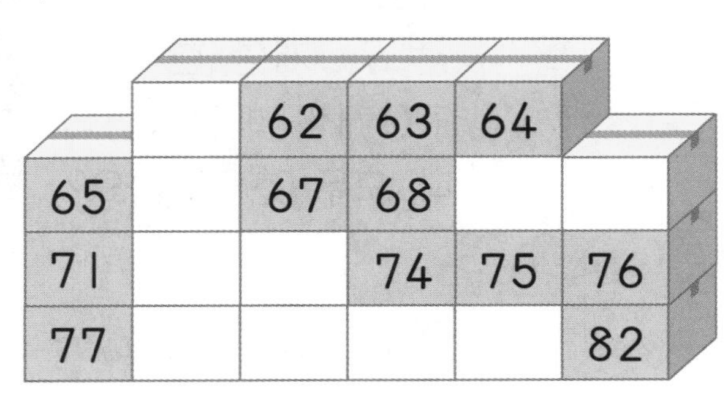

> • 상자의 번호는 62보다 1만큼 더 작은 수부터 시작하여 82에서 끝납니다.

기본 다지기

개념 확인 | p.6 개념 1

기본 1 60, 70, 80, 90

1 □ 안에 알맞은 수를 써넣으세요.

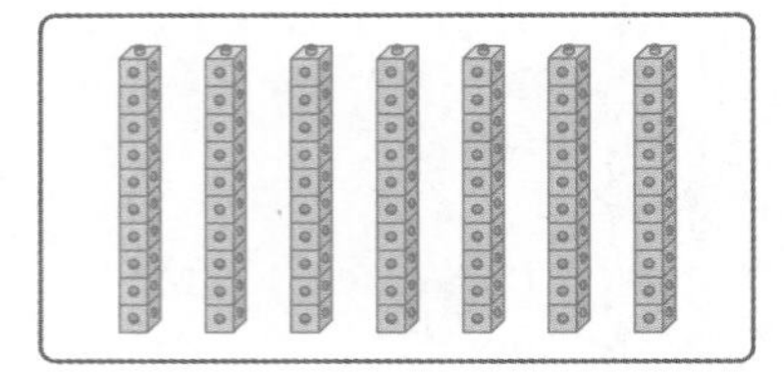

10개씩 묶음이 □개이므로 □입니다.

활용문제

2 주어진 수의 크기만큼 모형을 색칠해 보세요.

80

[3~4] 보기와 같이 수를 두 가지 방법으로 읽어 보세요.

보기

50 ➔ (오십, 쉰)

3 60 ➔ (   ), (   )

4 70 ➔ (   ), (   )

5 같은 것끼리 이어 보세요.

예순 •	• 구십 •	• 90
아흔 •	• 팔십 •	• 60
여든 •	• 육십 •	• 80

6 나타내는 수가 다른 것을 찾아 기호를 쓰세요.

㉠ 일흔 ㉡ 칠십 ㉢ 여든 ㉣ 70

(   )

7 달걀 예순 개를 오른쪽과 같은 달걀판에 담으려고 합니다. 모두 담으려면 달걀판은 몇 개 필요한가요?

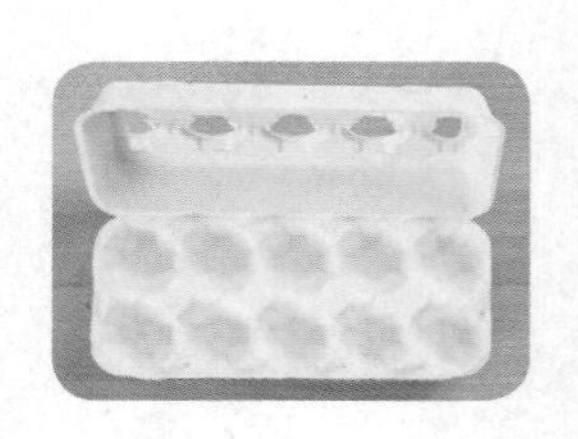

(   )

8 곶감을 만들기 위해 감 90개를 한 줄에 10개씩 매달았습니다. 모두 몇 줄인가요?

(   )

90은 10개씩 묶음이 몇 개인지 알아보자.

개념 확인 | p.8 개념 2

기본 2 99까지의 수

9 그림을 보고 □ 안에 알맞은 수를 써넣으세요.

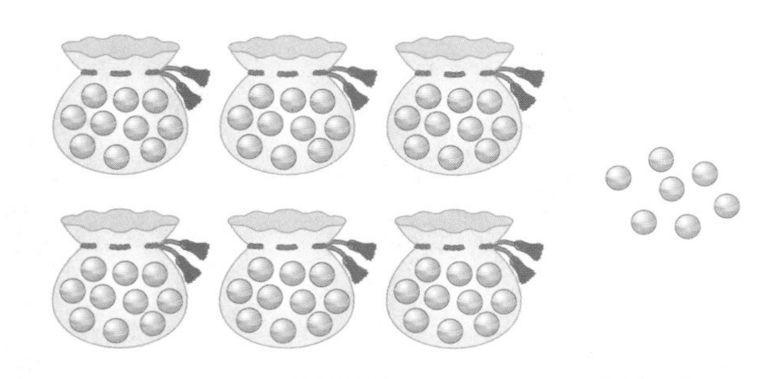

10개씩 묶음 □개와 낱개 □개를 □(이)라고 합니다.

10 모형을 보고 빈칸에 알맞은 수를 써넣으세요.

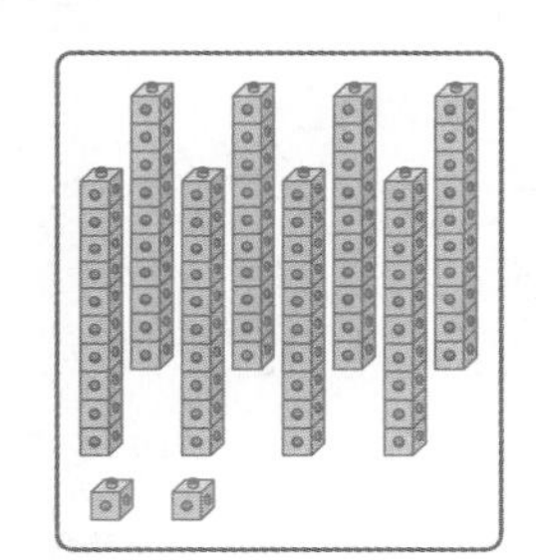

10개씩 묶음	낱개

→ □

11 그림과 관계없는 것에 ×표 하세요.

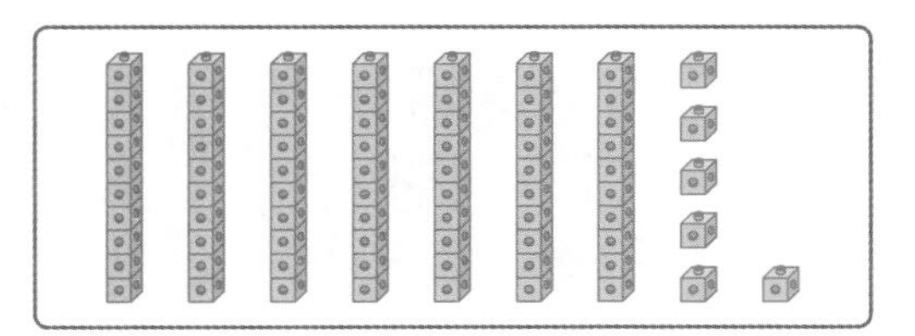

(76 , 칠십육 , 여든여섯 , 일흔여섯)

활용문제

12 예순셋이 되도록 모형을 /으로 지워 보세요.

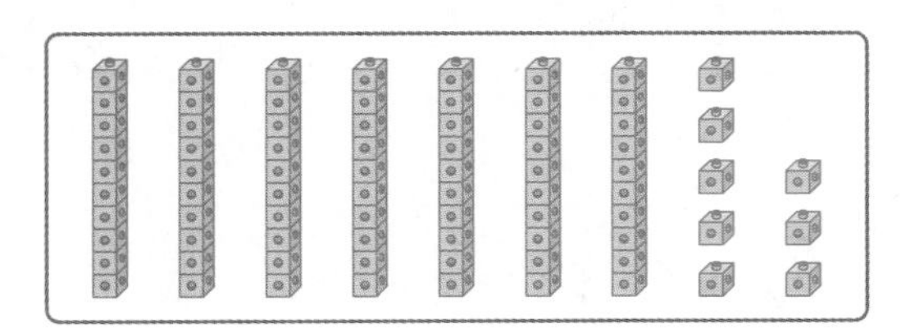

13 지우개는 모두 몇 개인가요?

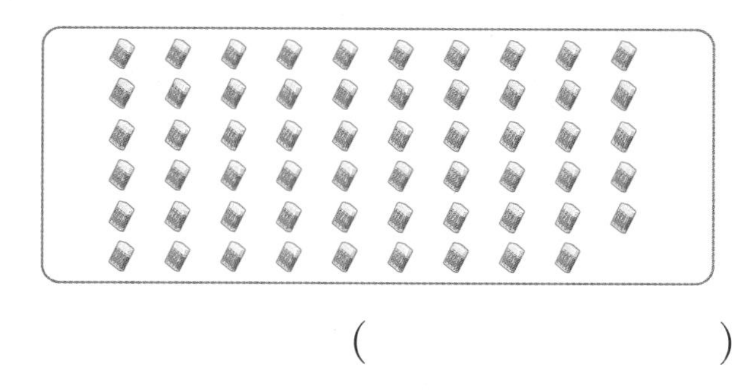

( )

14 1부터 9까지의 수 중에서 ㉠, ㉡에 알맞은 수를 각각 구하세요.

74는 10개씩 묶음 ㉠개와 낱개 ㉡개입니다.

㉠ ( )
㉡ ( )

15 빨대의 수를 두 가지 방법으로 읽어 보세요.

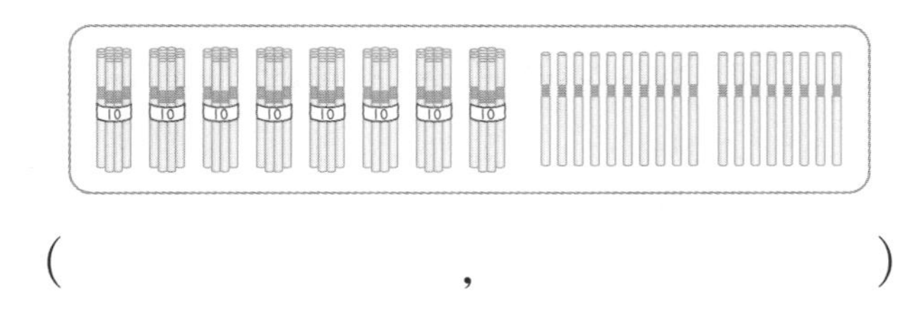

(,)

16 재연이는 칭찬 붙임딱지를 10장씩 묶음 7개와 낱장 15장 모았습니다. 재연이가 모은 칭찬 붙임딱지는 모두 몇 장인가요?

( )

낱장 10장은 10장씩 묶음 1개와 같아.

개념 확인 | p.10 개념 3

기본 3 수의 순서

17 □ 안에 알맞은 수를 써넣으세요.

84보다 1만큼 더 작은 수는 □이고, 1만큼 더 큰 수는 □입니다.

18 빈 곳에 알맞은 수를 써넣으세요.

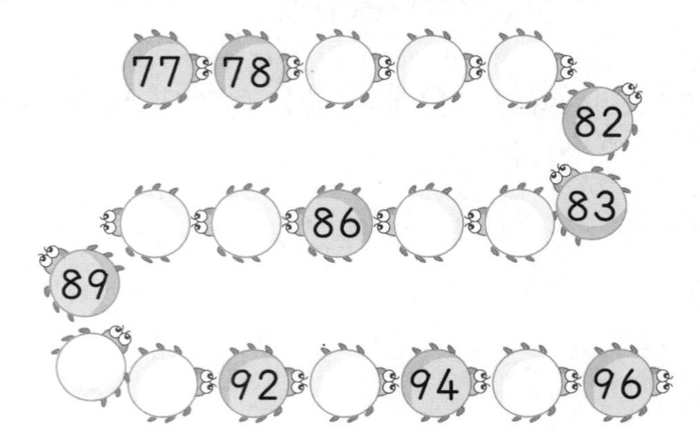

19 빈칸에 알맞은 수를 써넣으세요.

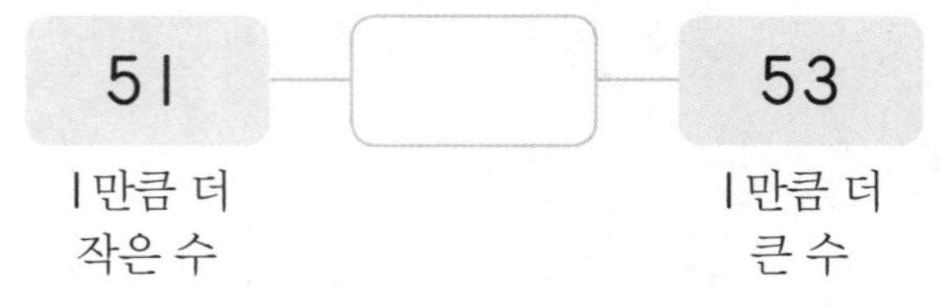

활용문제

20 □ 안에 알맞은 수를 구하세요.

□보다 1만큼 더 큰 수는 75입니다.

(　　　　　　)

21 주어진 수에 알맞은 자리를 찾아 이어 보세요.

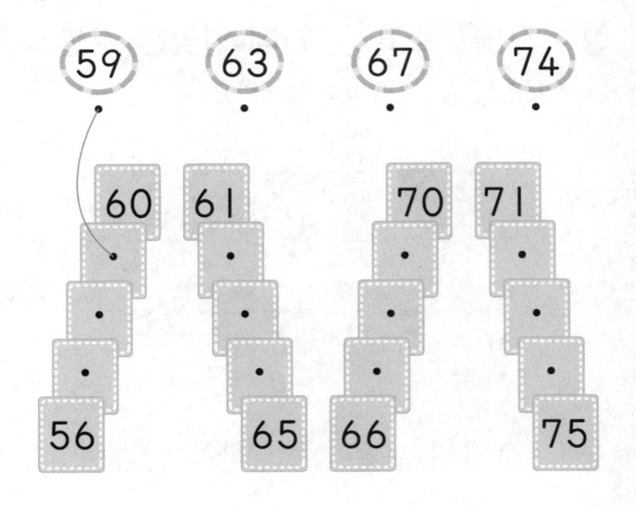

22 새로 생긴 가게에서 경품 추첨을 위해 응모권을 나누어 주었습니다. 시후와 하린이의 응모권 번호를 각각 구하세요.

시후 (　　　　　　)

하린 (　　　　　　)

23 ㉠에 알맞은 수를 구하세요.

(　　　　　　)

수를 거꾸로 써 보자.

실력+ 수를 넣어 이야기하기

수는 상황에 따라 두 가지 방법으로 다르게 읽습니다.

예 65 ─ 내 번호표는 육십오 번입니다.
　　　└ 예순다섯 번째 손님이 왔습니다.

24 밑줄 친 수를 바르게 읽은 사람에 ○표 하세요.

이 건물은 80층입니다.

(　　　　) (　　　　)

25 밑줄 친 수를 잘못 읽은 것의 기호를 쓰세요.

㉠ 내가 좋아하는 배구 선수의 등번호는 96번입니다. → 아흔여섯
㉡ 이 나무는 75년 된 소나무입니다. → 칠십오

(　　　　)

26 성지의 가족 소개 글을 보고 밑줄 친 수를 알맞게 읽어 보세요.

우리 가족은 할아버지, 할머니, 아버지, 나입니다. 할아버지는 일흔다섯 살, 할머니는 69살이시고, 아버지는 마흔일곱 살이십니다. 그리고 93일 후에는 반려견을 입양할 예정입니다. 동생이 생긴 것 같아 기분이 너무 좋습니다.

69 (　　　　)
93 (　　　　)

실력+ 사이에 있는 수 구하기

예 53과 57 사이에 있는 수 구하기

53 - 54 - 55 - 56 - 57

→ 53과 57 사이에 있는 수는 **54**, **55**, **56**입니다.

주의 53과 57 사이에 있는 수에 53과 57은 포함되지 않습니다.

27 58과 62 사이에 있는 수를 모두 쓰세요.

55 - 56 - 57 - 58 - 59
64 - 63 - 62 - 61 - 60

(　　　　)

28 수직선을 보고 87과 95 사이에 있는 수가 아닌 것을 찾아 기호를 쓰세요.

86 87 88 89 90 91 92 93 94 95 96

㉠ 91　㉡ 89　㉢ 95　㉣ 93

(　　　　)

29 사람들이 공연장에 입장하기 위해 한 줄로 서 있습니다. 78번째와 84번째 사이에 서 있는 사람은 모두 몇 명인가요?

(　　　　)

STEP 1

개념 익히기

개념 4 \ 수의 크기 비교

1 10개씩 묶음의 수가 다른 경우

예

84	(10개씩 묶음 8개, 낱개 4개)
95	(10개씩 묶음 9개, 낱개 5개)

• 84는 95보다 작습니다.
→ **84<95**
• 95는 84보다 큽니다.
→ **95>84**

2 10개씩 묶음의 수가 같은 경우

예

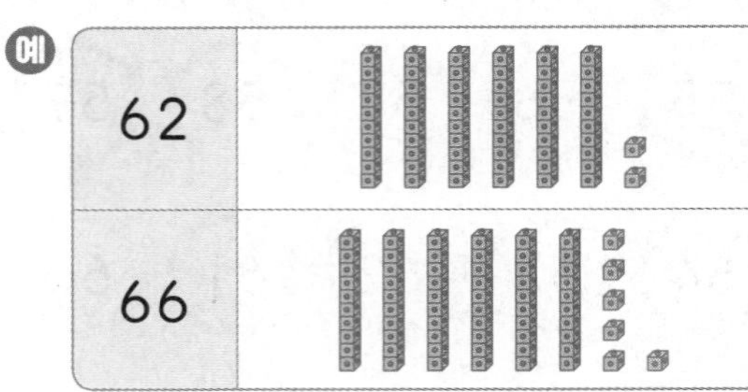

• 62는 66보다 작습니다.
→ **62<66**
• 66은 62보다 큽니다.
→ **66>62**

3 세 수의 크기 비교

예 92, 63, 67의 크기 비교

10개씩 묶음의 수가 9인 92가 가장 큽니다. 10개씩 묶음의 수가 6으로 같을 때 낱개의 수가 7로 더 큰 67이 63보다 큽니다.

→ **92 > 67 > 63**
(9>6) (7>3)

개념 플러스

• 10개씩 묶음이 더 많은 수가 더 큽니다. (10개씩 묶음의 수가 더 큰)

• 10개씩 묶음의 수가 같으면 낱개가 더 많은 수가 더 큽니다. (낱개의 수가 더 큰)

10개씩 묶음의 수를 먼저 비교하고, 낱개의 수를 비교해.

1 그림을 보고 □ 안에 알맞은 수를 써넣으세요.

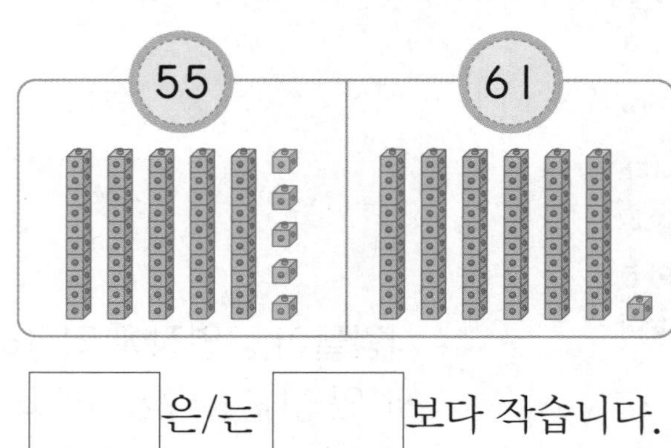

□ 은/는 □ 보다 작습니다.

• 10개씩 묶음의 수는 낱개의 수보다 나타내는 수가 크므로 10개씩 묶음의 수를 먼저 비교합니다.

2 그림을 보고 □ 안에 알맞은 수를 쓰고, ○ 안에 >, <를 알맞게 써넣으세요.

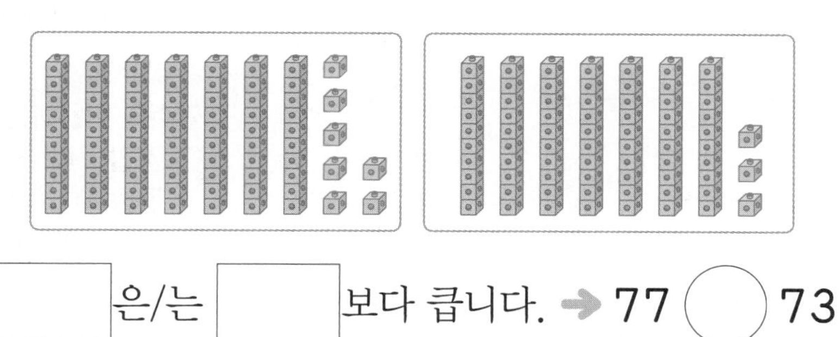

□은/는 □보다 큽니다. ➔ 77 ○ 73

3 두 수의 크기를 비교하여 ○ 안에 >, <를 알맞게 써넣으세요.

(1) 86 ○ 78

(2) 94 ○ 97

4 세 수의 크기를 비교하여 가장 큰 수에 ○표, 가장 작은 수에 △표 하세요.

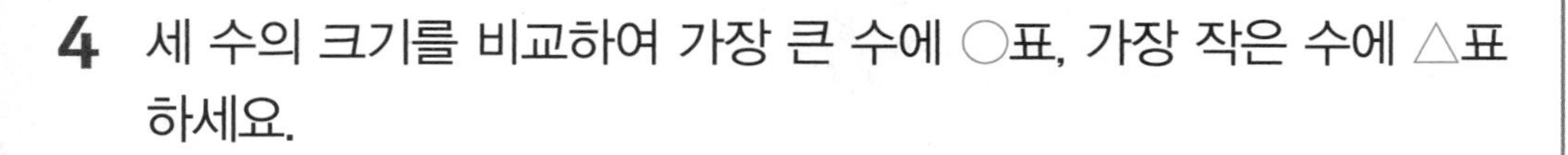

71　79　76

5 수경이네 할아버지의 연세는 75세이고, 종호네 할아버지의 연세는 83세입니다. 두 분 중에서 누구네 할아버지의 연세가 더 적은지 쓰세요.

(　　　　　　　　)

- ■ > ●
  ➔ ■는 ●보다 큽니다.
  ●는 ■보다 작습니다.

- 수의 크기를 비교할 때 '큽니다', '작습니다'라는 말 대신 '>', '<' 기호를 써서 간단하게 표현합니다.

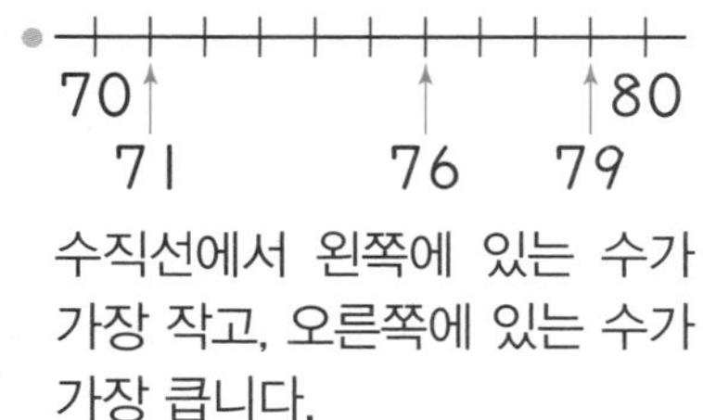

수직선에서 왼쪽에 있는 수가 가장 작고, 오른쪽에 있는 수가 가장 큽니다.

1 개념 익히기

개념 5 짝수와 홀수

- 짝수: 2, 4, 6, 8, 10과 같이 둘씩 짝을 지을 때 남는 것이 없는 수
- 홀수: 1, 3, 5, 7, 9와 같이 둘씩 짝을 지을 때 하나가 남는 수

1 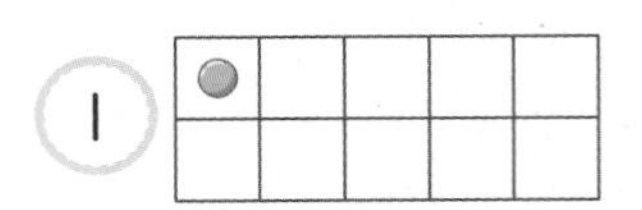
2 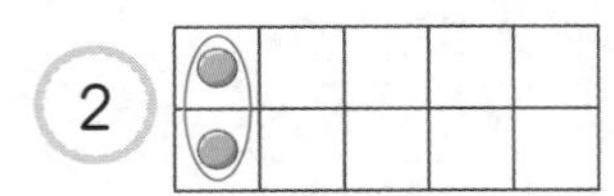
3 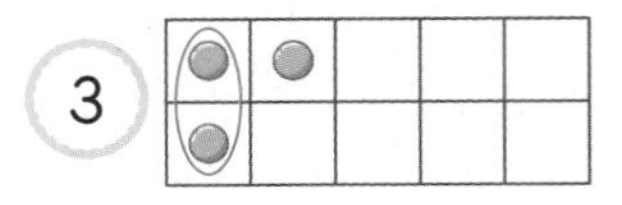
4 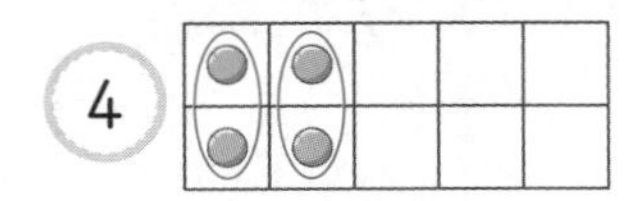
5 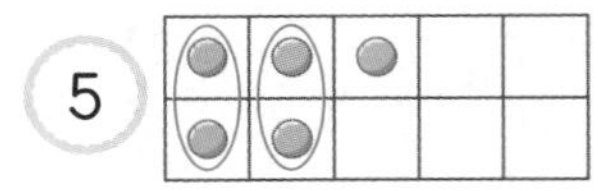
6 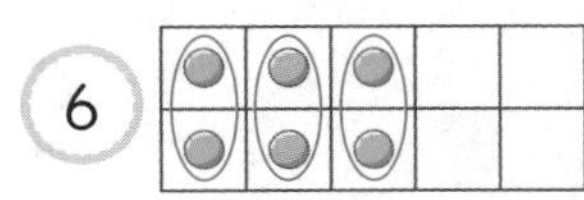
7 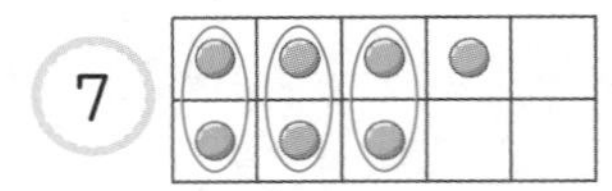
8 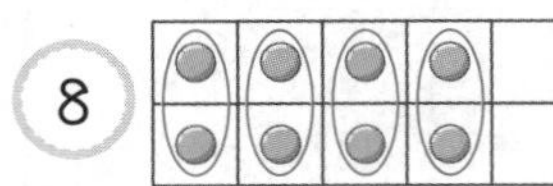
9 → 홀수
10 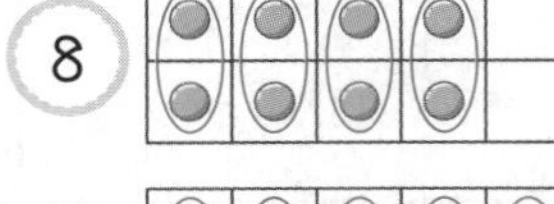 → 짝수

10보다 큰 수는 낱개의 수를 보고 짝수와 홀수를 판단할 수 있어.

개념 플러스

참고 개념

짝수를 이용하는 상황

예 양말이나 장갑의 짝을 맞출 때
식사 준비를 하며 젓가락을 놓을 때
2인용 놀이 기구를 탈 때

- 낱개의 수가 0, 2, 4, 6, 8인 수는 짝수, 1, 3, 5, 7, 9인 수는 홀수입니다.

예 36 → 짝수
57 → 홀수
80 → 짝수

1 둘씩 ⬭로 짝을 지어 보고 짝수인지 홀수인지 ○표 하세요.

(1)

(짝수 , 홀수)

(2)

(짝수 , 홀수)

- 둘씩 짝을 지을 때, 남는 것이 없으면 짝수, 하나가 남으면 홀수입니다.

2 🍓의 수를 세어 쓰고, 짝수인지 홀수인지 쓰세요.

(,)

3 홀수끼리 이어 보세요.

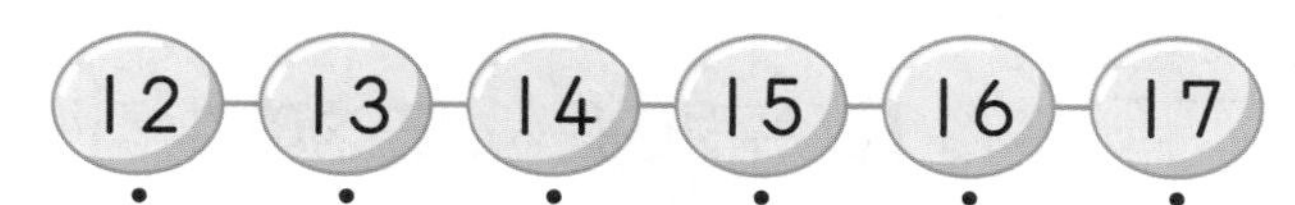

4 집에서 학교까지 짝수를 따라가 보세요.

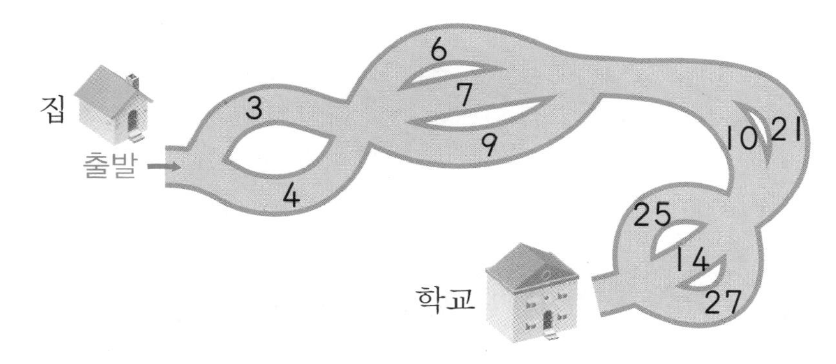

• 주어진 수에서 짝수만 찾아 따라가 봅니다.

5 우표를 경진이는 16장 모았고, 수혁이는 19장 모았습니다. 모은 우표의 수가 짝수인 사람은 누구인가요?

( )

• 둘씩 짝을 지을 때 남는 것이 없는 수를 찾아봅니다.

6 31부터 60까지의 수 중에서 홀수에 모두 △표 하세요.

31	32	33	34	35	36	37	38	39	40
41	42	43	44	45	46	47	48	49	50
51	52	53	54	55	56	57	58	59	60

• 낱개의 수가 0, 2, 4, 6, 8인 수는 짝수이고, 1, 3, 5, 7, 9인 수는 홀수입니다.

STEP 2

기본 다지기

개념 확인 | p.16 개념 4

기본 4 수의 크기 비교

1 더 큰 수에 ○표 하세요.

(1) 

(2) 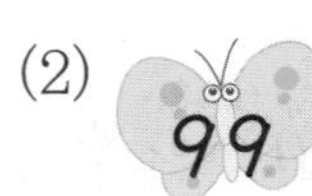

2 가장 큰 수를 찾아 쓰세요.

77 75 70 74

(   )

3 왼쪽의 수보다 큰 수를 모두 찾아 ○표 하세요.

73 | 59 66 82 90

활용문제

4 다음 수들을 크기가 작은 것부터 순서대로 쓰세요.

34 53 26 37 85

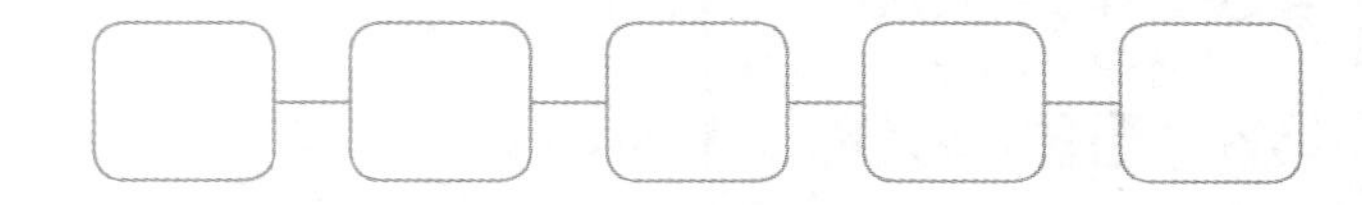

5 주원, 은서, 민성이가 작년 한 해 동안 도서관에서 빌려 읽은 책 수입니다. 작년 한 해 동안 책을 가장 많이 빌려 읽은 사람은 누구인가요?

주원	은서	민성
65	56	60

(   )

6 가장 큰 수를 찾아 기호를 쓰세요.

㉠ 94보다 1만큼 더 큰 수
㉡ 98보다 1만큼 더 작은 수
㉢ 95와 97 사이의 수

(   )

7 귤을 민경이는 62개, 시원이는 72개 땄고, 우성이는 민경이보다 1개 더 많이 땄습니다. 귤을 많이 딴 사람부터 순서대로 이름을 쓰세요.

[   ], [   ], [   ]

1개 더 많다는 것은 수가 1만큼 더 크다는 뜻이야.

개념 확인 | p.18 개념 5

기본 5 짝수와 홀수

8 여러 가지 과일이 있습니다. 과일의 수가 홀수 개인 과일은 무엇인가요?

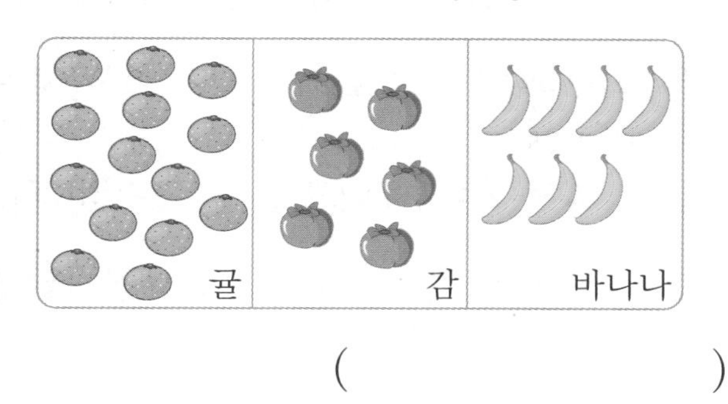

( )

9 오른쪽 수를 보고 바르게 말한 사람의 이름을 쓰세요.

20

( )

10 수 배열표에서 짝수는 모두 몇 개인가요?

23	24	25	26
27	28	29	30

( )

활용문제

11 짝수는 모두 몇 개인가요?

21, 18, 45, 36, 31, 57

( )

12 계산 결과가 짝수인지 홀수인지 쓰세요.

(1) $5+2$

( )

(2) $9-3$

( )

13 짝수와 홀수를 구분하여 빈칸에 알맞은 수를 써넣으세요.

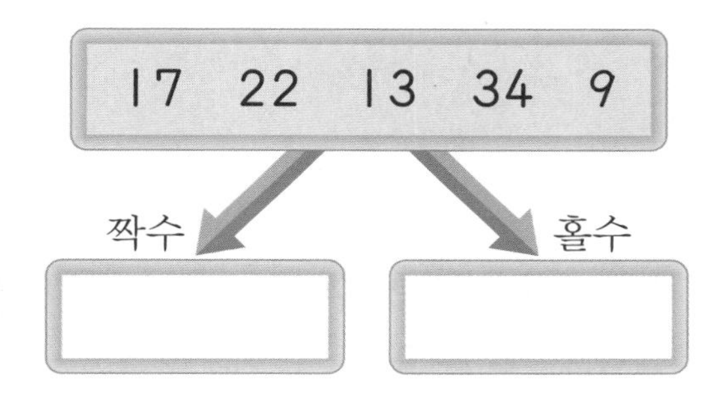

14 연우는 동화책을 다음과 같이 번호 순서대로 책꽂이에 꽂았습니다. 빠진 번호는 짝수인지 홀수인지 쓰세요.

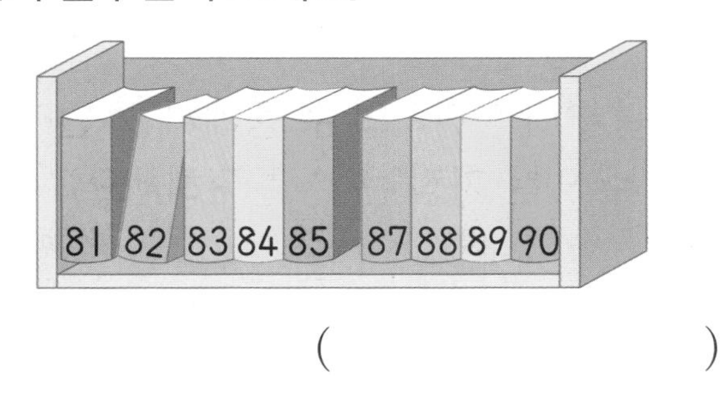

( )

빠진 번호는 85와 87 사이의 수야.

1 100까지의 수

실력+ □ 안에 들어갈 수 있는 수 구하기

❶ 10개씩 묶음의 수가 같으면 낱개의 수를 비교하고, 낱개의 수가 같으면 10개씩 묶음의 수를 비교합니다.

❷ 10개씩 묶음의 수끼리 또는 낱개의 수끼리 다른 경우 $>$, $<$의 방향에 유의하여 □ 안에 알맞은 수를 구합니다.

15 1부터 9까지의 수 중에서 □ 안에 들어갈 수 있는 수는 모두 몇 개인가요?

$84>8\square$

(　　　　　　　　)

16 1부터 9까지의 수 중에서 □ 안에 들어갈 수 있는 수는 모두 몇 개인가요?

$\square 2>52$

(　　　　　　　　)

17 1부터 9까지의 수 중에서 □ 안에 들어갈 수 있는 가장 큰 수를 구하세요.

$\square 8<76$

(　　　　　　　　)

실력+ 계산 결과가 짝수인지 홀수인지 구하기

예 (짝수)+(홀수)의 계산 결과 알아보기

❶ 짝수 2와 홀수 3으로 계산해 봅니다.

➡ $2+3=5$이고 5는 홀수입니다.
(2: 짝수, 3: 홀수)

❷ 다른 짝수와 홀수로 계산해도 결과가 같은지 확인합니다.

➡ $4+7=11$이고 11은 홀수입니다.
(4: 짝수, 7: 홀수)

❸ (짝수)+(홀수)의 계산 결과는 홀수입니다.

18 다음 계산 결과는 짝수인지 홀수인지 쓰세요.

(홀수)+(홀수)

(　　　　　　　　)

19 다음 계산 결과는 짝수인지 홀수인지 쓰세요.

(짝수)−(짝수)

(　　　　　　　　)

20 계산 결과를 바르게 말한 사람의 이름을 쓰세요.

지호: (짝수)+(짝수)=(홀수)

다은: (홀수)−(짝수)=(홀수)

(　　　　　　　　)

응용력 올리기

» 정답과 해설 p. 5

복습책 p.2에 유사 문제 제공

1 어떤 수보다 ■만큼 더 큰(작은) 수 구하기

어떤 수보다 1만큼 더 작은 수는 69입니다. 어떤 수보다 1만큼 더 큰 수는 얼마인지 구하세요.

먼저 어떤 수를 구하고,
구한 수보다 1만큼
더 큰 수를 찾아!

해결 과정

① 알맞은 말에 ○표 하세요.

어떤 수는 69보다 1만큼 더 (큰 , 작은) 수이므로 69 바로 (앞 , 뒤)의 수입니다.

② 어떤 수는 얼마인가요?

(   )

③ 위 ②에서 구한 어떤 수보다 1만큼 더 큰 수는 얼마인가요?

(   )

1-1 어떤 수보다 1만큼 더 큰 수는 90입니다. 어떤 수보다 1만큼 더 작은 수는 얼마인지 구하세요.

(   )

1-2 어떤 수보다 2만큼 더 작은 수는 72입니다. 어떤 수보다 3만큼 더 큰 수는 얼마인지 구하세요.

(   )

해결 과정을 따라 풀자!

복습책 p.3에 유사 문제 제공

2 수 카드로 가장 큰(작은) 수 만들기

다음 수 카드 3장 중에서 2장을 사용하여 가장 큰 홀수를 만들어 보세요.

9 6 5

가장 큰 수를 만들려면 10개씩 묶음의 수에 가장 큰 수를 놓아야 해.

해결 과정

① 가장 큰 수를 만들기 위해 10개씩 묶음의 수에 놓아야 할 수는 무엇인가요?

( )

② 위 ①에서 답한 수를 제외하고 홀수를 만들기 위해 낱개의 수에 놓아야 할 수는 무엇인가요?

( )

③ 수 카드 2장을 사용하여 가장 큰 홀수를 만들어 보세요.

( )

2-1 다음 수 카드 3장 중에서 2장을 사용하여 가장 큰 짝수를 만들어 보세요.

8 7 2

( )

해결 과정을 따라 풀자!

2-2 다음 수 카드 4장 중에서 2장을 사용하여 가장 작은 짝수를 만들어 보세요.

1 0 4 3

( )

3 설명을 만족하는 수 구하기

다음 설명을 만족하는 수는 모두 몇 개인지 구하세요.

- 16보다 크고 23보다 작은 수입니다.
- 짝수입니다.

16보다 크고 23보다 작은 수는 16과 23 사이의 수야.

해결 과정

❶ 16보다 크고 23보다 작은 수를 모두 쓰세요.

( )

❷ 위 ❶에서 구한 수 중 짝수를 모두 쓰세요.

( )

❸ 설명을 만족하는 수는 모두 몇 개인가요?

( )

3-1 다음 설명을 만족하는 수는 모두 몇 개인지 구하세요.

- 37보다 크고 48보다 작은 수입니다.
- 홀수입니다.

( )

3-2 다음 설명을 만족하는 수는 모두 몇 개인지 구하세요.

- 54보다 크고 62보다 작은 수입니다.
- 10개씩 묶음의 수가 낱개의 수보다 큽니다.

( )

해결 과정을 따라 풀자!

응용력 올리기

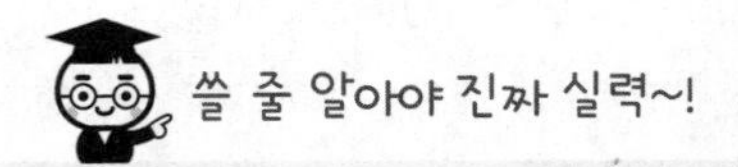

사고력

1 수 카드 5장 중에서 2장을 사용하여 몇십몇을 만들려고 합니다. 만들 수 있는 수 중에서 가장 큰 수를 쓰세요.

융합형

2 팔찌 한 개를 만드는 데 구슬이 10개 필요합니다. 그림과 같이 주원이가 가진 구슬로는 팔찌를 몇 개까지 만들 수 있는지 구하세요.

풀이

답

창의·융합 서술형 수능 대비

코딩형

3 다은이와 시후는 각각의 방법으로 4개의 수를 나누어 크기를 비교하였습니다. ㉠과 ㉡에 알맞은 수를 각각 구하세요.

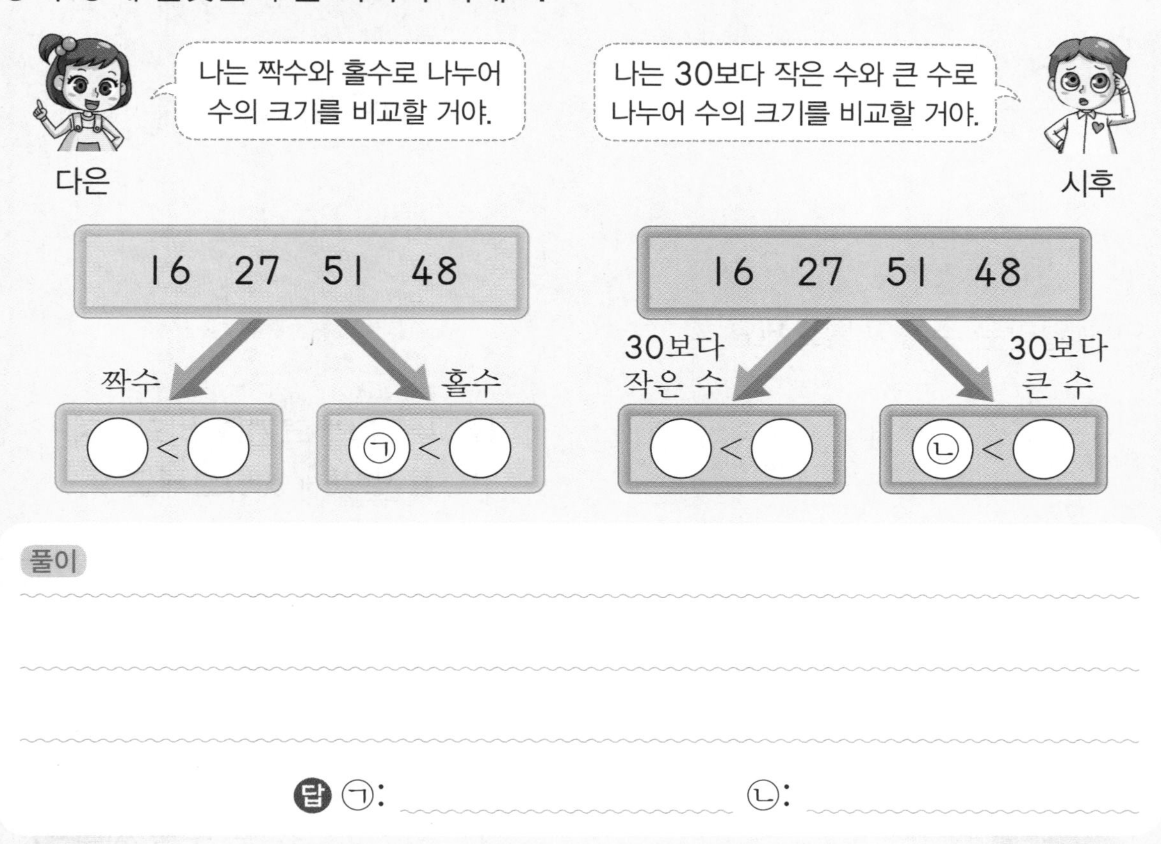

풀이

답 ㉠: ______ ㉡: ______

응용력

4 하엘이와 친구들이 가지고 있는 색종이의 수를 나타낸 것인데 일부분이 지워졌습니다. 색종이를 많이 가지고 있는 사람부터 순서대로 이름을 쓰세요.

이름	하엘	민서	주희	우성
색종이 수(장)	8▒	6▒	71	5▒

풀이

답 ______

단원 기본 평가

점수 　　　점

1 모형이 나타내는 수는 얼마인가요?

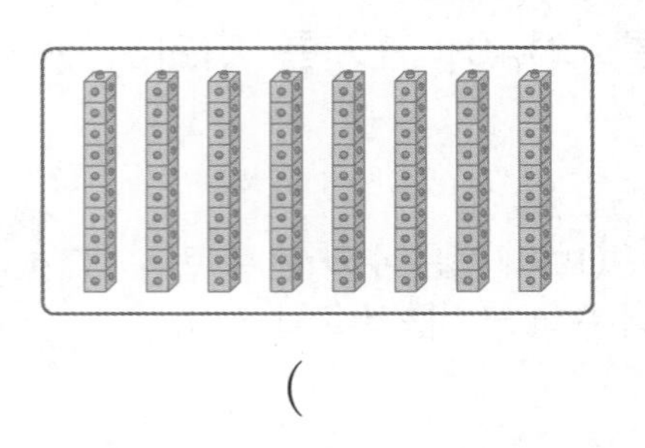

(　　　　　　　)

2 □ 안에 알맞은 수를 써넣으세요.

10개씩 묶음	낱개
7	3

→ □

3 그림을 보고 알맞은 말에 ○표 하고, ○ 안에 >, <를 알맞게 써넣으세요.

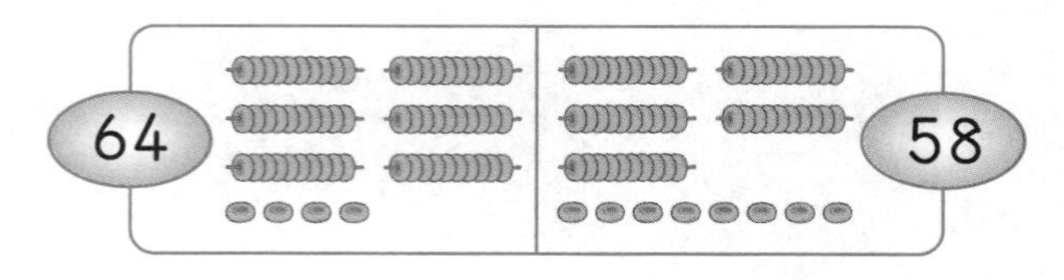

64는 58보다 (큽니다 , 작습니다).

4 사과의 수를 쓰고 짝수인지 홀수인지 ○표 하세요.

사과 □개 → (짝수 , 홀수)

5 같은 것끼리 이어 보세요.

10개씩 묶음 6개 •	• 예순
10개씩 묶음 9개 •	• 여든
	• 구십

6 두 수의 크기를 비교하여 ○ 안에 >, <를 알맞게 써넣으세요.

96 ○ 97

7 □ 안에 알맞은 수를 써넣으세요.

(1) 94보다 1만큼 더 큰 수는 □입니다.

(2) 70보다 1만큼 더 작은 수는 □입니다.

8 두 수 사이에 있는 수에 모두 ○표 하세요.

78　　83

(76, 79, 81, 83, 90)

9 밑줄 친 수를 바르게 읽은 것에 ○표 하세요.

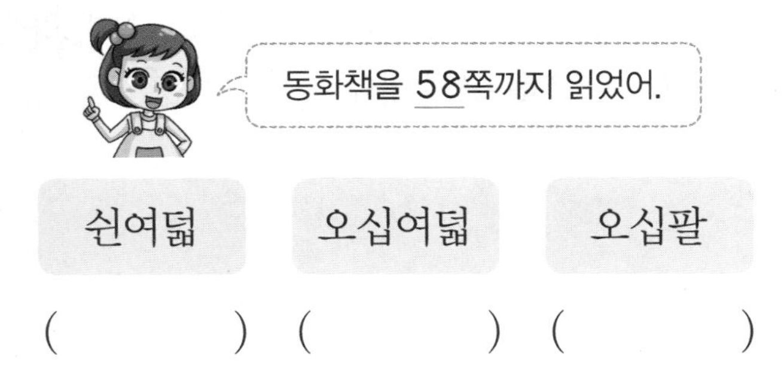

쉰여덟	오십여덟	오십팔
(　　)	(　　)	(　　)

10 가율이는 10원짜리 동전을 7개 모았습니다. 가율이가 모은 동전은 모두 얼마인가요?

(　　　　　)

11 85에 대한 설명으로 바른 것은 어느 것인가요? ··········· (　　)

① 팔십다섯 또는 여든오라고 읽습니다.
② 84와 86 사이에 있는 수입니다.
③ 84보다 1만큼 더 작은 수입니다.
④ 86보다 1만큼 더 큰 수입니다.
⑤ 10개씩 묶음 5개와 낱개 8개인 수입니다.

12 두 수의 크기를 잘못 비교한 것은 어느 것인가요? ··········· (　　)

① $61>57$　② $83<93$
③ $70>60$　④ $86<89$
⑤ (90보다 1만큼 더 큰 수)>95

13 가장 큰 수에 ○표, 가장 작은 수에 △표 하세요.

14 주어진 수 중에서 짝수에 모두 ○표, 홀수에 모두 △표 하세요.

18	23	46
31	9	50

15 ㉠에 알맞은 수를 구하세요.

10개씩 묶음	낱개
6	18

→ ㉠

(　　　　　)

16 나는 어떤 수인지 구하세요.

> • 나는 10개씩 묶음이 10개인 수입니다.
> • 나는 아흔아홉보다 1만큼 더 큰 수입니다.

( )

17 □ 안에 알맞은 수를 구하세요.

> □보다 1만큼 더 작은 수는 85입니다.

( )

18 빈칸에 알맞은 수를 써넣으세요.

□	97	□
2만큼 더 작은 수		2만큼 더 큰 수

19 1부터 9까지의 수 중에서 □ 안에 들어갈 수 있는 수는 모두 몇 개인지 풀이 과정을 쓰고 답을 구하세요.

> 6□<65

풀이

답 ____________

서술형

20 다음 수 카드 3장 중에서 2장을 사용하여 가장 작은 홀수를 만들려고 합니다. 풀이 과정을 쓰고 답을 구하세요.

6 7 2

풀이

답 ____________

단원 실력 평가

점수 점

복습책 p.6~7에 실력 평가 추가 제공

1 딸기는 모두 몇 개인지 10개씩 묶어 세어 □ 안에 알맞은 수를 써넣으세요.

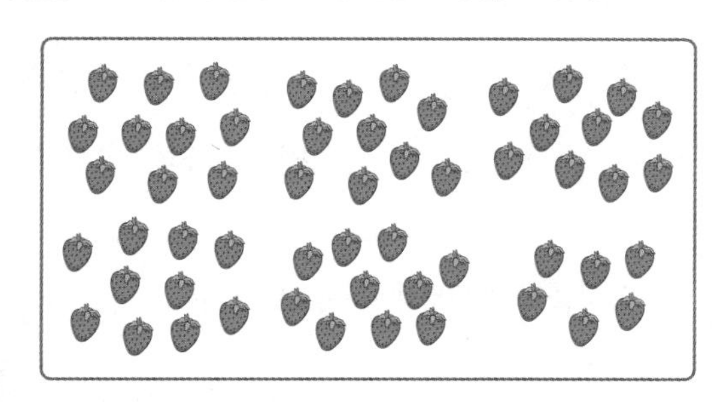

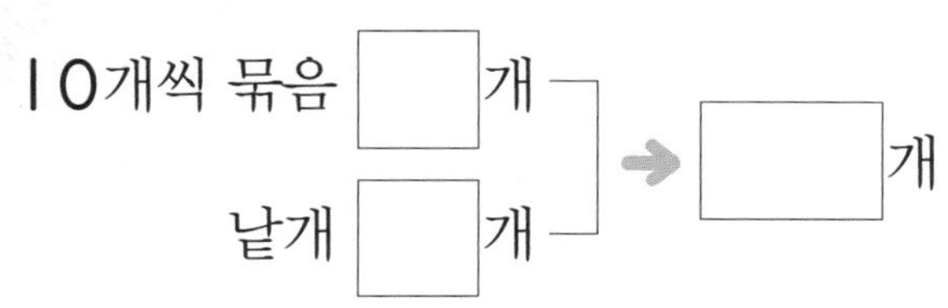

2 알맞은 말에 ○표 하세요.

87<92

87은 92보다 (큽니다 , 작습니다).
92는 87보다 (큽니다 , 작습니다).

3 오른쪽 수를 두 가지 방법으로 읽어 보세요.

95

(　　　　　,　　　　　)

4 다음 표에서 홀수에 모두 ○표 하세요.

11	12	13	14	15	16	17	18

5 빈칸에 알맞은 말을 써넣으세요.

쉰 – [　] – 일흔 – [　] – 아흔

6 두 수의 크기를 비교하여 ○ 안에 >, <를 알맞게 써넣으세요.

구십이 ○ 쉰여섯

7 빈칸에 알맞은 수를 써넣으세요.

51	52	53	54			57	58	59	60
61	62			65	66	67			70
		73	74	75		77	78	79	80
81		83		85	86		88		

8 빈칸에 알맞은 수를 써넣으세요.

[　] – 99 – [　]

1만큼 더 작은 수　　　　1만큼 더 큰 수

9 다음 중 나타내는 수가 다른 것을 찾아 기호를 쓰세요.

㉠ 구십 ㉡ 90 ㉢ 아흔 ㉣ 예순

( )

10 지우개가 한 상자에 10개씩 들어 있는 상자로 8상자와 낱개 5개가 있습니다. 지우개는 모두 몇 개인가요?

( )

11 줄넘기를 주아는 91번, 시은이는 76번 했습니다. 줄넘기를 더 많이 한 사람은 누구인가요?

( )

12 가장 큰 수에 ○표, 가장 작은 수에 △표 하세요.

75 83 80 61

13 □ 안에 알맞은 수나 말을 써넣으세요.

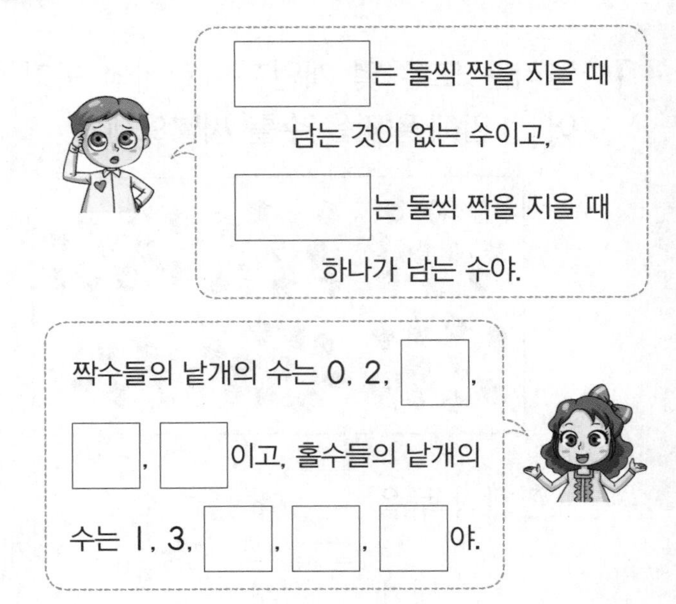

14 학생들이 줄을 서서 미술관을 관람하고 있습니다. 54번째와 61번째 사이에 서 있는 학생은 모두 몇 명인가요?

( )

15 왼쪽 수보다 큰 짝수에 ○표 하세요.

75 — 69 77 58 92

» 정답과 해설 p. 7

16 꽃을 민성이네 반은 80송이 심었고 시원이네 반은 민성이네 반보다 1송이만큼 더 적게 심었습니다. 시원이네 반이 심은 꽃은 몇 송이인가요?

( )

17 사탕을 태원이는 64개, 수빈이는 59개, 나엘이는 63개 가지고 있습니다. 사탕을 가장 적게 가지고 있는 사람은 몇 개 가지고 있는지 구하세요.

( )

18 과일 가게에 참외가 10개씩 5상자와 낱개 36개가 있습니다. 참외는 모두 몇 개인가요?

( )

서술형

19 어떤 수보다 1만큼 더 큰 수는 83입니다. 어떤 수보다 2만큼 더 작은 수는 얼마인지 풀이 과정을 쓰고 답을 구하세요.

풀이

답 ______________

서술형

20 다음 설명을 만족하는 수는 모두 몇 개인지 풀이 과정을 쓰고 답을 구하세요.

- 53보다 크고 60보다 작은 수입니다.
- 10개씩 묶음의 수가 낱개의 수보다 작습니다.

풀이

답 ______________

덧셈과 뺄셈(1)

단원 내용 미리보기

본문 36쪽

세 수의 덧셈

예 $3+1+5$의 계산

$3+1=4$

$4+5=9$

$3+1+5=9$

앞의 두 수를 먼저 더하고,
두 수를 더해서 나온 수에
나머지 한 수를 더해!

본문 38쪽

세 수의 뺄셈

예 $8-4-2$의 계산

$8-4=4$

$4-2=2$

$8-4-2=2$

앞의 두 수를 먼저 빼고,
두 수를 빼서 나온 수에서
나머지 한 수를 빼!

스마트폰을 이용하여 **QR 코드**를 찍으면
개념 학습 영상을 볼 수 있어요.

본문 42, 44쪽

10이 되는 더하기 / 10에서 빼기

1+9=10	10−1=9
2+8=10	10−2=8
3+7=10	10−3=7
4+6=10	10−4=6
5+5=10	10−5=5
6+4=10	10−6=4
7+3=10	10−7=3
8+2=10	10−8=2
9+1=10	10−9=1

본문 46쪽

10을 만들어 더하기

예 7+3+4의 계산

7+3+4=14

10

14

예 6+5+5의 계산

6+5+5=16

10

16

이제부터 **기본+응용**을
시작해 볼까요~

STEP 1

개념 익히기

개념 1 세 수의 덧셈

예 3+1+5의 계산

$3+1=4$

$4+5=9 \rightarrow 3+1+5=9$

$$\begin{array}{r} 3 \\ +\ 1 \\ \hline 4 \end{array} \qquad \begin{array}{r} 4 \\ +\ 5 \\ \hline 9 \end{array}$$

참고 세 수의 덧셈은 순서를 바꾸어 더해도 결과가 같습니다.

$3+1+5=9$ (3+1=4, 4+5=9)

$3+1+5=9$ (1+5=6, 3+6=9)

$3+1+5=9$ (3+5=8, 8+1=9)

개념 플러스

앞의 두 수를 먼저 더하고, 두 수를 더해서 나온 수에 나머지 한 수를 더해.

1 2+4+1을 계산하려고 합니다. 주어진 수만큼 ○를 그려서 세 수의 덧셈을 해 보세요.

○	○			

$2+4+1=\square$

• ○를 4개 그리고, 이어서 1개를 더 그리면 ○는 모두 몇 개인지 알아봅니다.

2 □ 안에 알맞은 수를 써넣으세요.

(1) $3+2+1=\square$

$3+2=\square$

$\square+1=\square$

(2) $2+1+2=\square$

$2+1=\square$

$\square+2=\square$

3 □ 안에 알맞은 수를 써넣으세요.

(1) $3+3+2=$□

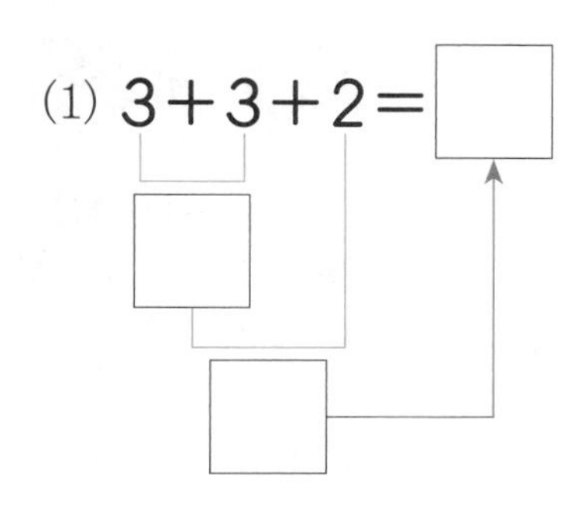

(2) $7+1+1=$□

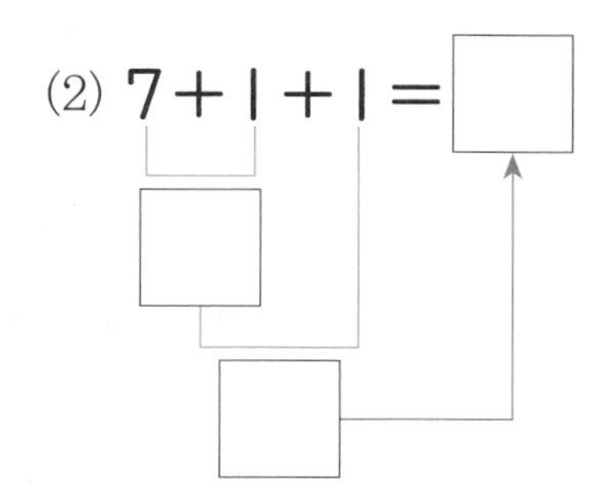

- 앞의 두 수를 먼저 더하고, 두 수를 더해서 나온 수에 나머지 한 수를 더합니다.

4 빈칸에 알맞은 수를 써넣으세요.

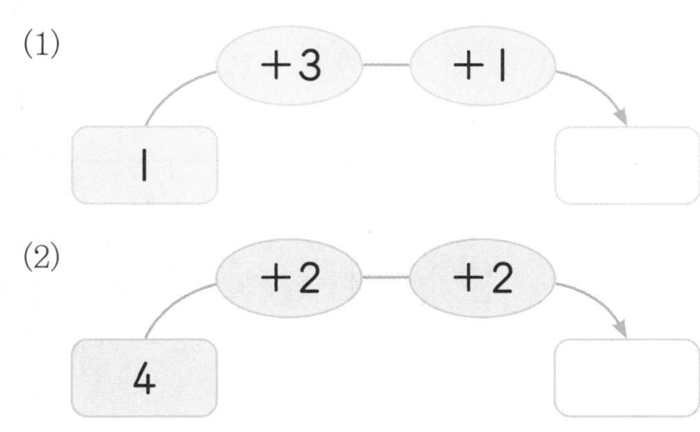

5 합을 구하여 이어 보세요.

4+3+2		1+5+2
7	8	9

참고 개념
덧셈은 순서를 바꾸어 더해도 계산 결과가 같습니다.

6 세 수의 합을 바르게 계산한 것의 기호를 쓰세요.

㉠ $5+1+3=8$
㉡ $2+6+1=9$

(　　　　　　)

1 개념 익히기

개념 2 세 수의 뺄셈

예 8－4－2의 계산

8－4＝4

4－2＝2 → 8－4－2＝2

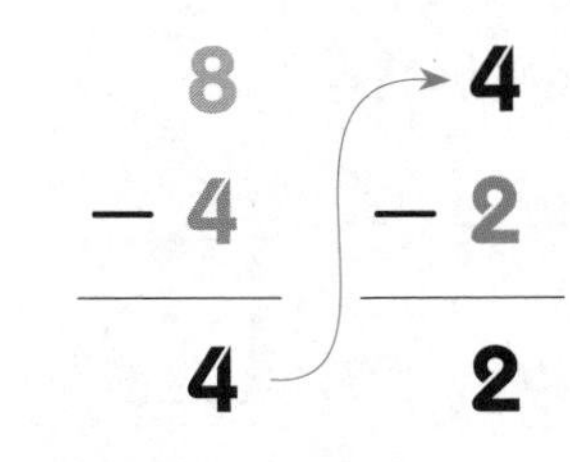

참고 세 수의 뺄셈은 앞에서부터 순서대로 계산해야 합니다.

8－4－2＝2 (8－4＝4, 4－2＝2)

~~8－4－2＝6~~ (4－2＝2, 8－2＝6)

개념 플러스

앞의 두 수를 먼저 빼고, 두 수를 빼고 나온 수에서 나머지 한 수를 빼.

1 |보기|와 같이 세 수의 뺄셈을 해 보세요.

|보기|

○	○	⊘	⊘	⊘
⊘	⊘			

7－3－2＝2

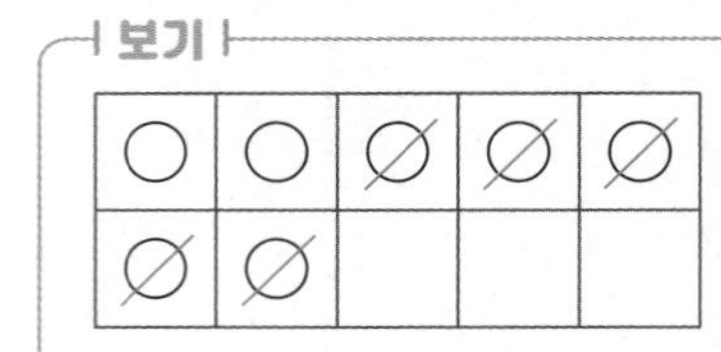

9－4－2＝□

• |보기|는 ○를 /으로 3개 지우고 /으로 2개를 더 지웠습니다.

2 □ 안에 알맞은 수를 써넣으세요.

(1) 5－3－1＝□

5－3＝□

□－1＝□

(2) 6－2－2＝□

6－2＝□

□－2＝□

≫ 정답과 해설 p. 8

3 □ 안에 알맞은 수를 써넣으세요.

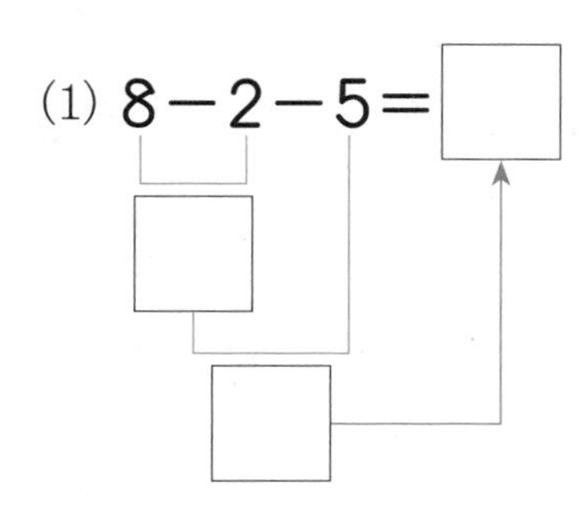

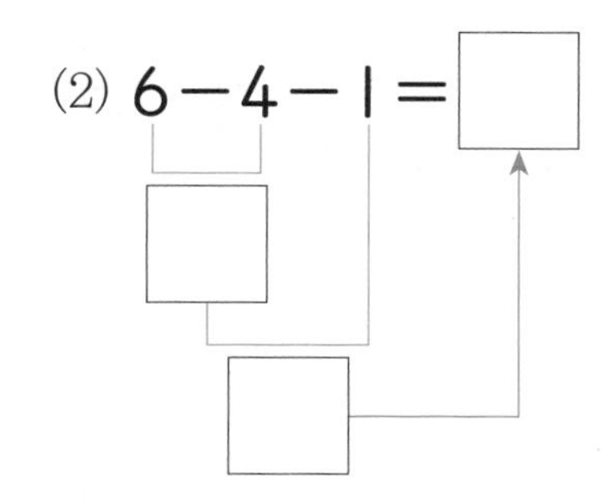

• 앞의 두 수를 먼저 빼고, 두 수를 빼고 나온 수에서 나머지 한 수를 빼야 합니다.

4 빈칸에 알맞은 수를 써넣으세요.

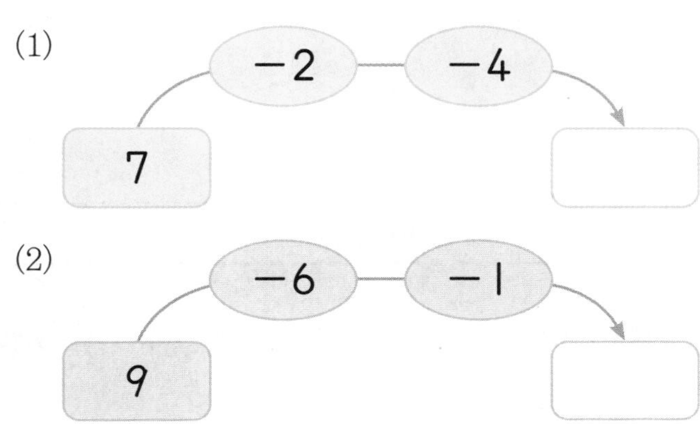

5 바르게 계산한 것에 ○표 하세요.

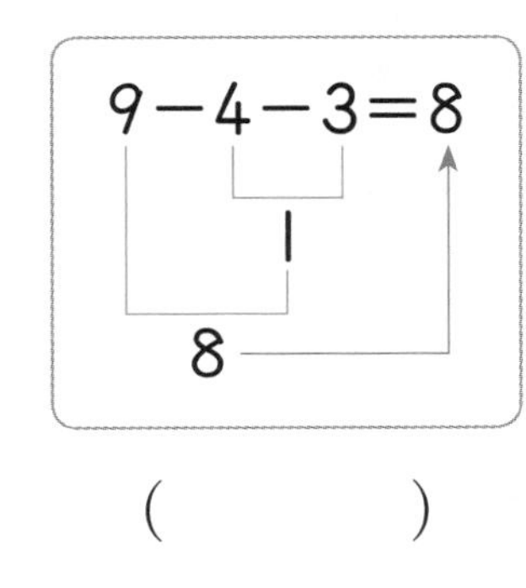

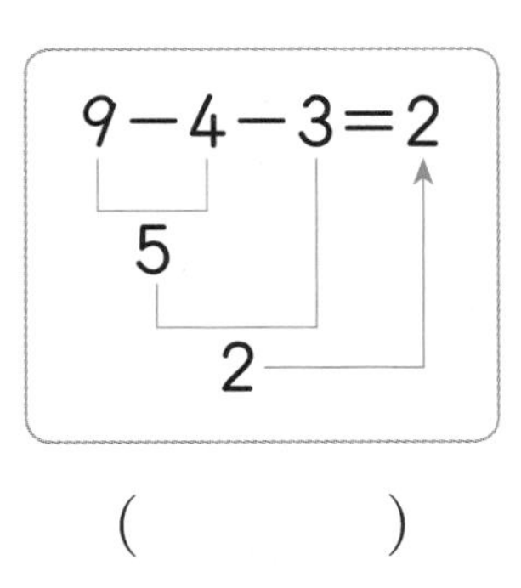

(　　　)　(　　　)

• 세 수의 뺄셈은 순서를 주의해야 합니다.

6 계산 결과가 3인 것에 ○표 하세요.

7−3−3	9−1−5
(　　　)	(　　　)

2 덧셈과 뺄셈 (1)

기본 다지기

개념 확인 | p.36 개념1

기본 1 세 수의 덧셈

1 그림을 보고 □ 안에 알맞은 수를 써넣으세요.

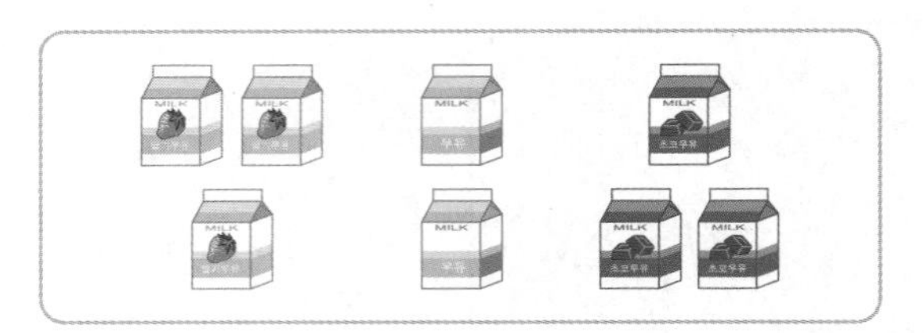

3+2+□=□

2 계산해 보세요.

(1) 6+1+1　　(2) 1+2+3

3 빈 곳에 알맞은 수를 써넣으세요.

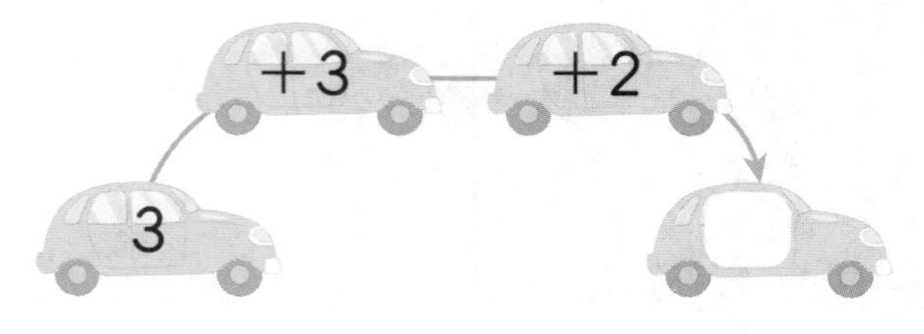

4 세 수의 합을 구하세요.

4	2	1

(　　　　)

5 크기를 비교하여 ○ 안에 >, =, <를 알맞게 써넣으세요.

3+3+3 ○ 8

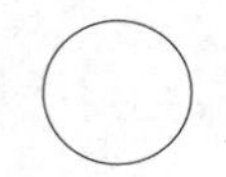

 세 수의 합을 먼저 구하고 크기를 비교하자.

개념 확인 | p.38 개념2

기본 2 세 수의 뺄셈

6 그림을 보고 □ 안에 알맞은 수를 써넣으세요.

8−4−□=□

7 계산해 보세요.

(1) 7−1−3　　(2) 9−3−2

8 빈칸에 알맞은 수를 써넣으세요.

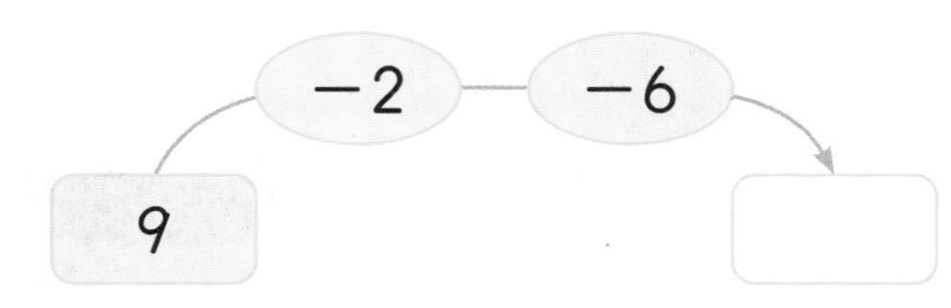

9 차를 구하여 이어 보세요.

4−1−1 •	• 1
6−2−1 •	• 2
8−3−4 •	• 3

10 더 큰 것에 ○표 하세요.

(1) 2 ( )　6−2−3 ( )

(2) 3 ( )　7−2−1 ( )

11 토마토 7개 중에서 지호가 4개, 동생이 2개 먹었습니다. 남아 있는 토마토는 몇 개인가요?

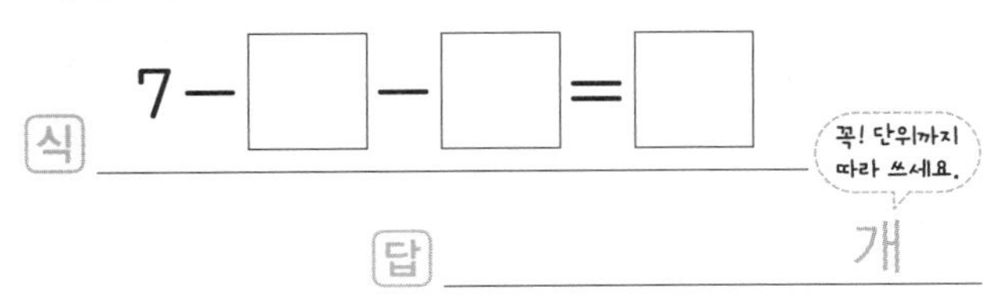

답 ________ 개

실력+ 세 수의 덧셈과 뺄셈의 활용

모두, 더 많은 ➔ 덧셈식을 만듭니다.

남은 것, 더 적은 ➔ 뺄셈식을 만듭니다.

12 주현이는 과학책을 2권, 동화책을 3권, 위인전을 4권 읽었습니다. 주현이가 읽은 책은 모두 몇 권인가요?

식 ________

답 ________ 권

13 진호는 초콜릿을 9개 가지고 있었습니다. 그중 호영이에게 3개를 주고 정화에게 4개를 주었습니다. 진호에게 남은 초콜릿은 몇 개인가요?

식 ________

답 ________ 개

14 축구 경기에서 몇 골을 넣었는지 나타낸 것입니다. 1반이 넣은 골은 모두 몇 골인가요?

1반	2반
1	2

1반	3반
2	3

1반	4반
2	1

식 ________

답 ________ 골

STEP 1

개념 익히기

개념 3 \ 10이 되는 더하기

파란색 / 빨간색	
	$1+9=10$
	$2+8=10$
	$3+7=10$
	$4+6=10$
	$5+5=10$
	$6+4=10$
	$7+3=10$
	$8+2=10$
	$9+1=10$

개념 플러스

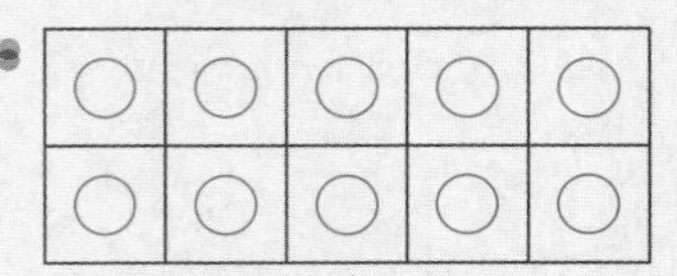

8과 더해서 10이 되는 수는 2입니다.

➔ $8+\boxed{2}=10$

파란색 모형이 1개씩 늘어날수록 빨간색 모형은 1개씩 줄어들어.

1 그림을 보고 □ 안에 알맞은 수를 써넣으세요.

(1)

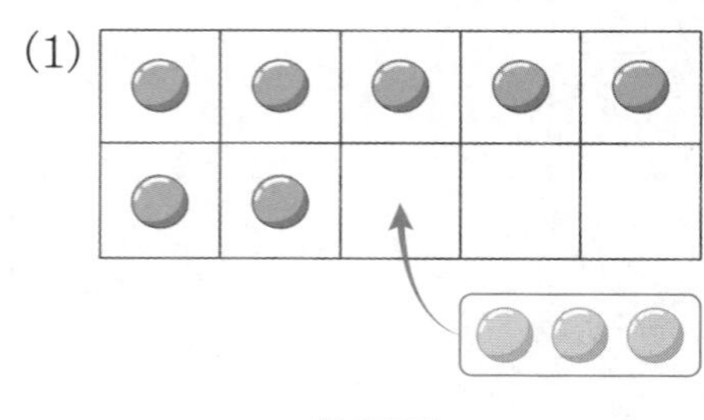

$7+\square=10$

(2)

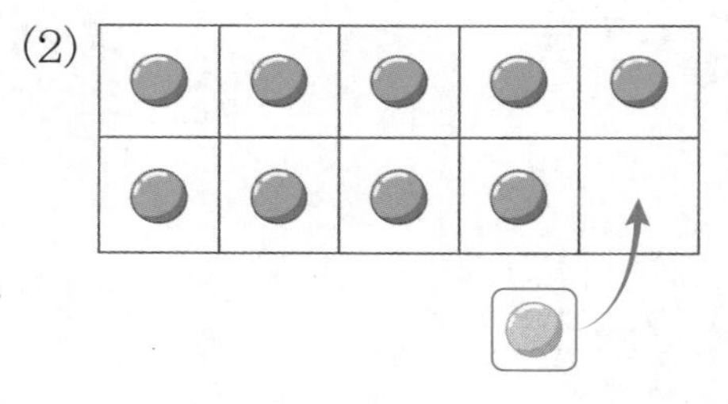

$9+\square=10$

2 □ 안에 알맞은 수를 써넣으세요.

(1)

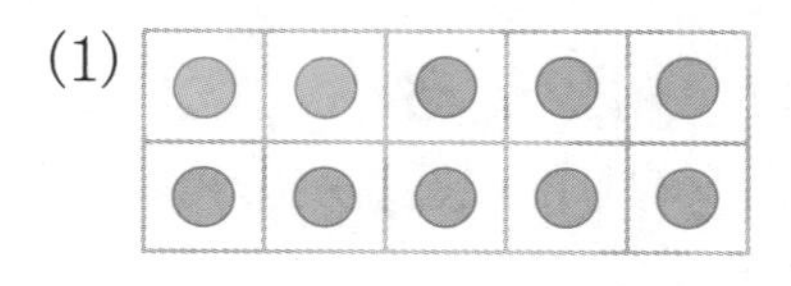

$2+\square=10$

(2)

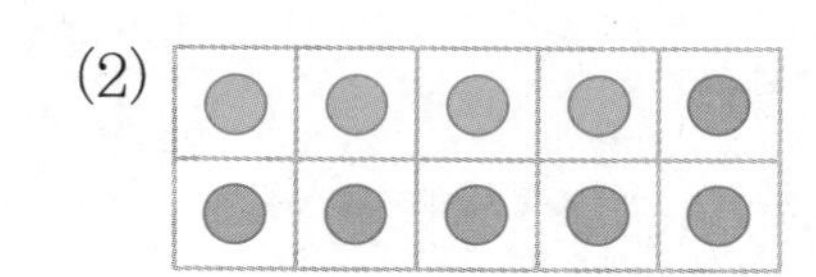

$\square+6=10$

• 두 가지 색으로 칠해진 ○의 수를 세어 10이 되는 수를 알아봅니다.

3 그림에 맞는 덧셈식을 쓰세요.

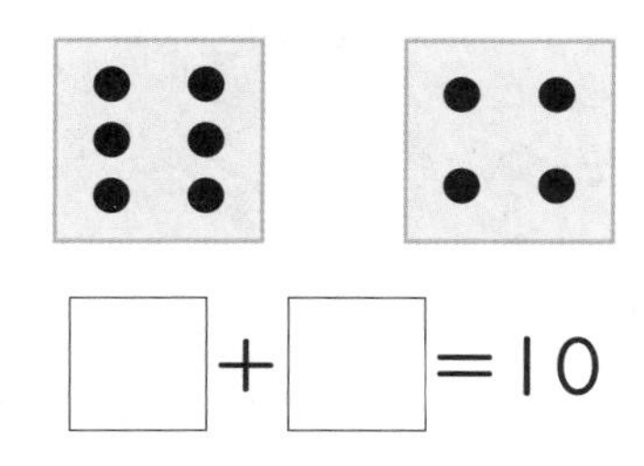

$\square + \square = 10$

• 먼저 주사위의 눈의 수를 알아봅니다.

4 두 수의 합이 10이 되도록 이어 보세요.

8 •	• 9
1 •	• 5
5 •	• 2

5 손가락을 보고 10이 되는 더하기를 해 보세요.

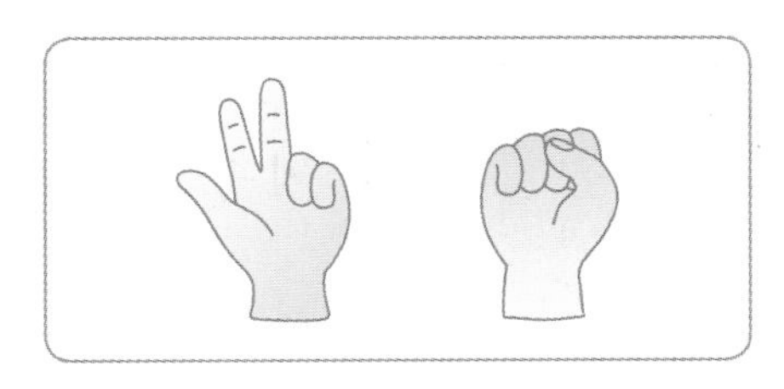

$3 + \square = 10$

펼친 손가락의 수

접은 손가락의 수

• 펼친 손가락의 수와 접은 손가락의 수가 달라져도 전체 손가락은 항상 10개입니다.

6 합이 10이 되는 칸을 모두 색칠해 보세요.

1+9	8+1	9+0
2+8	4+6	7+3

STEP

1 개념 익히기

개념 4 10에서 빼기

	10−1=9
	10−2=8
	10−3=7
	10−4=6
	10−5=5
	10−6=4
	10−7=3
	10−8=2
	10−9=1

개념 플러스

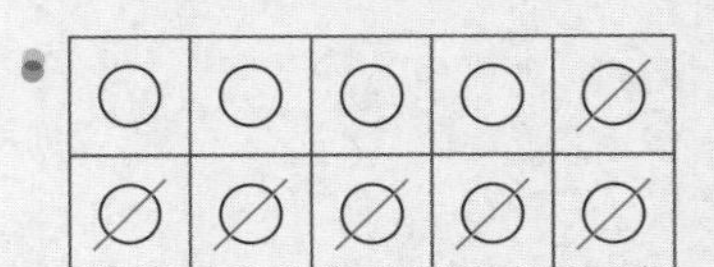

○ 10개 중 6개를 /으로 지우면 ○가 4개 남습니다.
➔ 10−6=4

볼링 핀 10개에서 쓰러진 볼링 핀의 수를 빼~

1 그림을 보고 뺄셈을 해 보세요.

(1)

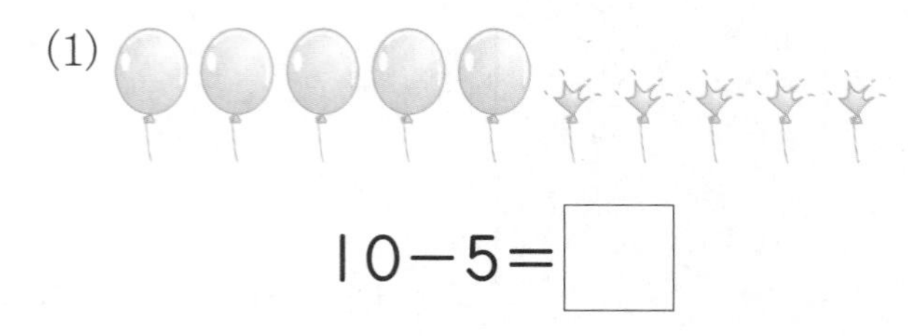

10−5=□

• 전체 10개에서 터진 풍선의 수를 뺍니다.

(2)

10−7=□

• 전체 10개에서 덜어 낸 구슬의 수를 뺍니다.

(3)

주황색
초록색

10−8=□

• 주황색 구슬과 초록색 구슬을 하나씩 짝 지어 봅니다.

≫ 정답과 해설 p. 10

2 식에 맞게 ○를 /으로 지우고, 뺄셈을 해 보세요.

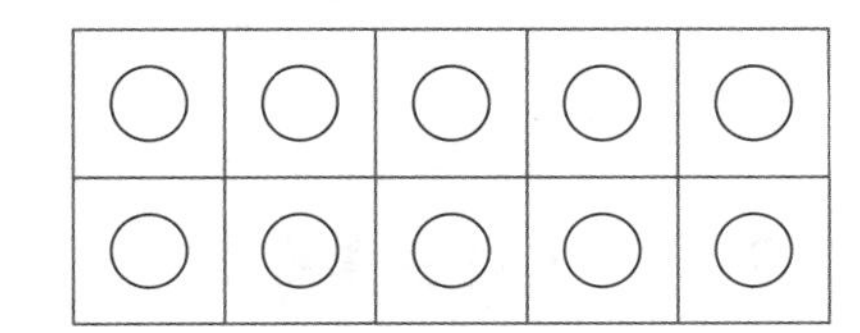

10－4＝☐

3 파란색 모형이 빨간색 모형보다 몇 개 더 많은지 뺄셈식을 쓰세요.

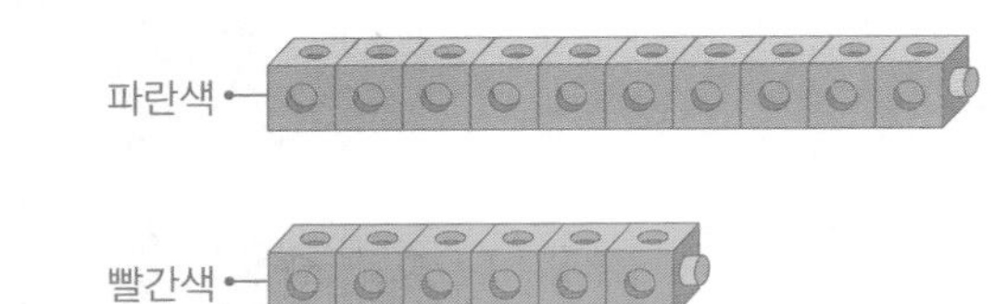

10－☐＝☐

• 파란색 모형과 빨간색 모형을 하나씩 짝 지어 봅니다.

4 계산 결과를 찾아 이어 보세요.

10－2 •	• 1
10－9 •	• 6
	• 8

5 접은 손가락은 몇 개인지 뺄셈식을 쓰세요.

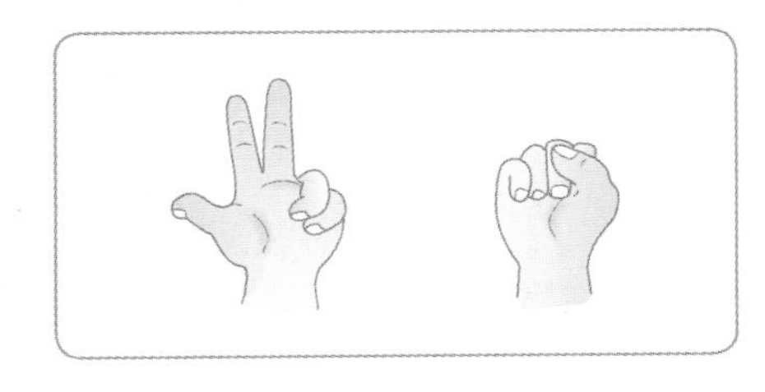

10－☐＝☐

펼친 손가락의 수

• 먼저 펼친 손가락의 수를 알아 봅니다.

1 개념 익히기

개념 5 앞의 두 수로 10을 만들어 더하기

예 7+3+4의 계산

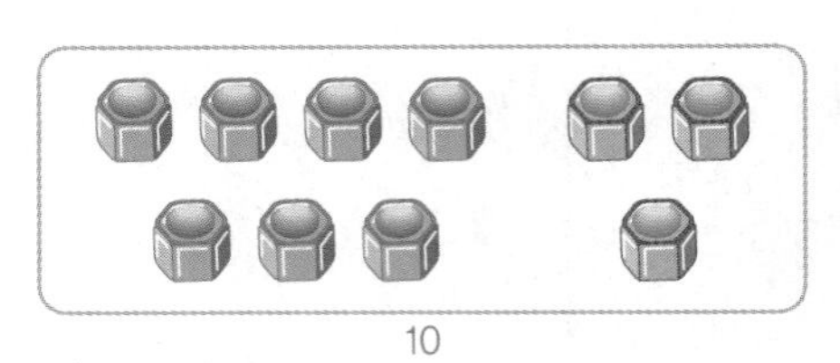

$7+3+4=14$

① 10

② 14

① 앞의 두 수를 더해서 10을 만듭니다.
② 만든 10에 나머지 한 수를 더합니다.

개념 6 뒤의 두 수로 10을 만들어 더하기

예 6+5+5의 계산

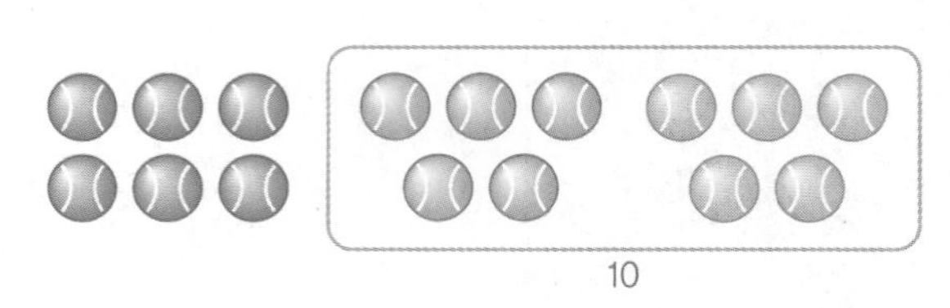

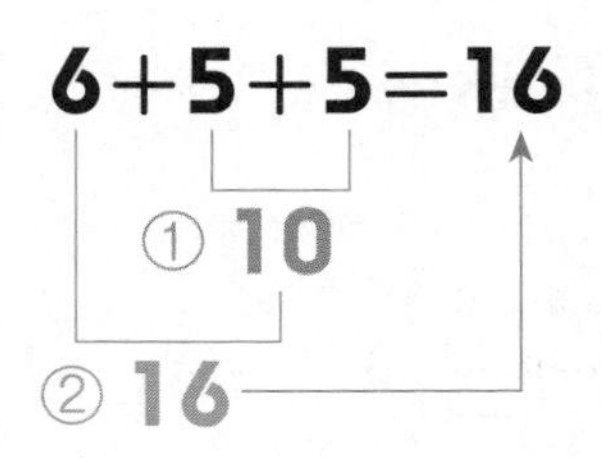

① 뒤의 두 수를 더해서 10을 만듭니다.
② 만든 10에 나머지 한 수를 더합니다.

개념 플러스

- 세 수를 더하는 방법
  - 방법1 앞에서부터 차례로 수를 더합니다.
  - 방법2 두 수를 더해 10을 만든 다음 나머지 한 수를 더합니다.

더해서 10이 되는 두 수를 먼저 더해서 계산해.

1 그림을 보고 □ 안에 알맞은 수를 써넣으세요.

(1)

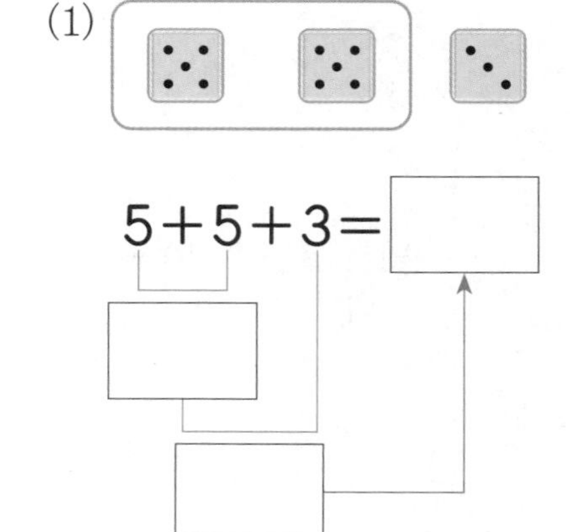

$5+5+3=\square$

(2)

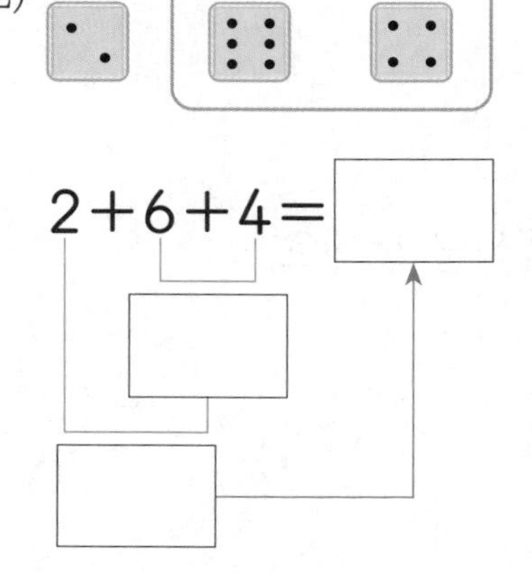

$2+6+4=\square$

- 더해서 10이 되는 두 수를 먼저 더해서 계산합니다.

≫ 정답과 해설 p. 11

2 그림을 보고 세 수를 더해 보세요.

(1) 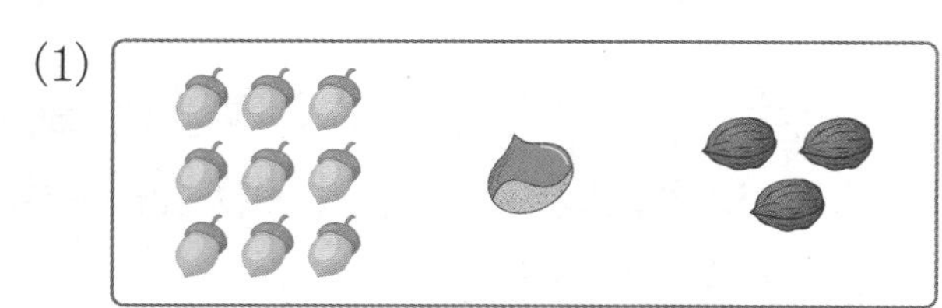

9+1+3=☐

(2) 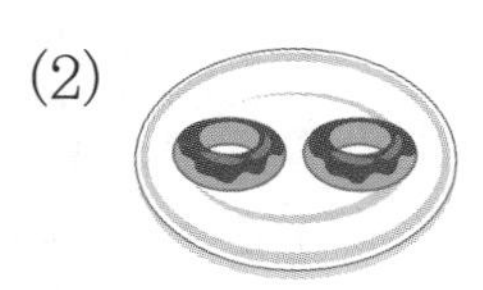  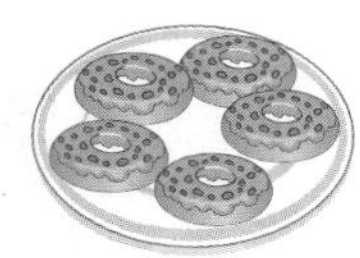

2+5+5=☐

3 ☐ 안에 알맞은 수를 써넣으세요.

(1) 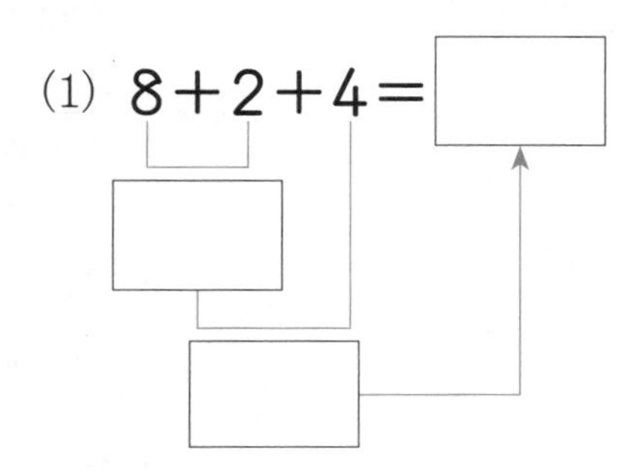

8+2+4=☐

(2) 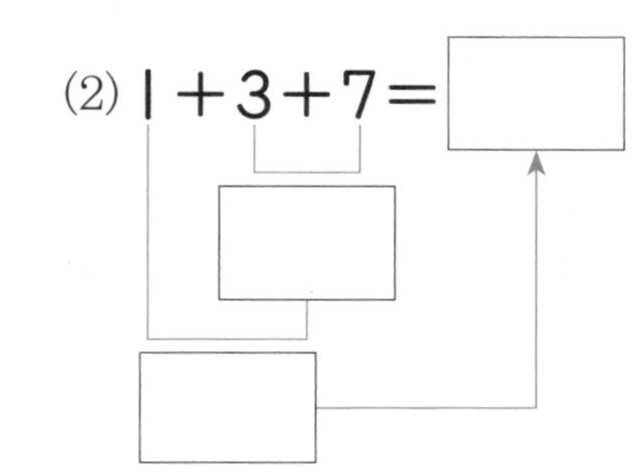

1+3+7=☐

• 10이 되는 두 수를 먼저 더하면 쉽게 계산할 수 있습니다.

4 합이 10이 되는 두 수를 ⬭로 묶고, 계산해 보세요.

(1) 7+3+5=☐

(2) 6+2+8=☐

• 더해서 10이 되는 두 수를 먼저 찾습니다.

5 합이 같은 것끼리 이어 보세요.

4+6+9 •	• 7+10
7+1+9 •	• 10+9

기본 다지기

개념 확인 | p.42 개념 3

기본 3 100이 되는 더하기

1 로봇은 모두 몇 개인지 □ 안에 알맞은 수를 써넣으세요.

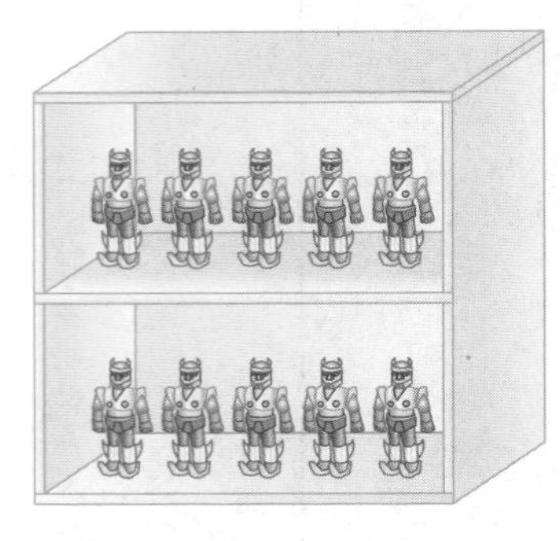

5+□=□

2 합이 10이 되도록 □ 안에 알맞은 수를 써넣으세요.

9+□=10

활용 문제

3 합이 10이 되는 두 수를 찾아 ○표 하세요.

4　7　5　3

4 현우는 귤을 어제는 6개 먹었고, 오늘은 4개 먹었습니다. 현우가 어제와 오늘 먹은 귤은 모두 몇 개인가요?

식 ______________________

답 ______________

5 합이 10인 식을 따라 선을 그어 보세요.

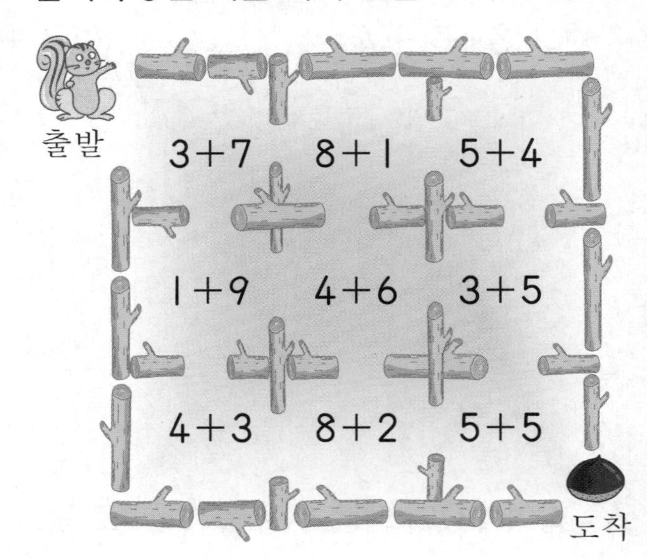

6 주영이는 8살입니다. 몇 살을 더 먹으면 10살이 되나요?

(　　　　　　　　)

8과 더해서 10이 되는 수를 찾자.

개념 확인 | p.44 개념 4

기본 4 10에서 빼기

7 남는 ♡는 몇 개인지 □ 안에 알맞은 수를 써넣으세요.

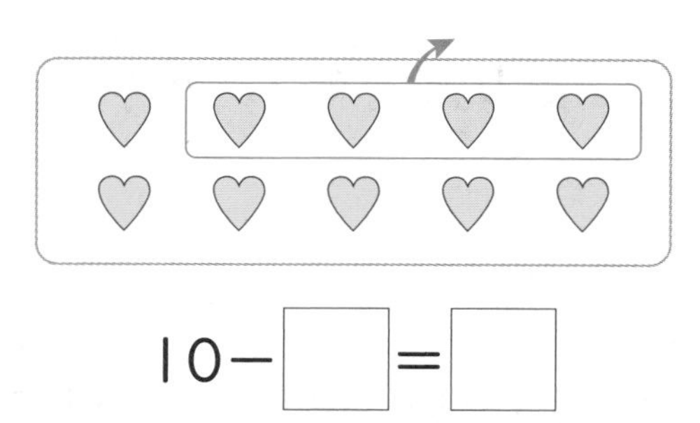

$10-\square=\square$

8 관계있는 것끼리 이어 보세요.

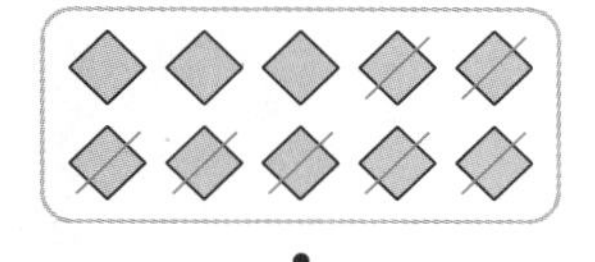

•　　　　　•

•　　　　　•

$10-7=3$　　　　$10-5=5$

9 빈칸에 알맞은 수를 써넣으세요.

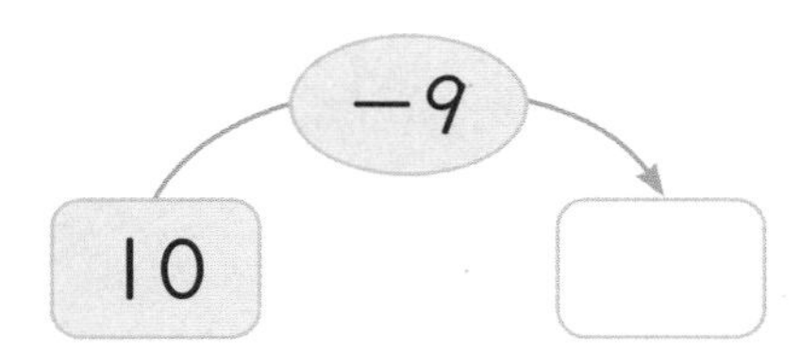

10 □ 안에 알맞은 수를 써넣으세요.

$10-\square=2$

11 정민이는 색종이 10장 중에서 2장을 친구에게 주었습니다. 정민이에게 남은 색종이는 몇 장인가요?

식 ______________________

답 ______________________

12 두 수의 차를 구하고 보기에서 그 차의 글자를 찾아 쓰세요.

3	4	5	6	7
유	소	비	방	차

$10-6=\square$ ➔ ______________

$10-4=\square$ ➔ ______________

$10-3=\square$ ➔ ______________

13 계산 결과가 더 큰 것에 ○표 하세요.

$10-8$	$10-1$
(　　　)	(　　　)

2 덧셈과 뺄셈 (1)

개념 확인 | p.46 개념 5

기본 5 앞의 두 수로 10을 만들어 더하기

14 합이 10이 되는 두 수에 색칠하고 빈 곳에 세 수의 합을 써넣으세요.

15 □ 안에 알맞은 수를 써넣으세요.

(1) 3+7+2=□+2

(2) 5+5+9=□+9

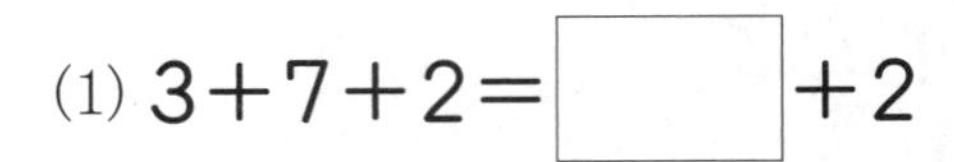

16 □ 안에 알맞은 수를 써넣으세요.

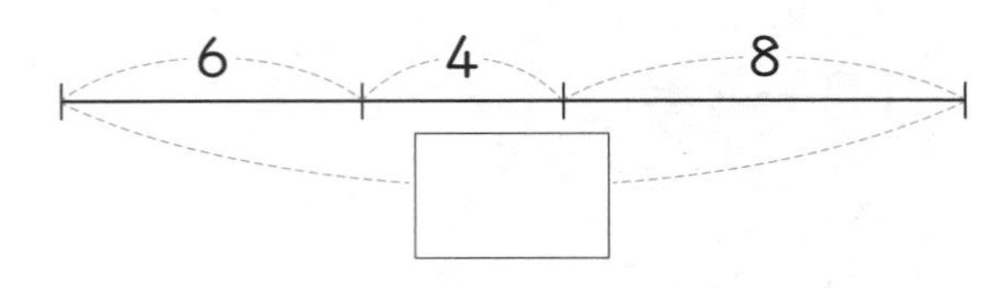

활용문제

17 지안이가 가지고 있는 수 카드의 세 수를 더하면 얼마인가요?

(   )

개념 확인 | p.46 개념 6

기본 6 뒤의 두 수로 10을 만들어 더하기

18 빈칸에 알맞은 수를 써넣으세요.

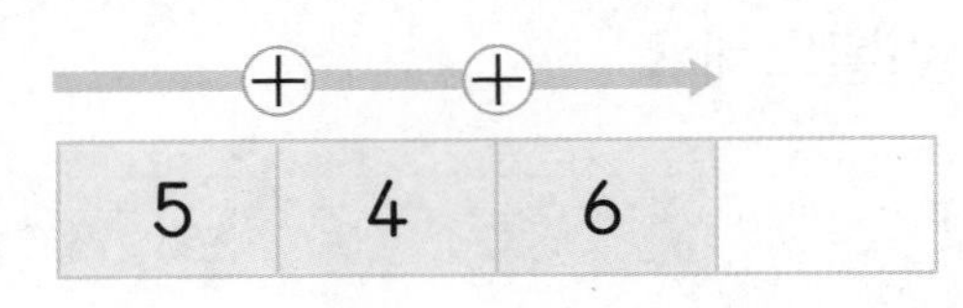

19 2+5+5와 합이 같은 식의 기호를 쓰세요.

㉠ 10+5　　㉡ 2+10

(   )

20 책은 모두 몇 권인지 덧셈식을 만들어 구하세요.

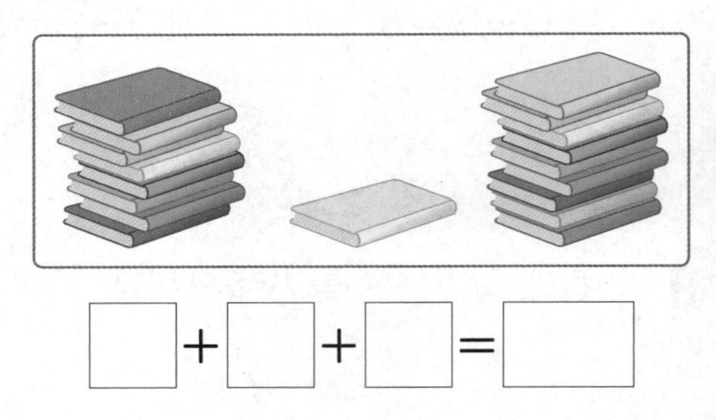

□+□+□=□

21 계산 결과가 더 큰 것에 ○표 하세요.

4+8+2	6+3+7
( )	( )

더해서 10이 되는 두 수를 먼저 찾아 계산하자.

» 정답과 해설 p. 11

실력+ 더해서 10이 되는 두 수 찾기

1+9=10	2+8=10	3+7=10
4+6=10	5+5=10	6+4=10
7+3=10	8+2=10	9+1=10

➔ 더해서 **10**이 되는 두 수는 **1**과 **9**, **2**와 **8**, **3**과 **7**, **4**와 **6**, **5**와 **5**입니다.

22 더해서 10이 되는 두 수를 찾아 ○표 하세요.

8	2	4
4	3	3
5	9	1

23 더해서 10이 되는 두 수를 찾아 ○표 하세요.

5	1	8
7	6	1
8	3	4

24 더해서 10이 되는 두 수를 찾아 ○표 하고, 덧셈식을 쓰세요.

1	4	7
5	5	6
2	8	1

➔ 덧셈식
4+6=10

실력+ 두 수의 합이 10이 되도록 수를 써넣고 계산하기

예 밑줄 친 두 수의 합이 10이 되도록 ○ 안에 알맞은 수를 써넣고 계산하기

3+○+4=□

❶ **3**과 더해서 **10**이 되는 수는 7이므로 ○ 안에 알맞은 수는 7입니다.

❷ 식을 완성하여 계산합니다.

➔ 3+7+4=10+4=14

[25~27] 밑줄 친 두 수의 합이 10이 되도록 ○ 안에 알맞은 수를 써넣고 계산해 보세요.

25 5+○+7=□

26 9+○+6=□

27 3+○+8=□

응용력 올리기

복습책 p.8에 유사 문제 제공

1 더 많이 남은 것 구하기

젤리 10개와 초콜릿 10개가 있었습니다. 친구에게 젤리 3개와 초콜릿 5개를 주었습니다. 젤리와 초콜릿 중 어느 것이 더 많이 남았는지 구하세요.

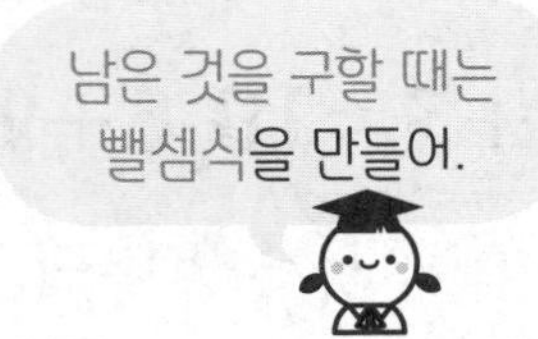

해결 과정

❶ 친구에게 주고 남은 젤리는 몇 개인가요?

( )

❷ 친구에게 주고 남은 초콜릿은 몇 개인가요?

( )

❸ 젤리와 초콜릿 중 어느 것이 더 많이 남았나요?

( )

1-1 감자 10개와 고구마 10개를 쪘습니다. 간식으로 감자 8개와 고구마 7개를 먹었습니다. 감자와 고구마 중 어느 것이 더 많이 남았는지 구하세요.

( )

해결 과정을 따라 풀자!

1-2 지유와 시후는 공책을 9권씩 가지고 있습니다. 다음과 같이 공책을 나누어 주면 남는 공책이 더 많은 사람은 누구인가요?

호영이에게 1권, 언니에게 4권을 줄 거야.

형에게 2권, 미연이에게 2권을 줘야지.

( )

2 모르는 수 구하기

두 식의 계산 결과는 같습니다. ㉠에 알맞은 수를 구하세요.

5+㉠	2+8

먼저 2+8을
계산해야 해.

해결 과정

❶ 2+8의 계산 결과는 얼마인가요?

(　　　　　　　　)

❷ 5+㉠의 계산 결과는 얼마인가요?

(　　　　　　　　)

❸ ㉠에 알맞은 수를 구하세요.

(　　　　　　　　)

2-1 두 식의 계산 결과는 같습니다. ㉠에 알맞은 수를 구하세요.

해결 과정을 따라 풀자!

㉠+7	1+9

(　　　　　　　　)

2-2 □ 안에 알맞은 수를 써넣으세요.

4+6=□+2

복습책 p.9에 유사 문제 제공

3 수 카드로 덧셈식 만들기

수 카드 중 2장을 골라 덧셈식을 완성해 보세요.

3 7 5 9 → □+□+5=15

먼저 □+□가 얼마가 되어야 하는지 알아봐야 해.

해결 과정

❶ □+□는 얼마가 되어야 하나요?

( )

❷ 골라야 할 두 수 카드는 무엇인가요?

( )

❸ 덧셈식을 완성해 보세요.

□+□+5=15

3-1 수 카드 중 2장을 골라 덧셈식을 완성해 보세요.

1 3 9 2 → 2+□+□=12

해결 과정을 따라 풀자!

3-2 1부터 9까지의 수 중 덧셈식의 ■와 ●에 알맞은 수를 넣어서 만들 수 있는 덧셈식을 4개 쓰세요.

6+■+●=16

4 □ 안에 들어갈 수 있는 수 구하기

1부터 9까지의 수 중 □ 안에 공통으로 들어갈 수 있는 수를 구하세요.

먼저 뺄셈식을 계산하여 식을 간단하게 만들어.

㉠ $9-2-3<\square$

㉡ $10-4>\square$

해결 과정

❶ ㉠의 □ 안에 들어갈 수 있는 수를 모두 구하세요.

( )

❷ ㉡의 □ 안에 들어갈 수 있는 수를 모두 구하세요.

( )

❸ □ 안에 공통으로 들어갈 수 있는 수를 구하세요.

( )

4-1 1부터 9까지의 수 중 □ 안에 공통으로 들어갈 수 있는 수를 구하세요.

㉠ $8-1-2<\square$

㉡ $10-3>\square$

( )

해결 과정을 따라 풀자!

4-2 1부터 9까지의 수 중 □ 안에 들어갈 수 있는 가장 큰 수를 구하세요.

$2+3+\square<9$

( )

응용력 올리기

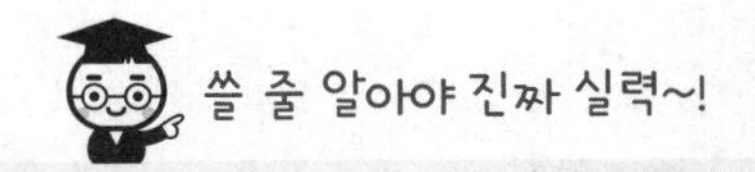

1 계산기로 8 − 3 − 1 = 을 차례로 누르면 얼마가 표시되나요?

풀이

답

융합형

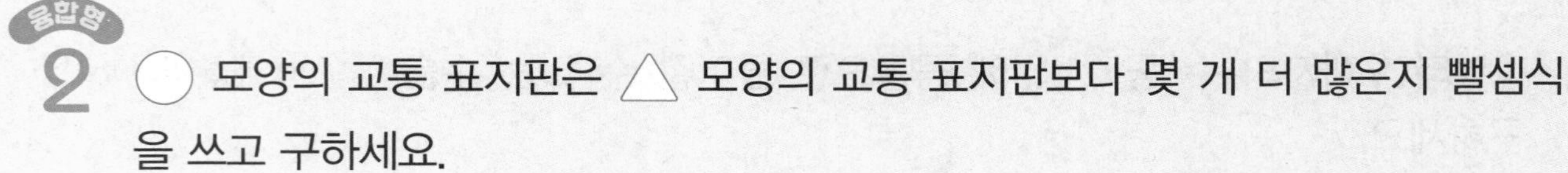

2 ◯ 모양의 교통 표지판은 △ 모양의 교통 표지판보다 몇 개 더 많은지 뺄셈식을 쓰고 구하세요.

풀이

식 　　　　　　답

창의·융합 서술형 수능 대비

3 |보기|와 같이 계산하여 빈 곳에 알맞은 수를 구하세요.

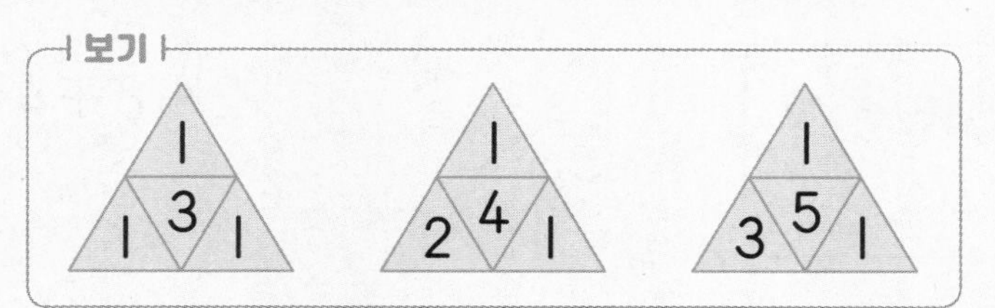

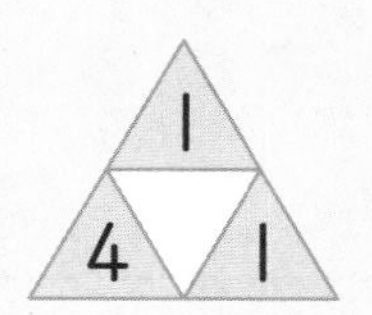

풀이

답

4 딜리와 캐리의 블록 명령어는 다음과 같습니다. 시작하기 버튼을 클릭했을 때 더 많이 움직인 로봇의 이름을 쓰세요.

시작하기 버튼을 클릭했을 때
이동 방향으로 (10) − (7) 만큼 움직이기

시작하기 버튼을 클릭했을 때
이동 방향으로 (10) − (6) 만큼 움직이기

풀이

답

단원 기본 평가

점수 점

1 그림을 보고 □ 안에 알맞은 수를 써넣으세요.

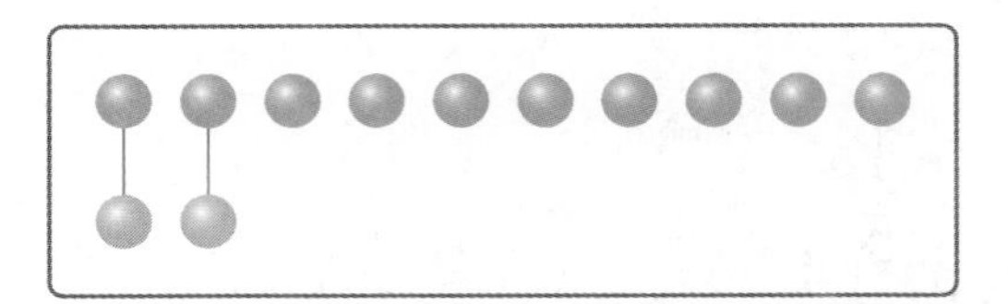

10−2=□

2 □ 안에 알맞은 수를 써넣으세요.

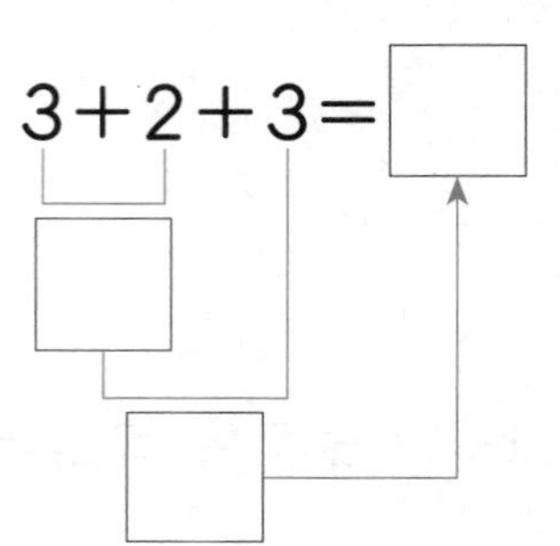

3 그림을 보고 □ 안에 알맞은 수를 써넣으세요.

6+4=□

4 합이 10이 되는 두 수를 ⬭로 묶고, 세 수의 합을 구하세요.

2+8+4=□

5 □ 안에 알맞은 수를 써넣으세요.

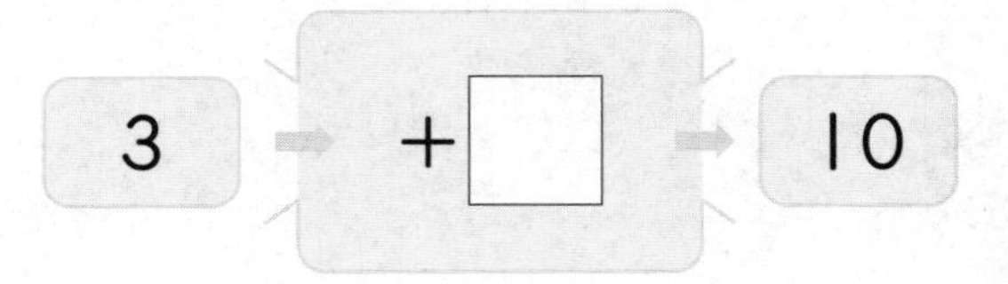

6 합이 같은 것끼리 이어 보세요.

9+1+5	8+3+7
8+10	10+5

7 빈 곳에 알맞은 수를 써넣으세요.

8	−3	−2	

8 세 수의 합을 구하세요.

9	5	5

( )

9 더 큰 것에 ○표 하세요.

12	9+1+3
( )	( )

10 구슬 10개가 들어 있는 상자에서 손바닥 위의 수만큼 구슬을 꺼냈습니다. 상자에 남은 구슬은 몇 개인가요?

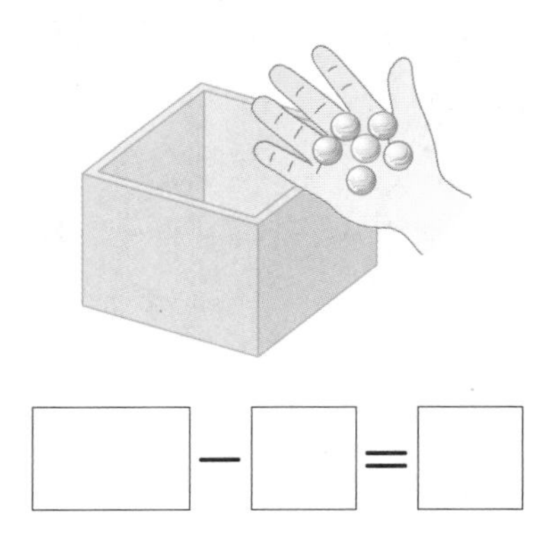

□−□=□

11 □ 안에 알맞은 수를 써넣으세요.

$8+2=\square+8$

12 파란색 모형은 빨간색 모형보다 몇 개 더 많은가요?

파란색

빨간색

( )

13 꽃병에 빨간 튤립이 5송이, 노란 튤립이 5송이 꽂혀 있습니다. 꽃병에 꽂혀 있는 튤립은 모두 몇 송이인가요?

식 ______________________

답 ______________

14 10에서 어떤 수를 뺐더니 9가 되었습니다. 어떤 수는 얼마인가요?

( )

15 계산 결과가 더 작은 것의 기호를 쓰세요.

㉠ 9−1−3
㉡ 1+2+1

( )

16 밑줄 친 두 수의 합이 10이 되도록 ○ 안에 알맞은 수를 써넣고 계산해 보세요.

$6+\bigcirc+8=\square$

17 수현, 진희, 천호가 가위바위보를 하였습니다. 세 사람이 펼친 손가락은 모두 몇 개인가요?

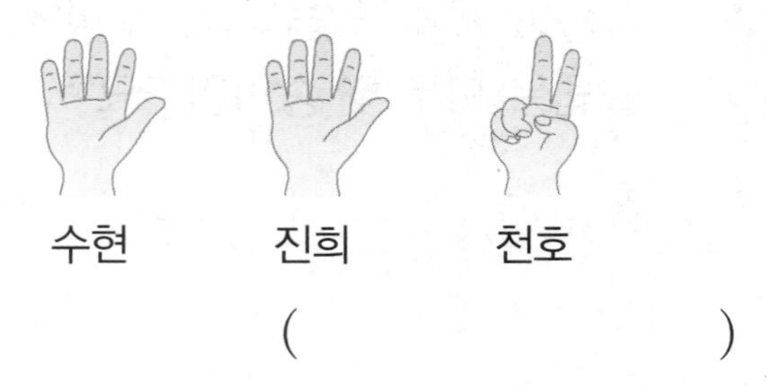

(　　　　　　)

18 두 상자에 들어 있는 빵은 모두 10개입니다. 그림을 보고 덧셈식과 뺄셈식을 만들어 보세요.

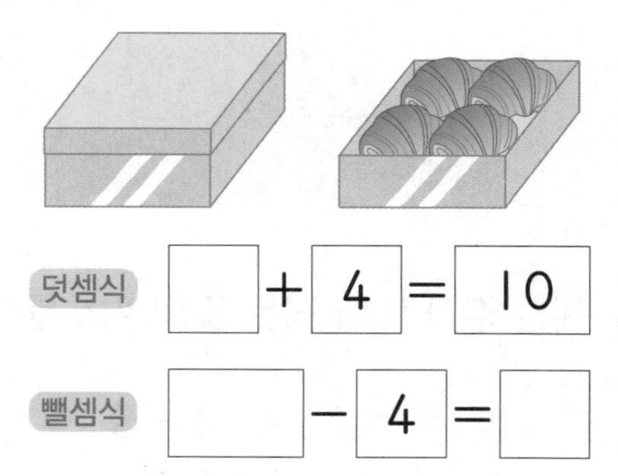

덧셈식 $\square+4=10$

뺄셈식 $\square-4=\square$

19 냉장고에 사과가 2개, 배가 3개, 감이 4개 들어 있습니다. 냉장고에 들어 있는 과일은 모두 몇 개인지 풀이 과정을 쓰고 답을 구하세요.

풀이

답 ______________

서술형

20 두 식의 계산 결과는 같습니다. ㉠에 알맞은 수는 얼마인지 풀이 과정을 쓰고 답을 구하세요.

1+㉠	3+7

풀이

답 ______________

TEST

단원 실력 평가

점수 점

복습책 p.12~13에 실력 평가 추가 제공

1 그림을 보고 □ 안에 알맞은 수를 써넣으세요.

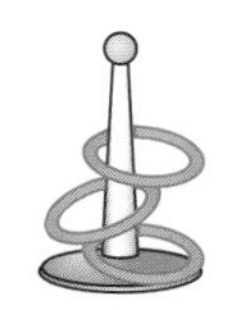 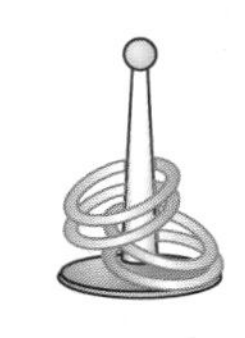 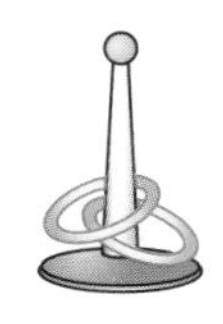

3+4+□=□

2 계산해 보세요.

(1) 4+6+8=□

(2) 9−3−2=□

3 합이 같은 것끼리 이어 보세요.

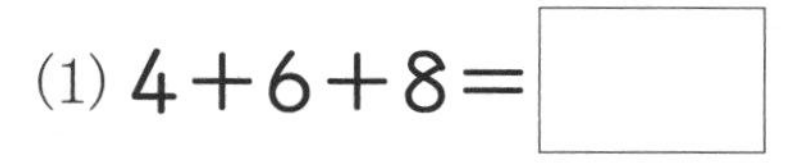

4+1+9 •	• 10+6
5+5+6 •	• 4+10

4 펼친 손가락은 몇 개인지 뺄셈식을 쓰세요.

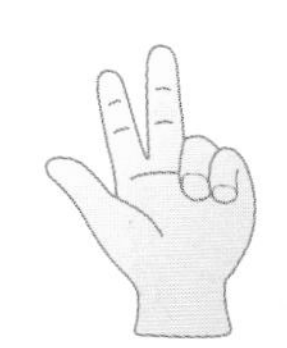 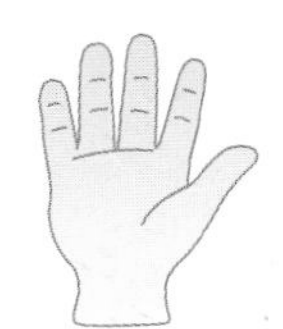

10−□=□

5 빈칸에 알맞은 수를 써넣으세요.

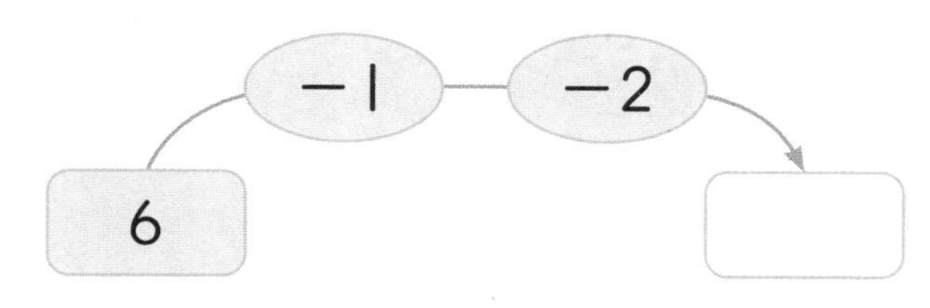

6 세 수의 합을 빈 곳에 써넣으세요.

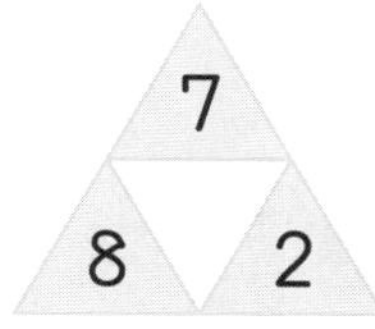

7 합이 10이 되도록 □ 안에 알맞은 수를 써넣으세요.

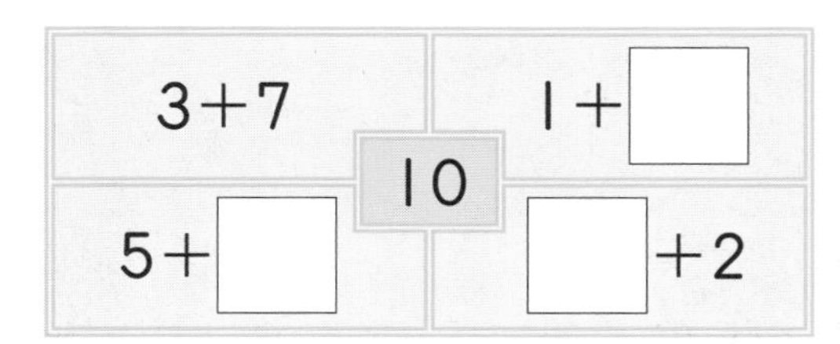

8 초콜릿이 10개 있었습니다. 현아가 초콜릿을 7개 먹었다면 남은 초콜릿은 몇 개인가요?

식 ____________________

답 ____________

2 덧셈과 뺄셈(1)

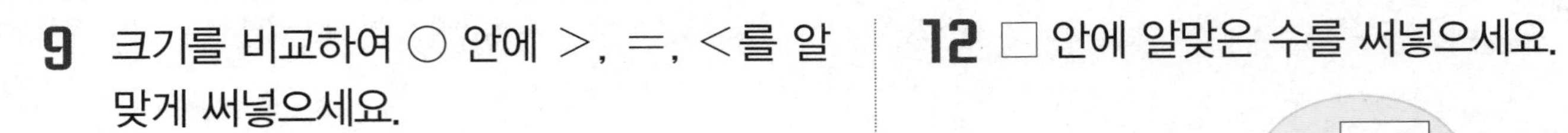

9 크기를 비교하여 ○ 안에 >, =, <를 알맞게 써넣으세요.

3+1+9 ○ 15

10 현수는 지금까지 돌다리 5개를 건넜습니다. 5개를 더 건너면 모두 몇 개를 건너는 것인가요?

(　　　　　　　　)

11 다음은 1학년 학생 중에서 안경을 쓴 학생 수를 조사한 것입니다. 안경을 쓴 1학년 학생은 모두 몇 명인가요?

1반	2반	나머지 반
8명	4명	6명

(　　　　　　　　)

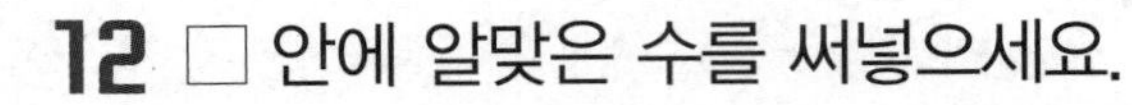

12 □ 안에 알맞은 수를 써넣으세요.

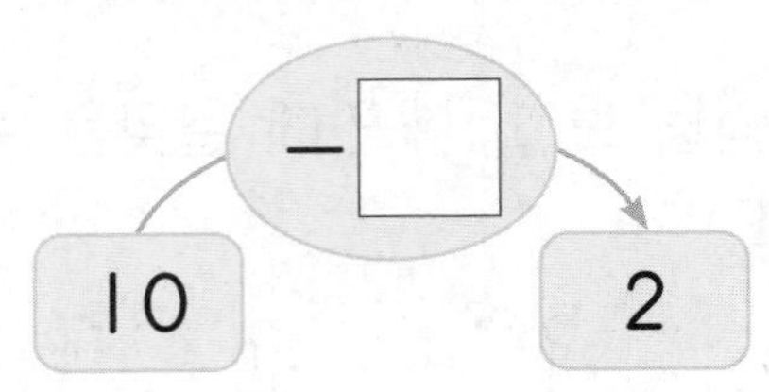

13 3보다 큰 두 수의 합을 구하세요.

4　2　1　6

(　　　　　　　　)

14 계산 결과가 더 큰 것에 ○표 하세요.

4+2+1	3+3+2
(　　)	(　　)

15 □ 안에 알맞은 수를 써넣으세요.

3+7=□+9

16 가장 큰 수에서 나머지 두 수를 뺀 값을 구하세요.

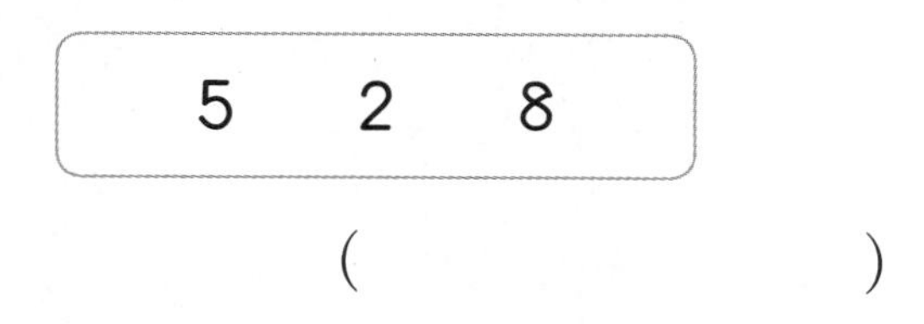

(   )

17 더해서 10이 되는 두 수를 찾아 ○표 하고, 덧셈식을 쓰세요.

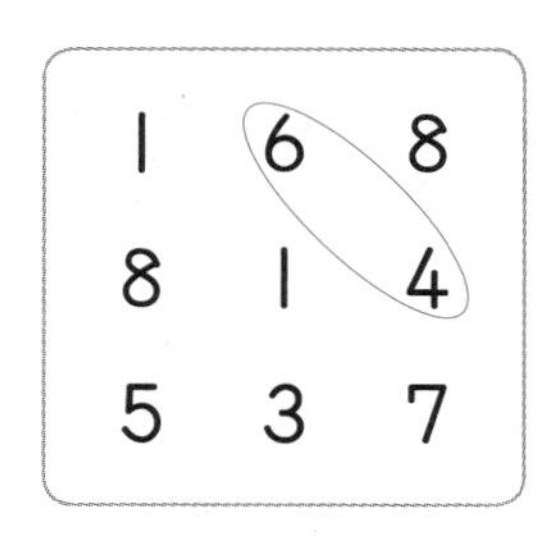

덧셈식 $6+4=10$

18 수 카드 중 2장을 골라 덧셈식을 완성해 보세요.

2 4 6 9

➔ $\square + \square + 7 = 17$

19 도토리 10개와 밤 10개가 있습니다. 다람쥐가 도토리 6개와 밤 4개를 먹었습니다. 도토리와 밤 중 어느 것이 더 많이 남았는지 풀이 과정을 쓰고 답을 구하세요.

풀이

답 ______________

20 1부터 9까지의 수 중 □ 안에 공통으로 들어갈 수 있는 수를 구하려고 합니다. 풀이 과정을 쓰고 답을 구하세요.

㉠ $9-4-2<\square$

㉡ $10-5>\square$

풀이

답 ______________

모양과 시각

단원 내용 미리보기

본문 66쪽

여러 가지 모양 찾기

   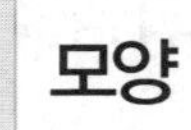

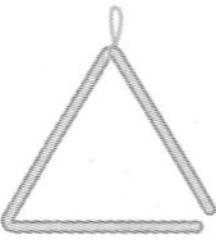  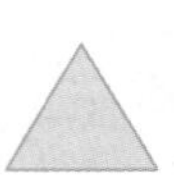 

   모양

여러 가지 물건 중에서 , , ◯ 모양을 찾아보자!

본문 68쪽

여러 가지 모양 알아보기

□ 모양 → 뾰족한 부분이 4군데 있습니다.

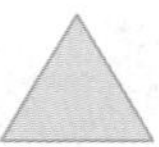 뾰족한 부분이 3군데 있습니다.

 뾰족한 부분이 없습니다.

뾰족한 부분의 수로 여러 가지 모양의 특징을 설명할 수 있어!

스마트폰을 이용하여 QR 코드를 찍으면
개념 학습 영상을 볼 수 있어요.

본문 70쪽

여러 가지 모양 만들기

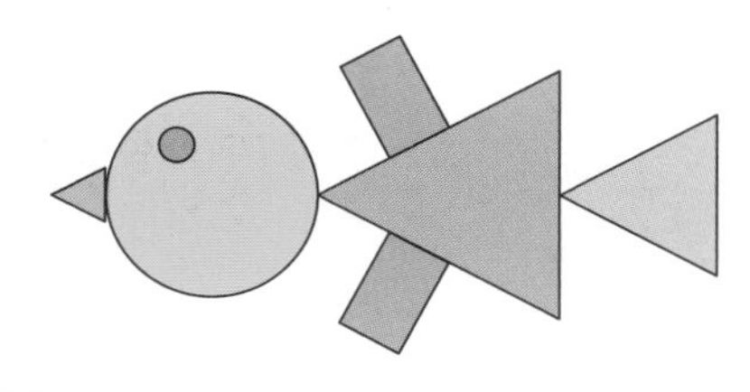

모양은 새의 날개로 2개,

모양은 새의 부리, 몸통, 꼬리로 3개,

모양은 새의 머리와 눈으로 2개가 이용되었습니다.

본문 76, 78쪽

몇 시, 몇 시 30분

(1)

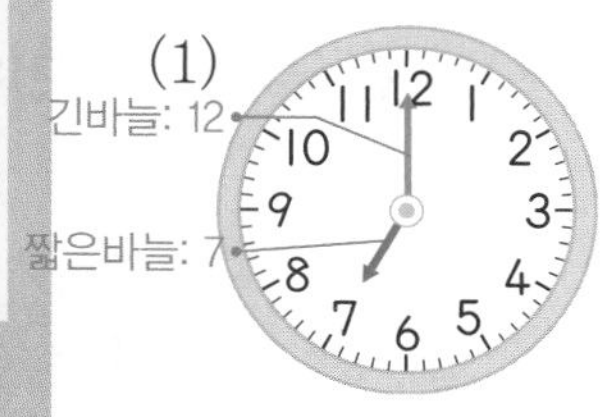

(2)

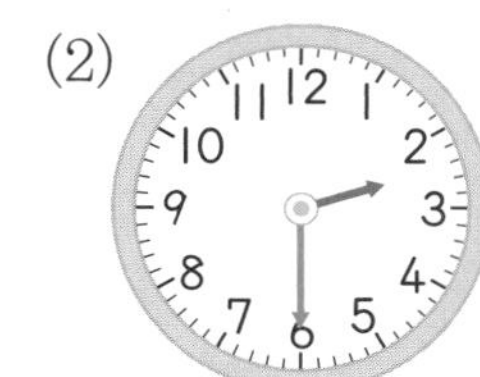

(1) 짧은바늘이 7, 긴바늘이 12를 가리킬 때 시계는 7시를 나타내고 일곱 시라고 읽습니다.

(2) 짧은바늘이 2와 3의 가운데, 긴바늘이 6을 가리킬 때 시계는 2시 30분을 나타내고 두 시 삼십 분이라고 읽습니다.

이제부터 기본+응용을
시작해 볼까요~

개념 익히기

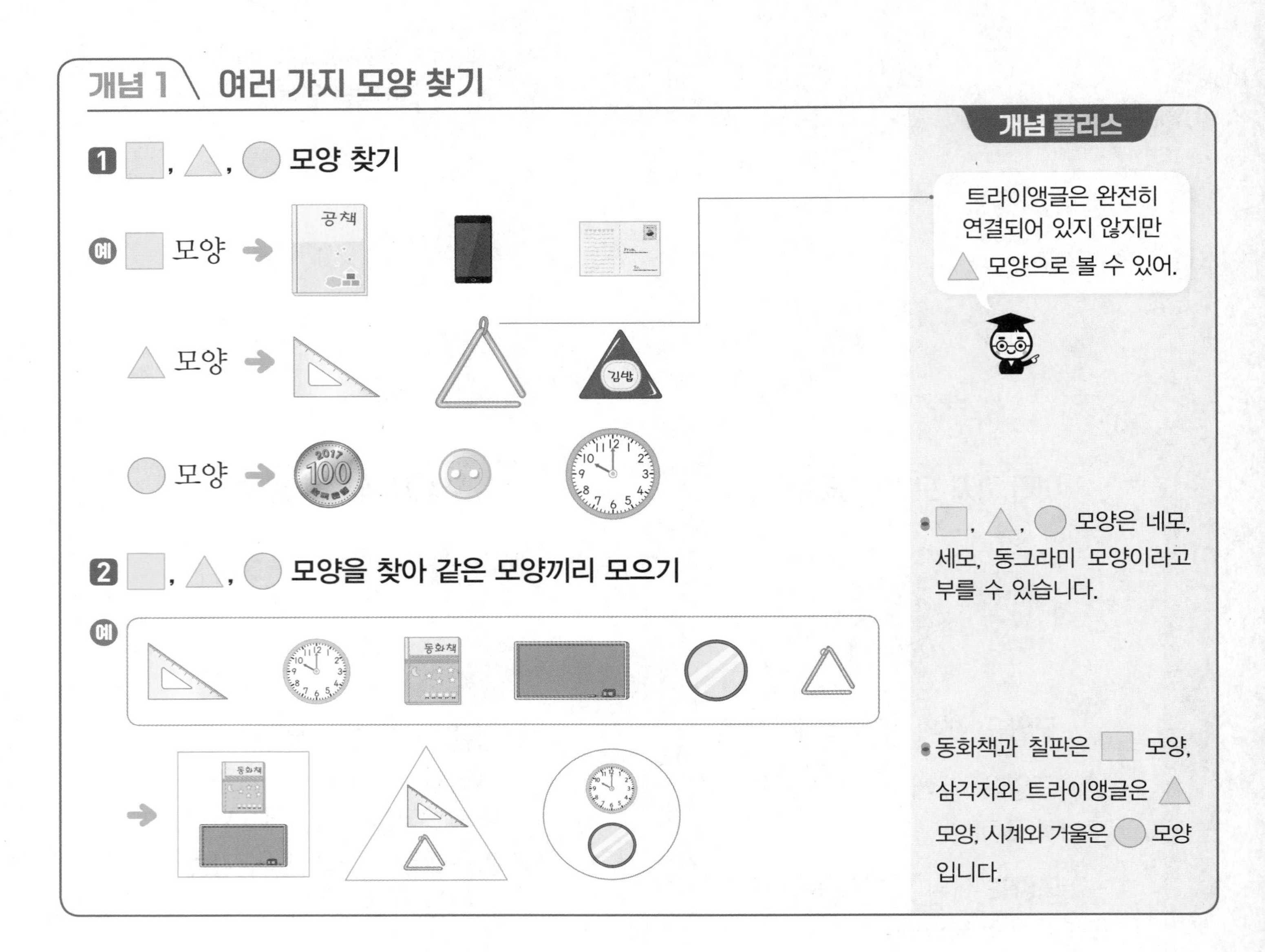

개념 1 여러 가지 모양 찾기

1 □, △, ○ 모양 찾기

예 □ 모양 → 공책, 휴대 전화, 엽서

△ 모양 → 삼각자, 트라이앵글, 김밥

○ 모양 → 동전, 단추, 시계

2 □, △, ○ 모양을 찾아 같은 모양끼리 모으기

예

개념 플러스

- □, △, ○ 모양은 네모, 세모, 동그라미 모양이라고 부를 수 있습니다.
- 동화책과 칠판은 □ 모양, 삼각자와 트라이앵글은 △ 모양, 시계와 거울은 ○ 모양입니다.

[1~2] 그림에서 주어진 모양과 같은 모양을 모두 찾아 따라 그려 보세요.

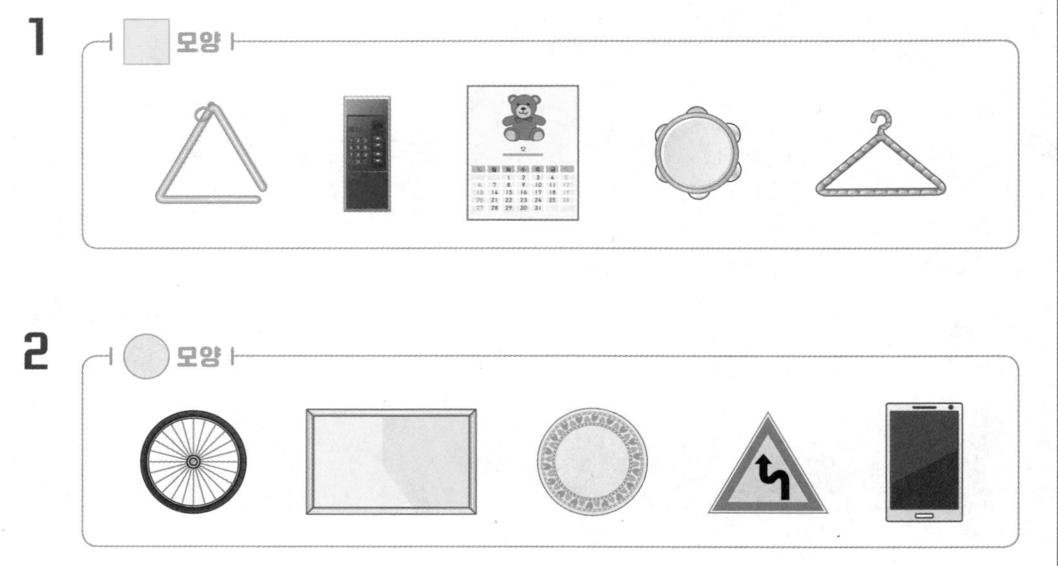

1 □ 모양

2 ○ 모양

- 그림에서 크기가 다른 □ 모양 2개를 찾아 따라 그릴 수 있습니다.

≫ 정답과 해설 p. 16

[3~4] 왼쪽 물건과 모양이 같은 것을 찾아 ○표 하세요.

3

( ) ( ) ( )

4

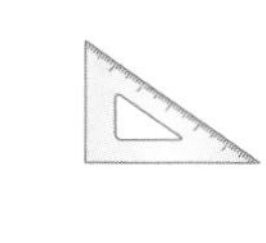

( ) ( ) ( )

- 왼쪽 물건이 □, △, ○ 중에서 어떤 모양인지 확인한 후 같은 모양의 물건을 찾아봅니다.

5 어떤 모양의 물건을 모은 것인지 알맞은 모양을 찾아 ○표 하세요.

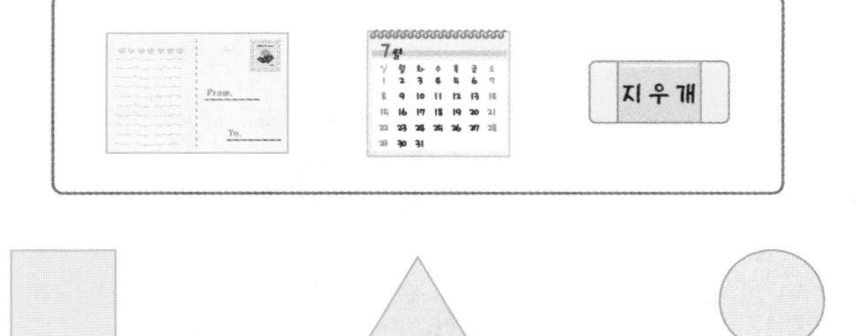

□ △ ○

( ) ( ) ( )

- 물건을 따라 그렸을 때 공통적으로 보이는 모양이 무엇인지 살펴봅니다.

6 책상 위에 있는 물건 중에서 ○ 모양은 모두 몇 개인가요?

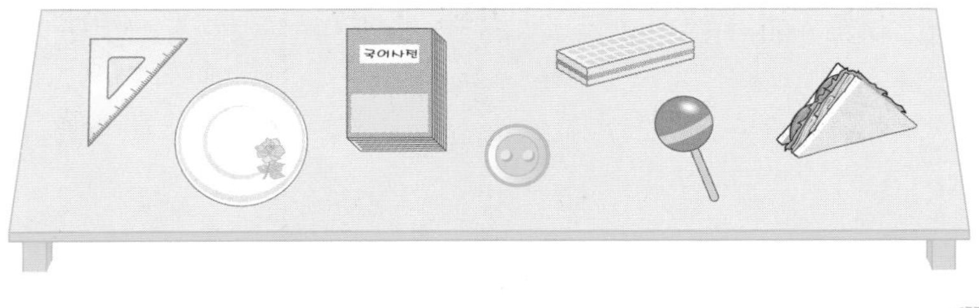

꼭! 단위까지 따라 쓰세요.

(개)

- ○ 모양에 ○표 하며 수를 세어 봅니다.

STEP 1 개념 익히기

개념 2 여러 가지 모양 알아보기

□, △, ○ 모양 알아보기

모양	모양 나타내기	특징
□	물감 묻혀 찍기 → ■	뾰족한 부분이 4군데이고, 곧은 선이 4개입니다.
△	종이 위에 본뜨기 → △	뾰족한 부분이 3군데이고, 곧은 선이 3개입니다.
○	고무찰흙 위에 찍기 → ●	뾰족한 부분이 없고, 둥근 부분이 있습니다.

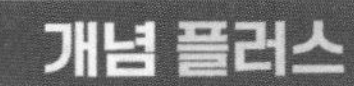

참고 개념

□, △, ○ 모양 그리기

- 점 4개를 곧은 선으로 이어 그립니다.
- 점 3개를 곧은 선으로 이어 그립니다.
- 굽은 선으로 그립니다.

□ 모양과 △ 모양은 뾰족한 부분이 있고, ○ 모양은 둥근 부분이 있어!

1 오른쪽 그림과 같이 주사위를 고무찰흙 위에 찍었을 때 나타나는 모양을 찾아 ○표 하세요.

△ ( ) □ ( ) ● ( )

- 주사위를 고무찰흙 위에 찍으면 뾰족한 부분이 몇 군데 있는 모양이 나타날지 생각해 봅니다.

2 그림과 같이 동전을 종이 위에 본떴을 때 나타나는 모양을 찾아 ○표 하세요.

□ ( ) △ ( ) 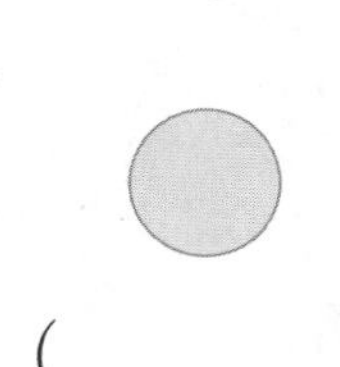 ( )

- 동전은 뾰족한 부분이 없습니다.

3 도윤이가 설명하는 모양을 찾아 ○표 하세요.

뾰족한 부분이
3군데 있어!

도윤

( )

( )

( )

- 모양마다 뾰족한 부분을 모두 찾아 표시해 봅니다.

4 주어진 모양을 따라 그릴 때 생기는 뾰족한 부분과 곧은 선의 수를 쓰세요.

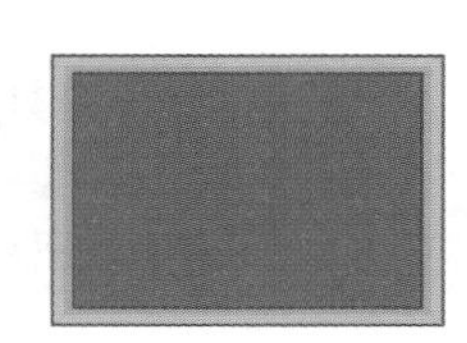

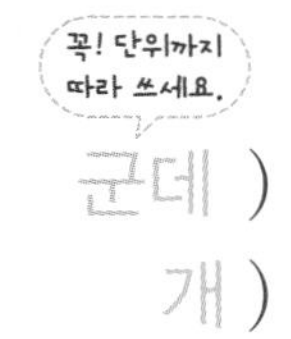

뾰족한 부분 (군데)

곧은 선 (개)

- 모양의 뾰족한 부분과 곧은 선을 각각 찾아 표시해 봅니다.

[5~6] 손으로 만든 모양을 보고 물음에 답하세요.

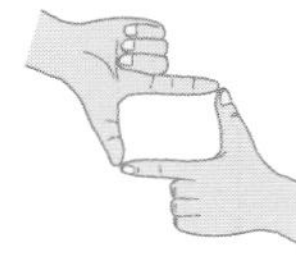

우성

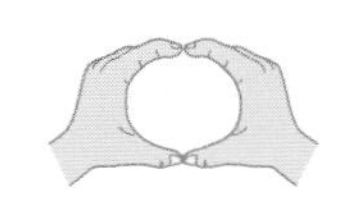

민서

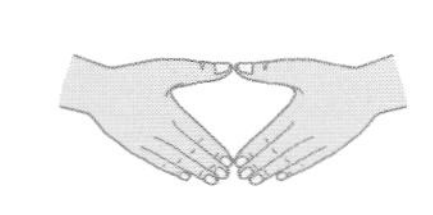

하민

- 우성, 민서, 하민이가 만든 모양이 각각 무엇인지 확인합니다.

5 하민이가 손으로 만든 모양을 찾아 ○표 하세요.

( )

( )

( )

6 뾰족한 부분이 없는 모양을 만든 사람은 누구인가요?

( )

STEP 1 개념 익히기

개념 3 여러 가지 모양 만들기

1 여러 가지 모양으로 만들기

예

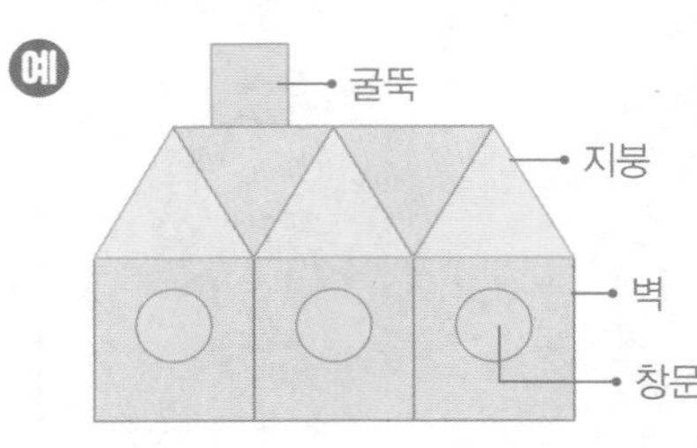

(1) □ 모양, △ 모양, ○ 모양으로 만든 모양입니다.

(2) 지붕은 △ 모양, 굴뚝과 벽은 □ 모양, 창문은 ○ 모양으로 만들었습니다.

2 어떤 모양을 몇 개 이용하여 만들었는지 알아보기

예

□ 모양 5개, △ 모양 1개, ○ 모양 2개를 이용하였습니다.

개념 플러스

- 크기나 색깔은 생각하지 않고 모양만 살펴봅니다.

□, △, ○ 모양의 수를 셀 때 모양별로 ∨, ○, ×표를 하여 빠뜨리거나 두 번 세지 않도록 하자!

1 로켓 모양을 보고 어떤 모양으로 만든 것인지 알맞은 모양을 찾아 ○표 하세요.

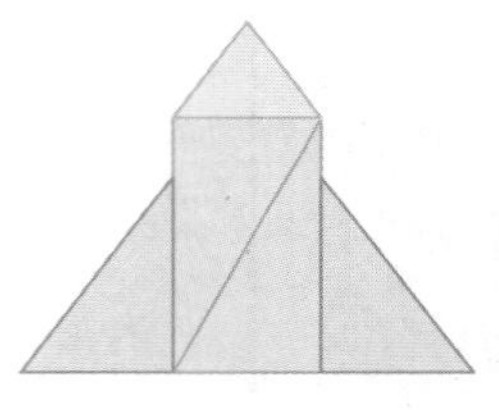

(□, △, ○)

- 크기나 색깔은 생각하지 않고 모양만 살펴봅니다.

2 오른쪽 그림과 같은 촛불 모양을 만드는 데 이용한 모양의 수를 구하세요.

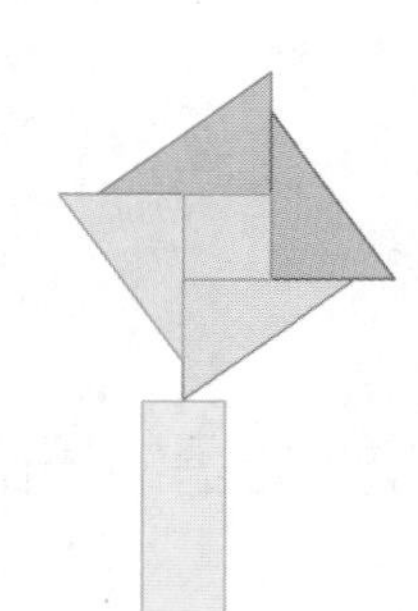

□ 모양 (개)

△ 모양 (개)

3 □, △, ○ 모양으로 잠자리를 만들었습니다. 잠자리를 만드는 데 이용한 모양에 알맞게 이어 보세요.

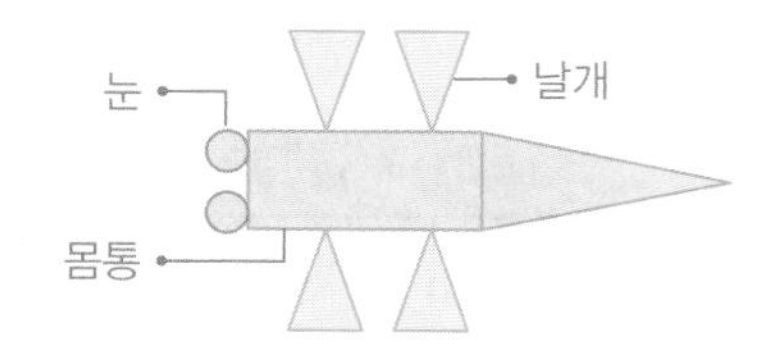

눈 •		• □ 모양
날개 •		• △ 모양
몸통 •		• ○ 모양

• 잠자리의 눈은 뾰족한 부분이 없고 둥근 부분이 있습니다.

[4~5] □, △, ○ 모양으로 거북선을 만들었습니다. 물음에 답하세요.

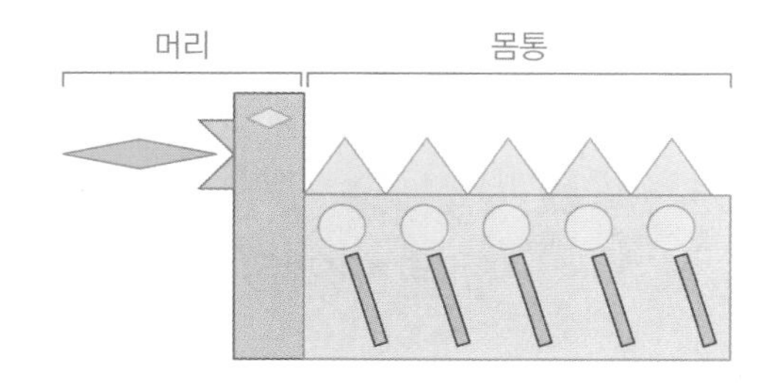

4 만든 모양을 보고 바르게 설명한 사람에 ○표, 잘못 설명한 사람에 ×표 하세요.

(　　　　)　　　　(　　　　)

• 머리와 몸통 부분이 각각 어느 모양으로 만들었는지 살펴봅니다.

5 거북선을 만드는 데 이용한 △ 모양은 모두 몇 개인가요?

(　　　　　　개)

기본 다지기

개념 확인 | p.66 개념 1

기본 1 여러 가지 모양 찾기

1 ▢, △, ○ 모양 중에서 어떤 모양의 단추를 모은 것인가요?

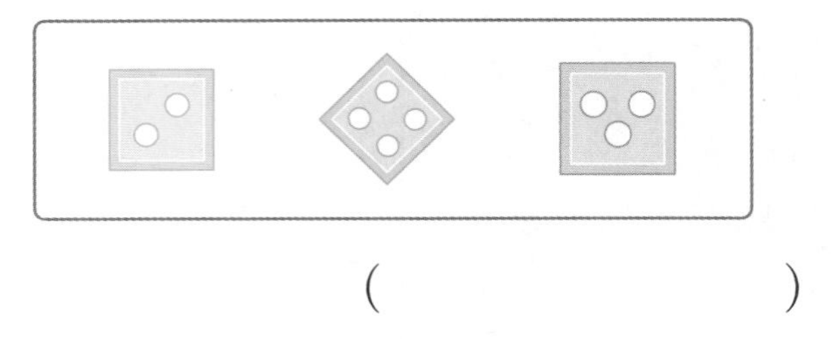

(　　　　　　　　)

2 모양이 같은 것끼리 이어 보세요.

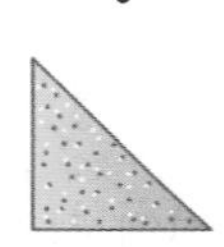

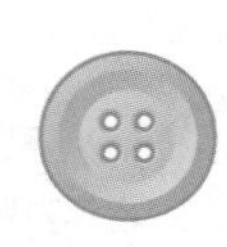

[3~4] 그림을 보고 물음에 답하세요.

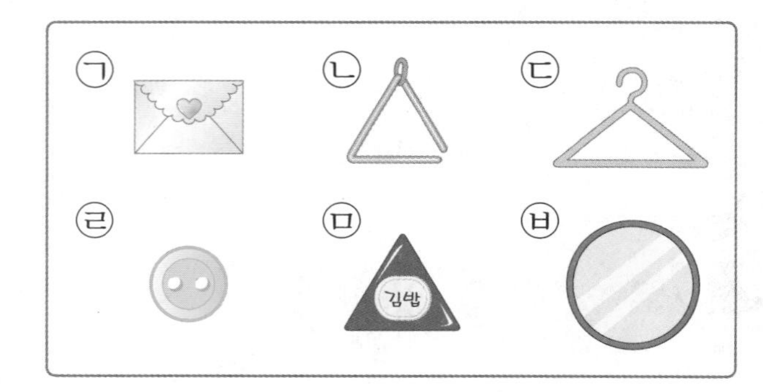

3 ○ 모양의 물건은 모두 몇 개인가요?

(　　　　　　　　)

4 △ 모양의 물건을 모두 찾아 기호를 쓰세요.

(　　　　　　　　)

5 같은 모양을 찾아 같은 색으로 칠해 보세요.

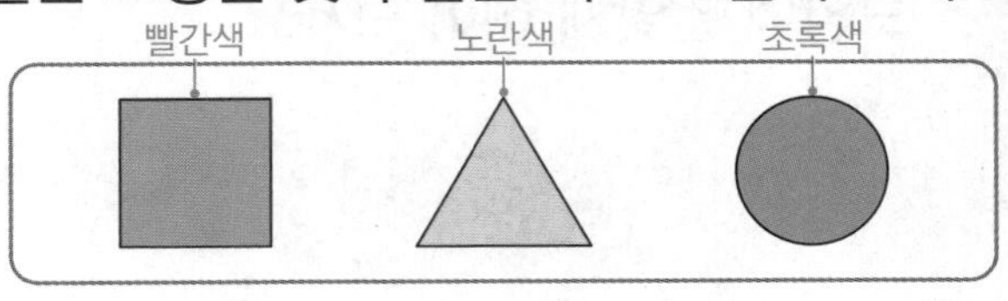

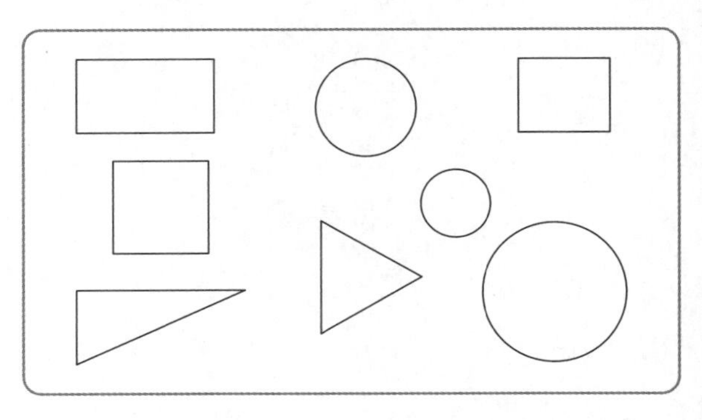

6 ▢, △, ○ 모양 중 사진에서 찾을 수 없는 모양을 쓰세요.

(　　　　　　　　)

활용문제

7 ▢, △, ○ 모양 중 태극기에서 찾을 수 있는 모양을 모두 쓰세요.

(　　　　　　　　)

» 정답과 해설 p. 16

개념 확인 | p.68 개념 2

기본 2 여러 가지 모양 알아보기

8 본떴을 때 나타나는 모양에 이어 보세요.

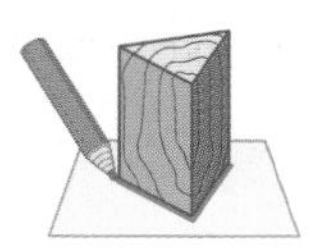

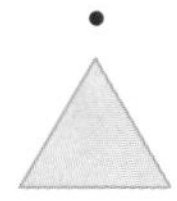

활용 문제

9 종이 위에 본을 뜰 때 나타나는 모양이 다른 하나를 찾아 ○표 하세요.

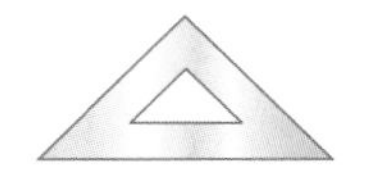

(　　　) (　　　) (　　　)

10 친구들이 만든 모양을 보고 알맞게 설명한 사람을 찾아 이름을 쓰세요.

뾰족한 부분이 4군데야.　　곧은 선이 3개야.　　둥근 부분이 있어.

다은　　도윤　　하린

(　　　)

11 어떤 모양의 일부분을 나타낸 것입니다. 어떤 모양인지 찾아 이어 보세요.

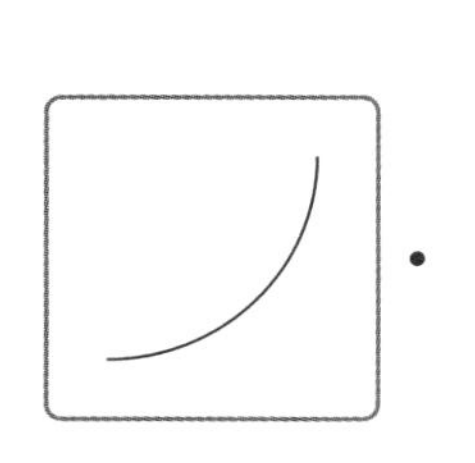

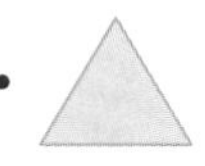

12 다음 블록에 물감을 묻혀 찍을 때 나타나는 모양을 모두 찾아 ○표 하세요.

(　　　) (　　　) (　　　)

바닥 부분에 물감을 묻혀 찍을 때와 옆 부분에 물감을 묻혀 찍을 때를 생각해 봐!

서술형

13 지호의 질문에 대한 생각을 쓰세요.

자동차 바퀴가 △ 모양이라면 어떻게 될까?

개념 확인 | p.70 개념 3

기본 3 여러 가지 모양 만들기

14 낙타 모양을 만들었습니다. 이용하지 않은 모양을 찾아 ○표 하세요.

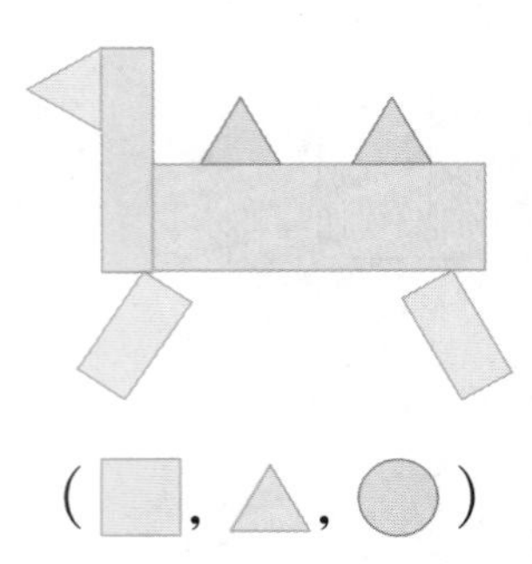

(□, △, ○)

활용문제

15 □, △, ○ 모양을 모두 이용하여 만든 모양에 ○표 하세요.

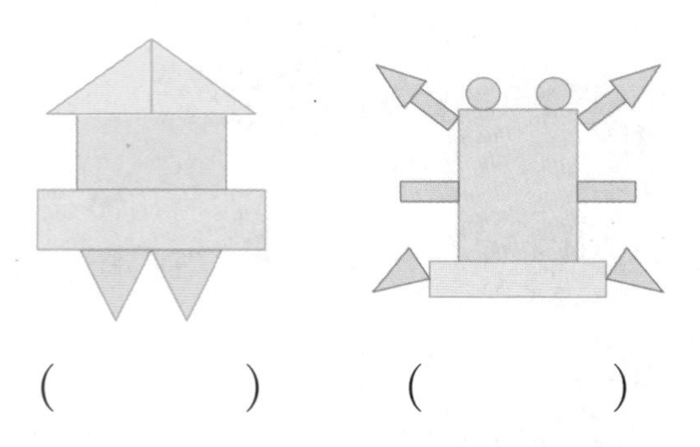

(　　　) (　　　)

16 □, △, ○ 모양으로 로봇을 만들었습니다. 이용한 모양의 수를 각각 □ 안에 써넣으세요.

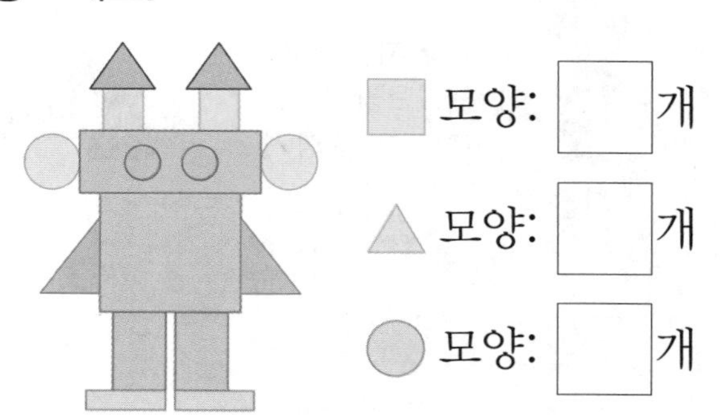

□ 모양: □개

△ 모양: □개

○ 모양: □개

17 보기는 □, △, ○ 모양 중에서 어떤 모양의 일부분을 본뜬 것입니다. 오른쪽 성을 만드는 데 이 모양을 몇 개 이용하였는지 구하세요.

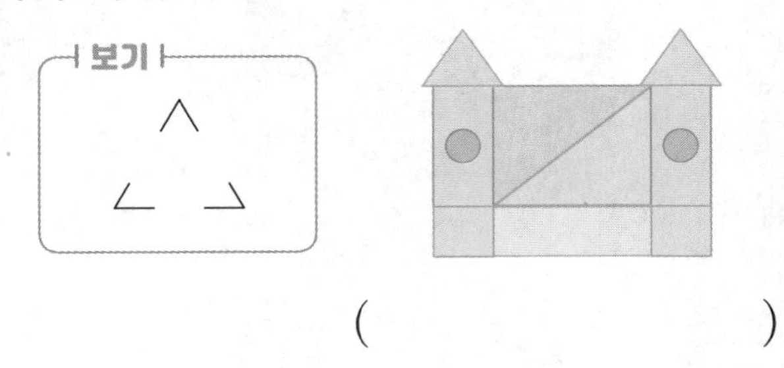

(　　　　　)

18 □, △, ○ 모양 중 꽃 모양을 만드는 데 가장 많이 이용한 모양과 그 개수를 차례로 쓰세요.

(　　　　　), (　　　　　)

19 □, △, ○ 모양을 이용하여 액자를 꾸미고, 이용한 모양의 수를 각각 □ 안에 써넣으세요.

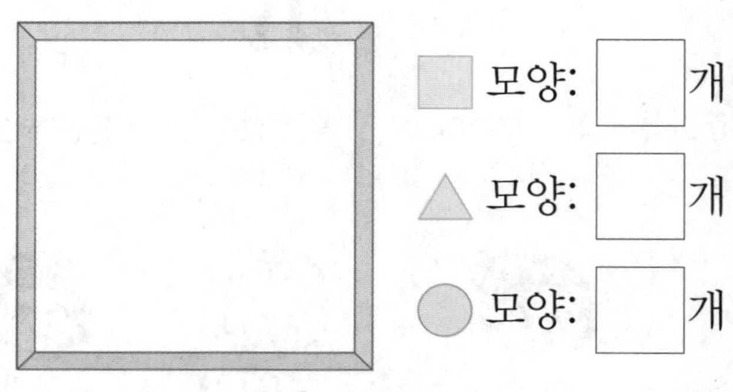

□ 모양: □개

△ 모양: □개

○ 모양: □개

□, △, ○ 모양을 이용하여 자유롭게 액자를 꾸미고, 이용한 모양의 수를 각각 세어 봐!

실력+ 주어진 개수로 만든 모양 찾기

만든 모양에서 □, △, ○ 모양의 수를 세어 주어진 개수와 같은 것을 찾습니다.

20 주어진 개수로 만든 모양의 기호를 쓰세요.

□ 모양	△ 모양	○ 모양
2개	2개	3개

가

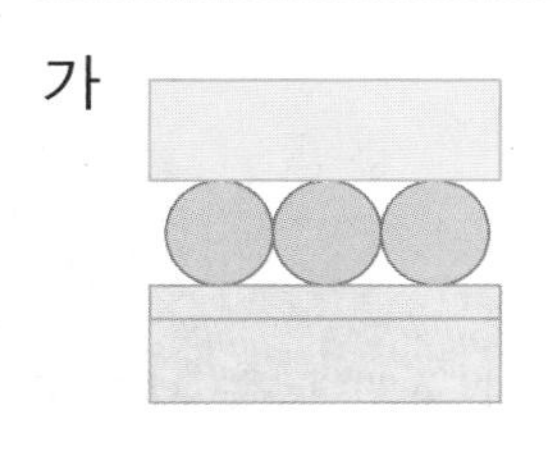

나

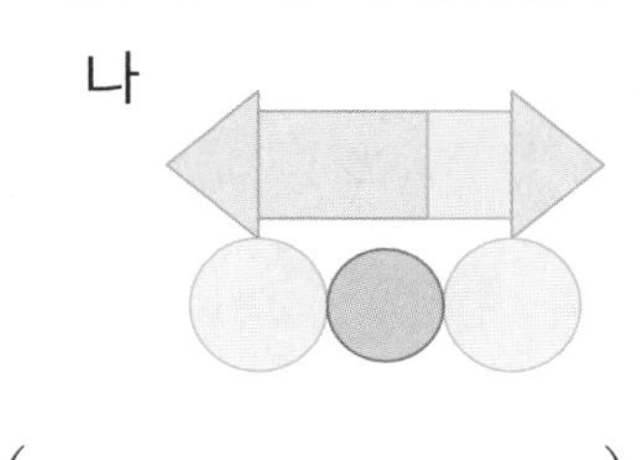

(　　　　　　　)

21 주어진 모양으로 만들 수 있는 모양의 기호를 쓰세요.

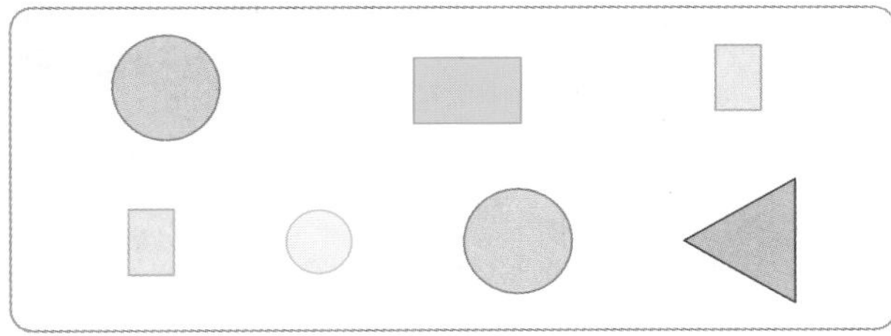

가

나

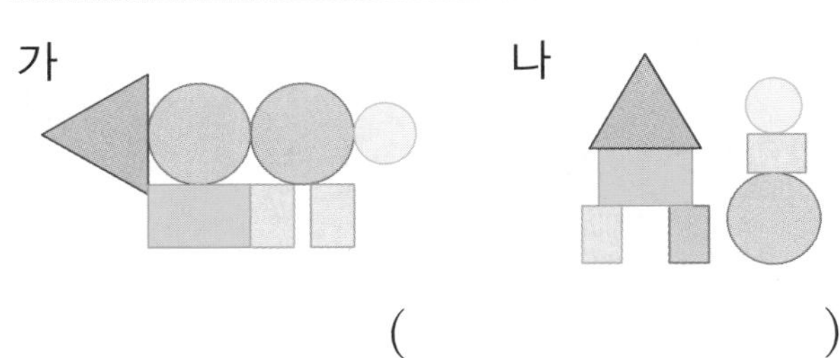

(　　　　　　　)

실력+ 모양이 만들어지도록 선 긋기

곧게 선을 그어서 주어진 조건에 맞게 모양과 개수가 만들어지도록 합니다.

예 모양과 크기가 같은 □ 모양이 2개 만들어지도록 선 긋기

→ 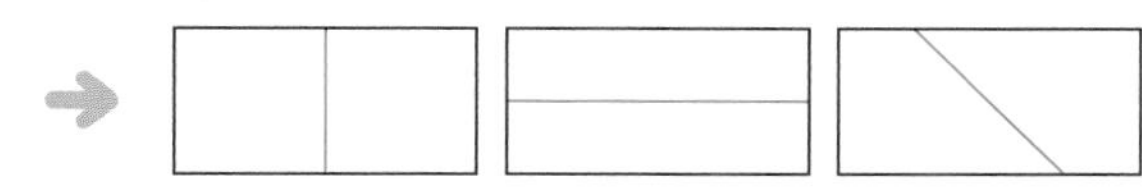

22 모양과 크기가 같은 △ 모양이 3개 만들어지도록 선을 2개 그어 보세요.

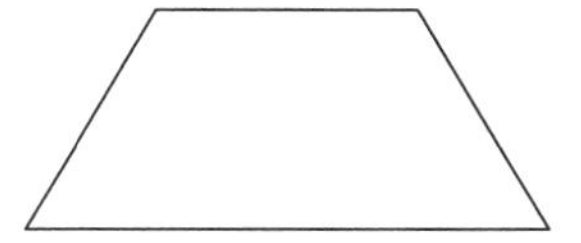

23 □ 모양 1개와 △ 모양 1개가 만들어지도록 선을 1개 그어 보세요.

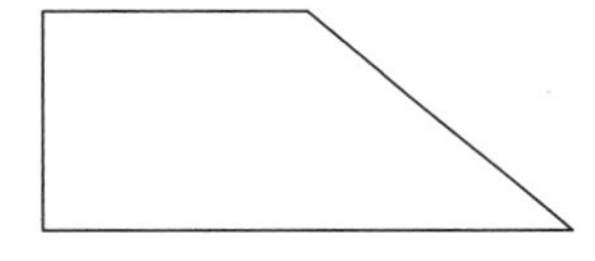

24 모양과 크기가 같은 △ 모양이 6개 만들어지도록 선을 여러 개 그어 보세요.

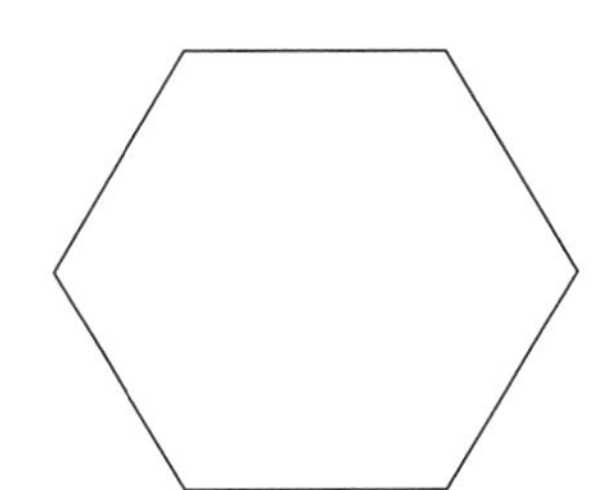

STEP 1

개념 익히기

개념 4 \ 몇 시

1 몇 시 알아보기

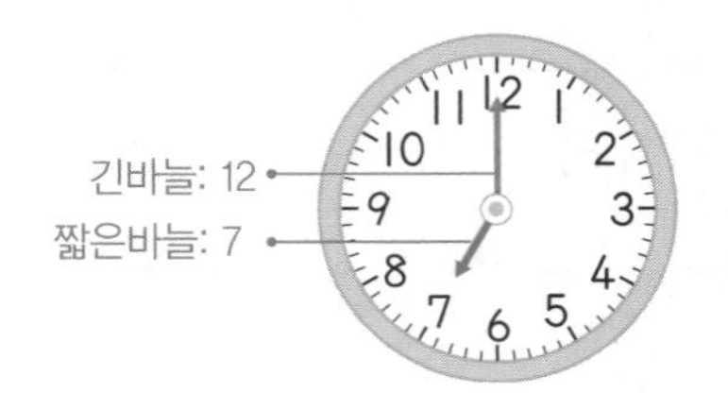

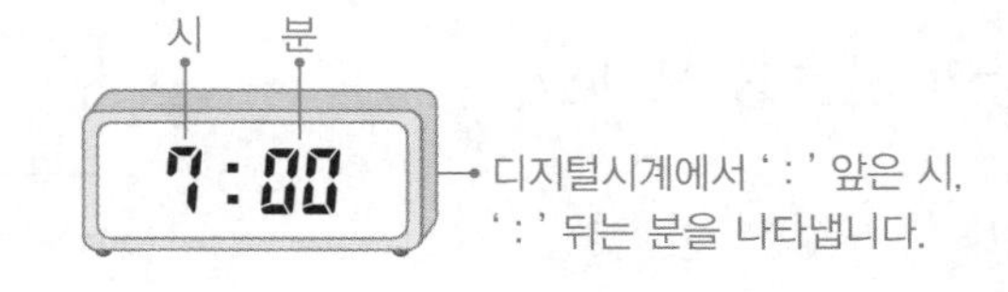

짧은바늘이 7, 긴바늘이 12를 가리킬 때
시계는 **7시**를 나타내고 **일곱 시**라고 읽습니다.

2 시계에 몇 시 나타내기

예 시계에 4시 나타내기

① **짧은바늘이 4**를 가리키도록 그립니다.
② **긴바늘이 12**를 가리키도록 그립니다.

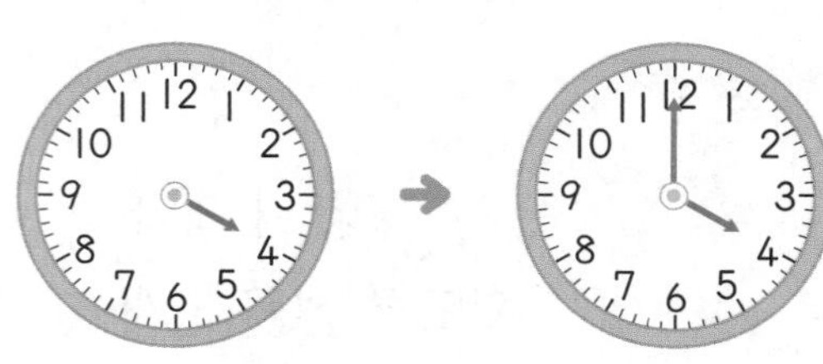

개념 플러스

긴바늘이 12를
가리킬 때 **몇 시**를
나타내.

- 7시, 4시 등을 **시각**이라고 합니다.

참고 개념
긴바늘이 한 바퀴 움직이는 동안 짧은바늘은 숫자 한 칸을 움직입니다.

1 시계를 보고 □ 안에 알맞은 수를 써넣으세요.

짧은바늘이 8을 가리키고, 긴바늘이 □를 가리키므로 시계가 나타내는 시각은 □시입니다.

- 짧은바늘과 긴바늘이 가리키는 숫자를 각각 알아봅니다.

2 시계가 나타내는 시각을 찾아 ○표 하세요.

(2시 , 3시 , 12시)

[3~4] 5시를 시계에 나타내려고 합니다. 물음에 답하세요.

3 □ 안에 알맞은 수를 써넣으세요.

> 5시는 짧은바늘이 □를 가리키고, 긴바늘이 □를 가리키도록 그립니다.

4 시계에 5시를 나타내 보세요.

5 시각을 쓰세요.

(1) (2)

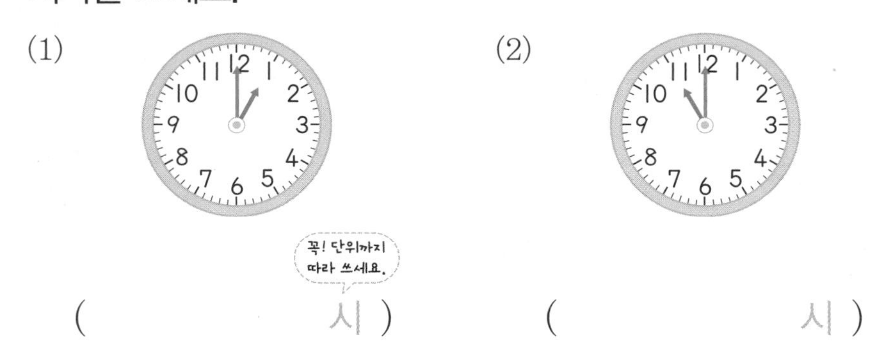

(1) (　　　　시)　　(2) (　　　　시)

6 같은 시각끼리 이어 보세요.

 •　　• 10:00

 •　　• 9:00

- 시계의 긴바늘이 12를 가리킬 때 짧은바늘이 가리키는 숫자를 읽어 '몇 시'라고 합니다.
- 디지털시계에서 ' : ' 앞은 시, ' : ' 뒤는 분을 나타냅니다.

3 모양과 시각

1 개념 익히기

개념 5 몇 시 30분

1 몇 시 30분 알아보기

2 : 30

짧은바늘이 2와 3의 가운데, 긴바늘이 6을 가리킬 때
시계는 **2시 30분**을 나타내고 **두 시 삼십 분**이라고 읽습니다.

2 시계에 몇 시 30분 나타내기

예 시계에 8시 30분 나타내기

① **짧은바늘이 8과 9의 가운데**를 가리키도록 그립니다.
② **긴바늘이 6**을 가리키도록 그립니다.

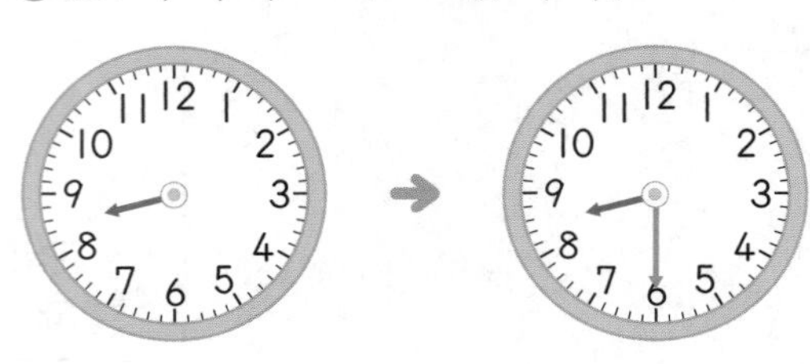

개념 플러스

긴바늘이 6을 가리키면
30분을 나타내.

참고 개념
시계의 짧은바늘은 '몇 시'를, 긴바늘은 '몇 분'을 나타냅니다.

1 시계를 보고 □ 안에 알맞은 수를 써넣으세요.

짧은바늘이 4와 5의 가운데에 있고, 긴바늘이 □을 가리키므로 □시 30분입니다.

2 시계가 나타내는 시각에 색칠해 보세요.

9시 30분 | 10시 30분

- 긴바늘이 6을 가리키고 짧은 바늘이 숫자와 숫자의 가운데를 가리킬 때에는 앞의 숫자를 보고 '몇 시 30분'이라고 합니다.

≫ 정답과 해설 p. 18

[3~4] 1시 30분을 시계에 나타내려고 합니다. 물음에 답하세요.

3 □ 안에 알맞은 수를 써넣으세요.

> 1시 30분은 짧은바늘이 □ 과 2의 가운데, 긴바늘이
> □ 을 가리키도록 그립니다.

4 시계에 1시 30분을 나타내 보세요.

- 긴바늘과 짧은바늘이 가리키는 방향이 서로 바뀌지 않도록 주의합니다.

5 시각을 쓰세요.

(1) (2)

(시 분) (시 분)

6 같은 시각끼리 이어 보세요.

5 : 30 12 : 30 6 : 30

- 디지털시계에서 ' : ' 앞은 시, ' : ' 뒤는 분을 나타냅니다.

기본 다지기

개념 확인 | p.76 개념 4

기본 4 몇 시

1 그림을 보고 문장을 완성해 보세요.

주현이는 ☐시에 일어났습니다.

2 시각을 바르게 읽은 사람의 이름을 쓰세요.

지현: 열두 시
준서: 세 시

(　　　　　　)

3 두 시계가 나타내는 시각이 같으면 ○표, 다르면 ×표 하세요.

(　　　　　　)

4 시각에 맞게 긴바늘을 그려 넣으세요.

4시

활용문제

5 시곗바늘을 그려 넣고, 시각을 쓰세요.

긴바늘 → 12
짧은바늘 → 9

(　　　　　　)

짧은바늘과 긴바늘이 가리키는 방향이 서로 바뀌지 않게 주의하자.

6 시각을 잘못 쓴 것의 기호를 쓰세요.

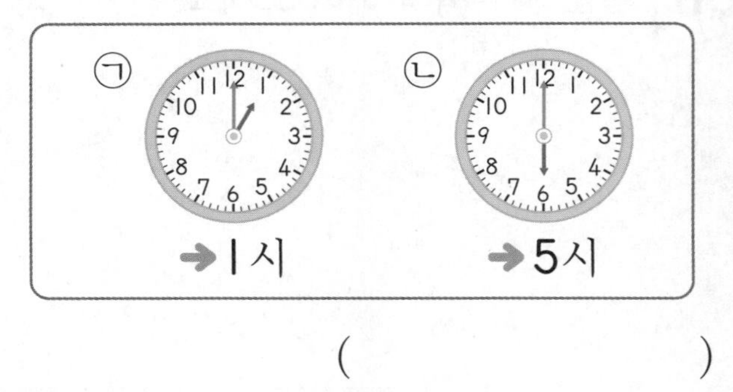

(　　　　　　)

≫ 정답과 해설 p. 18

7 시계의 짧은바늘과 긴바늘이 완전히 겹쳐지는 시각에 맞게 시곗바늘을 그려 넣고, 시각을 쓰세요.

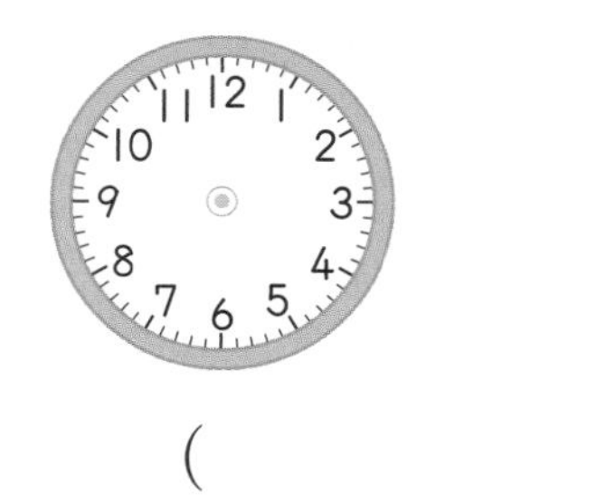

(　　　　　　　　)

서술형

8 10시를 시계에 나타내는 방법을 잘못 설명했습니다. 그 까닭을 쓰세요.

짧은바늘이 12를 가리키고, 긴바늘이 10을 가리키도록 그립니다.

까닭 ______________________

____

____

9 조건 을 모두 만족하는 시각을 시계에 나타내 보세요.

조건
- 긴바늘이 12를 가리킵니다.
- 짧은바늘이 10과 12 사이의 숫자를 가리킵니다.

개념 확인 | p.78 개념 5

기본 5 몇 시 30분

10 미현이가 학교 정문을 나간 시각입니다. 이때의 시각을 쓰세요.

(　　　　　　　　)

11 시각에 맞게 짧은바늘을 그려 넣으세요.

11시 30분

활용 문제

12 디지털시계의 시각을 오른쪽 시계에 나타내 보세요.

디지털시계가 나타내는 시각을 먼저 읽어 보자.

3 모양과 시각

13 시곗바늘이 잘못 그려진 것에 ○표 하세요.

( ) ( )

14 다은이가 설명하는 시각에 맞게 시곗바늘을 그려 넣고, 시각을 쓰세요.

( )

활용문제

15 시계의 짧은바늘이 4와 5의 가운데, 긴바늘이 6을 가리킵니다. 시계가 나타내는 시각을 써 보세요.

( )

16 유리는 2시 30분에 태권도 학원에 도착했습니다. 유리가 태권도 학원에 도착한 시각을 시계에 나타낼 때 긴바늘이 가리키는 숫자를 쓰세요.

( )

17 다음은 소희와 윤서가 오늘 아침에 일어난 시각입니다. 더 일찍 일어난 사람의 이름을 쓰세요.

( )

18 태희가 피아노 학원을 5시 30분에 가서 7시 30분에 나왔습니다. 피아노 학원을 간 시각과 나온 시각을 각각 시계에 나타내 보세요.

실력+ 긴바늘이 움직이는 횟수와 시각의 관계

시계의 긴바늘이 한 바퀴 움직이는 동안 짧은바늘은 숫자 1칸을 움직입니다.

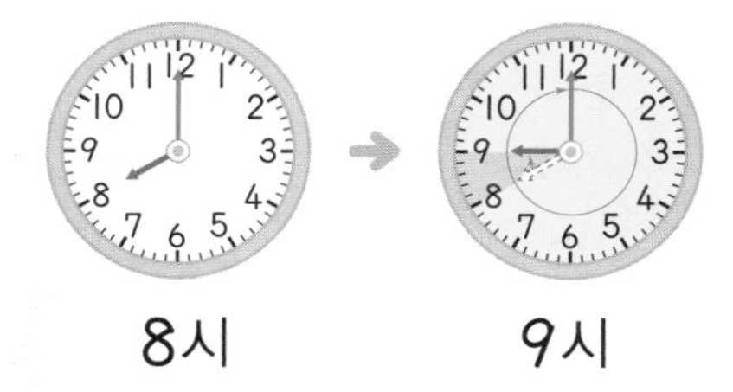

19 왼쪽 시계에서 긴바늘이 한 바퀴 움직였을 때의 시각을 오른쪽 시계에 나타내 보세요.

20 7시에서 시계의 긴바늘이 한 바퀴 움직였을 때의 시각을 오른쪽 시계에 나타내 보세요.

21 시후는 6시에 수영을 시작해서 시계의 긴바늘이 한 바퀴 움직였을 때 수영을 끝냈습니다. 시후가 수영을 끝낸 시각을 쓰세요.

( )

실력+ 시각과 시각 사이의 시각 구하기

예 12시와 1시 사이의 시각 알아보기

12시 / 12시와 1시 사이의 시각 / 1시

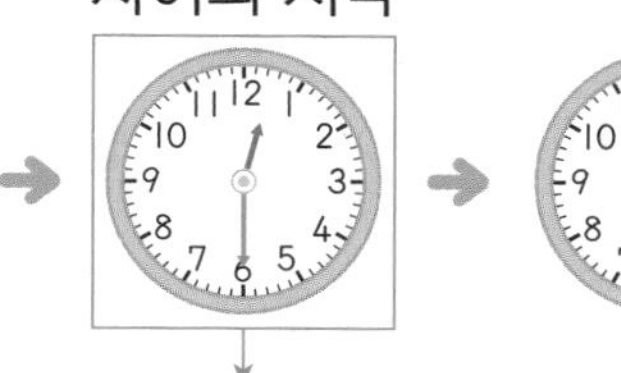

짧은바늘이 12와 1의 가운데를 가리킵니다.

22 4시부터 6시 사이에 볼 수 있는 시각을 모두 찾아 ○표 하세요.

( ) ( ) ( )

23 다음은 예서가 저녁에 한 일을 나타낸 것입니다. 7시부터 8시 30분 사이에 한 일을 모두 찾아 쓰세요.

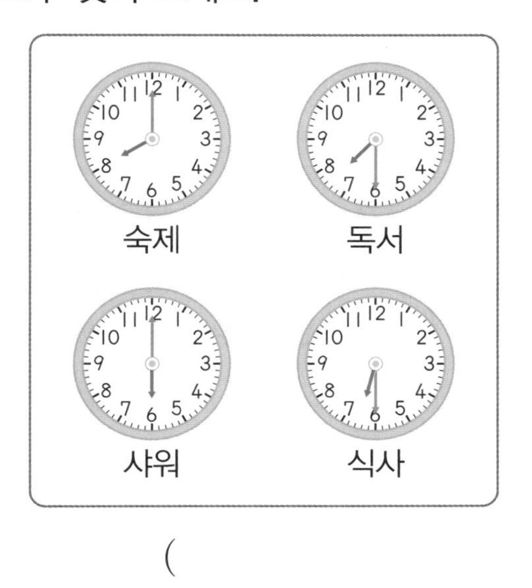

( )

STEP 3

응용력 올리기

복습책 p.14에 유사 문제 제공

1 선을 따라 잘랐을 때 생기는 모양의 수 구하기

오른쪽 색종이를 선을 따라 모두 자르면 어떤 모양이 몇 개 생기는지 구하세요.

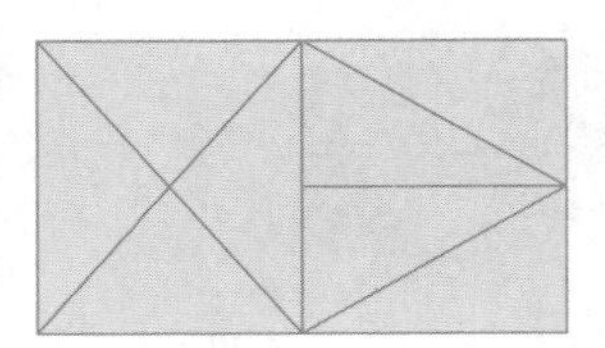

선을 따라 잘랐을 때 생기는 모양과 그 개수를 구해 봐!

해결 과정

❶ 선을 따라 모두 자르면 어떤 모양이 생기나요?

(　　　　　　　　)

❷ 위 ❶의 모양은 모두 몇 개 생기는지 구하세요.

(　　　　　　　　)

1-1 오른쪽 색종이를 선을 따라 모두 자르면 어떤 모양이 몇 개 생기는지 차례로 구하세요.

(　　　　　　　　), (　　　　　　　　)

해결 과정을 따라 풀자!

1-2 오른쪽 색종이를 선을 따라 모두 자르면 □ 모양과 △ 모양 중에서 어떤 모양이 몇 개 더 많이 생기는지 차례로 구하세요.

(　　　　　　　　), (　　　　　　　　)

2 거울에 비친 시계의 시각 구하기

준호가 화분에 꽃을 심고 거울에 비친 시계를 보았더니 다음과 같았습니다. 준호가 본 시계의 시각을 써 보세요.

짧은바늘과 긴바늘이 각각 가리키는 숫자를 알아보자.

해결 과정

❶ 시계의 짧은바늘과 긴바늘이 각각 가리키는 숫자를 쓰세요.

짧은바늘 (　　　　　　), 긴바늘 (　　　　　　)

❷ 준호가 본 시계의 시각을 써 보세요.

(　　　　　　)

2-1 수진이가 저녁을 먹고 거울에 비친 시계를 보았더니 오른쪽과 같았습니다. 수진이가 본 시계의 시각을 써 보세요.

(　　　　　　)

해결 과정을 따라 풀자!

2-2 현아가 숙제를 끝내고 거울에 비친 시계를 보았더니 오른쪽과 같았습니다. 현아가 본 시계의 시각을 써 보세요.

(　　　　　　)

복습책 p.15에 유사 문제 제공

3 꾸미기 전에 있던 붙임딱지의 수 구하기

오른쪽과 같이 필통에 □, △, ○ 모양의 붙임딱지를 붙여 꾸미고 남은 붙임딱지의 수를 세어 보았더니 □ 모양은 2개, △ 모양은 1개, ○ 모양은 3개였습니다. 꾸미기 전에 가장 많이 있던 붙임딱지의 모양은 무엇인지 구하세요.

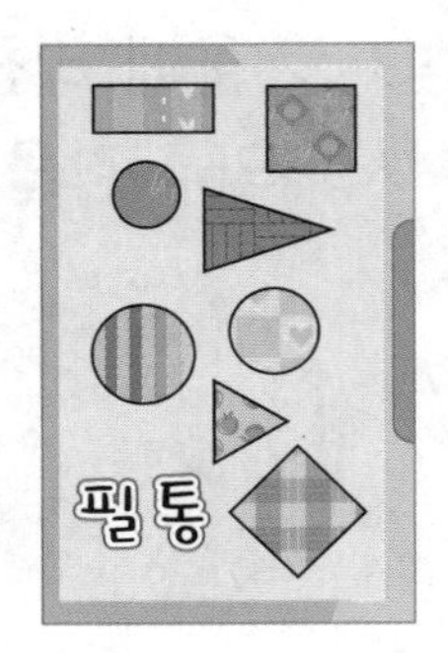

(필통을 꾸미기 전에 있던 붙임딱지의 수)
=(필통에 붙인 붙임딱지의 수)
+(남은 붙임딱지의 수)

해결 과정

❶ 필통에 붙인 각 모양의 붙임딱지의 수를 세어 보세요.

□ 모양: □개 △ 모양: □개 ○ 모양: □개

❷ 꾸미기 전에 있던 각 모양의 붙임딱지의 수를 구하세요.

□ 모양: □개 △ 모양: □개 ○ 모양: □개

❸ 필통을 꾸미기 전에 가장 많이 있던 붙임딱지의 모양은 무엇인가요?

( )

3-1 메모장에 □, △, ○ 모양의 붙임딱지를 붙여 꾸미고 남은 붙임딱지의 수를 세어 보았더니 □ 모양은 3개, △ 모양은 2개, ○ 모양은 5개였습니다. 꾸미기 전에 가장 많이 있던 붙임딱지의 모양은 무엇인지 구하세요.

( )

해결 과정을 따라 풀자!

4 크고 작은 모양의 수 구하기

그림에서 찾을 수 있는 크고 작은 □ 모양은 모두 몇 개인지 구하세요.

□ 모양 1개짜리, □ 모양 2개짜리, □ 모양 3개짜리인 □ 모양을 모두 찾아 봐!

해결 과정

① □ 모양은 몇 개인가요?

( )

② □□ 모양과 □□□ 모양은 각각 몇 개인지 차례로 쓰세요.

( ), ( )

③ 그림에서 찾을 수 있는 크고 작은 □ 모양은 모두 몇 개인가요?

( )

4-1 오른쪽 그림에서 찾을 수 있는 크고 작은 □ 모양은 모두 몇 개인지 구하세요.

( )

해결 과정을 따라 풀자!

4-2 오른쪽 그림에서 찾을 수 있는 크고 작은 △ 모양은 모두 몇 개인지 구하세요.

( )

응용력 올리기

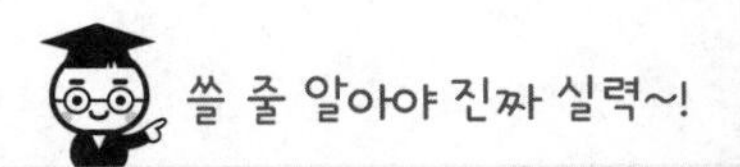

1 점판 위의 빨간색 점 4개를 번호 순서대로 곧게 이으면 어떤 모양이 그려지나요?

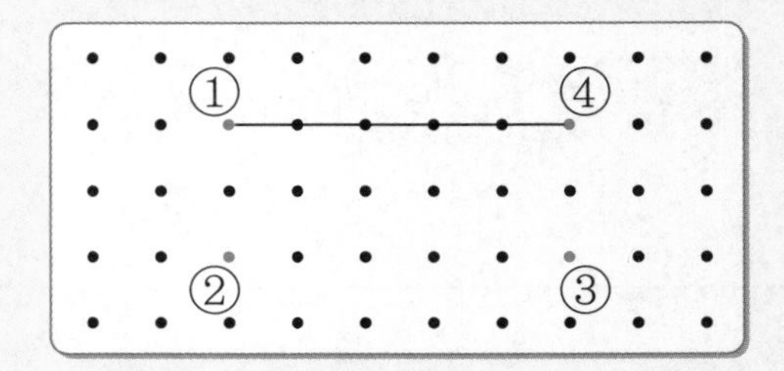

풀이

답

2 지호와 지유가 각자 다음과 같이 색종이를 2번 접어 펼친 다음 접은 선을 따라 모두 오렸습니다. 각자 오린 색종이에서 ■, ▲, ● 모양 중 어떤 모양이 몇 개 생기는지 차례로 구하세요.

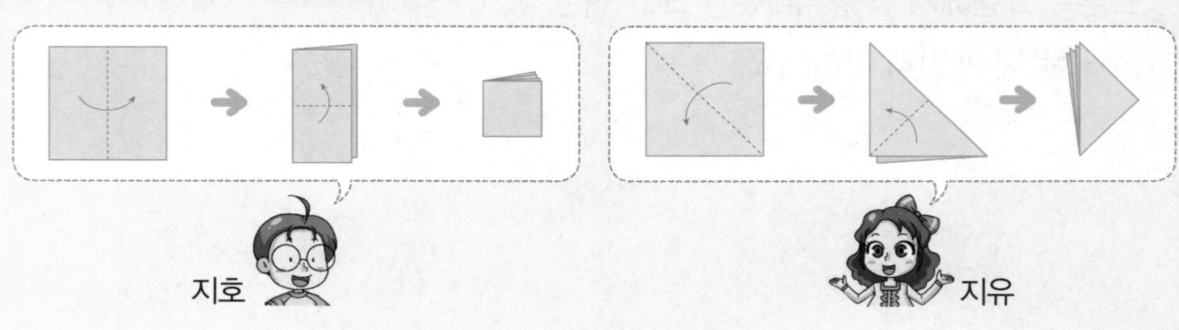

풀이

답 지호: ,

지유: ,

창의·융합 서술형 수능 대비

융합형

3 지후가 공연장에 3시 30분에 도착했습니다. 처음부터 볼 수 있는 공연은 몇 회인가요?

공연 시간표

1회	11 : 30
2회	1 : 00
3회	2 : 30
4회	4 : 00

풀이

답

코딩형

4 로봇이 다음 명령어를 따라 도착한 칸을 포함하여 지나간 칸에 있는 조각을 모두 담았습니다. 시작하기 버튼을 클릭했을 때 로봇이 담은 조각은 어떤 모양이 가장 많은가요?

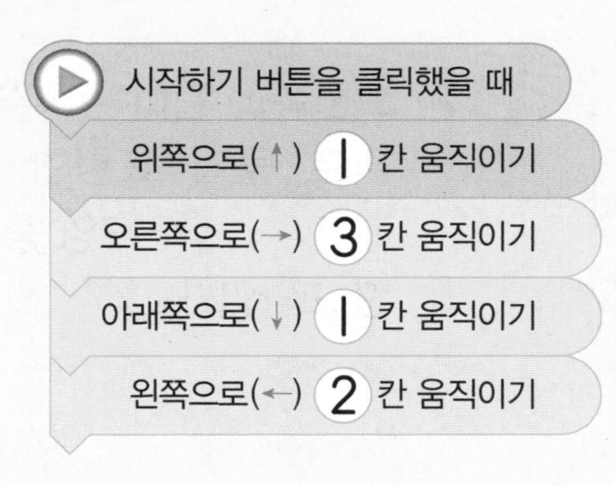

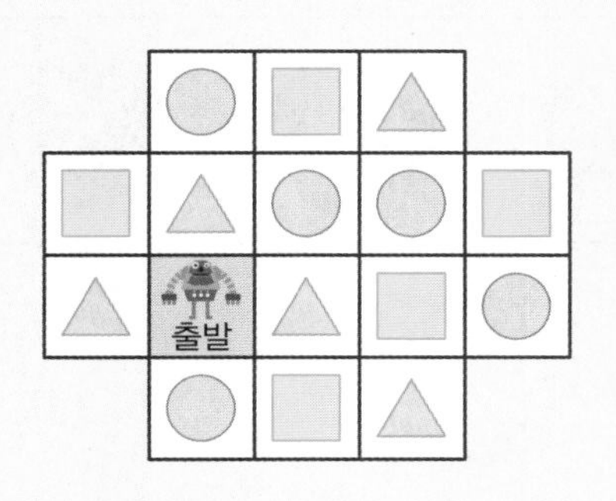

풀이

답

단원 기본 평가

점수 점

1 ◻ 모양의 물건을 찾아 ○표 하세요.

 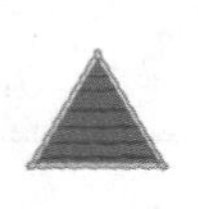 

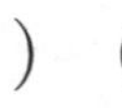

( ) ( ) ( )

2 시각을 쓰세요.

( )

3 같은 모양의 물건끼리 모아 놓은 것입니다. 모아 놓은 모양을 찾아 ○표 하세요.

  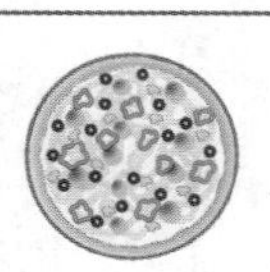

4 모양이 같은 것끼리 이어 보세요.

  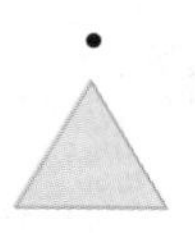

5 시각에 맞게 긴바늘을 그려 넣으세요.

10시 30분

6 설명에 알맞은 모양을 찾아 ○표 하세요.

뾰족한 부분이 4군데입니다.

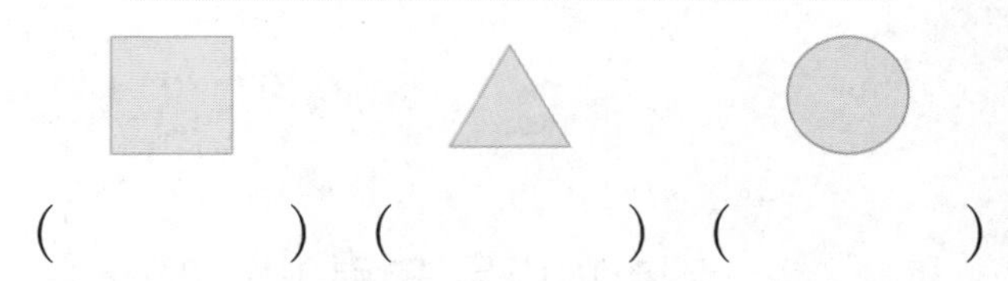

( ) ( ) ( )

7 오른쪽과 같이 두 팔을 머리 위로 올려 표현한 모양은 ◻, △, ○ 모양 중에서 어떤 모양인가요?

( )

8 시후가 점심을 먹은 시각을 시계에 나타내 보세요.

[9~10] 우진이네 교실입니다. 그림을 보고 물음에 답하세요.

9 우진이가 들고 있는 트라이앵글의 모양을 찾아 ○표 하세요.

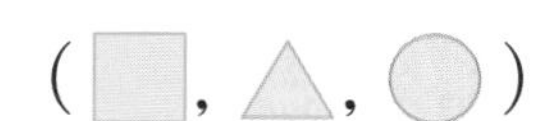

10 교실에 있는 물건의 모양에 대해 잘못 말한 사람을 찾아 이름을 쓰세요.

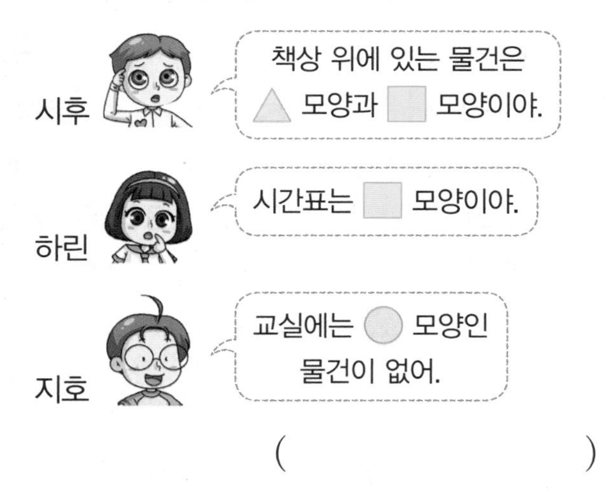

( )

11 다은이가 설명한 모양의 물건을 찾아 기호를 쓰세요.

( )

12 □ 모양의 색종이를 다음과 같이 반으로 접었습니다. 접은 선을 따라 오리면 어떤 모양이 몇 개 생기는지 차례로 쓰세요.

( ), ( )

13 보기 는 □, △, ○ 모양 중에서 어떤 모양의 일부분을 본뜬 것입니다. 오른쪽 강아지를 만드는 데 이 모양을 몇 개 이용하였는지 구하세요.

( )

14 시계가 4시를 나타낼 때 짧은바늘이 가리키는 숫자와 긴바늘이 가리키는 숫자의 합을 구하세요.

( )

3 모양과 시각

15 □, △, ○ 모양으로 로켓을 만들었습니다. 가장 많이 이용한 모양을 찾아 ○표 하세요.

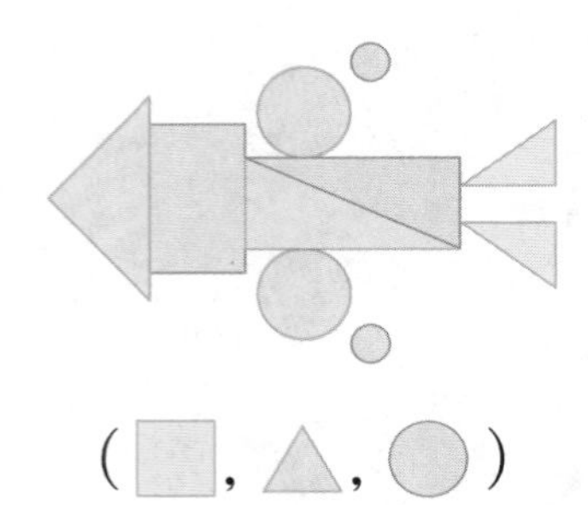

(□, △, ○)

16 오른쪽 블록에 물감을 묻혀 찍었을 때 나타날 수 없는 모양을 찾아 기호를 쓰세요.

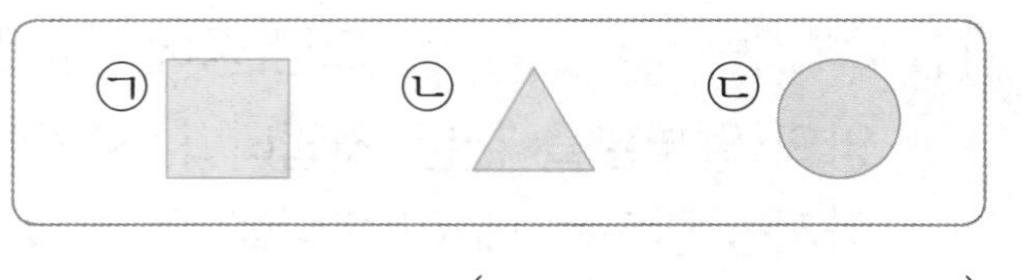

( )

17 유리는 저녁 5시 30분부터 8시까지 책을 읽었습니다. 책을 읽는 동안 볼 수 없는 시각은 어느 것인가요? ············ ( )

18 설명하는 시각을 쓰세요.

- 1시와 6시 사이의 시각입니다.
- 긴바늘이 12를 가리킵니다.
- 3시보다 빠른 시각입니다.

( )

서술형

19 선을 따라 모두 자르면 △ 모양과 □ 모양 중에서 어떤 모양이 몇 개 더 많이 생기는지 풀이 과정을 쓰고 답을 차례로 구하세요.

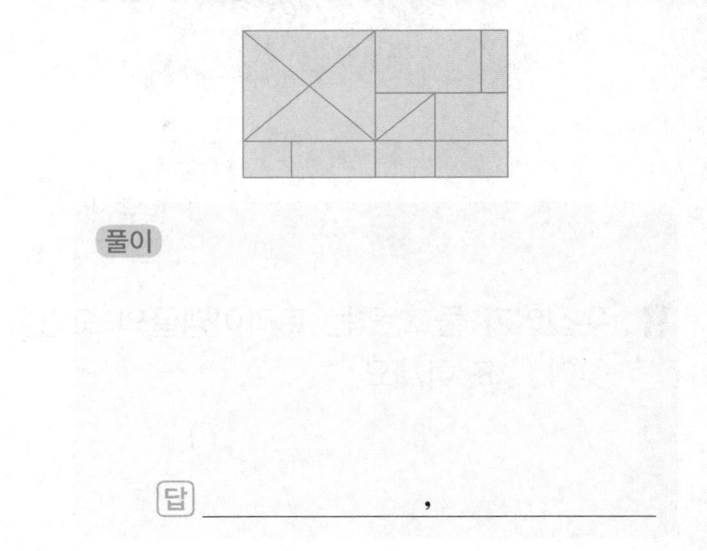

풀이

답 ______, ______

서술형

20 가방에 □, △, ○ 모양의 붙임딱지를 붙여 꾸미고 남은 붙임딱지의 수를 세어 보았더니 □ 모양은 1개, △ 모양은 5개, ○ 모양은 2개였습니다. 꾸미기 전에 가장 많이 있던 붙임딱지의 모양은 무엇인지 풀이 과정을 쓰고 답을 구하세요.

풀이

답 ______

단원 실력 평가

점수 점

복습책 p.18~19에 실력 평가 추가 제공

1 ◯ 모양을 찾아 그 모양을 따라 색연필로 그려 보세요.

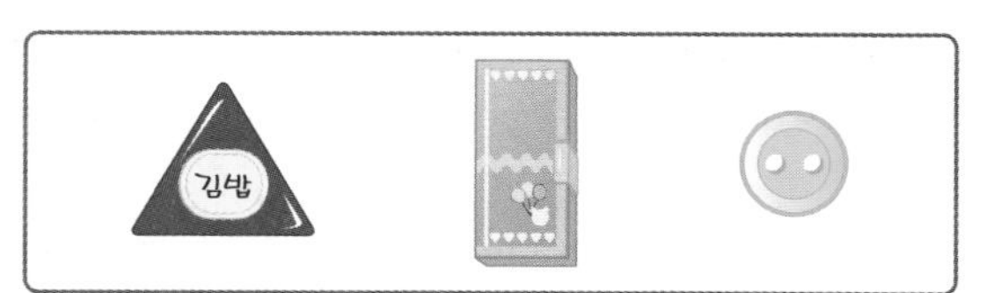

2 왼쪽 물건을 고무찰흙 위에 찍었을 때 나타나는 모양을 찾아 ○표 하세요.

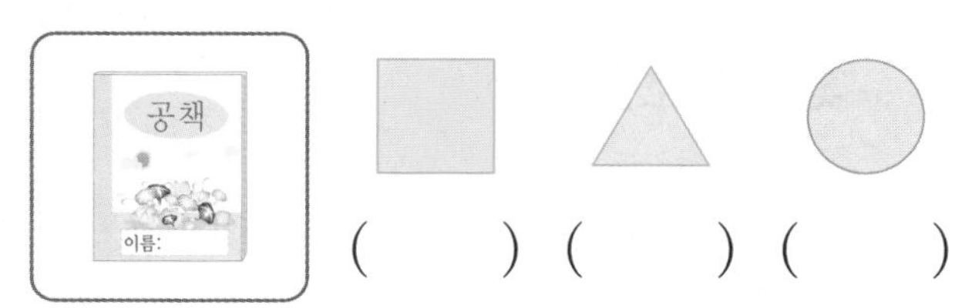

( ) ( ) ( )

3 ◯ 모양의 물건을 모은 것입니다. 잘못 모은 것을 찾아 기호를 쓰세요.

( )

4 3시를 나타내는 시계에 ○표 하세요.

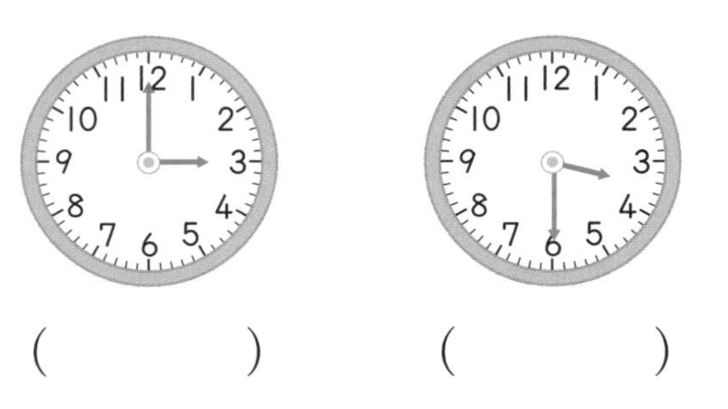

( ) ( )

5 ◯ 모양을 만든 사람의 이름을 쓰세요.

( )

6 지유가 설명하는 모양을 찾아 ○표 하세요.

( ) ( ) ( )

7 시곗바늘이 다음과 같은 숫자를 가리킬 때의 시각을 시계에 나타내고, 시각을 쓰세요.

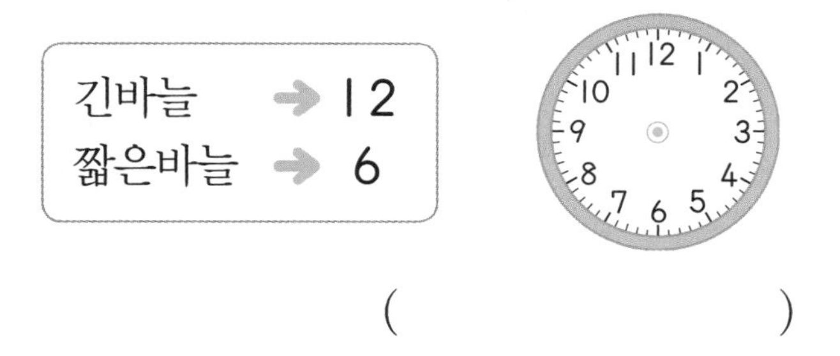

( )

8 오른쪽 모양을 만드는 데 이용하지 않은 모양을 찾아 ○표 하세요.

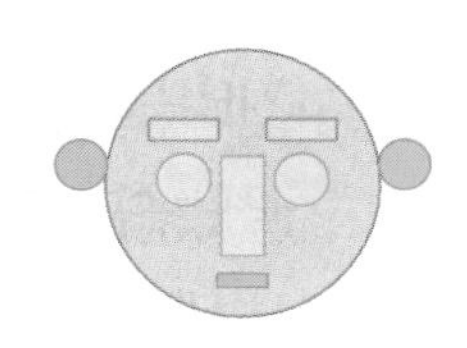

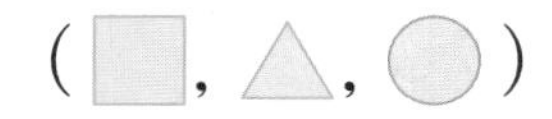

3 모양과 시각

[9~10] □, △, ○ 모양으로 신호등과 자동차 모양을 만들었습니다. 물음에 답하세요.

9 이용한 □, △, ○ 모양의 수를 세어 빈칸에 써넣으세요.

모양	□	△	○
수(개)			

10 가장 많이 이용한 모양을 찾아 ○표 하세요.

(□, △, ○)

11 오른쪽 점판 위에 그린 모양과 같은 모양의 물건을 모두 찾아 기호를 쓰세요.

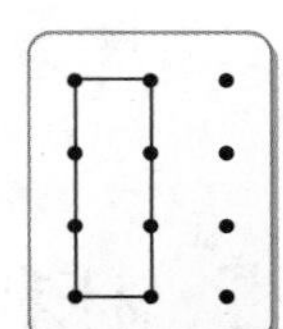

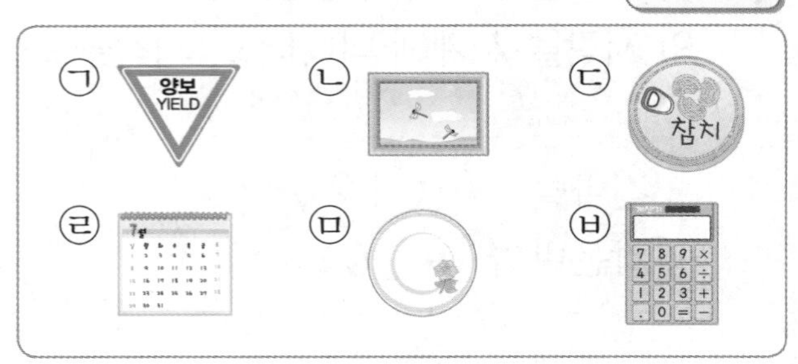

( )

12 연두는 9시에 책을 읽기 시작해서 시계의 긴바늘이 한 바퀴 움직였을 때 책 읽기를 끝냈습니다. 연두가 책 읽기를 끝낸 시각을 쓰세요.

( )

13 □, △, ○ 모양을 이용하여 오른쪽 화분을 만들었습니다. 가장 많이 이용한 모양과 가장 적게 이용한 모양의 수의 차는 몇 개인가요?

( )

14 시계의 긴바늘이 6을 가리키는 시각을 모두 찾아 기호를 쓰세요.

㉠ 10시 30분	㉡ 12시
㉢ 3시	㉣ 5시 30분

( )

15 종이를 점선을 따라 모두 오렸습니다. 나온 개수가 가장 적은 모양을 찾아 이 모양에서 곧은 선은 몇 개인지 구하세요.

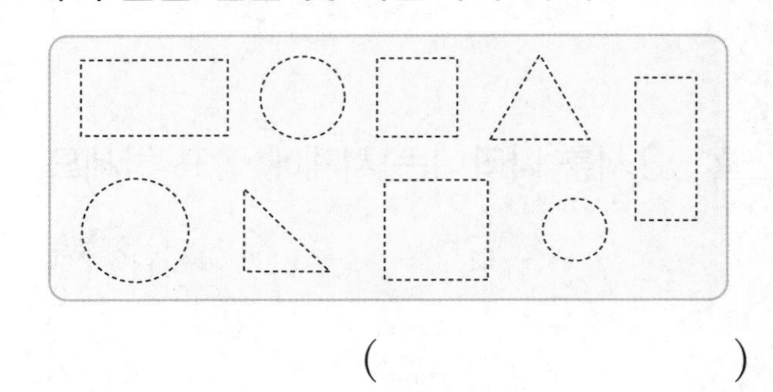

( )

» 정답과 해설 p. 22

16 채현이가 목욕을 시작한 시각과 끝낸 시각입니다. 각각의 시각을 쓰세요.

시작한 시각　　　끝낸 시각

시작한 시각 (　　　　　　　　)

끝낸 시각 (　　　　　　　　)

17 오른쪽 색종이를 접은 후 접은 선을 따라 모두 오려 똑같은 △ 모양을 4개 만들려고 합니다. 적어도 몇 번 접어야 하나요?

(　　　　　　　　)

18 수정이네 가족이 오늘 저녁에 양치질을 시작한 시각을 나타낸 것입니다. 제일 먼저 양치질을 시작한 사람은 누구인가요?

아버지

어머니

수정

(　　　　　　　　)

서술형

19 은우가 학원에 도착해서 거울에 비친 시계를 보았더니 다음과 같았습니다. 은우가 본 시계의 시각은 몇 시 몇 분인지 풀이 과정을 쓰고 답을 구하세요.

풀이

답 ____________________

서술형

20 오른쪽 그림에서 찾을 수 있는 크고 작은 □ 모양은 모두 몇 개인지 풀이 과정을 쓰고 답을 구하세요.

풀이

답 ____________________

3 모양과 시각

덧셈과 뺄셈(2)

단원 내용 미리보기

본문 98, 100쪽

덧셈하기

예 6+5의 계산

6 + 5 = 11
(5 → 4, 1)

6 + 5 = 11
(6 → 1, 5)

본문 102쪽

여러 가지 덧셈하기

9 + 4 = 13
9 + 5 = 14
9 + 6 = 15
9 + 7 = 16

같음. 1씩 커짐. 1씩 커짐.

8 + 8 = 16
7 + 8 = 15
6 + 8 = 14
5 + 8 = 13

1씩 작아짐. 같음. 1씩 작아짐.

스마트폰을 이용하여 QR 코드를 찍으면
개념 학습 영상을 볼 수 있어요.

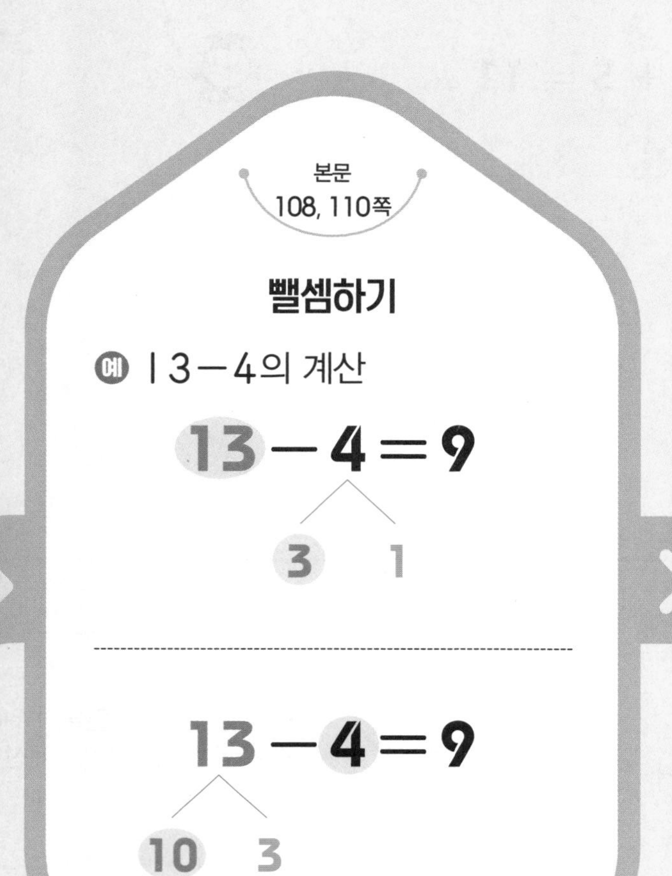

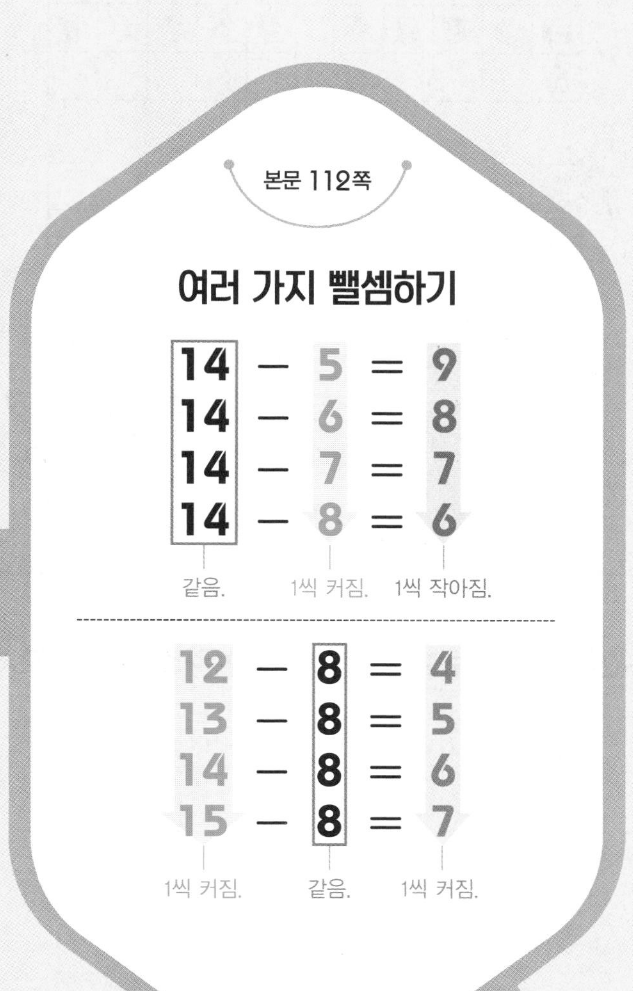

이제부터 **기본+응용**을
시작해 볼까요~

STEP 1

개념 익히기

개념 1 덧셈하기 (1)

개념 플러스

6이 10이 되도록
5를 4와 1로 가르기 해.

뒤의 수를 가르기 하여 덧셈하기

예 $6+5$의 계산

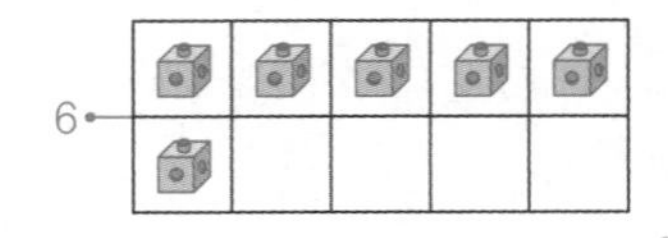
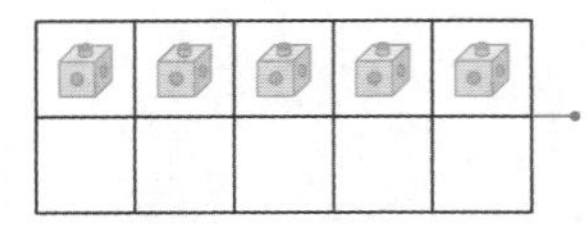
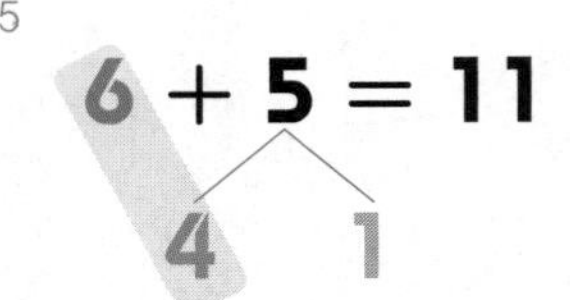
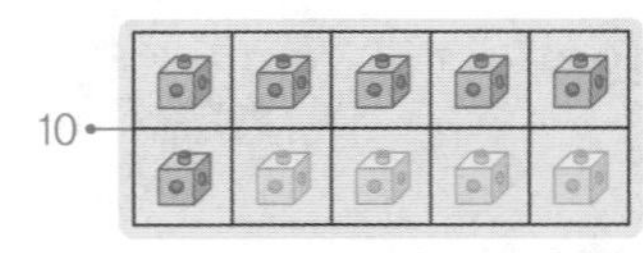
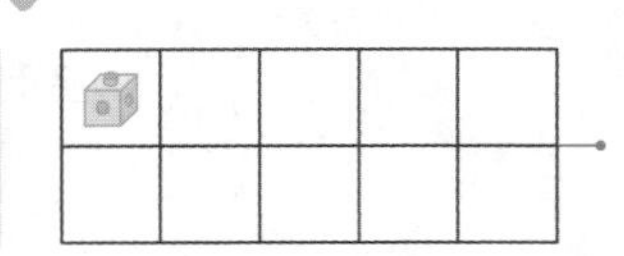

① 뒤의 수 5를 4와 1로 가르기
② 6과 4를 더해서 10 만들기
③ 10과 남은 1을 더하기

[1~2] 그림을 보고 □ 안에 알맞은 수를 써넣으세요.

• 앞의 수를 10으로 만들기 위해 뒤의 수를 가르기 하여 계산합니다.

1

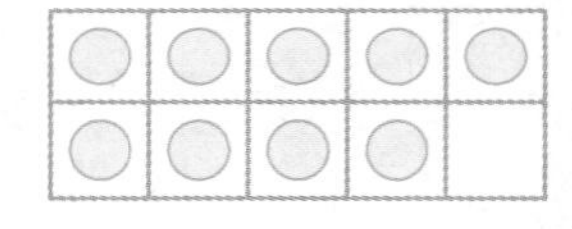
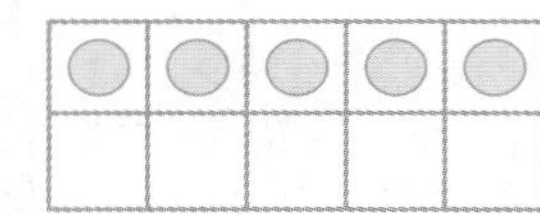
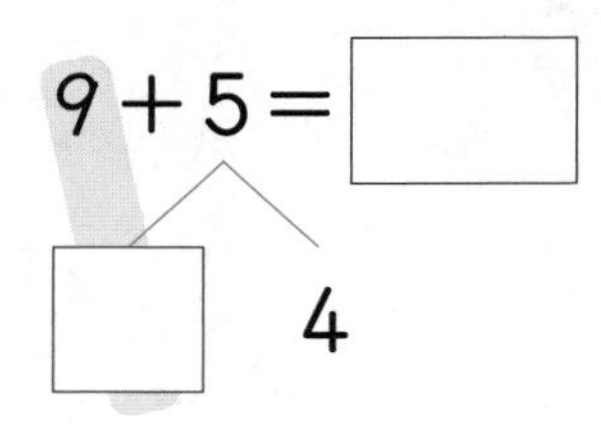
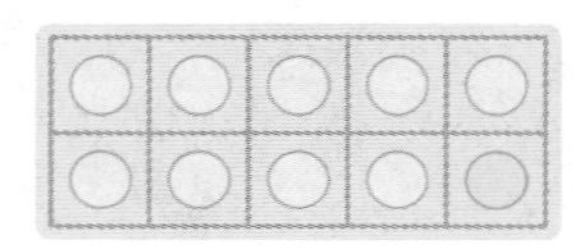
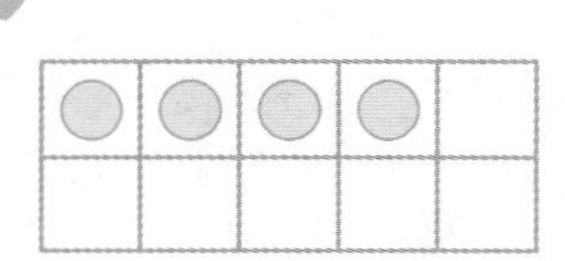

$9+5=$ □

□ 4

2

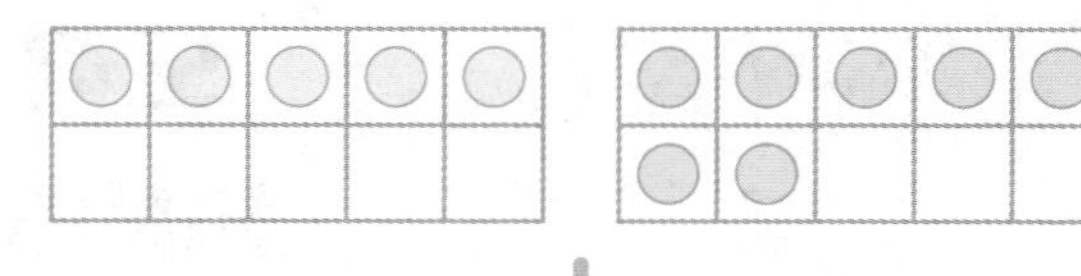
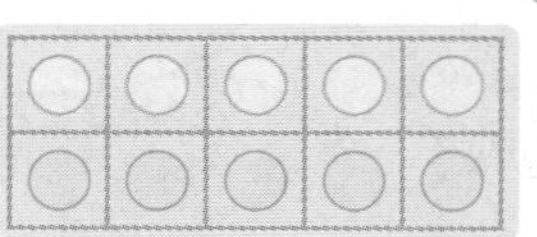
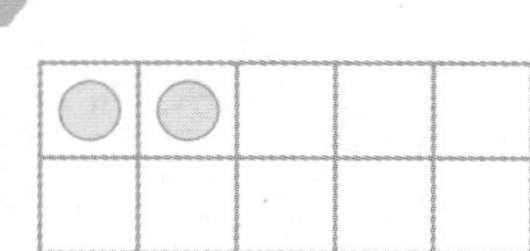

$5+7=$ □

□ □

3 □ 안에 알맞은 수를 써넣으세요.

(1) $6 + 6 = \square$

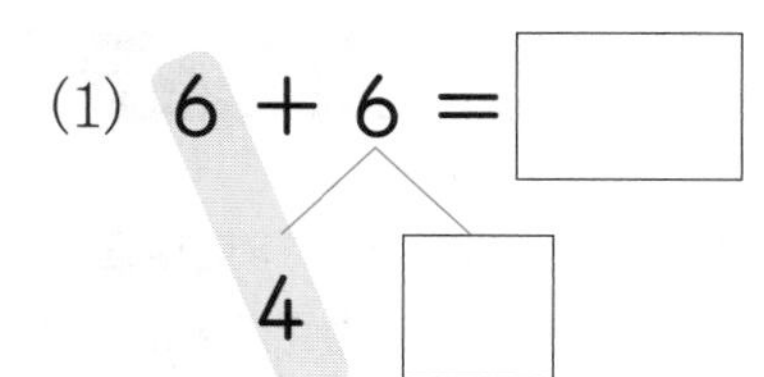

4 □

(2) $8 + 9 = \square$

□ □

4 ○를 알맞게 그리고, 덧셈을 해 보세요.

○	○	○	○	○
○	○	○		

○	○	○	○	○
○				

↓

○	○	○	○	○
○	○	○	○	○

$8+6=\square$

• 앞의 수를 10으로 만들기 위해 뒤의 수를 가르기 하여 계산합니다.

5 덧셈을 해 보세요.

(1) $7+8=\square$

(2) $9+9=\square$

6 딸기맛 사탕이 7개, 포도 맛 사탕이 4개 있습니다. 사탕은 모두 몇 개인가요?

• 모두 몇 개인지 구하는 문제는 덧셈으로 계산합니다.

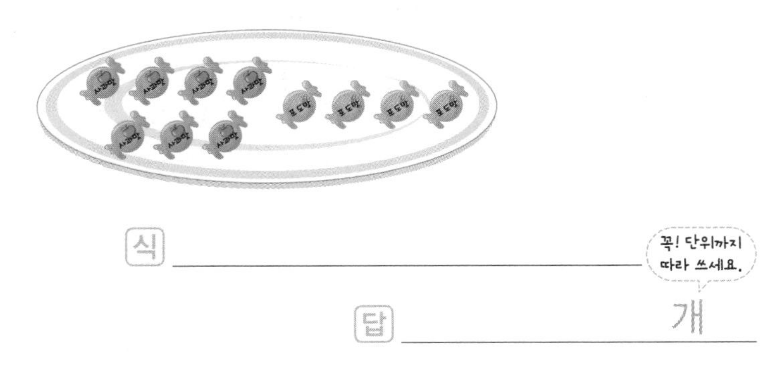

식 ______________________

꼭! 단위까지 따라 쓰세요.

답 ______________ 개

4 덧셈과 뺄셈(2)

STEP 1 개념 익히기

개념 2 덧셈하기 (2)

앞의 수를 가르기 하여 덧셈하기

예 6+5의 계산

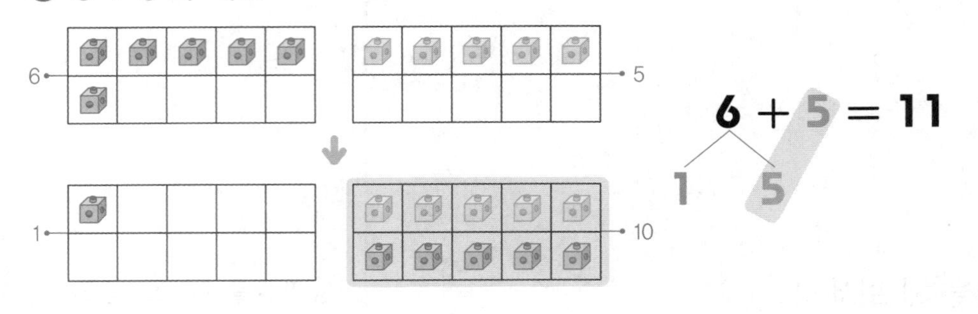

① 앞의 수 6을 1과 5로 가르기
② 5와 5를 더해서 10 만들기
③ 10과 남은 1을 더하기

개념 플러스

5가 10이 되도록 6을 1과 5로 가르기 해.

참고 개념

5와 5를 먼저 더하여 계산할 수도 있습니다.

[1~2] 그림을 보고 □ 안에 알맞은 수를 써넣으세요.

1

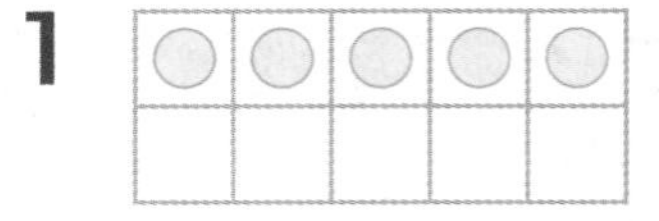

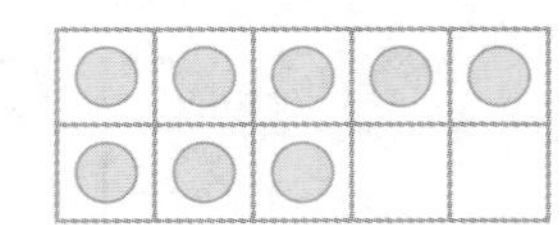

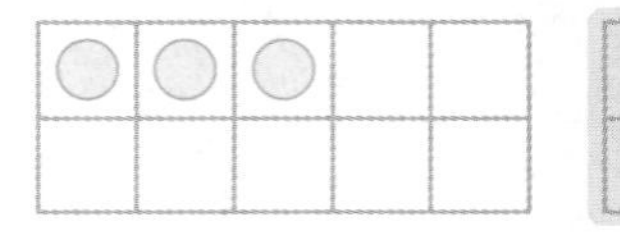

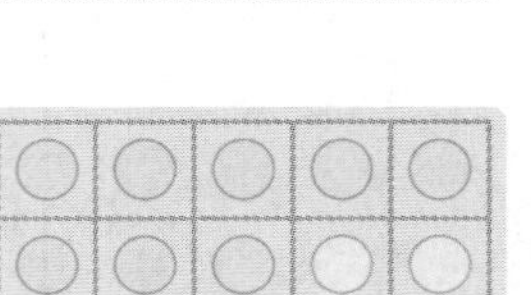

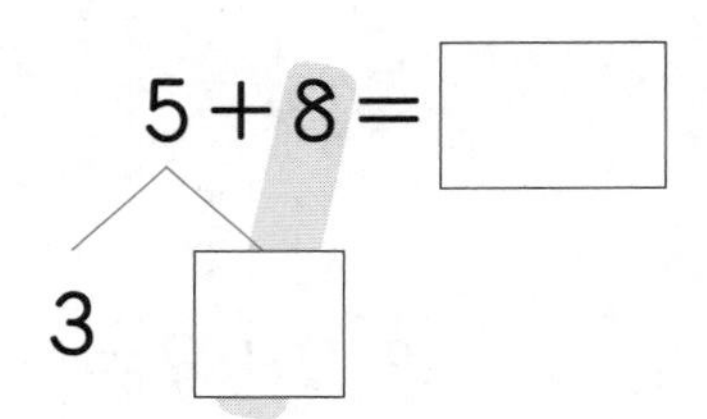

$5+8=$ □

3 □

2

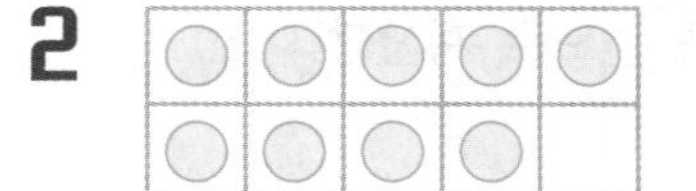

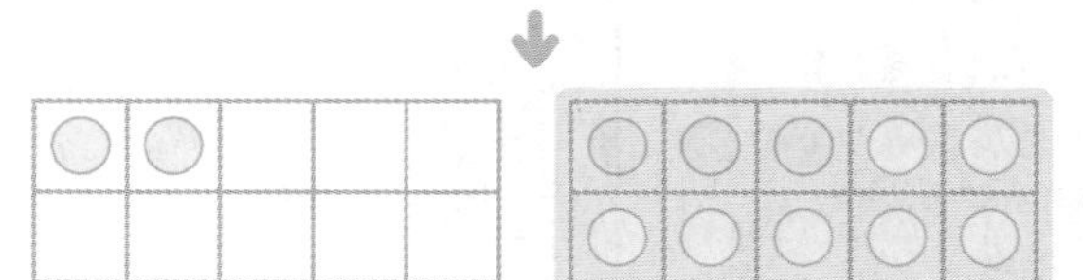

$9+3=$ □

□ □

- 뒤의 수를 10으로 만들기 위해 앞의 수를 가르기 하여 계산합니다.

3 보기 와 같은 방법으로 계산해 보세요.

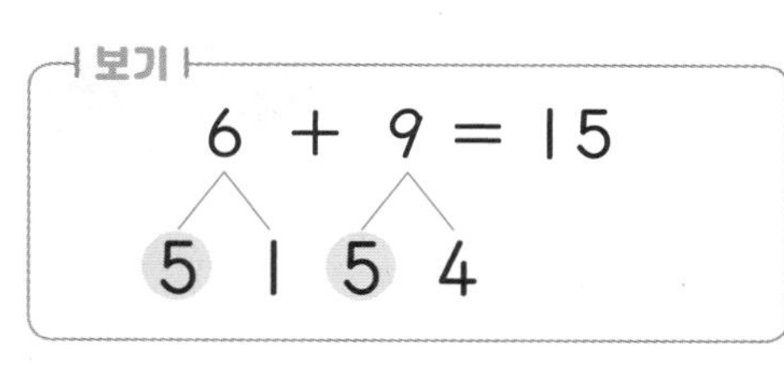

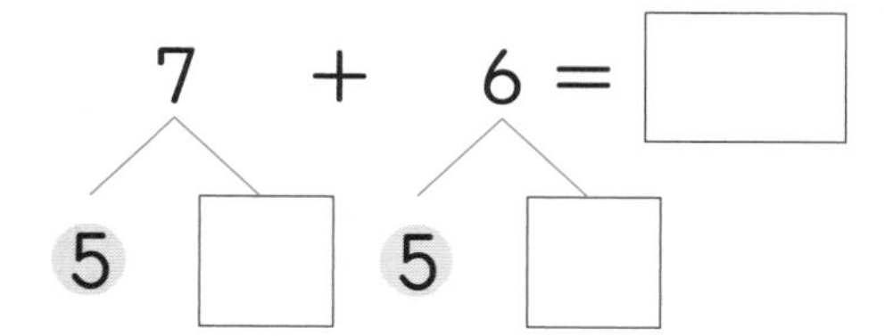

• 5와 5를 더하여 10을 만들기 위해 7과 6을 각각 5와 어떤 수로 가르기 하여 계산합니다.

4 그림을 보고 덧셈을 해 보세요.

$8+7=$ □

• 뒤의 수를 10으로 만들기 위해 앞의 수를 가르기 하여 계산합니다.

5 설명하는 수를 구하세요.

9보다 8만큼 더 큰 수

( )

• '~만큼 더 큰 수'는 덧셈으로 계산합니다.

6 나무에 참새가 5마리 있었는데 7마리가 더 날아왔습니다. 참새는 모두 몇 마리인가요?

식 ______________

꼭! 단위까지 따라 쓰세요.

답 ______________ 마리

4 덧셈과 뺄셈(2)

STEP 1 개념 익히기

개념 3 여러 가지 덧셈하기

1 덧셈식에서 규칙 찾기

9 + 4 = 13
9 + 5 = 14
9 + 6 = 15
9 + 7 = 16

같음. / 1씩 커짐. / 1씩 커짐.

1씩 커지는 수를 더하면 합도 1씩 커집니다.

8 + 8 = 16
7 + 8 = 15
6 + 8 = 14
5 + 8 = 13

1씩 작아짐. / 같음. / 1씩 작아짐.

1씩 작아지는 수를 더하면 합도 1씩 작아집니다.

2 (몇)+(몇)의 표 완성하기

덧셈식의 오른쪽 수가 1씩 커지니까 합도 1씩 커집니다.

덧셈식의 왼쪽 수가 1씩 커지니까 합도 1씩 커집니다.

5+5 10	5+6 11	5+7 12	5+8 13	5+9 14
6+5 11	6+6 12	6+7 13	6+8 14	6+9 15
7+5 12	7+6 13	7+7 14	7+8 15	7+9 16
8+5 13	8+6 14	8+7 15	8+8 16	8+9 17
9+5 14	9+6 15	9+7 16	9+8 17	9+9 18

1씩 커지는 수에 1씩 커지는 수를 더하면 합은 2씩 커집니다.

개념 플러스

참고 개념
두 수를 서로 바꾸어 더해도 합은 같습니다.
예 8+4=12
4+8=12

참고 개념
덧셈표에서 ↙ 방향으로 1씩 커지는 수에 1씩 작아지는 수를 더하면 합은 같습니다.

1 덧셈을 해 보세요.

(1) 5+5=10
5+6=11
5+7=☐
5+8=☐

(2) 6+8=14
5+8=13
4+8=☐
3+8=☐

- 같은 수에 1씩 커지는 수를 더하면 합도 1씩 커집니다.
- 1씩 작아는지는 수에 같은 수를 더하면 합도 1씩 작아집니다.

≫ 정답과 해설 p. 24

2 덧셈을 해 보고 알맞은 말에 ○표 하세요.

(1)

6+5=11

7+5=□

8+5=□

9+5=□

➜ 1씩 커지는 수에 같은 수를 더하면 합이 1씩 (커집니다 , 작아집니다).

(2)

8+6=14

6+8=□

8+7=15

7+8=□

➜ 두 수를 서로 바꾸어 더하면 합은 (같습니다 , 다릅니다).

• 덧셈을 해 보고 덧셈식에서 규칙을 알아봅니다.

3 빈칸에 알맞은 수를 써넣으세요.

			6+6	6+7 13
		7+5	7+6 13	7+7 14
	8+4	8+5 13	8+6 14	8+7 15
9+3	9+4 13	9+5 14	9+6 15	9+7 16

• 오른쪽으로 가면 덧셈식의 오른쪽 수가 1씩 커지므로 합도 1씩 커집니다.

4 합이 16인 덧셈식에 색칠해 보세요.

5+9　　7+9

기본 다지기

개념 확인 | p.98 개념 1

기본 1 덧셈하기 (1)

1 그림을 보고 □ 안에 알맞은 수를 써넣으세요.

4 + 9 = □

6 □

2 덧셈을 해 보세요.

(1) 7 + 6 = □

(2) 6 + 5 = □

3 빈칸에 알맞은 수를 써넣으세요.

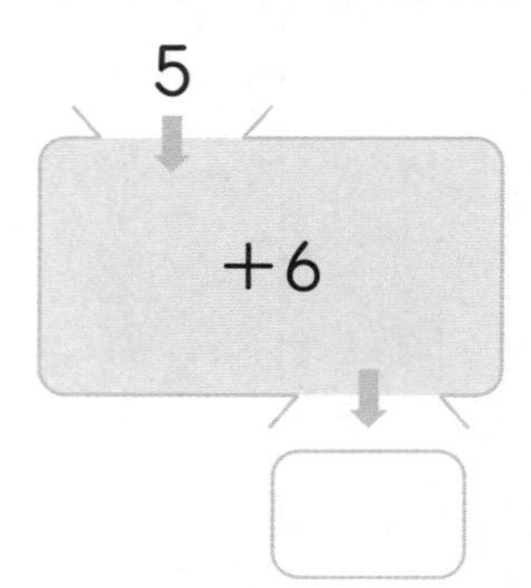

4 바르게 계산한 것에 ○표 하세요.

7 + 4 = 12 (　　)

8 + 7 = 15 (　　)

5 혜선이는 딸기 9개를 먹고 4개를 더 먹었습니다. 혜선이가 먹은 딸기는 모두 몇 개인지 ○를 알맞게 그리고, 구하세요.

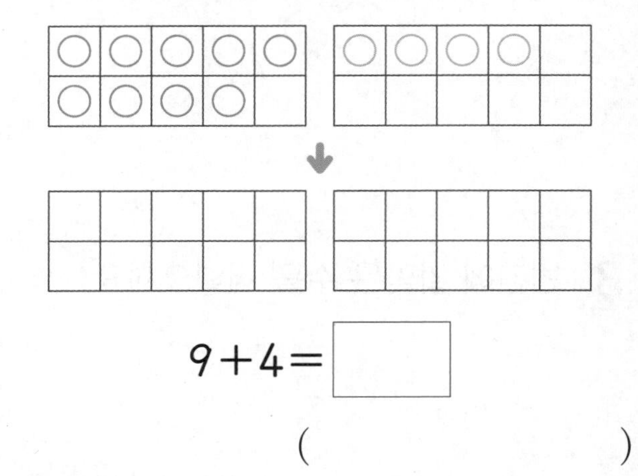

9 + 4 = □

(　　　　)

6 그림을 보고 덧셈식을 만들어 보세요.

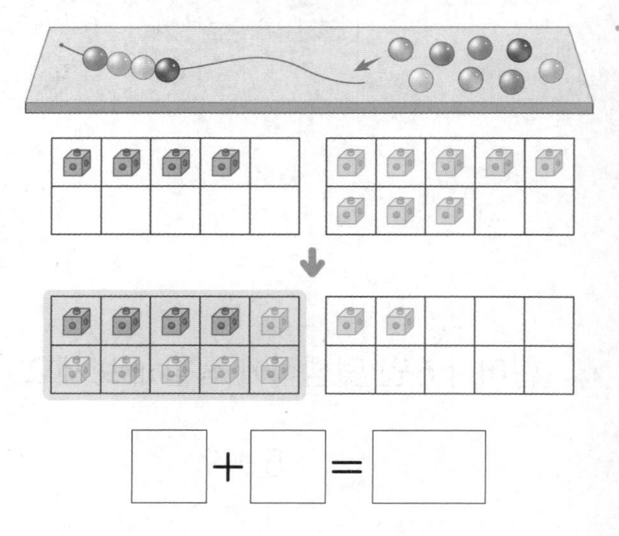

□ + □ = □

개념 확인 | p.100 개념 2

기본 2 덧셈하기 (2)

7 그림을 보고 □ 안에 알맞은 수를 써넣으세요.

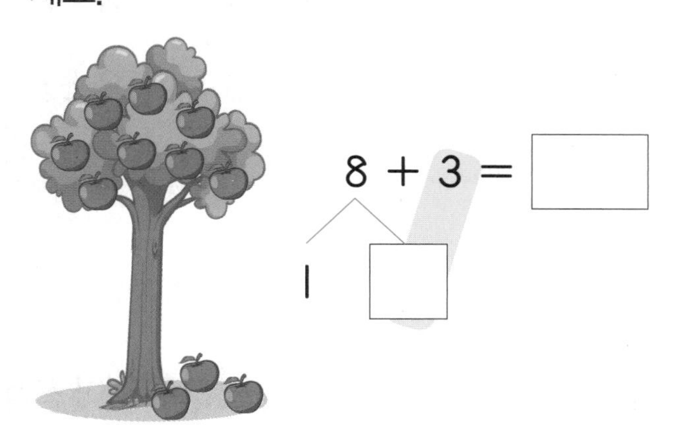

8 두 수의 합을 빈 곳에 써넣으세요.

6	9

9 합이 더 큰 것의 기호를 쓰세요.

㉠ 8+5　　㉡ 5+7

(　　　　　)

10 가장 큰 수와 가장 작은 수의 합을 구하세요.

5　9　6

(　　　　　)

먼저 세 수의 크기를 비교하자.

활용문제

11 수 카드 4장 중 가장 큰 수와 가장 작은 수를 찾아 두 수의 합을 구하세요.

4　5　7　8

(　　　　　)

12 하린이와 지호가 모은 유리병은 모두 몇 개인가요?

(　　　　　)

개념 확인 | p.102 개념 3

기본 3 여러 가지 덧셈하기

13 빈칸에 알맞은 수를 써넣으세요.

+8

3	4	5	6
11			

14 덧셈식을 보고 알게 된 점을 바르게 설명한 사람은 누구인가요?

6+8=14
6+7=13
6+6=12
6+5=11

유나: 왼쪽 수가 항상 6이니까 오른쪽 수가 변해도 합은 항상 같습니다.
선호: 같은 수에 1씩 작아지는 수를 더하면 합도 1씩 작아집니다.

(   )

15 계산 결과가 같은 것끼리 이어 보세요.

7+9 •	• 9+8
8+9 •	
9+9 •	• 9+7

16 합이 11인 곳을 모두 찾아 색칠해 보세요.

		7+4
	8+3	8+4
9+2	9+3	9+4

17 ㉠과 합이 같은 덧셈식을 모두 찾아 쓰세요.

5+5 10	5+6 11	5+7 12	5+8 13
6+5 11	6+6 12	6+7 13	6+8 ㉠
7+5 12	7+6 13	7+7 14	7+8 15
8+5 13	8+6 14	8+7 15	8+8 16

7+□, □+□

6+8을 계산하여 ㉠에 알맞은 수를 먼저 구하자.

18 옆으로 덧셈식이 되는 세 수를 모두 찾아 (□+□=□)표 해 보세요.

9	2	(8	+ 5	= 13)
6	7	9	16	8
4	8	12	18	11

실력+ 붙인 타일의 수 구하기

❶ 붙어 있는 타일의 수를 알아봅니다.
❷ 빈칸의 수를 세어 더 붙인 타일의 수를 구합니다.
❸ 덧셈을 이용하여 붙인 타일의 수를 구합니다.

19 진희가 다음과 같이 타일을 6개 붙인 다음 몇 개를 더 붙여 빈칸을 모두 채웠습니다. 진희가 붙인 타일은 모두 몇 개인가요?

♥	♥	♥	♥	♥
♥				

( )

20 정호가 다음과 같이 타일을 9개 붙인 다음 몇 개를 더 붙여 빈칸을 모두 채웠습니다. 정호가 붙인 타일은 모두 몇 개인가요?

🌳	🌳	🌳	🌳	🌳	🌳
🌳	🌳	🌳			

( )

실력+ 합이 같을 때 □ 안에 알맞은 수 구하기

예 $9+\square=7+7$

❶ □가 없는 덧셈식을 먼저 계산합니다.
➜ $7+7=14$
❷ $9+\square=14$이므로 9와 더해서 14가 되는 수를 찾습니다.
➜ 9와 더해서 14가 되는 수는 5이므로 □ 안에 알맞은 수는 5입니다.

21 □ 안에 알맞은 수를 써넣으세요.

$4+\square=5+6$

22 □ 안에 알맞은 수를 써넣으세요.

$6+7=5+\square$

23 두 덧셈식의 합이 같을 때 □ 안에 알맞은 수를 써넣으세요.

$9+6$ $8+\square$

4 덧셈과 뺄셈(2)

개념 익히기

개념 4 뺄셈하기 (1)

뒤의 수를 가르기 하여 뺄셈하기

예 $13-4$의 계산

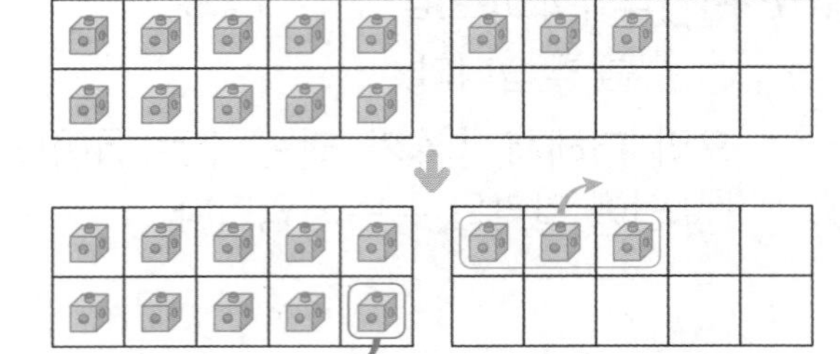

$13-4=9$

3 1

① 4를 3과 1로 가르기

② 13에서 3을 빼 10 만들기

③ 남은 10에서 1 빼기

개념 플러스

참고 개념

예 $13-3$의 계산

$13-3=10$

10 3

➔ 13을 10과 3으로 가르기 하여 3에서 3을 빼면 10입니다.

[1~2] 그림을 보고 □ 안에 알맞은 수를 써넣으세요.

1

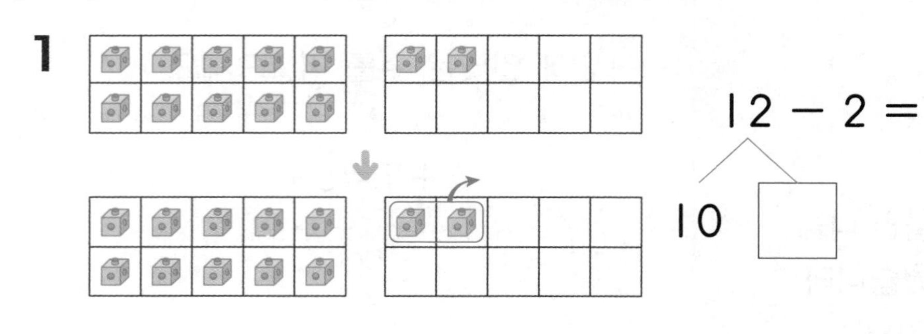

$12-2=$ □

10 □

2

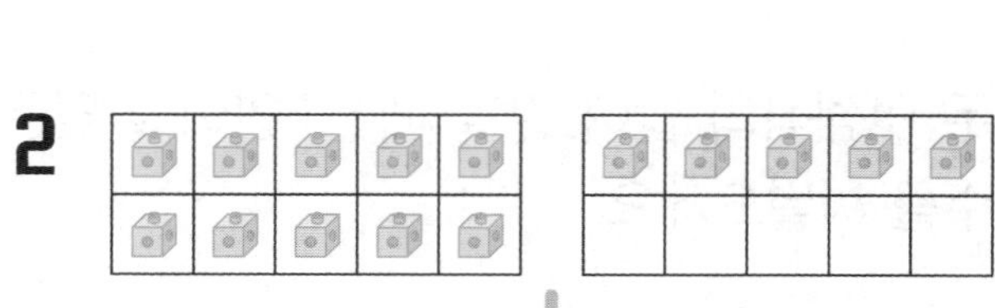

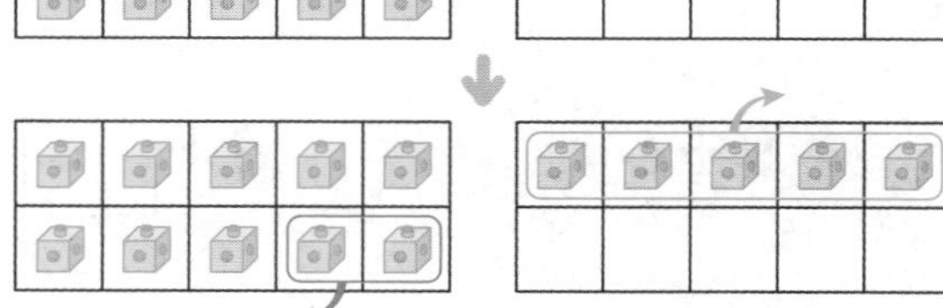

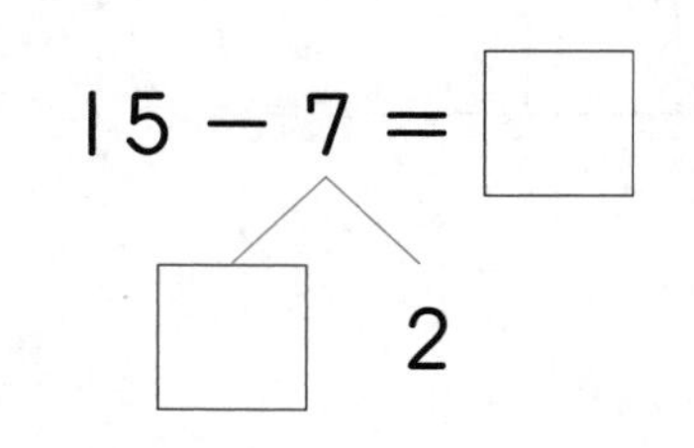

$15-7=$ □

□ 2

• 앞의 수가 10이 되도록 뺄셈을 하려면 얼마를 먼저 빼야 하는지 알아봅니다.

» 정답과 해설 p. 25

3 그림을 보고 뺄셈을 해 보세요.

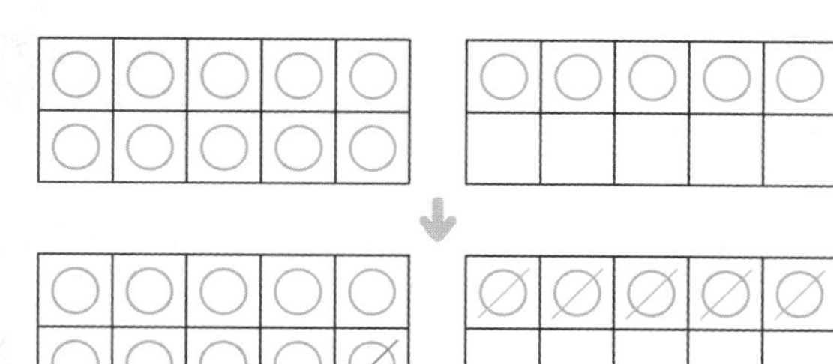

$15-6=\square$

4 □ 안에 알맞은 수를 써넣으세요.

(1) $17-8=\square$

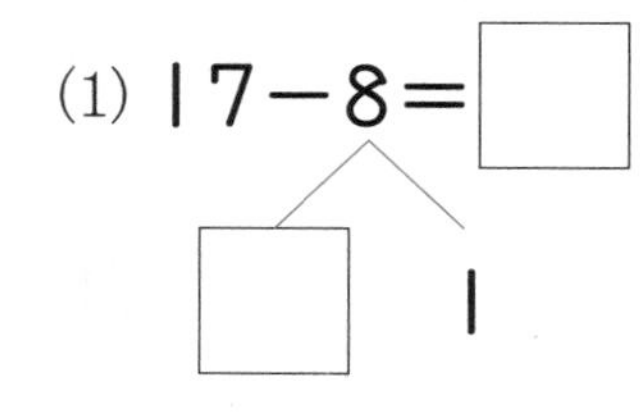

(2) $11-7=\square$

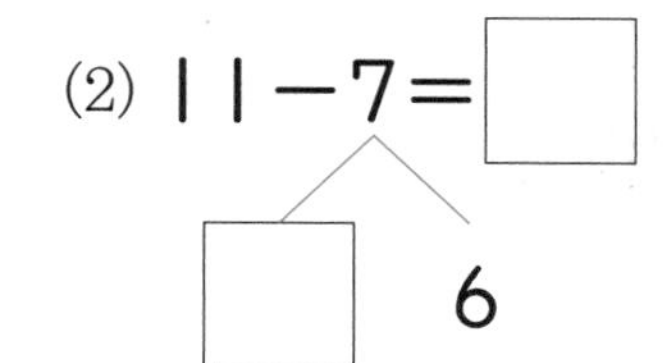

- 앞의 수가 10이 되도록 뺄셈을 하려면 얼마를 먼저 빼야 하는지 알아봅니다.

[5~6] |보기|와 같이 ○를 /으로 지우고, 뺄셈을 해 보세요.

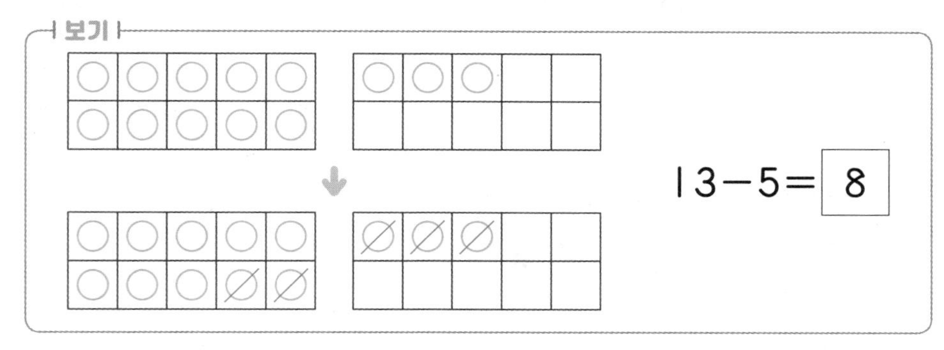

5

$16-8=\square$

- 빼는 수만큼 /으로 지웁니다.

6

$18-9=\square$

1 개념 익히기

개념 5 뺄셈하기 (2)

앞의 수를 가르기 하여 뺄셈하기

예 13－4의 계산

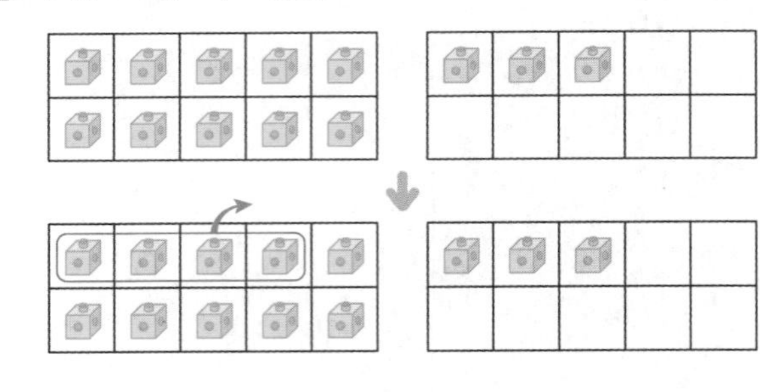

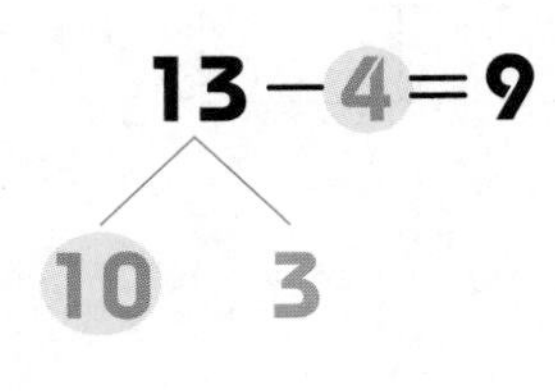

① 13을 10과 3으로 가르기
② 10에서 4를 빼기
③ 남은 6과 3을 더하기

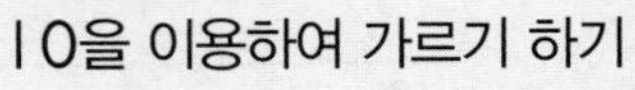

참고 개념
10을 이용하여 가르기 하기

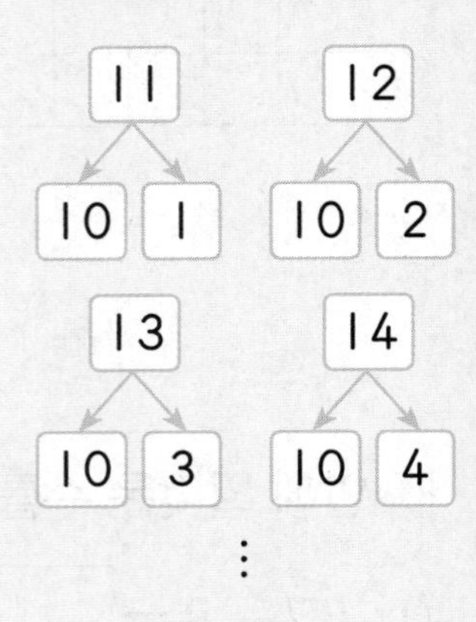

[1~2] 그림을 보고 □ 안에 알맞은 수를 써넣으세요.

• 10에서 뺄 수 있도록 앞의 수를 십과 몇으로 가르기 하여 계산합니다.

1

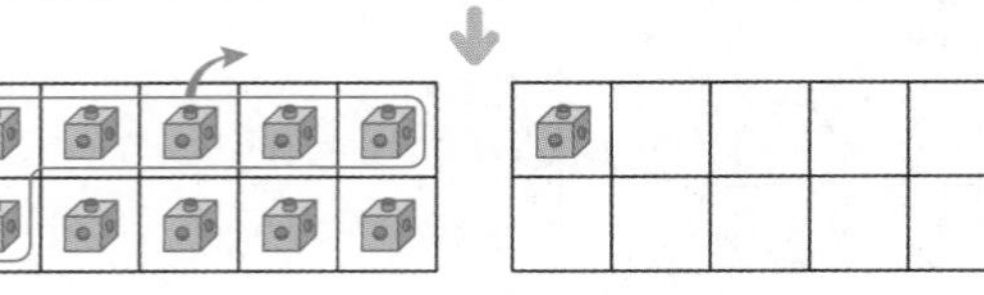

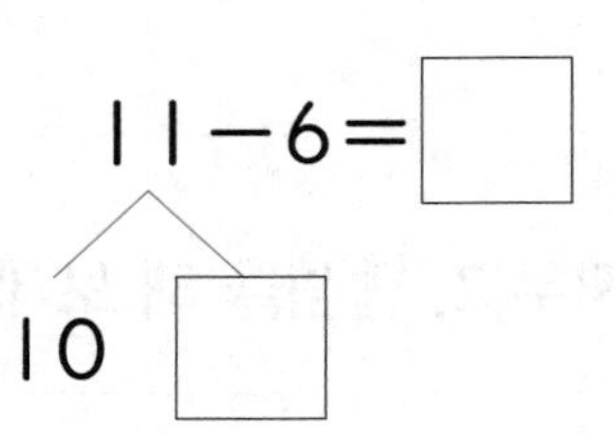

2

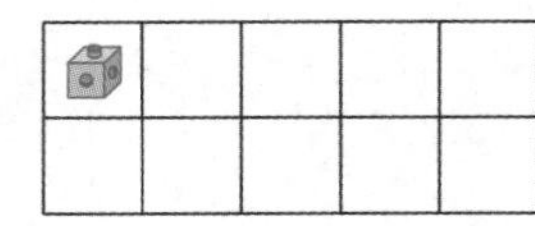

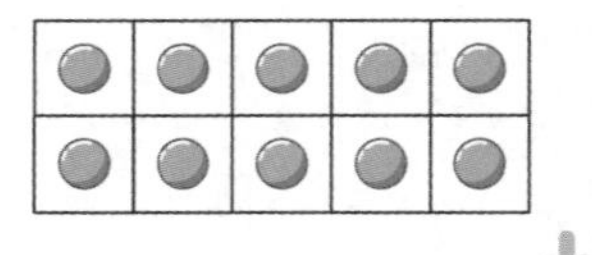

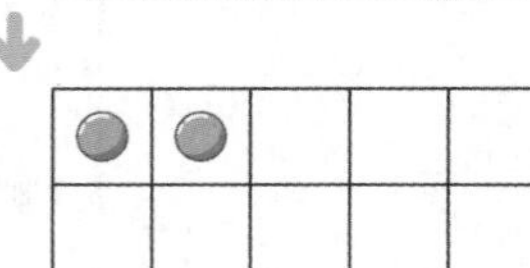

3 □ 안에 알맞은 수를 써넣으세요.

(1)

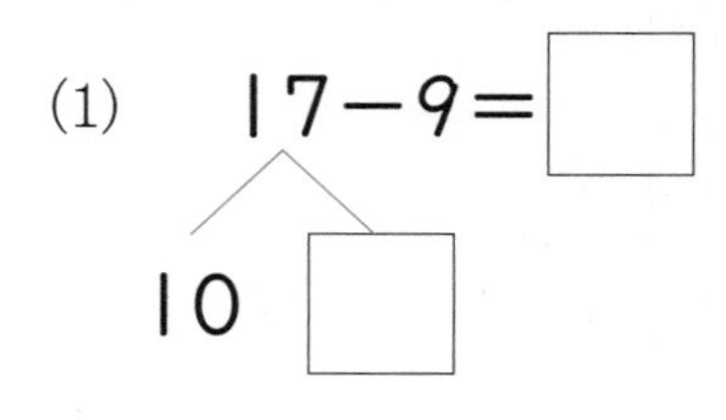

(2)

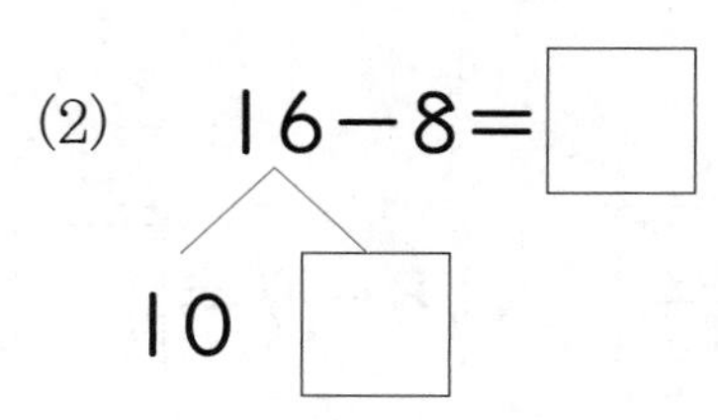

≫ 정답과 해설 p. 25

4 포크는 숟가락보다 몇 개 더 많은지 뺄셈을 해 보세요.

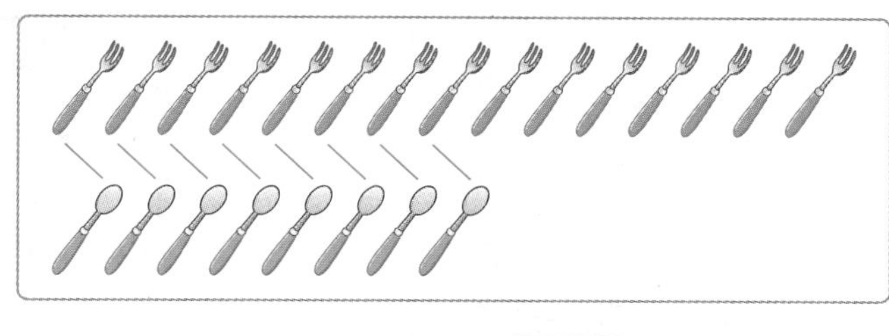

15−8=☐

- 포크와 숟가락을 하나씩 짝을 지어 봅니다.

5 그림을 보고 뺄셈식으로 바르게 나타낸 것의 기호를 쓰세요.

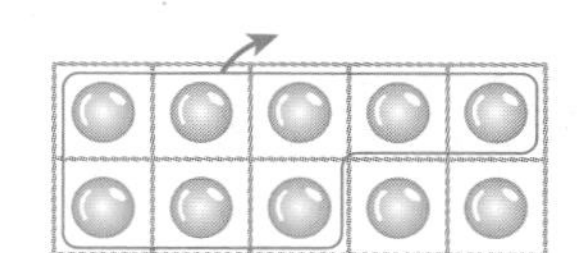 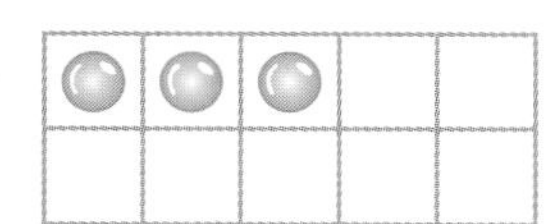

㉠ 13−7=6　㉡ 13−8=5

(　　　　　　)

- 10에서 8을 빼고 남은 수와 3을 더해 봅니다.

6 바르게 계산한 사람은 누구인가요?

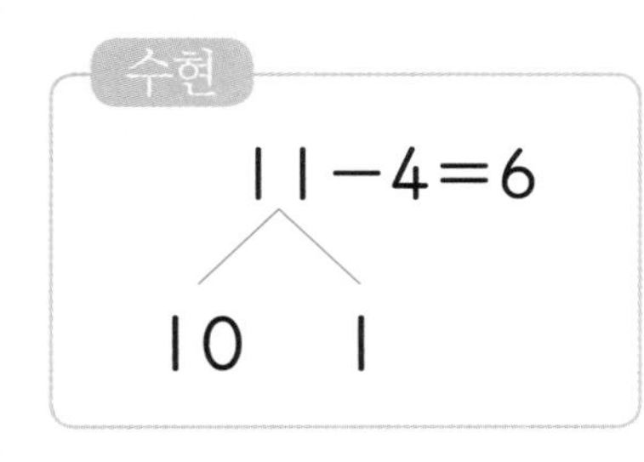

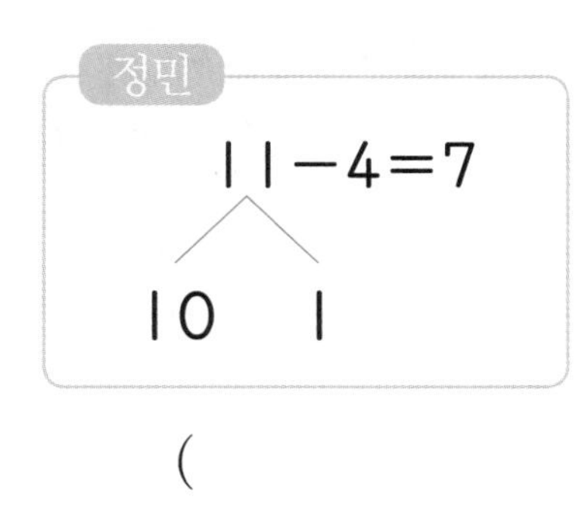

(　　　　　　)

7 뺄셈을 해 보세요.

(1) 18−9=☐　　(2) 14−7=☐

개념 6 \ 여러 가지 뺄셈하기

❶ 뺄셈식에서 규칙 찾기

14 − 5 = 9
14 − 6 = 8
14 − 7 = 7
14 − 8 = 6

같음. 1씩 커짐. 1씩 작아짐.

같은 수에서 1씩 커지는 수를 빼면 차는 1씩 작아집니다.

12 − 8 = 4
13 − 8 = 5
14 − 8 = 6
15 − 8 = 7

1씩 커짐. 같음. 1씩 커짐.

1씩 커지는 수에서 같은 수를 빼면 차는 1씩 커집니다.

❷ (십몇)−(몇)의 표 완성하기

뺄셈식의 오른쪽 수(빼는 수)가 1씩 커지니까 차는 1씩 작아집니다.

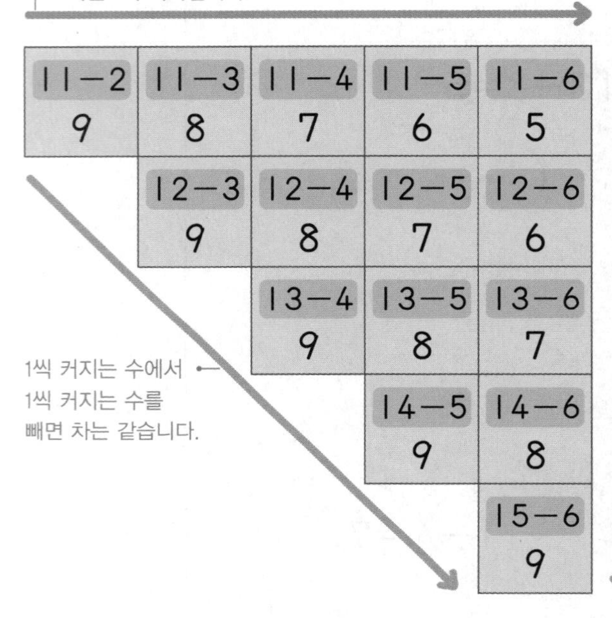

뺄셈식의 왼쪽 수(빼지는 수)가 1씩 커지니까 차도 1씩 커집니다.

1씩 커지는 수에서 1씩 커지는 수를 빼면 차는 같습니다.

개념 플러스

참고 개념

1씩 커지는 수에서 1씩 커지는 수를 빼면 차는 같습니다.

14 − 6 = 8
15 − 7 = 8
16 − 8 = 8
17 − 9 = 8

1씩 커짐. 1씩 커짐. 같음.

1 뺄셈을 해 보세요.

(1) 12−5=7
12−6=6
12−7=□
12−8=□

(2) 11−5=6
12−5=7
13−5=□
14−5=□

- 같은 수에서 1씩 커지는 수를 빼면 차는 1씩 작아집니다.
- 1씩 커지는 수에서 같은 수를 빼면 차는 1씩 커집니다.

» 정답과 해설 p. 26

2 빨셈을 해 보고 □ 안에 알맞은 수를 써넣으세요.

(1)

$15-9=6$

$16-9=$ □

$17-9=$ □

$18-9=$ □

➔ 1씩 커지는 수에서 같은 수를 빼면 차는 □씩 커집니다.

(2)

$15-6=9$

$16-7=9$

$17-8=$ □

$18-9=$ □

➔ 왼쪽 수와 오른쪽 수가 각각 1씩 커졌으므로 차는 □로 같습니다.

• 뺄셈을 해 보고 뺄셈식에서 규칙을 알아봅니다.

3 빈칸에 알맞은 수를 써넣으세요.

15−6 9	15−7 8	15−8 7	15−9 6
	16−7 	16−8 	16−9 7
		17−8 	17−9 8
			18−9 9

• 왼쪽으로 가면 뺄셈식의 오른쪽 수가 1씩 작아지므로 차는 1씩 커집니다.

• 아래쪽으로 가면 뺄셈식의 왼쪽 수가 1씩 커지므로 차는 1씩 커집니다.

4 차가 5인 뺄셈식에 ○표 하세요.

11−7	13−8
( )	( )

기본 다지기

개념 확인 | p.108 개념 4

기본 4 뺄셈하기 (1)

1 뺄셈을 해 보세요.

(1) $11-3=$ ☐ (2) $14-8=$ ☐

(3) $16-7=$ ☐ (4) $18-9=$ ☐

2 빈칸에 알맞은 수를 써넣으세요.

12 → -5 → ☐

3 그림을 보고 뺄셈식을 만들어 보세요.

☐ $-$ ☐ $=$ ☐

4 머핀 15개 중에서 7개를 먹었습니다. 남은 머핀은 몇 개인지 ○를 /으로 지우고 구하세요.

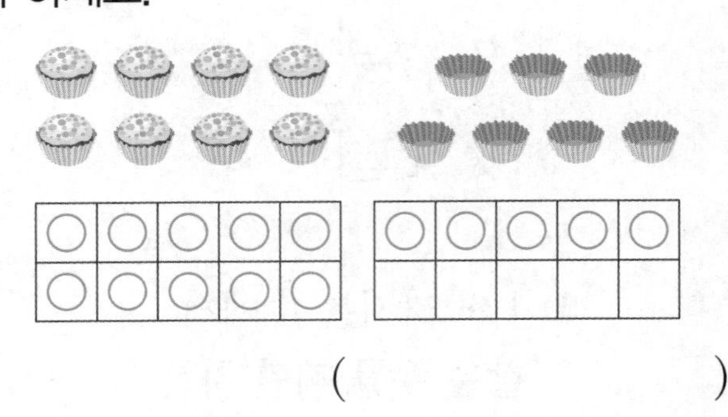

( )

활용문제

5 수희는 딱지 13장 중에서 4장을 친구에게 주었습니다. 남은 딱지는 몇 장인가요?

식 ____________________

답 ____________

6 계산 결과가 다른 하나를 찾아 ○표 하세요.

12−8	14−7	13−9
( )	( )	( )

개념 확인 | p.110 개념 5

기본 5 뺄셈하기 (2)

7 빈칸에 알맞은 수를 써넣으세요.

(1) 12

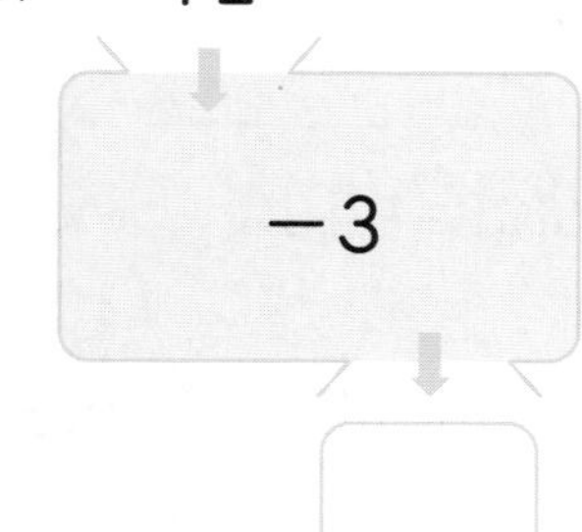

(2) 16

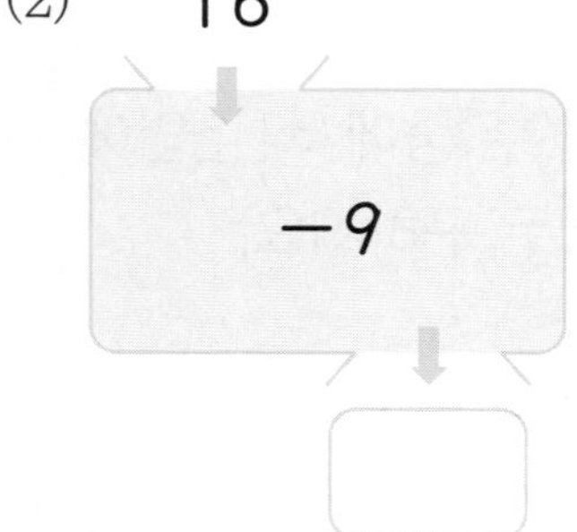

8 두 수의 차를 빈칸에 써넣으세요.

11	5

9 바르게 계산한 것의 기호를 쓰세요.

㉠ 15−7=9 ㉡ 14−8=6

(   )

10 그림을 보고 뺄셈식을 만들어 보세요.

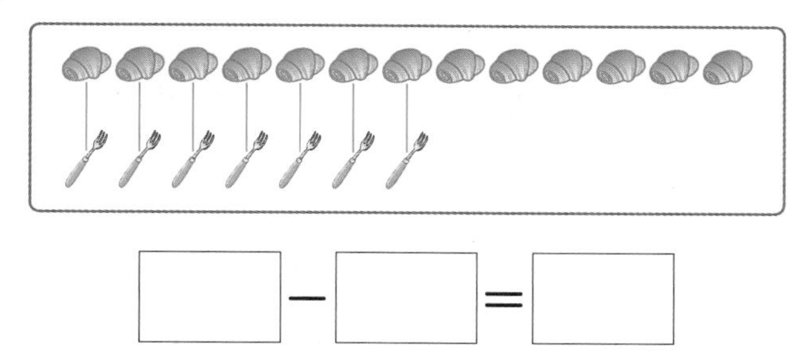

☐ − ☐ = ☐

활용문제

11 어린이 17명에게 연필을 한 자루씩 나누어 주려고 합니다. 연필이 9자루 있다면 연필은 몇 자루 더 필요하나요?

식 ______

답 ______

12 가장 큰 수와 가장 작은 수의 차를 구하세요.

5 14 8

(   )

13 차가 작은 것부터 순서대로 점을 이어 보세요.

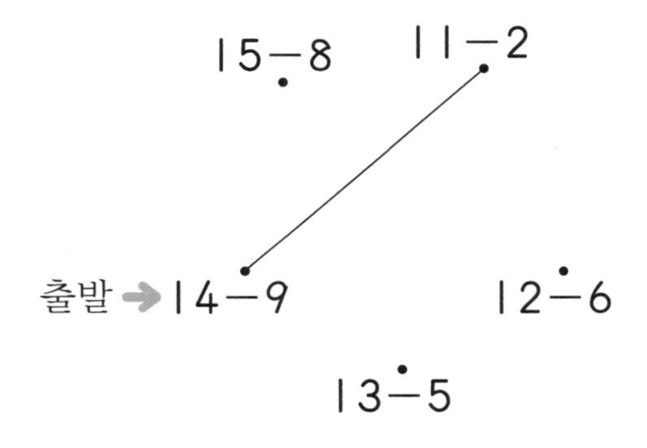

4 덧셈과 뺄셈 (2)

개념 확인 | p.112 개념 6

기본 6 여러 가지 뺄셈하기

14 뺄셈식을 보고 알게 된 점을 바르게 설명한 사람은 누구인가요?

$13-8=5$
$13-7=6$
$13-6=7$
$13-5=8$

지호: 같은 수에서 1씩 작아지는 수를 빼면 차도 1씩 작아집니다.
시우: 같은 수에서 1씩 작아지는 수를 빼면 차는 1씩 커집니다.

( )

15 ★이 있는 칸에 들어갈 뺄셈식과 차가 같은 뺄셈식을 모두 찾아 쓰세요.

12−4 8	12−5 7	12−6 6
	☐ ★	13−6 7
		14−6 8

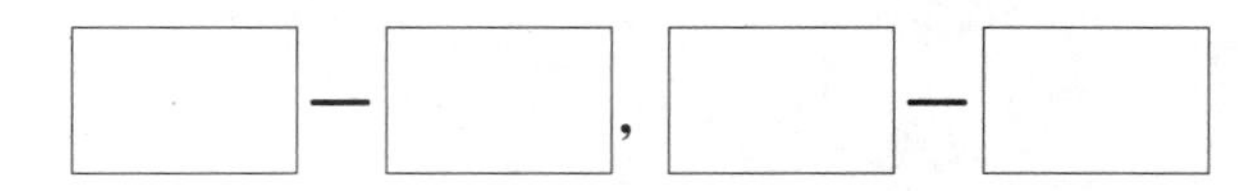

 먼저 ★이 있는 칸에 알맞은 식을 구하자.

실력+ ☐ 안에 들어갈 수 있는 수 구하기

예 1부터 9까지의 수 중에서 ☐ 안에 들어갈 수 있는 수 모두 구하기

$12-9>\square$

❶ 먼저 뺄셈식을 계산합니다.
➔ $12-9=3$

❷ $3>\square$이므로 ☐ 안에 들어갈 수 있는 수는 3보다 작은 수입니다. ➔ 1, 2

16 1부터 9까지의 수 중에서 ☐ 안에 들어갈 수 있는 수를 모두 구하세요.

$11-8>\square$

( )

17 1부터 9까지의 수 중에서 ☐ 안에 들어갈 수 있는 수를 모두 구하세요.

$13-9>\square$

( )

18 1부터 9까지의 수 중에서 ☐ 안에 들어갈 수 있는 수를 모두 구하세요.

$15-8<\square$

( )

응용력 올리기

» 정답과 해설 p. 27

복습책 p.20에 유사 문제 제공

1 상자 안에 있는 물건의 수 구하기

상자 안에 동전이 13개 있었습니다. 지우가 상자에서 동전 9개를 꺼내간 후에 정수가 동전 7개를 상자 안에 넣었다면 상자 안에 있는 동전은 몇 개인지 구하세요.

꺼내간 동전의 수는 뺄셈을, 넣은 동전의 수는 덧셈을 해.

해결 과정

① 지우가 동전 9개를 꺼내간 후에 상자 안에 남아 있는 동전은 몇 개인가요?

( )

② 정수가 동전 7개를 넣은 후에 상자 안에 있는 동전은 몇 개인가요?

( )

1-1 상자 안에 초콜릿이 16개 있었습니다. 세호가 초콜릿 8개를 꺼내어 먹은 후에 진희가 초콜릿 6개를 사서 상자 안에 넣었다면 상자 안에 있는 초콜릿은 몇 개인가요?

( )

해결 과정을 따라 풀자!

1-2 상자 안에 빨간 구슬이 12개 있습니다. 파란 구슬은 빨간 구슬보다 3개 적고, 노란 구슬은 파란 구슬보다 5개 더 많습니다. 상자 안에 있는 노란 구슬은 몇 개인가요?

( )

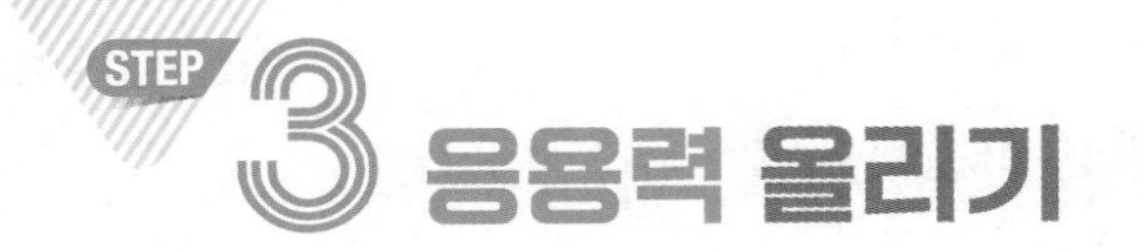

복습책 p.21에 유사 문제 제공

2 합 또는 차가 가장 큰 식 만들기

두 수를 골라 합이 가장 큰 덧셈식을 만들어 보세요.

5 9 6 7

합이 가장 큰 덧셈식을 만들려면 가장 큰 수와 두 번째로 큰 수를 더해야 해.

해결 과정

❶ 수 카드의 수의 크기를 비교해 보세요.

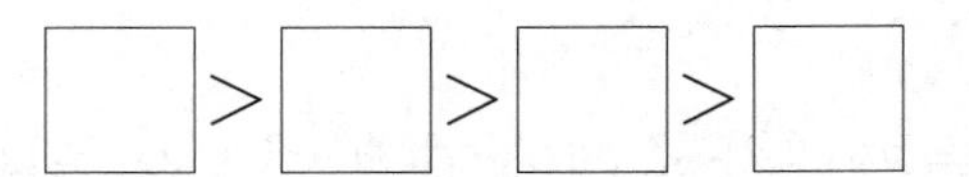

□ > □ > □ > □

❷ 합이 가장 큰 덧셈식을 만들기 위해 골라야 하는 두 수를 쓰세요.

( ), ( )

❸ 합이 가장 큰 덧셈식을 만들어 보세요.

식 ______________________

2-1 두 수를 골라 합이 가장 큰 덧셈식을 만들어 보세요.

8 3 4 1

식 ______________________

해결 과정을 따라 풀자!

2-2 두 수를 골라 차가 가장 큰 뺄셈식을 만들어 보세요.

8 13 9 15

식 ______________________

» 정답과 해설 p. 27

3 꺼내야 하는 공 찾기

꺼낸 공에 적힌 두 수의 합이 크면 이기는 놀이를 하고 있습니다.
지호가 이기려면 어떤 수가 적힌 공을 꺼내야 하는지 구하세요.

현수: 8 5

지호: 6 ?

지호가 이기려면 현수가 꺼낸 공에 적힌 두 수의 합보다 커야 해.

해결 과정

❶ 현수가 꺼낸 공에 적힌 두 수의 합은 얼마인가요?

( )

❷ 지호가 이기려면 어떤 수가 적힌 공을 꺼내야 하나요?

( )

3-1 꺼낸 공에 적힌 두 수의 합이 크면 이기는 놀이를 하고 있습니다. 서아가 이기려면 어떤 수가 적힌 공을 꺼내야 하는지 구하세요.

건우: 9 4   8 1 6 5 3 2   서아: 7 ?

( )

해결 과정을 따라 풀자!

3-2 꺼낸 공에 적힌 두 수의 차가 작으면 이기는 놀이를 하고 있습니다. 준수가 이기려면 어떤 수가 적힌 공을 꺼내야 하는지 구하세요.

하린: 11 7   15 12 14 13   준수: 9 ?

( )

4 덧셈과 뺄셈(2)

응용력 올리기

쓸 줄 알아야 진짜 실력~!

창의력

1 울타리 안에 각각 번호가 쓰인 양이 있습니다. 양에 적힌 두 수의 합이 11이 되도록 2마리씩 짝을 지어 묶으면 모두 몇 묶음인가요?

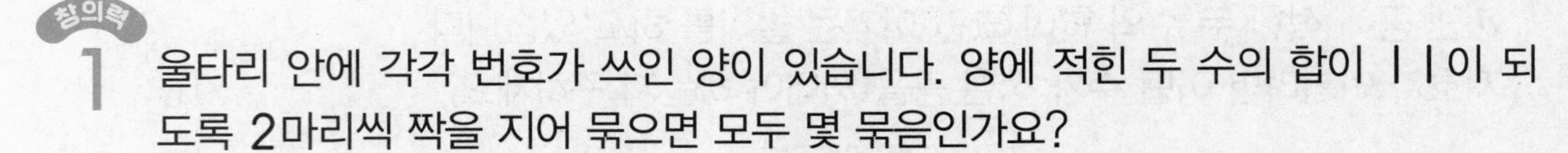

풀이

답

2 차가 같은 뺄셈식을 가지고 있는 사람들끼리 짝이 된다고 합니다. 도윤이의 짝은 누구인가요?

풀이

답

창의·융합 서술형 수능 대비

코딩형

3 로봇이 말한 식의 계산 결과를 찾아 색칠하고, 색칠한 칸에 적힌 글자를 차례로 쓰세요.

9 시	10 나	11 미
12 줄	13 거	14 계
15 슴	16 비	17 사

풀이

답 ______ , ______

코딩형

4 화살표의 |규칙|에 맞게 ㉠에 알맞은 수를 구하세요.

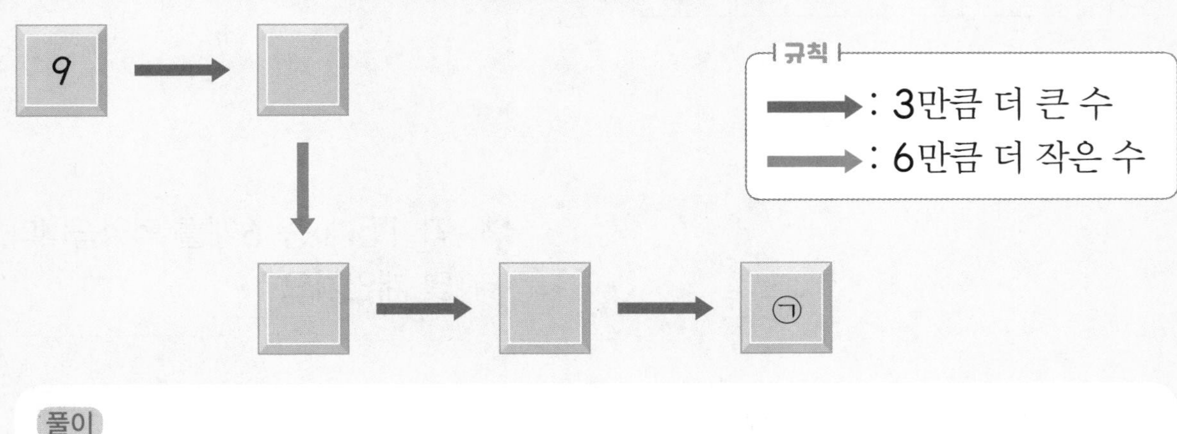

풀이

답 ______

TEST 단원 기본 평가

점수 　　　점

1 그림을 보고 □ 안에 알맞은 수를 써넣으세요.

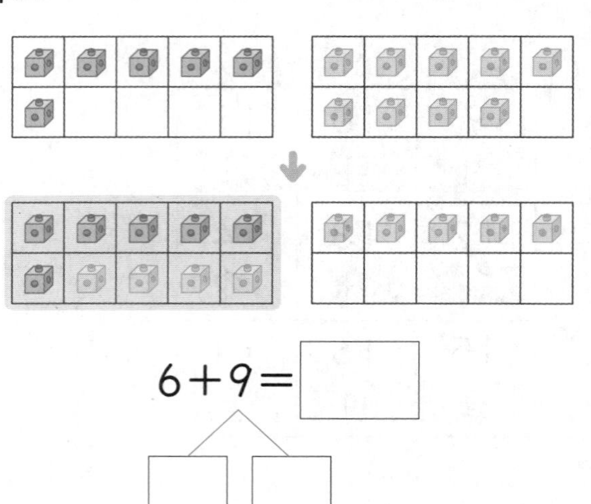

$6+9=\square$

□ □

2 ○를 /으로 더 지우고, 뺄셈을 해 보세요.

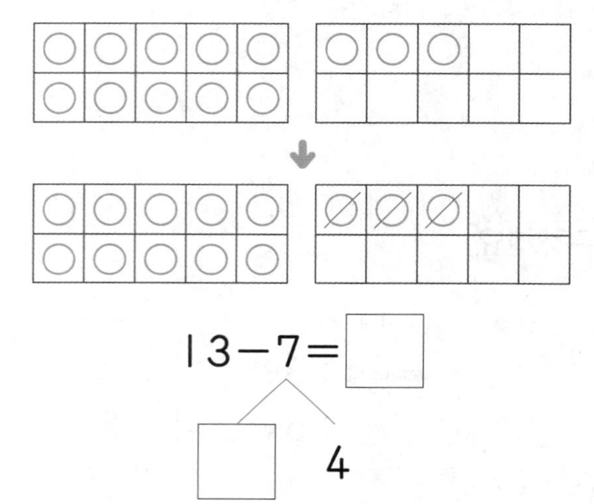

$13-7=\square$

□ 4

3 □ 안에 알맞은 수를 써넣으세요.

$7+5=\square$

□ □

4 빈칸에 알맞은 수를 써넣으세요.

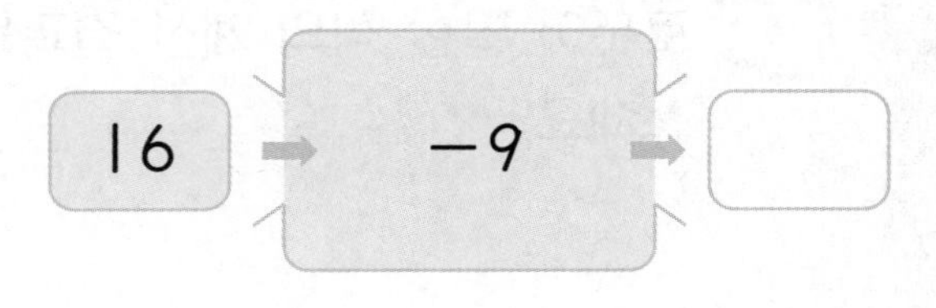

5 두 수의 합을 구하세요.

8　　7

➜ $\square+\square=\square$

6 합이 13인 덧셈식에 ○표 하세요.

(　　　　)　　(　　　　)

7 떡 15개 중 6개를 먹었습니다. 남은 떡은 몇 개인가요?

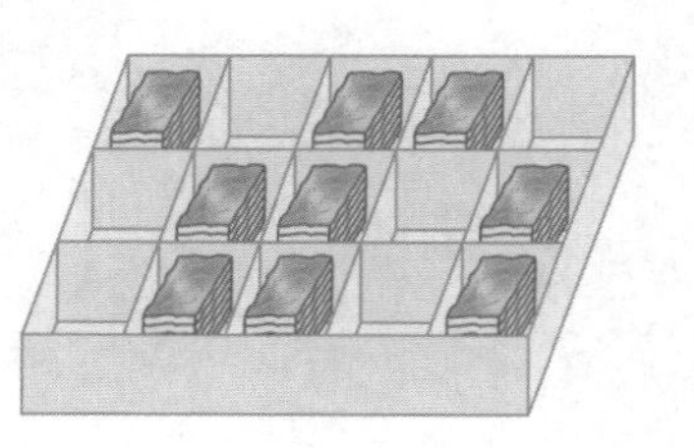

식 ______________________

답 ______________

≫ 정답과 해설 p. 28

8 물고기 7마리가 있는 어항에 물고기 6마리를 더 넣었습니다. 어항에 있는 물고기는 모두 몇 마리인가요?

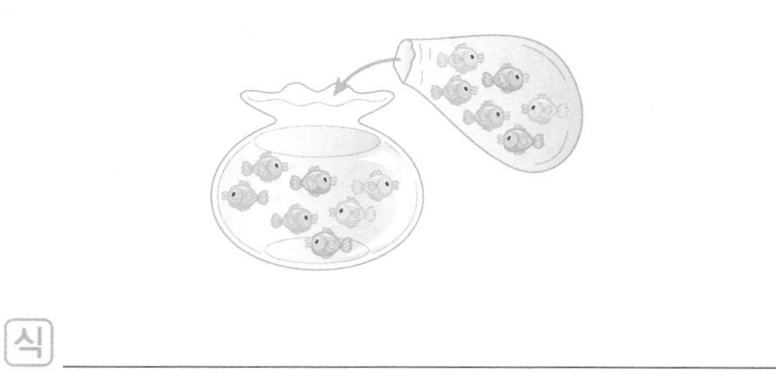

식 ______________________

답 ______________

9 합이 가장 작은 것을 찾아 기호를 쓰세요.

㉠ 9+5　㉡ 8+5　㉢ 7+5

(　　　　　　　)

10 설명하는 수를 구하세요.

12보다 7만큼 더 작은 수

(　　　　　　　)

11 크기를 비교하여 ○ 안에 >, =, <를 알맞게 써넣으세요.

8+9 ○ 15

12 빈칸에 알맞은 식과 수를 써넣으세요.

5+7 12	5+8 13	5+9 14
6+7 13		6+9 15
7+7 14	7+8 15	7+9 16

13 차를 구하여 보기 의 색으로 칠해 보세요.

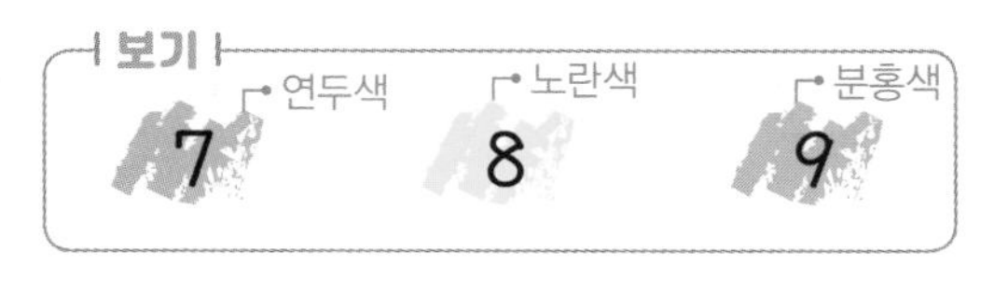

11−4		
12−4	12−5	
13−4	13−5	13−6

14 차가 큰 것부터 순서대로 점을 이어 보세요.

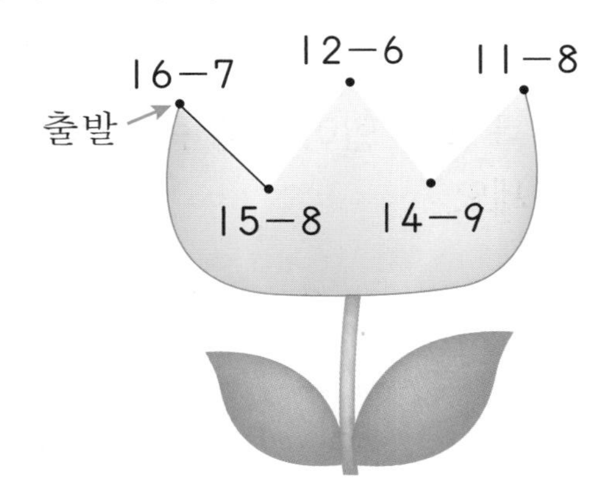

15 옆으로 뺄셈식이 되는 세 수를 모두 찾아 (□−□=□) 표 해 보세요.

(12 − 9 = 3)			5	14
10	7	18	9	9
8	13	7	6	3

16 카드에 적힌 두 수의 차가 더 큰 사람은 누구인가요?

주호의 카드	15 6
지현이의 카드	11 5

( )

17 1부터 9까지의 수 중에서 □ 안에 들어갈 수 있는 수를 모두 구하세요.

12−8 > □

( )

18 두 수를 골라 합이 가장 큰 덧셈식을 만들어 보세요.

5 3 9 8

□+□=□

서술형

19 □ 안에 알맞은 수를 구하려고 합니다. 풀이 과정을 쓰고 답을 구하세요.

5+□=6+6

풀이

답

서술형

20 상자 안에 사탕이 17개 있었습니다. 수희가 사탕 8개를 꺼내어 먹은 후에 선호가 사탕 4개를 사서 상자 안에 넣었습니다. 지금 상자 안에 있는 사탕은 몇 개인지 풀이 과정을 쓰고 답을 구하세요.

풀이

답

단원 실력 평가

점수 점

복습책 p.24~25에 실력 평가 추가 제공

1 계산해 보세요.

(1) 6+8=□ (2) 14−5=□

2 두 수의 차를 빈 곳에 써넣으세요.

3 잘못 계산한 사람의 이름을 쓰세요.

정민: 7+4=11
희주: 3+9=13

( )

4 덧셈을 해 보세요.

7+5=□
5+7=□

9+8=□
8+9=□

5 계산 결과를 찾아 이어 보세요.

4+7 • • 11
• 12
8+5 • • 13

6 민재가 뺄셈을 하면서 알게 된 점을 말하고 있습니다. □ 안에 알맞은 수를 구하세요.

( )

7 차가 3인 뺄셈식의 기호를 쓰세요.

㉠ 13−7 ㉡ 11−8

( )

8 감이 16개, 귤이 9개 있습니다. 감은 귤보다 몇 개 더 많은가요?

식 ______

답 ______

4 덧셈과 뺄셈(2)

9 감자를 민성이는 8개 캐고, 재희는 9개 캤습니다. 민성이와 재희가 캔 감자는 모두 몇 개인가요?

식 ______________________

답 ______________

10 합이 더 작은 사람의 이름을 쓰세요.

( )

11 가장 큰 수와 가장 작은 수의 차를 구하세요.

7	9	15

( )

12 차가 같은 두 뺄셈식에 ○표 하세요.

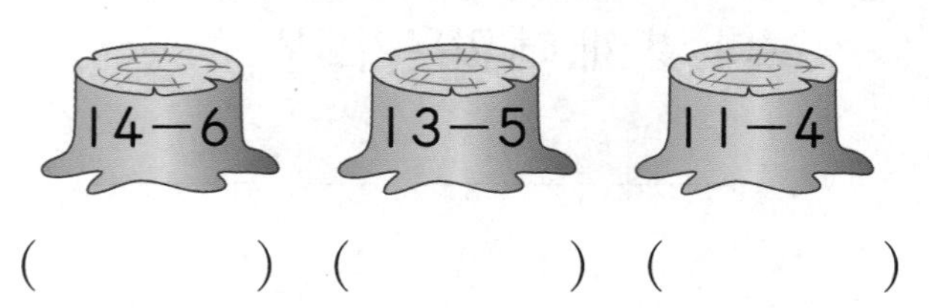

( ) ( ) ( )

13 □ 안에 알맞은 수를 써넣어 뺄셈식을 완성해 보세요

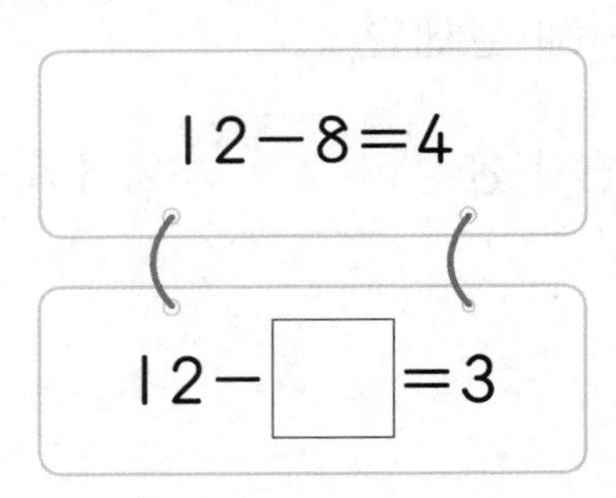

14 그림을 보고 덧셈식을 만들어 보세요.

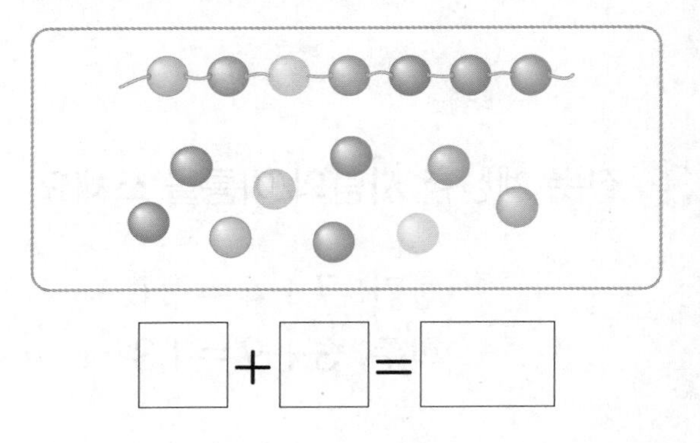

□+□=□

15 합이 작은 것부터 순서대로 점을 이어 보세요.

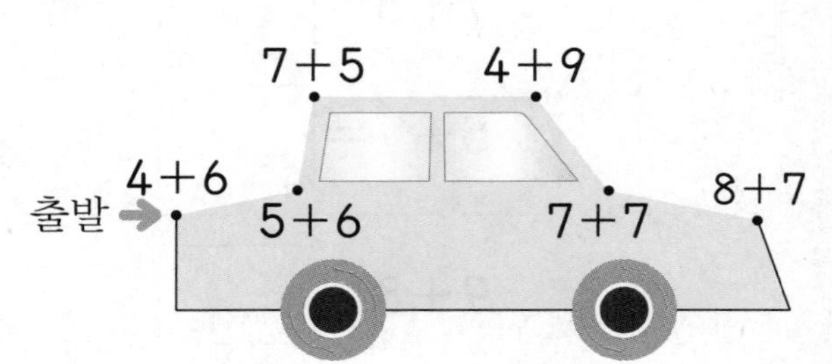

16 옆으로 덧셈식이 되는 세 수를 모두 찾아 (□+□=□)표 해 보세요.

(7	+	7	=	14)	16	9
8		6		9	3	12
4		5		7	12	15

17 준수와 지연이는 수 카드를 두 장씩 뽑았습니다. 준수는 [12] 와 [3] 을, 지연이는 [15] 와 [8] 을 뽑았습니다. 수 카드에 적힌 두 수의 차가 더 큰 사람은 누구인가요?

( )

18 두 수를 골라 차가 가장 큰 뺄셈식을 만들어 계산해 보세요.

16 9 7 11

( )

서술형

19 현주는 딸기 맛 젤리 7개와 포도 맛 젤리 6개를 가지고 있었습니다. 그중에서 9개를 먹었다면 남은 젤리는 몇 개인지 풀이 과정을 쓰고 답을 구하세요.

풀이

답 ____________

서술형

20 꺼낸 공에 적힌 두 수의 합이 크면 이기는 놀이를 하고 있습니다. 지민이는 ⑤와 ⑥을 꺼냈고, 지우는 ③을 꺼냈습니다. 지우가 이기려면 어떤 수가 적힌 공을 꺼내야 하는지 풀이 과정을 쓰고 답을 구하세요.

7 4 2 1 9 8

풀이

답 ____________

4 덧셈과 뺄셈(2)

규칙 찾기

단원 내용 미리보기

본문 130쪽

규칙 찾기

규칙 보라색, 주황색이 반복됩니다.

규칙 큰 나무, 작은 나무가 반복됩니다.

본문 132쪽

수 배열에서 규칙 찾기

1 - 2 - 1 - 2 - 1 - 2

규칙 **1**, **2**가 반복됩니다.

1 - 3 - 5 - 7 - 9 - 11

규칙 **1**부터 시작하여 **2**씩 커집니다.

수가 반복되는지, 일정한 수만큼씩 커지거나 작아지는지 규칙을 찾아봐.

스마트폰을 이용하여 **QR 코드**를 찍으면
개념 학습 영상을 볼 수 있어요.

본문 134쪽

수 배열표에서 규칙 찾기

25	26	27	28	29	30
35	36	37	38	39	40
45	46	47	48	49	50

규칙1 ·····에 있는 수는 35부터 시작하여 → 방향으로 1씩 커집니다.

규칙2 ·····에 있는 수는 27부터 시작하여 ↓ 방향으로 10씩 커집니다.

본문 136쪽

규칙을 여러 가지 방법으로 나타내기

규칙 두발자전거, 세발자전거가 반복됩니다.

➔ 두발자전거는 2, 세발자전거는 3으로 나타내면 2, 3이 반복됩니다.

2	3	2	3	2	3

이제부터 **기본+응용**을
시작해 볼까요~

STEP 1

개념 익히기

개념 1 규칙 찾기

규칙 찾아 말하기

(1)

규칙 사과, 포도가 반복됩니다.

(2)

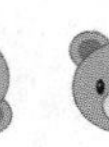

반복되는 부분

규칙 곰 얼굴이 바로, 거꾸로가 반복됩니다.

개념 2 규칙 만들기

1 두 가지 색으로 규칙 만들기

(1)
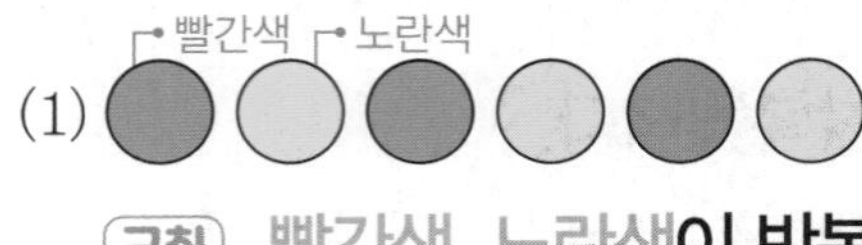

규칙 빨간색, 노란색이 반복됩니다.

(2)

규칙 빨간색, 노란색, 노란색이 반복됩니다.

2 규칙을 만들어 무늬 꾸미기

파란색 노란색

규칙 첫째 줄은 파란색, 노란색이 반복됩니다.
둘째 줄은 노란색, 파란색이 반복됩니다.

개념 플러스

- 규칙을 찾으려면 반복되는 것이 무엇인지 알아봅니다. 종류, 위치, 크기, 색깔 등이 반복될 수 있습니다.

각 줄에서 **반복**되는 **색깔**을 찾아봐.

1 규칙을 찾아 □ 안에 알맞은 말을 써넣으세요.

규칙 □, □가 반복됩니다.

- 반복되는 부분을 먼저 찾습니다.

2 규칙을 찾아 빈칸에 알맞은 그림에 ○표 하세요.

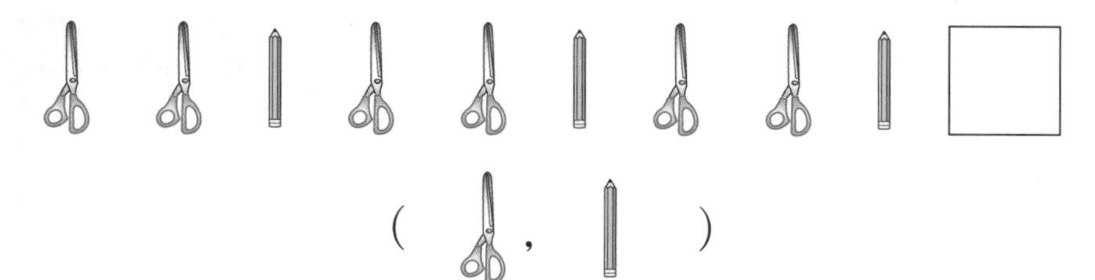

• 규칙을 찾고 다음에 올 것은 무엇인지 알아봅니다.

[3~4] 토끼( )와 당근( )으로 규칙을 만들어 늘어놓은 것입니다. 빈칸에 알맞은 것은 무엇인지 쓰세요.

3

(　　　　　　　　)

4

(　　　　　　　　)

5 규칙에 따라 빈칸에 알맞은 색을 칠해 보세요.

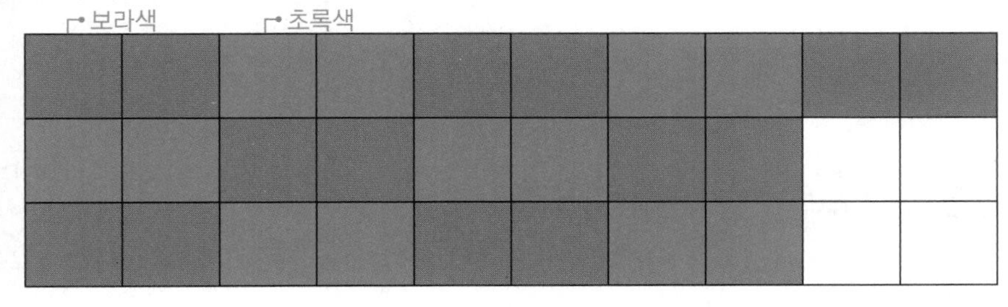

• 각 줄에서 반복되는 색깔을 찾아 색을 칠해 봅니다.

1 개념 익히기

개념 3 수 배열에서 규칙 찾기

1 수가 반복되는 규칙

3 — 5 — 3 — 5 — 3 — 5

규칙 **3**과 **5**가 반복됩니다.

2 일정한 수만큼씩 커지는 규칙

10 — 20 — 30 — 40 — 50 — 60

규칙 10부터 시작하여 **10**씩 커집니다.

3 일정한 수만큼씩 작아지는 규칙

15 — 13 — 11 — 9 — 7 — 5

규칙 15부터 시작하여 **2**씩 작아집니다.

개념 플러스

수가 **반복되는지**, 일정한 수만큼씩 **커지거나 작아지는지** 알아봐.

[1~3] 수 배열에서 규칙을 찾아 □ 안에 알맞은 수를 써넣으세요.

1 7 — 4 — 4 — 7 — 4 — 4 — 7

규칙 □, □, 4가 반복됩니다.

• 반복되는 수를 알아봅니다.

2 22 — 26 — 30 — 34 — 38 — 42 — 46

규칙 22부터 시작하여 □씩 커집니다.

• 몇씩 커지는지 알아봅니다.

3 48 — 47 — 46 — 45 — 44 — 43 — 42

규칙 48부터 시작하여 □씩 작아집니다.

• 몇씩 작아지는지 알아봅니다.

[4~6] 규칙에 따라 빈칸에 알맞은 수를 써넣으세요.

4

1, 1, 9가 반복되는 규칙

1	1	9	1	1	9			

5

20부터 시작하여 10씩 커지는 규칙

20	30	40	50	60			

6

55부터 시작하여 5씩 작아지는 규칙

55	50	45	40	35			

7 수 배열을 보고 규칙을 찾아 바르게 설명했으면 ○표, 잘못 설명했으면 ×표 하세요.

43 - 39 - 35 - 31 - 27 - 23 - 19 - 15

43부터 시작하여 4씩 커져.

( )

• 일정한 수가 반복되는지, 일정한 수만큼 변하는지 알아봅니다.

STEP 1 개념 익히기

개념 4 수 배열표에서 규칙 찾기

11	12	13	14	15	16	17	18	19	20
21	22	23	24	25	26	27	28	29	30
31	32	33	34	35	36	37	38	39	40
41	42	43	44	45	46	47	48	49	50

규칙1 ······에 있는 수는 31부터 시작하여 → 방향으로 1씩 커집니다.

규칙2 ······에 있는 수는 17부터 시작하여 ↓방향으로 10씩 커집니다.

규칙3 색칠한 수는 12부터 시작하여 2씩 커집니다.

개념 플러스

색칠한 수는 12부터 시작하여 2씩 뛰어 세는 규칙이라고 할 수도 있어.

[1~3] 수 배열표에서 규칙을 찾아 □ 안에 알맞은 수를 써넣으세요.

1	2	3	4	5	6	7	8	9	10
11	12	13	14	15	16	17	18	19	20
21	22	23	24	25	26	27	28	29	30
31	32	33	34	35	36	37	38	39	40
41	42	43	44	45	46	47	48	49	50

1 ······에 있는 수는 11부터 시작하여 → 방향으로 □씩 커집니다.

• 수 배열표에서 → 방향으로 1칸 갈 때마다 몇씩 커지는지 알아봅니다.

2 ······에 있는 수는 4부터 시작하여 ↓방향으로 □씩 커집니다.

• 수 배열표에서 ↓방향으로 1칸 갈 때마다 몇씩 커지는지 알아봅니다.

3 노란색으로 색칠한 수는 1부터 시작하여 □씩 커집니다.

[4~6] 수 배열표를 보고 물음에 답하세요.

51	52	53	54	55	56	57	58	59	60
61	62	63	64	65	66	67	68	69	70
71	72	73	74	75	76	77	78	79	80
81	82	83	84	85	86	87	88		90
91	92	93	94	95	96	97	98		100

4 ······에 있는 수에는 어떤 규칙이 있는지 쓰세요.

규칙 71부터 시작하여 → 방향으로 ☐씩 커집니다.

5 하늘색으로 색칠한 수에는 어떤 규칙이 있는지 쓰세요.

규칙 ☐부터 시작하여 ☐씩 커집니다.

6 규칙에 따라 빈칸에 알맞은 수를 써넣으세요.

- 수 배열표에서 ↓방향으로 1칸 갈 때마다 몇씩 커지는지 알아봅니다.

7 색칠한 수의 규칙에 따라 나머지 부분에 색칠해 보세요.

61	62	63	64	65	66	67	68	69	70
71	72	73	74	75	76	77	78	79	80
81	82	83	84	85	86	87	88	89	90

- 색칠한 수는 62부터 시작하여 몇씩 뛰어 센 것인지 알아봅니다.

5 규칙 찾기

개념 5 규칙을 여러 가지 방법으로 나타내기

1 규칙을 모양으로 나타내기

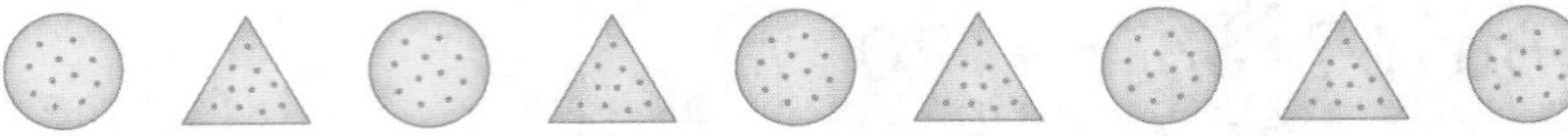
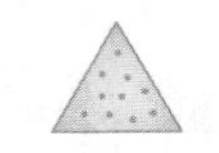
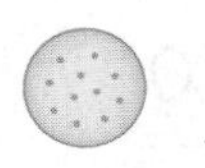
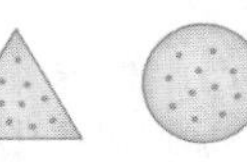
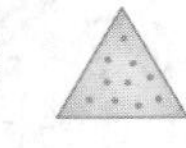
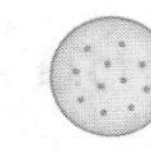
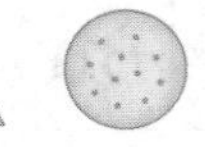

규칙 ●, ▲가 반복됩니다.
➜ ●는 ○, ▲는 △로 나타내면 ○, △가 반복됩니다.

○	△	○	△	○	△	○	△	○

2 규칙을 수로 나타내기

규칙 닭, 강아지, 강아지가 반복됩니다.
➜ 닭은 2, 강아지는 4로 나타내면 2, 4, 4가 반복됩니다.

2	4	4	2	4	4	2	4	4

개념 플러스

• 찾은 규칙을 모양이나 수로 나타내 봅니다.

다리의 수에 따라 규칙을 수로 나타냈어.

1 규칙을 찾아 모양으로 나타내려고 합니다. 물음에 답하세요.

(1) 규칙을 찾아 □ 안에 알맞은 말을 써넣으세요.

규칙 숟가락, [　　　], [　　　]이/가 반복됩니다.

(2) 규칙에 따라 ○, △로 나타내 보세요.

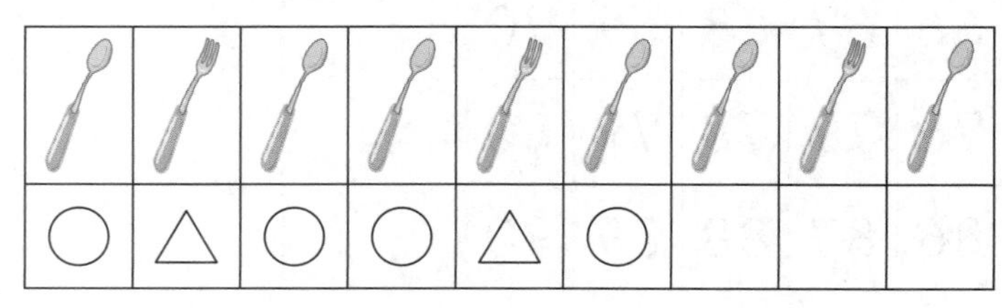

○	△	○	○	△	○			

• 반복되는 것을 찾아 규칙을 알아봅니다.

≫ 정답과 해설 p. 31

2 규칙에 따라 ○, ×로 나타내 보세요.

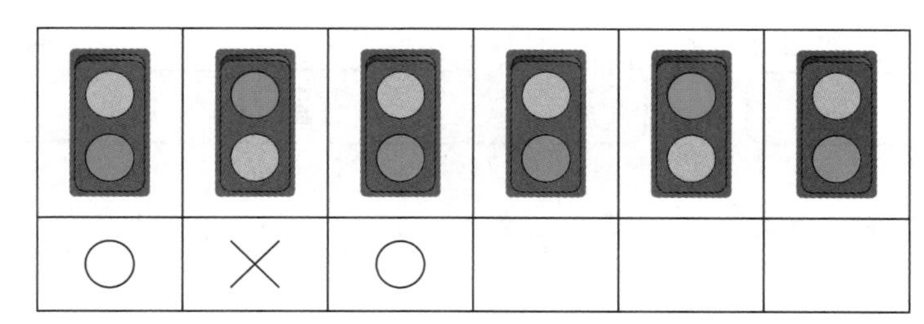

○	×	○			

3 규칙에 따라 4, 2로 나타내 보세요.

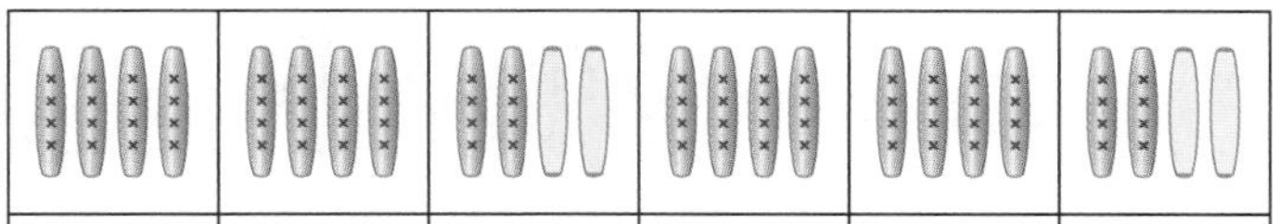

4	4	2			

4 규칙에 따라 □, ○로 나타내 보세요.

□	○	□	○				

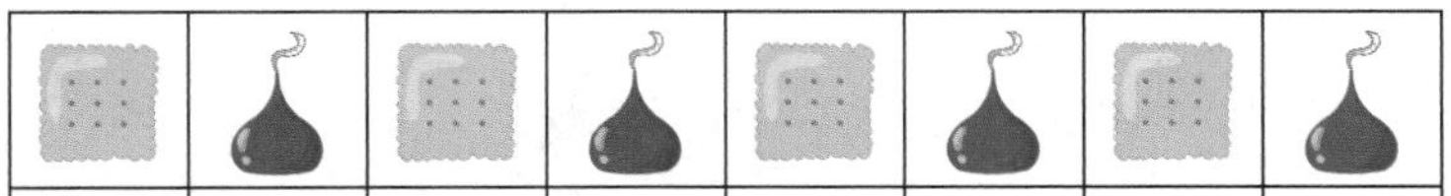

• 과자, 초콜릿을 각각 어떤 모양으로 나타냈는지 알아봅니다.

5 규칙에 따라 2, 4로 나타내 보세요.

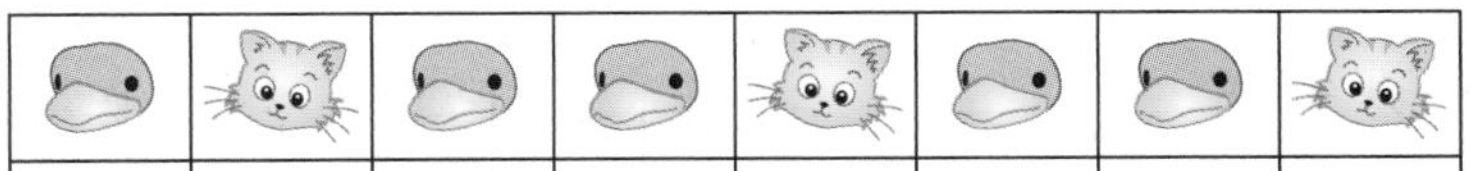

2	4	2	2	4			

• 타조, 고양이를 각각 어떤 수로 나타냈는지 알아봅니다.

기본 다지기

개념 확인 | p.130 개념 1

기본 1 \ 규칙 찾기

[1~2] 규칙을 찾아 빈칸에 알맞은 모양을 그려 보세요.

1 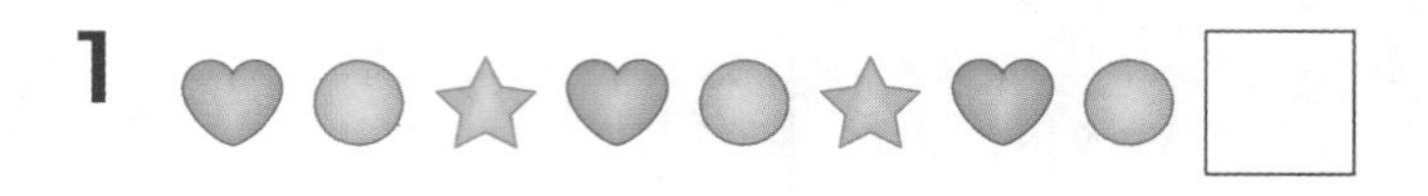

2 

3 규칙을 바르게 설명한 것에 ○표 하세요.

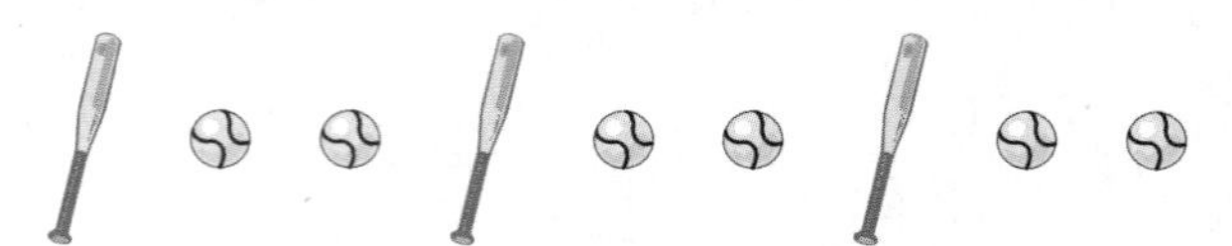

• 야구방망이와 야구공이 한 개씩 반복됩니다. ·································· (　　　)

• 야구방망이 한 개와 야구공 두 개가 반복됩니다. ··························· (　　　)

활용문제

4 규칙을 바르게 설명한 것의 기호를 쓰세요.

㉠ 색이 빨간색, 파란색이 반복됩니다.
㉡ 개수가 2개, 1개, 2개가 반복됩니다.

(　　　　　　　　　　)

개념 확인 | p.130 개념 2

기본 2 \ 규칙 만들기

5 규칙에 따라 빈칸에 알맞은 색을 칠해 보세요.

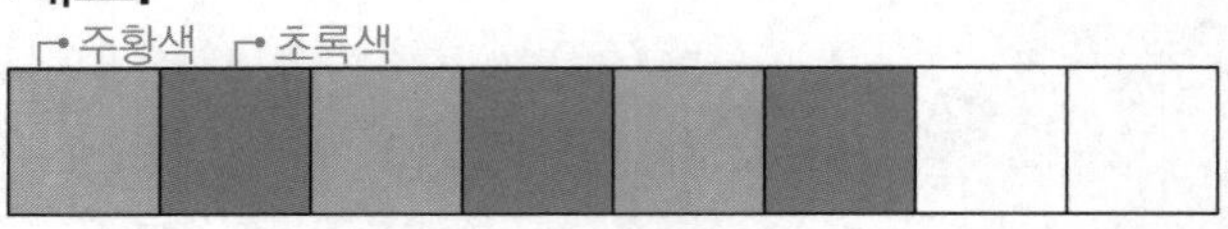

[6~7] 다양한 모양으로 규칙을 만들려고 합니다. 물음에 답하세요.

6 시후가 고른 모양으로 규칙을 완성해 보세요.

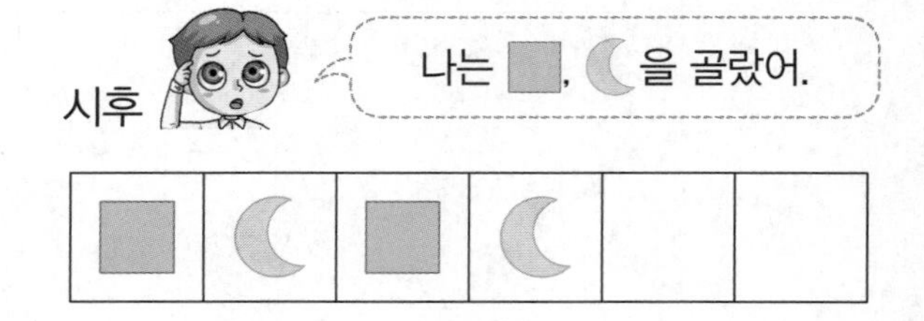

7 지호가 고른 모양으로 규칙을 만들어 보세요.

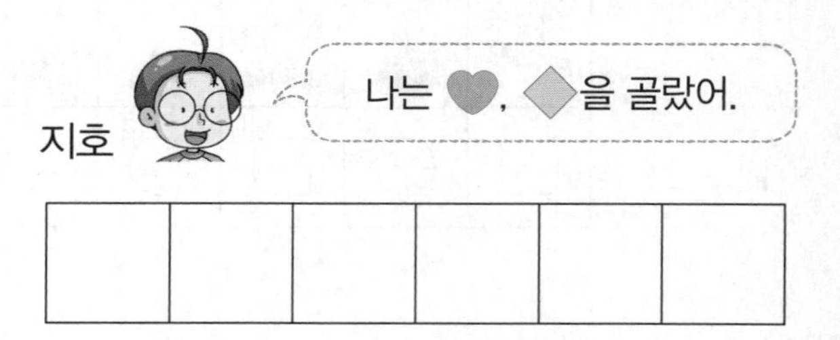

8 규칙에 따라 무늬를 완성하려고 합니다. ★을 그려야 하는 칸을 찾아 기호를 쓰세요.

★	●	★	●		㉠	㉡
●	★	●	★	㉢		㉣

(　　　　　　　　　　)

» 정답과 해설 p. 31

개념 확인 | p.132 개념 3

기본 3 수 배열에서 규칙 찾기

9 수 배열을 보고 □ 안에 알맞은 수를 써넣으세요.

1 — 3 — 1 — 3 — 1 — 3

규칙 □과 □이 반복됩니다.

10 규칙에 따라 빈칸에 알맞은 수를 써넣으세요.

5부터 시작하여 10씩 커지는 규칙

5 — 15 — 25 — □ — □ — □

11 10부터 시작하여 2씩 커지는 수 배열의 기호를 쓰세요.

㉠ 10 — 8 — 6 — 4 — 2

㉡ 10 — 12 — 14 — 16 — 18

( )

12 규칙에 따라 수를 쓸 때 ㉠에 알맞은 수를 구하세요.

9, 3, 9가 반복됩니다.

9 — 3 — ○ — ○ — ○ — ㉠

( )

13 지안이가 설명한 규칙에 따라 수를 썼습니다. ㉠과 ㉡에 알맞은 수를 각각 구하세요.

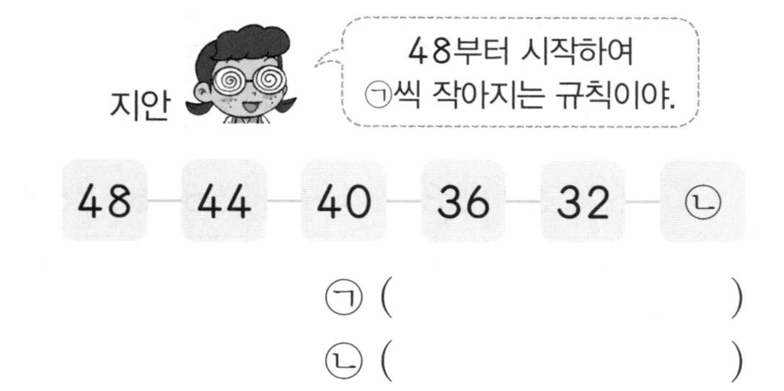

48 — 44 — 40 — 36 — 32 — ㉡

㉠ ( )

㉡ ( )

14 규칙에 따라 빈 곳에 알맞은 수를 써넣으세요.

15 수 배열에서 규칙을 잘못 설명한 것을 찾아 기호를 쓰세요.

㉠ 1부터 시작하여 ↙ 방향으로 1씩 커집니다.

㉡ 1부터 시작하여 ↘ 방향으로 2씩 커집니다.

㉢ 3부터 시작하여 → 방향으로 2씩 커집니다.

( )

5 규칙 찾기

개념 확인 | p.134 개념 4

기본 4 수 배열표에서 규칙 찾기

16 규칙에 따라 빈칸에 알맞은 수를 써넣으세요.

53	54	55	56	57	58	59	60
61	62	63	64	65	66	67	68
69							

17 41부터 시작하여 4씩 커지는 수에 모두 색칠해 보세요.

41	42	43	44	45	46	47	48	49	50
51	52	53	54	55	56	57	58	59	60
61	62	63	64	65	66	67	68	69	70

활용문제

18 색칠한 수는 61부터 시작하여 몇씩 뛰어 센 것인가요?

61	62	63	64	65	66	67	68	69	70
71	72	73	74	75	76	77	78	79	80
81	82	83	84	85	86	87	88	89	90

꼭! 단위까지 따라 쓰세요.

(씩)

■씩 뛰어 센 수는 ■씩 커져.

19 색칠한 수의 규칙에 따라 나머지 부분에 색칠해 보세요.

31	32	33	34	35	36	37	38	39	40
41	42	43	44	45	46	47	48	49	50
51	52	53	54	55	56	57	58	59	60
61	62	63	64	65	66	67	68	69	70

서술형

20 규칙에 따라 색칠하고 색칠한 수의 규칙을 찾아 쓰세요.

12	13	14	15	16	17	18
19	20	21	22	23	24	25
26	27	28	29	30	31	32
33	34	35	36	37	38	39

규칙 12부터 시작하여

21 수 배열표에서 규칙을 찾아 ★과 ▲에 알맞은 수를 각각 구하세요.

32	33	34				★
39	40	41			44	
46				▲		

★ ( )

▲ ( )

개념 확인 | p.136 개념 5

기본 5 규칙을 여러 가지 방법으로 나타내기

22 규칙에 따라 빈칸에 알맞은 몸 동작을 찾아 기호를 쓰세요.

(　　　　　　　)

23 규칙에 따라 빈칸에 알맞은 수를 써넣으세요.

3	4	4			

[24~25] 규칙에 따라 여러 가지 방법으로 나타내려고 합니다. 물음에 답하세요.

24 규칙에 따라 빈칸에 알맞은 수를 써넣으세요.

8	3	8			

25 규칙에 따라 빈칸에 알맞은 기호를 써넣으세요.

ㅁ	ㄴ	ㅁ			

26 보기의 규칙에 따라 모양으로 바르게 나타낸 것의 기호를 쓰세요.

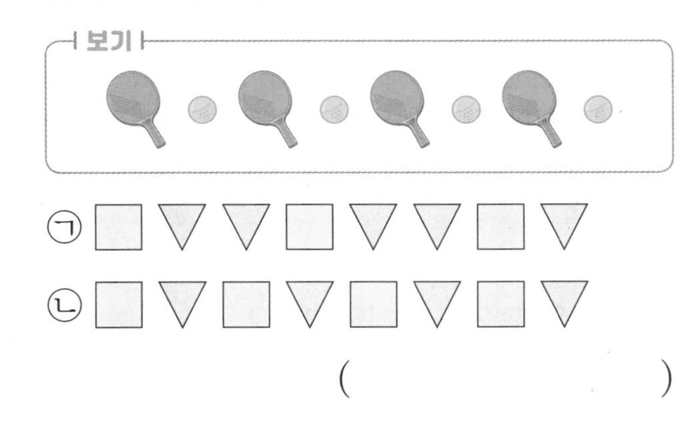

(　　　　　　　)

27 규칙에 따라 빈칸에 알맞은 주사위를 그리고, 수를 써넣으세요.

1	2	3	1		3	

28 규칙에 따라 ㉠에 알맞은 수를 구하세요.

5	2	5	2			㉠	

(　　　　　　　)

먼저 반복되는 부분을 찾자.

기본 다지기

실력+ 규칙에 따라 펼친 손가락의 수 구하기

❶ 반복되는 부분을 찾아봅니다.
❷ 펼친 손가락의 수를 세어 봅니다.
❸ 빈 곳에 들어갈 펼친 손가락의 수를 구합니다.

29 규칙에 따라 ㉠과 ㉡에 들어갈 펼친 손가락은 각각 몇 개인가요?

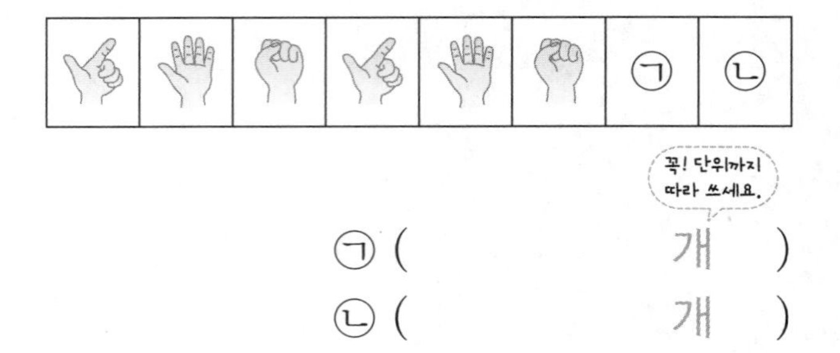

㉠ (　　　　　개　)
㉡ (　　　　　개　)

30 규칙에 따라 ㉠과 ㉡에 들어갈 펼친 손가락은 각각 몇 개인가요?

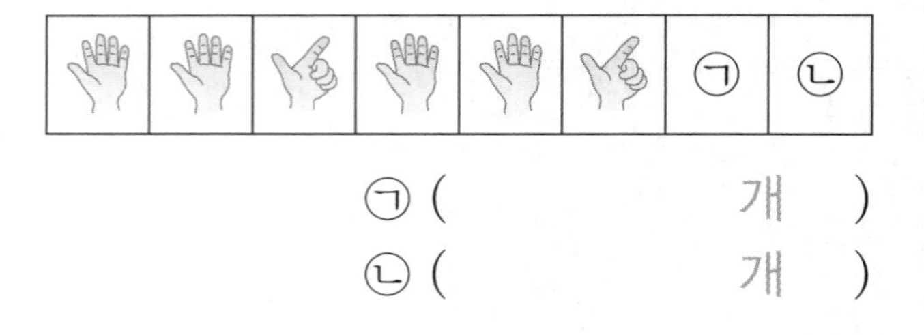

㉠ (　　　　　개　)
㉡ (　　　　　개　)

31 규칙에 따라 ㉠과 ㉡에 들어갈 펼친 손가락은 모두 몇 개인가요?

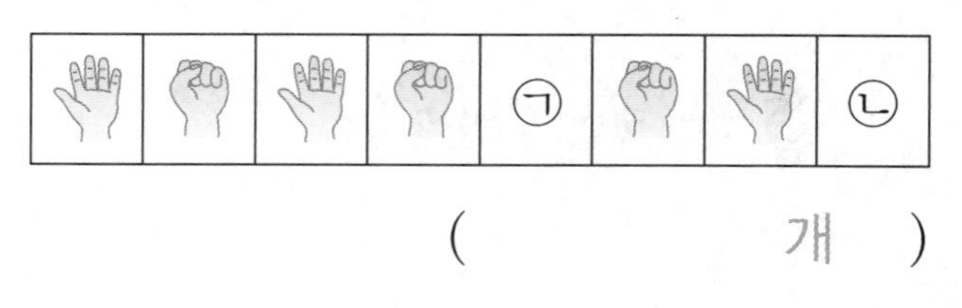

(　　　　　개　)

실력+ 규칙을 찾아 같은 규칙으로 수 배열하기

규칙을 찾을 때에는
❶ 수가 반복되는지,
❷ 일정한 수만큼씩 커지는지,
❸ 일정한 수만큼씩 작아지는지 알아봅니다.

32 보기의 수 배열과 규칙이 같도록 빈칸에 알맞은 수를 써넣으세요.

보기
12 — 14 — 16 — 18 — 20

25 — □ — □ — □ — □

33 보기의 수 배열과 규칙이 같도록 빈칸에 알맞은 수를 써넣으세요.

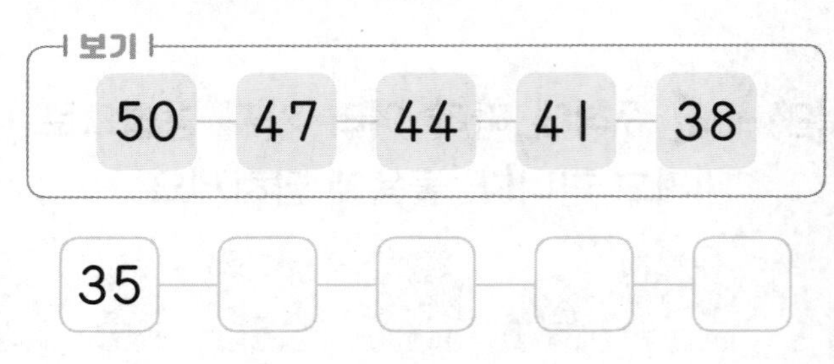

34 보기의 수 배열과 규칙이 같도록 빈칸에 알맞은 수를 써넣으세요.

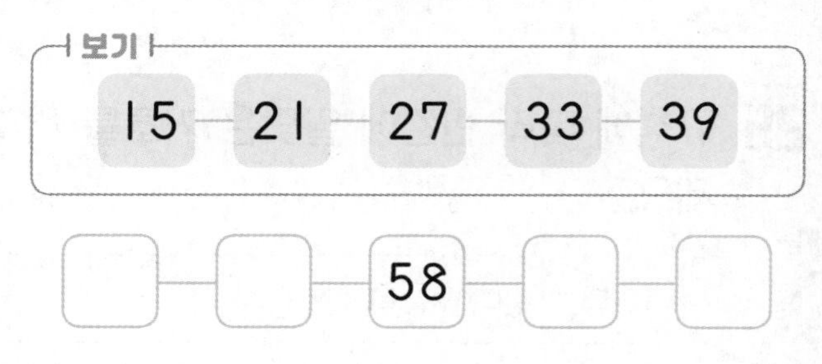

응용력 올리기

» 정답과 해설 p. 32

복습책 p.26에 유사 문제 제공

1 수 배열에 알맞은 수의 크기 비교하기

규칙에 따라 수를 써넣을 때 ㉠과 ㉡ 중 알맞은 수가 더 큰 것의 기호를 쓰세요.

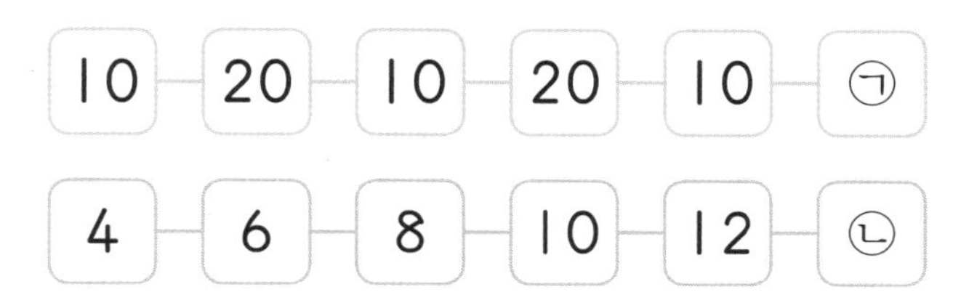

해결 과정

❶ ㉠과 ㉡에 알맞은 수를 각각 구하세요.

㉠ ( ), ㉡ ( )

❷ ㉠과 ㉡ 중 알맞은 수가 더 큰 것의 기호를 쓰세요. ( )

1-1 규칙에 따라 수를 써넣을 때 ㉠과 ㉡ 중 알맞은 수가 더 큰 것의 기호를 쓰세요.

15 - 20 - 25 - 30 - 35 - ㉠

58 - 54 - 50 - 46 - ㉡ - 38

( )

해결 과정을 따라 풀자!

1-2 규칙에 따라 수를 써넣을 때 ㉠과 ㉡ 중 알맞은 수가 더 작은 것의 기호를 쓰세요.

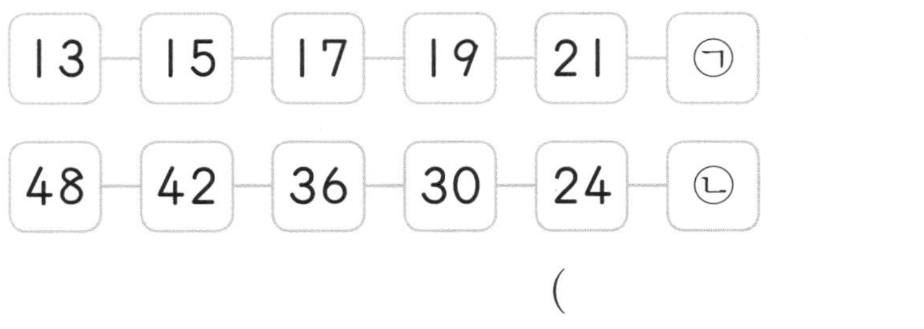

( )

복습책 p.27에 유사 문제 제공

2 규칙에 따라 늘어놓은 바둑돌 구하기

규칙에 따라 바둑돌을 늘어놓았습니다. 17번째에 놓이는 바둑돌은 무슨 색인지 구하세요.

먼저 반복되는 부분을 찾아.

○ ● ● ○ ● ● ○ ● ● …

흰색 검은색

해결 과정

❶ 바둑돌을 늘어놓은 규칙을 쓰세요.

규칙 흰색, [ ], [ ]이 반복됩니다.

❷ 17번째에 놓이는 바둑돌은 무슨 색인가요?

( )

2-1 규칙에 따라 바둑돌을 늘어놓았습니다. 16번째에 놓이는 바둑돌은 무슨 색인지 구하세요.

○ ● ○ ○ ● ○ ○ ● ○ …

( )

해결 과정을 따라 풀자!

2-2 규칙에 따라 바둑돌을 늘어놓았습니다. 바둑돌 14개를 늘어놓는다면 검은색 바둑돌은 모두 몇 개인지 구하세요.

● ● ○ ● ● ○ ● ● ○ …

( )

3 찢어진 수 배열표에서 규칙 찾기

찢어진 수 배열표에서 ★에 알맞은 수를 구하세요.

67	68	69		71
73				
79				
			★	

67부터 시작하여
→ 방향으로 몇씩,
↓ 방향으로 몇씩
커지는지 알아봐.

해결 과정

① 수 배열표에서 → 방향으로 몇씩 커지나요?

( )

② 수 배열표에서 ↓ 방향으로 몇씩 커지나요?

( )

③ ★에 알맞은 수를 구하세요.

( )

3-1 찢어진 수 배열표에서 ●에 알맞은 수를 구하세요.

44	45	46		
		55		
		64		
				●

( )

해결 과정을 따라 풀자!

3-2 수 배열표의 일부분입니다. 10개씩 묶음 8개와 낱개 12개인 수가 들어갈 칸을 찾아 기호를 쓰세요.

70	71			74
77				81
				88
㉠	㉡	㉢	㉣	

( )

응용력 올리기

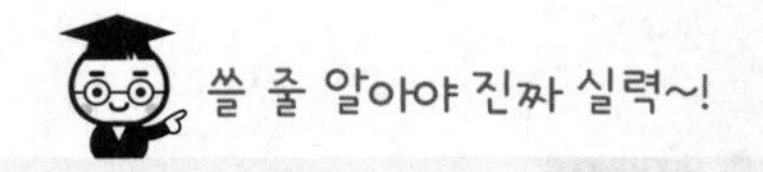

융합력

1 다음은 국악 장단 중 하나인 '자진모리장단'입니다. 규칙을 찾아 □ 안에 알맞은 말을 구하세요.

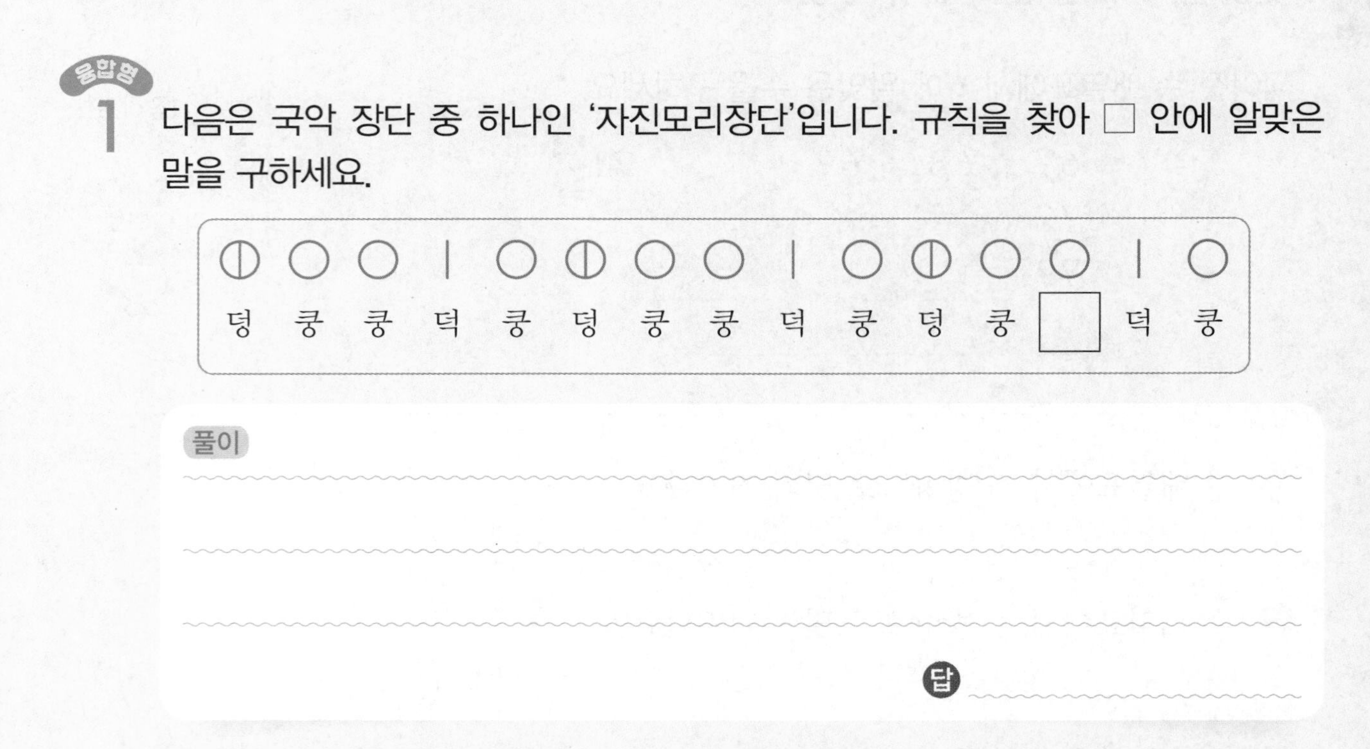

풀이

답

창의력

2 주호가 탄 고속버스에는 규칙에 따라 좌석 번호가 써 있습니다. ㉠에 알맞은 수를 구하세요.

풀이

답

≫ 정답과 해설 p. 33

창의·융합 서술형 수능 대비

융합형

3 규칙에 따라 빈 곳에 알맞은 시각을 시계에 나타내고 시각을 쓰세요.

풀이

답

창의력

4 규칙에 따라 그려진 그림을 모두 지나 도착 지점까지 가려고 합니다. 갈 수 있는 길을 완성해 보세요. (단, ↑, ↓, →, ←의 방향으로만 갈 수 있고, 그림이 있는 칸만 지날 수 있습니다.)

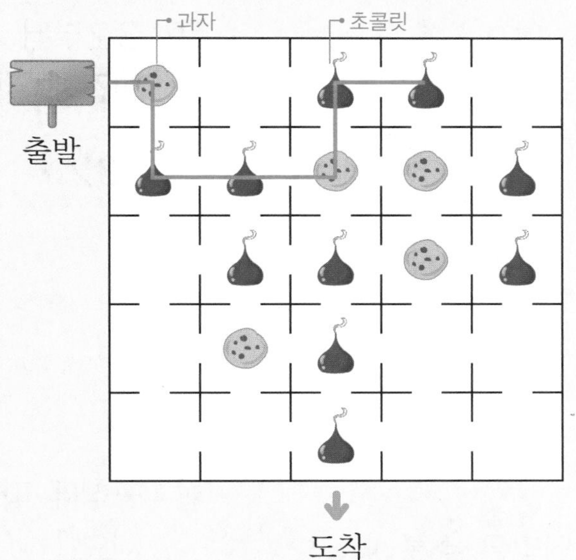

풀이

TEST 단원 기본 평가

점수 점

1 규칙을 찾아 빈칸에 알맞은 그림에 ○표 하세요.

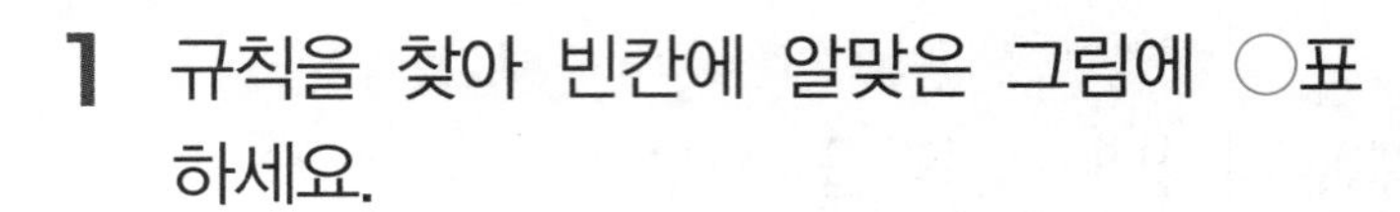

2 규칙을 찾아 □ 안에 알맞은 말을 써넣으세요.

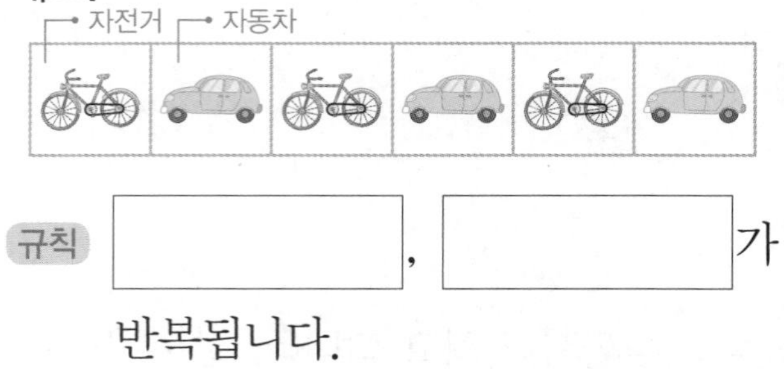

3 규칙을 찾아 빈칸에 알맞은 그림을 그려 보세요.

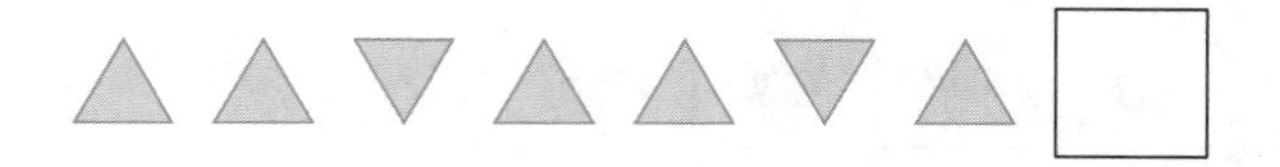

4 규칙에 따라 빈 곳에 알맞은 수를 써넣으세요.

5 규칙에 따라 빈칸에 알맞은 수를 써넣으세요.

500	100	100	500	100	100
5	1	1			

6 규칙에 따라 빈칸에 알맞은 모양을 그려 보세요.

주차금지	(횡단보도)	주차금지	(횡단보도)	주차금지	(횡단보도)
○	△				

7 32부터 시작하여 5씩 커지는 규칙으로 빈칸에 알맞은 수를 써넣으세요.

32 — 37 — 42 — 47 — □

8 규칙에 따라 빈칸에 알맞은 색을 칠해 보세요.

파란색 분홍색

9 색칠한 수의 규칙을 찾아 □ 안에 알맞은 수를 써넣으세요.

41	42	43	44	45	46	47	48	49	50
51	52	53	54	55	56	57	58	59	60
61	62	63	64	65	66	67	68	69	70
71	72	73	74	75	76	77	78	79	80
81	82	83	84	85	86	87	88	89	90

➔ 41부터 시작하여 □ 씩 커집니다.

10 20부터 시작하여 2씩 작아지는 규칙으로 빈 곳에 알맞은 수를 써넣으세요.

11 사물함에서 규칙을 찾아 빈칸에 알맞은 수를 써넣으세요.

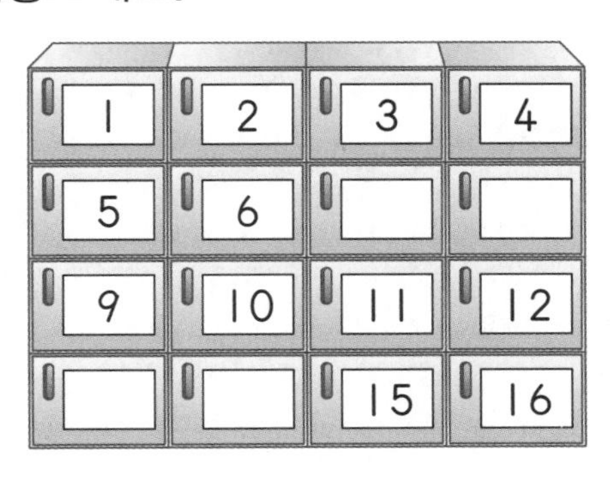

12 규칙에 따라 늘어놓은 것의 기호를 쓰세요.

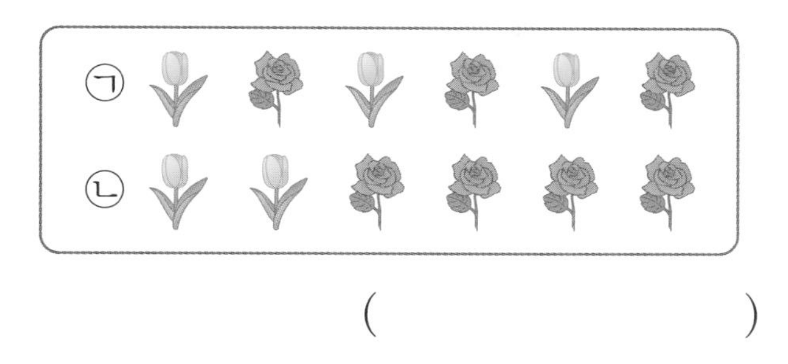

(　　　　　　)

13 규칙을 수로 바르게 나타낸 것의 기호를 쓰세요.

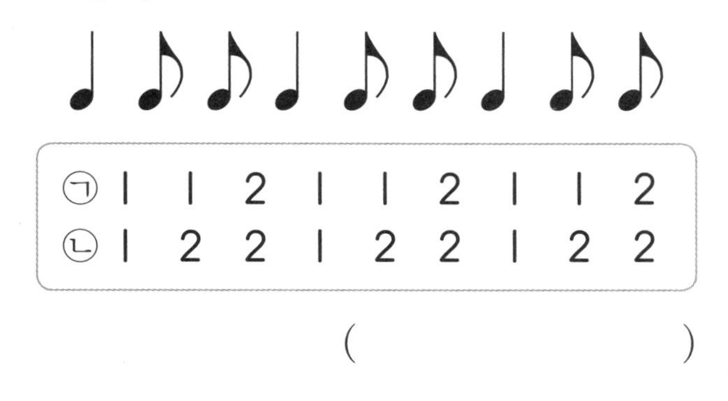

(　　　　　　)

14 규칙을 찾아 □ 안에 알맞은 모양과 같은 모양의 물건을 주변에서 한 가지 찾아 쓰세요.

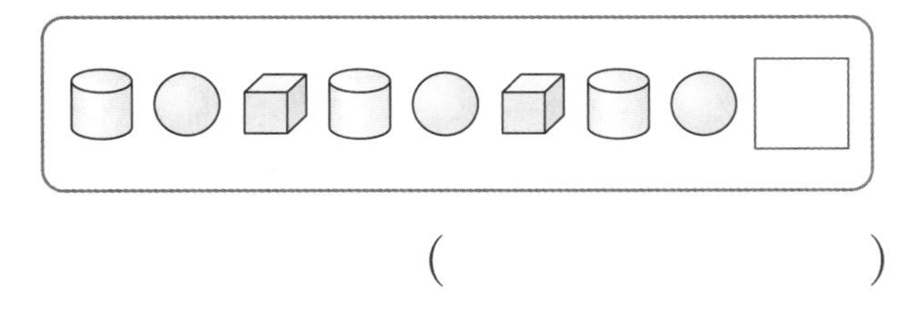

(　　　　　　)

15 색칠한 수의 규칙에 따라 나머지 부분에 색칠해 보세요.

11	12	13	14	15	16	17	18	19	20
21	22	23	24	25	26	27	28	29	30
31	32	33	34	35	36	37	38	39	40

5 규칙 찾기

16 수 배열에서 보기와 다른 규칙을 1가지 찾아 쓰세요.

1	2	3
4	5	6
7	8	9

보기
1부터 시작하여 → 방향으로 1씩 커집니다.

규칙 ______________________

____

17 규칙에 따라 수를 쓸 때 ㉠에 알맞은 수를 구하세요.

17 – 21 – 25 – ☐ – ☐ – ㉠

( )

18 규칙에 따라 강아지와 고양이를 그릴 때 완성한 그림에서 고양이는 모두 몇 마리인가요?

강아지 고양이

강아지	고양이	강아지	고양이					

( )

19 규칙에 따라 ㉠과 ㉡에 들어갈 펼친 손가락은 각각 몇 개인지 풀이 과정을 쓰고 답을 구하세요.

풀이

답 ㉠ __________, ㉡ __________

20 규칙에 따라 수를 써넣을 때 ㉠과 ㉡ 중 알맞은 수가 더 큰 것의 기호를 쓰려고 합니다. 풀이 과정을 쓰고 답을 구하세요.

9 – 5 – 9 – 5 – 9 – ㉠

17 – 15 – 13 – 11 – 9 – ㉡

풀이

답 __________

단원 실력 평가

점수 점

복습책 p.30~31에 실력 평가 추가 제공

[1~2] 규칙을 찾아 빈칸에 알맞은 모양을 그려 보세요.

1

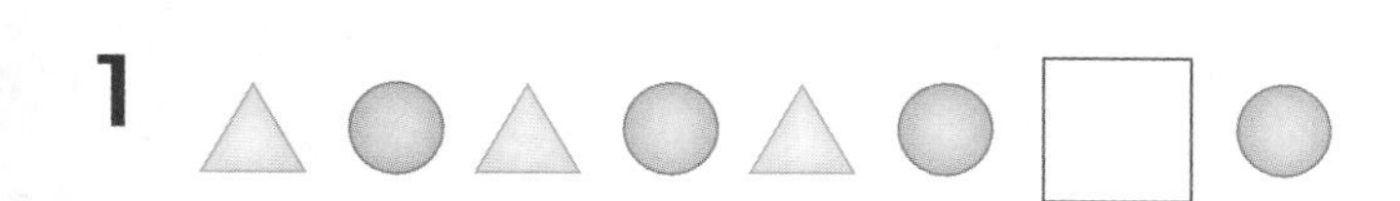

2

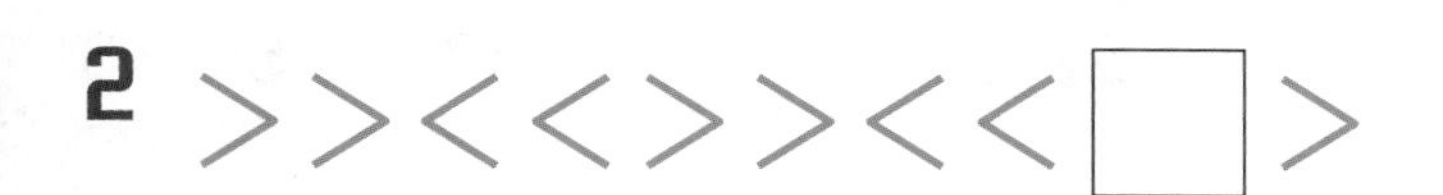

3 규칙에 따라 빈칸에 알맞은 수를 써넣으세요.

0	1	1			

4 규칙에 따라 빈 곳에 알맞은 수를 써넣으세요.

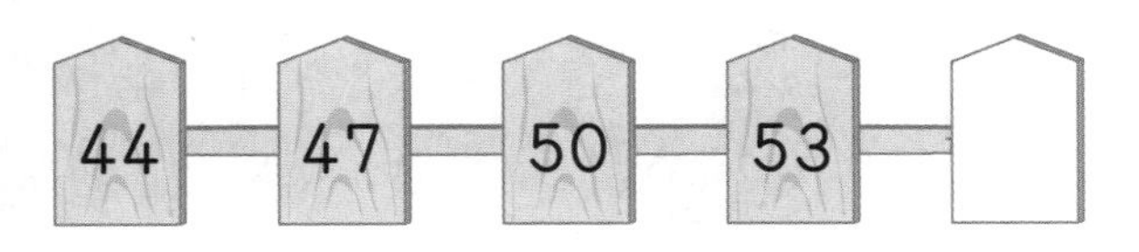

5 규칙을 바르게 말한 사람의 이름을 쓰세요.

( )

6 ○, △ 모양으로 규칙에 따라 구슬 팔찌를 꾸며 보세요.

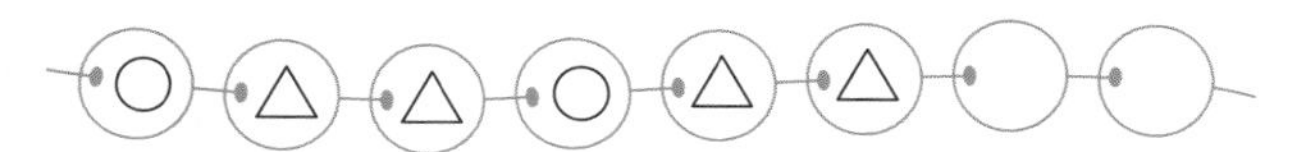

7 규칙에 따라 ○ 안에 알맞은 글자를 써넣으세요.

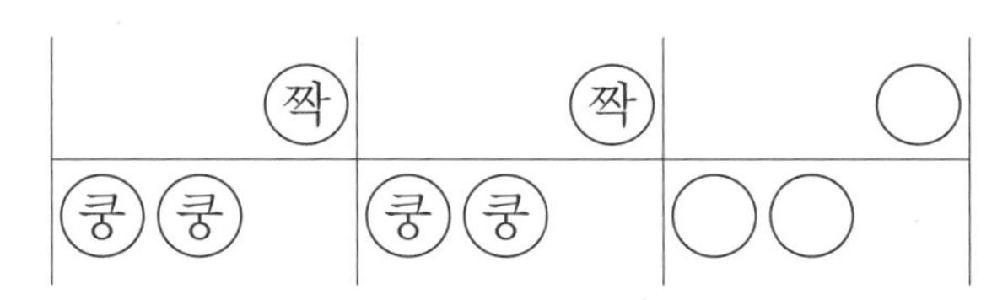

8 12부터 시작하여 3씩 커지는 수에 모두 색칠해 보세요.

12	13	14	15	16	17	18	19
20	21	22	23	24	25	26	27
28	29	30	31	32	33	34	35

9 규칙에 따라 빈칸에 알맞은 색을 칠해 보세요.

10 규칙을 모양으로 바르게 나타낸 것의 기호를 쓰세요.

㉠ | ○ | △ | ○ | ○ | ○ | △ | ○ | ○ |

㉡ | ○ | △ | ○ | ○ | △ | ○ | ○ | △ |

( )

11 건우가 3, 4, 5가 반복되는 규칙으로 수를 말하였습니다. 잘못 말한 수에 ×표 하고, 알맞은 수를 쓰세요.

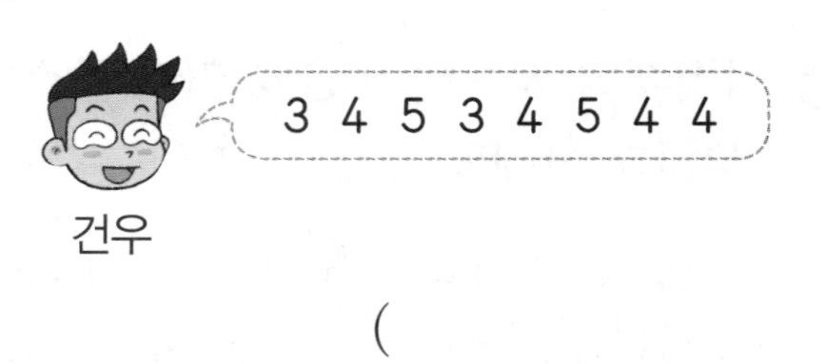

( )

12 규칙에 따라 수를 쓸 때 ㉠에 알맞은 수를 구하세요.

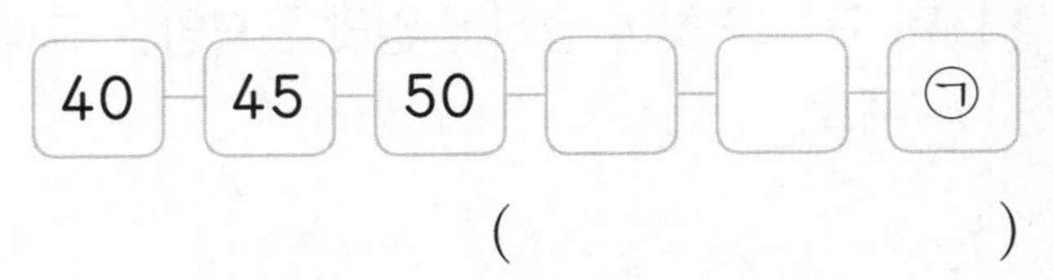

( )

서술형

13 색칠한 수의 규칙을 찾아 쓰세요.

31	32	33	34	35	36	37	38	39	40
41	42	43	44	45	46	47	48	49	50
51	52	53	54	55	56	57	58	59	60

규칙 31부터 시작하여

14 수 배열표에서 ★에 알맞은 수를 구하세요.

58	59				63
				68	
★				74	

( )

15 규칙에 따라 시계에 알맞은 시각을 나타내 보세요.

16 색칠된 규칙에 따라 빈칸에 □, ○를 알맞게 그려 보세요.

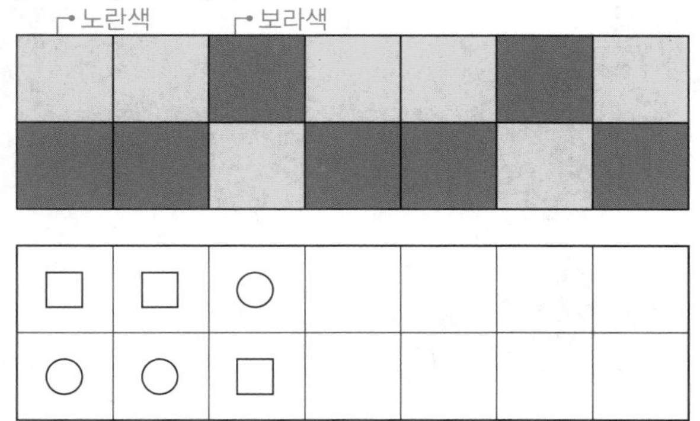

17 규칙에 따라 무늬를 완성하려고 합니다. ■를 그려야 하는 칸을 모두 찾아 번호를 쓰세요.

■	▲	▲	■	▲	▲	①	②	③	■
■	▲	▲	■	▲	▲	④	⑤	⑥	■

(　　　　　　　　　　)

18 보기의 수 배열과 규칙이 같도록 빈칸에 알맞은 수를 써넣으세요.

보기

11 — 16 — 21 — 26 — 31

27 — □ — □ — □ — □

서술형

19 규칙에 따라 바둑돌을 늘어놓았습니다. 13번째에 놓이는 바둑돌은 무슨 색인지 풀이 과정을 쓰고 답을 구하세요.

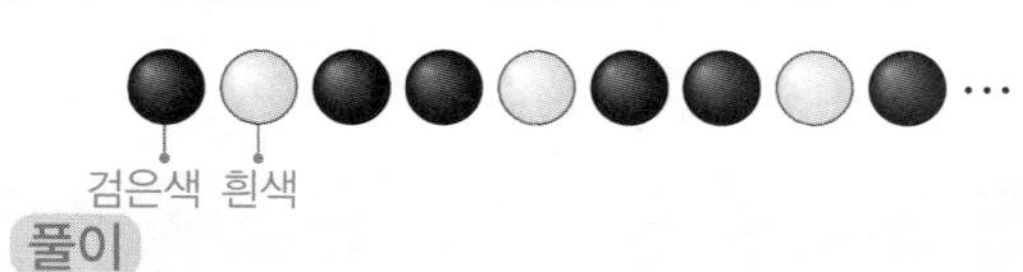

풀이

답 ____________________

서술형

20 찢어진 수 배열표에서 ■에 알맞은 수는 얼마인지 풀이 과정을 쓰고 답을 구하세요.

23	24	25	26
31			
39			
			■

풀이

답 ____________________

5 규칙 찾기

덧셈과 뺄셈(3)

단원 내용 미리보기

본문 156, 166쪽

(몇십몇)＋(몇),
(몇십몇)－(몇)

35+4=39

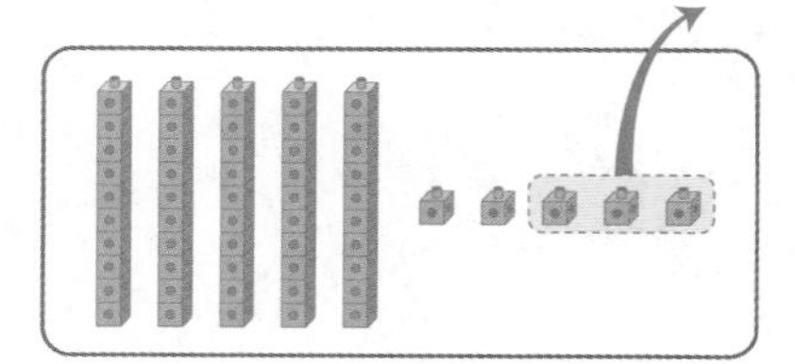

55−3=52

본문 158, 168쪽

(몇십)＋(몇십),
(몇십)－(몇십)

20+40=60

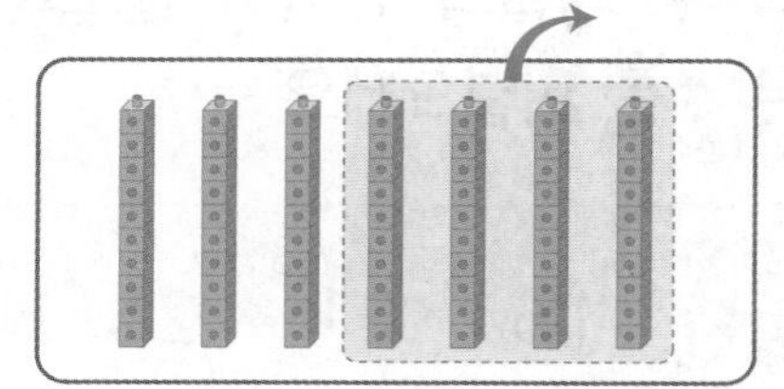

70−40=30

스마트폰을 이용하여 **QR 코드**를 찍으면
개념 학습 영상을 볼 수 있어요.

본문 158, 168쪽

(몇십몇)+(몇십몇), (몇십몇)−(몇십몇)

31+23=54

35−14=21

본문 160, 170쪽

여러 가지 덧셈, 뺄셈하기

흰 우유와 딸기 우유는 모두
13+26=39(개)입니다.
딸기 우유는 흰 우유보다
26−13=13(개) 더 많습니다.

이제부터 **기본+응용**을
시작해 볼까요~

STEP 1

개념 익히기

개념 1 (몇십몇)+(몇)

예 21+4의 계산

방법1 이어 세기

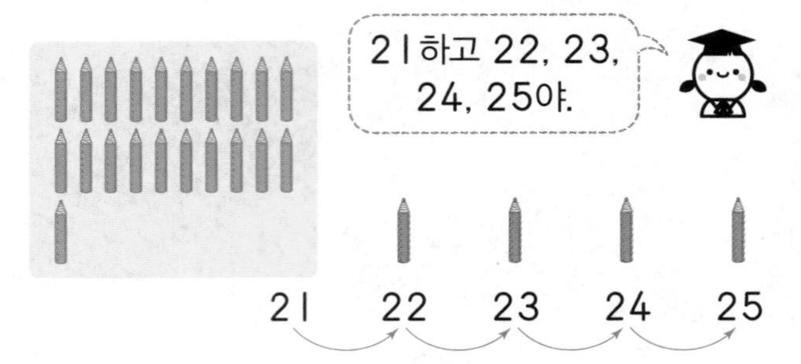

방법2 직접 표시하여 더하기

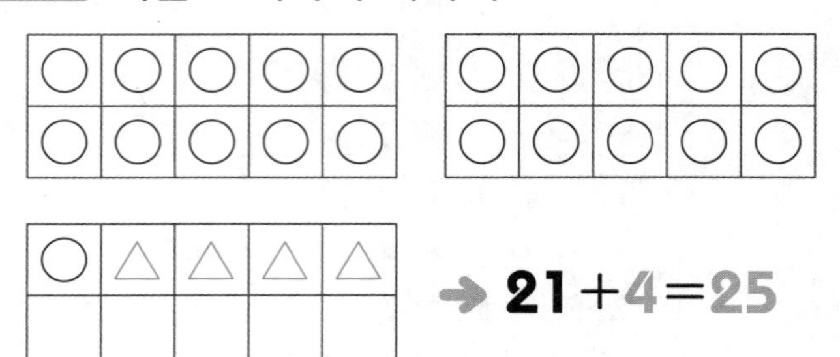

➔ 21+4=25

방법3 모형으로 알아보기

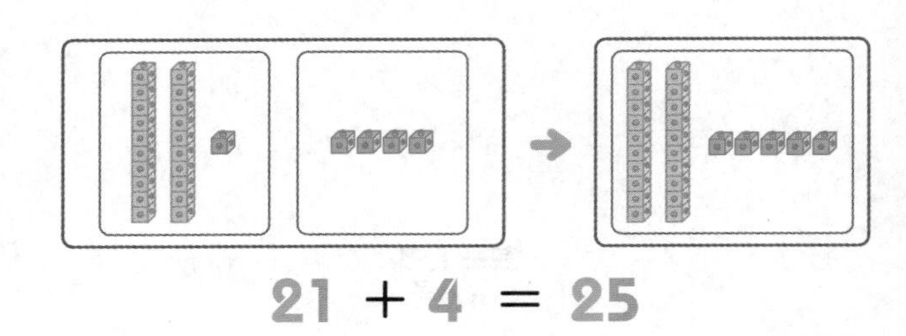

21 + 4 = 25

방법4 세로 셈으로 계산하기

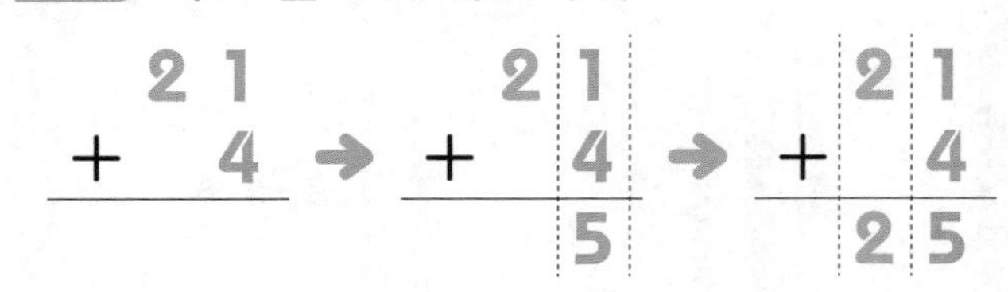

1 그림을 보고 덧셈을 하세요.

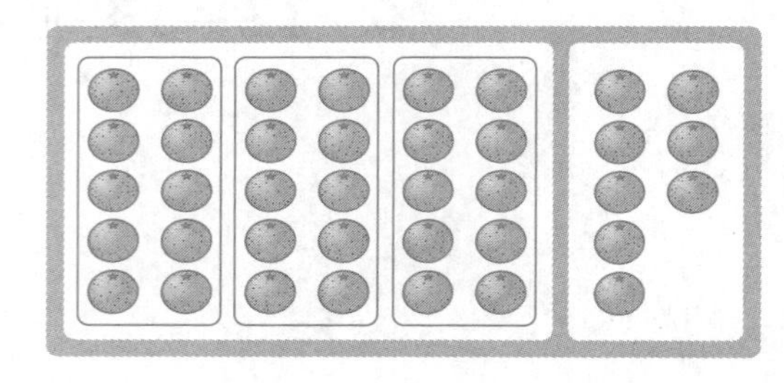

30+8=□

• 귤은 10개씩 묶음 3개와 낱개 8개입니다.

2 덧셈을 하세요.

(1) $50 + 3 = \square$

(2) $62 + 4 = \square$

(3) $5 + 71 = \square$

• 낱개는 낱개끼리 더합니다.

≫ 정답과 해설 p. 36

3 그림을 보고 지우개는 모두 몇 개인지 덧셈식으로 나타내 보세요.

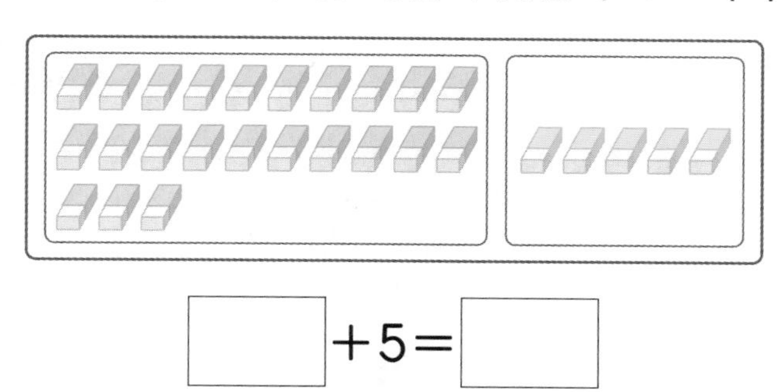

☐ + 5 = ☐

- 초록색 지우개 23개와 노란색 지우개 5개가 있습니다.

4 42 + 3을 계산한 것입니다. 계산에서 틀린 곳을 찾아 바르게 고쳐 보세요.

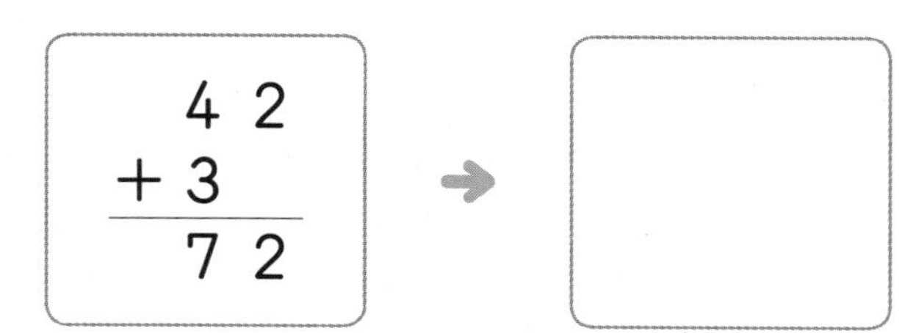

- 낱개의 수끼리 줄을 맞추어 세로 셈으로 나타내 계산합니다.

5 합이 같은 것끼리 이어 보세요.

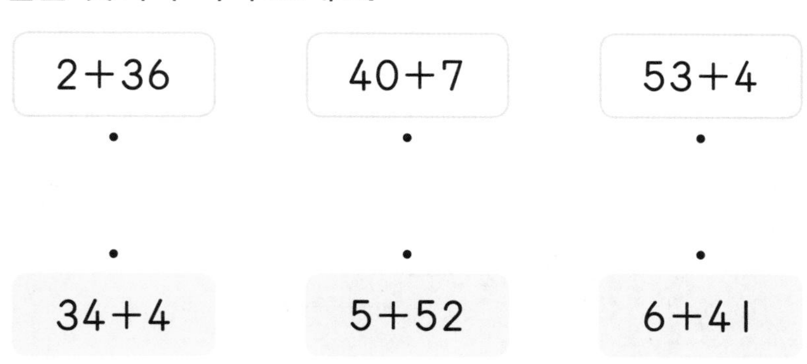

6 다음이 나타내는 수를 구하세요.

61보다 8만큼 더 큰 수

( )

- '■만큼 더 큰 수'는 '■를 더한 수'입니다.
  예 3보다 2만큼 더 큰 수
  ➔ 3+2=5

STEP 1 개념 익히기

개념 2 (몇십)+(몇십)

예 20+30의 계산

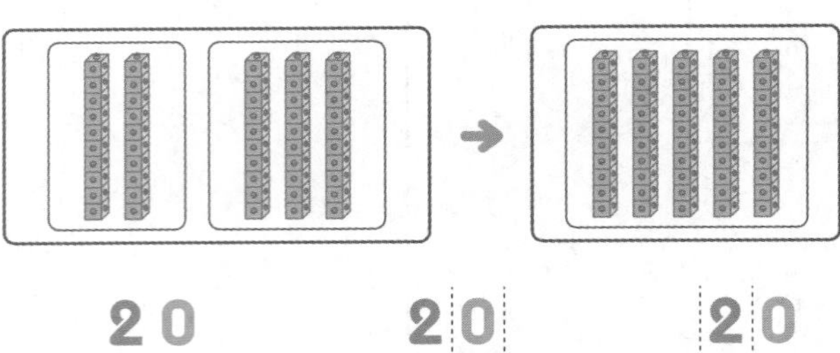

10개씩 묶음은 10개씩 묶음끼리 더해.

$$\begin{array}{r} 20 \\ +30 \\ \hline \end{array} \rightarrow \begin{array}{r} 20 \\ +30 \\ \hline 0 \end{array} \rightarrow \begin{array}{r} 20 \\ +30 \\ \hline 50 \end{array}$$

개념 3 (몇십몇)+(몇십몇)

예 13+22의 계산

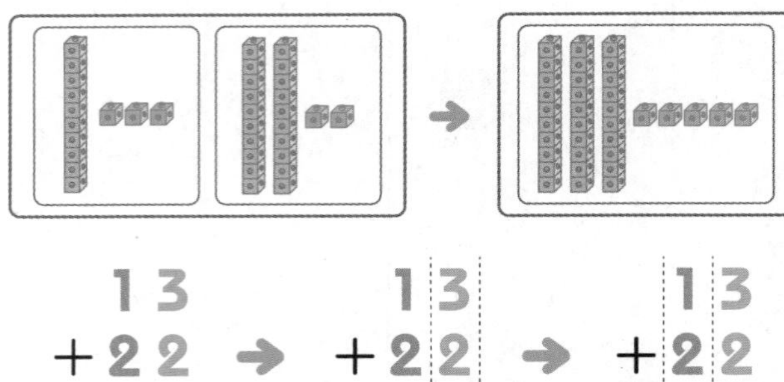

10개씩 묶음은 10개씩 묶음끼리, 낱개는 낱개끼리 더해.

$$\begin{array}{r} 13 \\ +22 \\ \hline \end{array} \rightarrow \begin{array}{r} 13 \\ +22 \\ \hline 5 \end{array} \rightarrow \begin{array}{r} 13 \\ +22 \\ \hline 35 \end{array}$$

개념 플러스

- 10개씩 묶음의 수는 몇십을, 낱개의 수는 몇을 나타내므로 몇십을 나타내는 수끼리, 몇을 나타내는 수끼리 더해야 합니다.

[1~2] 그림을 보고 덧셈을 하세요.

1

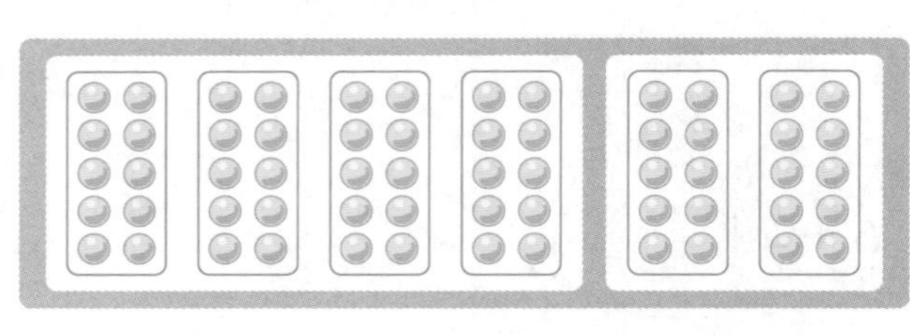

40+20= □

2

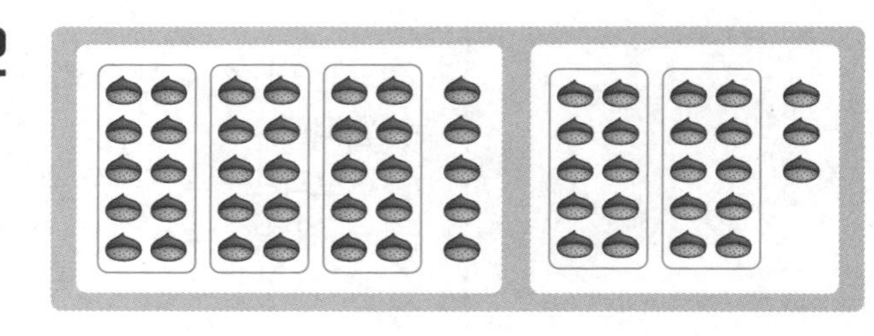

35+23= □

- 10개씩 묶음과 낱개가 각각 몇 개씩 있는지 구합니다.

≫ 정답과 해설 p. 36

3 덧셈을 하세요.

(1)
$$\begin{array}{r} 10 \\ +\ 60 \\ \hline \square \end{array}$$

(2)
$$\begin{array}{r} 26 \\ +\ 11 \\ \hline \square \end{array}$$

(3) 30+50

(4) 52+13

• 10개씩 묶음은 10개씩 묶음끼리, 낱개는 낱개끼리 더합니다.

4 합이 같은 것끼리 이어 보세요.

30+20 •	• 20+60
40+40 •	• 10+40

5 합이 가장 큰 것에 ○표, 가장 작은 것에 △표 하세요.

46+32	14+65	53+21
(　　　)	(　　　)	(　　　)

• 10개씩 묶음의 수가 같으면 낱개가 더 많은 수가 더 큽니다.
└ 낱개의 수가 더 큰

6 곡식 창고에 감자가 41개, 고구마가 54개 있습니다. 곡식 창고에 있는 감자와 고구마는 모두 몇 개인가요?

식 ______________________

꼭! 단위까지 따라 쓰세요.

답 ______________ 개

• 감자의 수와 고구마의 수를 더합니다.

STEP 1 개념 익히기

개념 4 여러 가지 덧셈하기

개념 플러스

1 그림을 보고 덧셈식 만들기

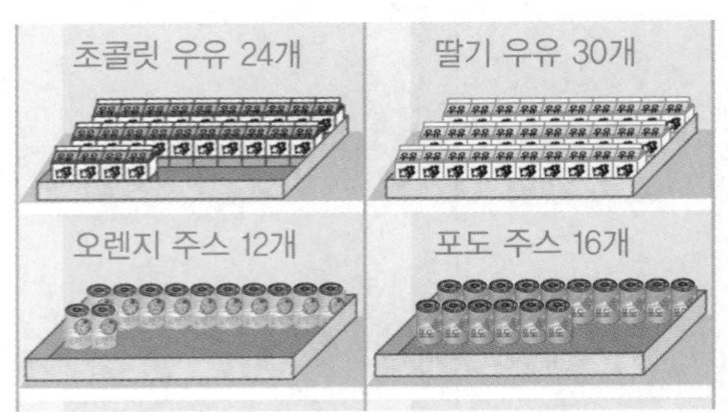

(1) 초콜릿 우유와 딸기 우유는 모두 24+30=54(개) 입니다. → 또는 30+24=54

(2) 오렌지 주스와 포도 주스는 모두 12+16=28(개) 입니다. → 또는 16+12=28

2 규칙을 찾아 덧셈하기

13+24=37
13+34=47
13+44=57
13+54=67

같은 수에 10씩 커지는 수를 더하면 합도 10씩 커집니다.

13+24=37
23+24=47
33+24=57
43+24=67

10씩 커지는 수에 같은 수를 더하면 합도 10씩 커집니다.

두 수를 서로 바꾸어 더해도 합은 같아.
13+24=37
24+13=37

1 쿠키는 모두 몇 개인지 덧셈식으로 나타내 보세요.

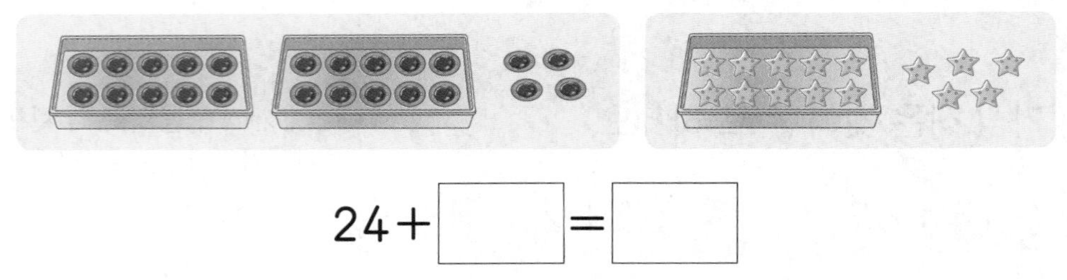

24+☐=☐

• (전체 쿠키의 수)
=( 모양 쿠키의 수)
+(모양 쿠키의 수)

2 덧셈을 하세요.

(1) 20+15=☐
20+16=☐
20+17=☐

(2) 64+21=☐
65+21=☐
66+21=☐

[3~5] 책꽂이에 꽂혀 있는 책을 보고 물음에 답하세요.

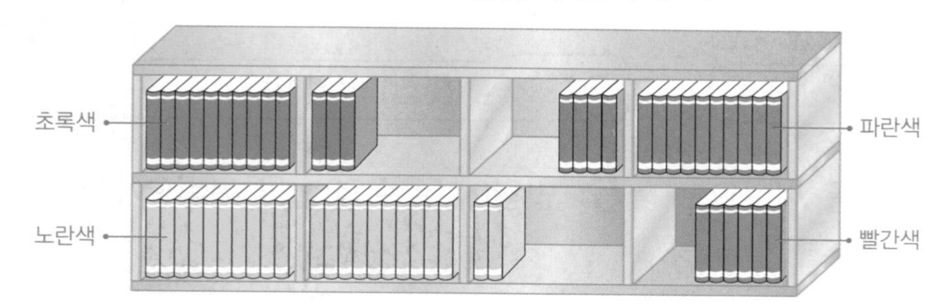

3 노란색 책과 초록색 책은 모두 몇 권인가요?

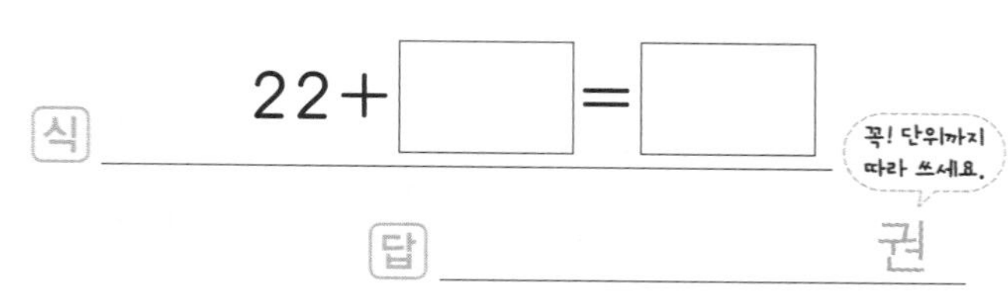

식 22+□=□

답 ______ 권

4 아랫줄에 있는 책은 모두 몇 권인가요?

식 22+□=□

답 ______ 권

• 아랫줄에 있는 책은 노란색 책과 빨간색 책입니다.

5 파란색 책과 초록색 책은 모두 몇 권인가요?

식 □+□=□

답 ______ 권

6 다은이와 도윤이가 말하는 수를 각각 구하세요.

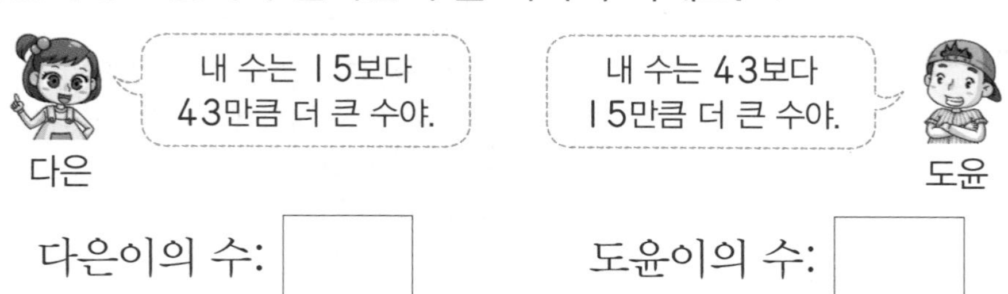

다은이의 수: □ 도윤이의 수: □

• 두 수를 서로 바꾸어 더해도 합은 같습니다.

STEP 2 기본 다지기

개념 확인 | p.156 개념1

기본 1 (몇십몇)+(몇)

1 모형을 보고 □ 안에 알맞은 수를 써넣으세요.

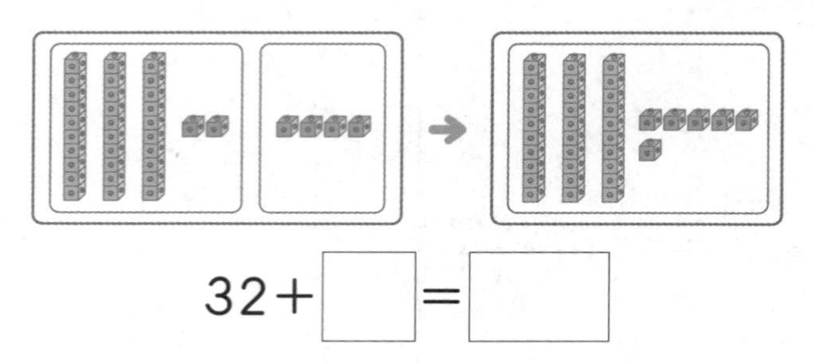

32+□=□

2 빈칸에 알맞은 수를 써넣으세요.

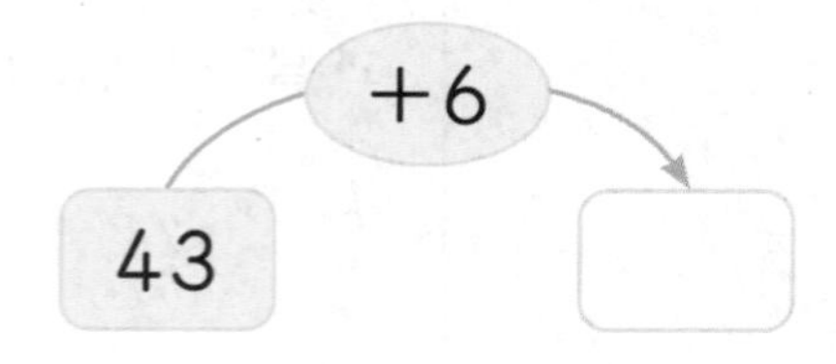

활용문제

3 수직선을 보고 □ 안에 알맞은 수를 써넣으세요.

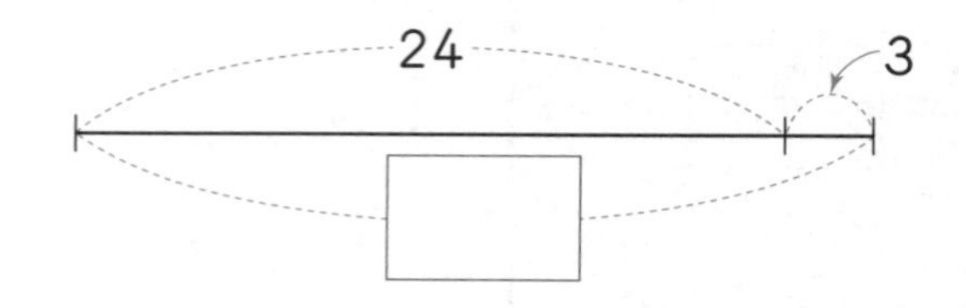

4 지하철 한 칸에 52명이 타고 있었는데 이번 역에서 4명이 더 탔습니다. 지금 지하철 한 칸에 타고 있는 사람은 모두 몇 명인가요?

식 ____________________

답 ____________________

개념 확인 | p.158 개념2

기본 2 (몇십)+(몇십)

5 빈칸에 두 수의 합을 써넣으세요.

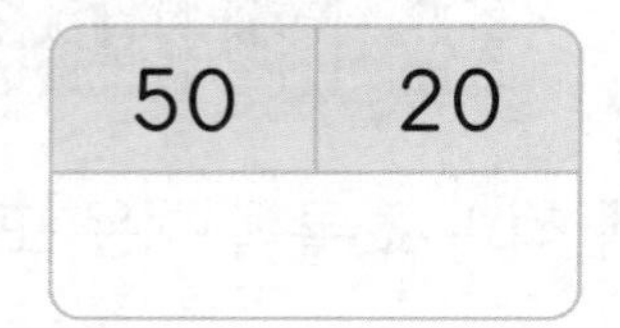

50	20

6 빈칸에 알맞은 수를 써넣으세요.

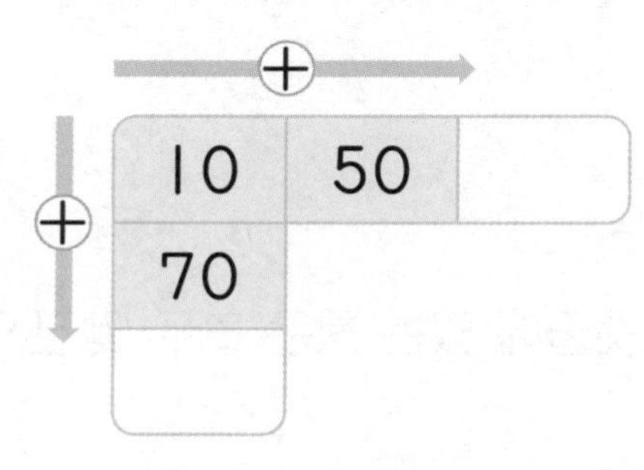

7 합이 작은 것부터 순서대로 글자를 써서 단어를 만들어 보세요.

30+40	60+30	20+10
거	장	정

(　　　　　　　　)

8 연우의 일기를 보고 줄다리기를 한 학생은 모두 몇 명인지 구하세요.

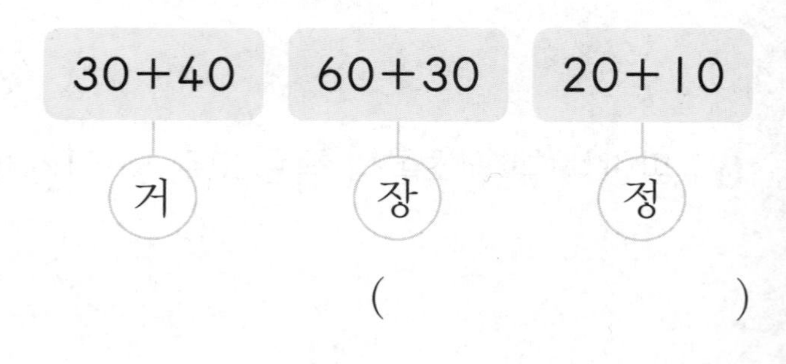

○월 ○일 ○요일

제목: 줄다리기

오늘 체육시간에 줄다리기를 했다.

남학생 20명과 여학생 20명이 줄다리기를 했는데 여학생이 이겼다.

(　　　　　　　　)

개념 확인 | p.158 개념 3

기본 3 (몇십몇)+(몇십몇)

9 수직선을 보고 □ 안에 알맞은 수를 써넣으세요.

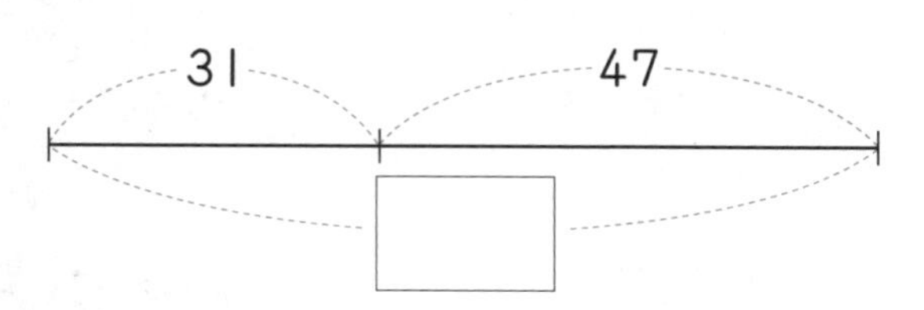

10 가장 큰 수와 가장 작은 수의 합을 구하세요.

23 72 17

(　　　　　　)

11 계산 결과를 비교하여 ○ 안에 >, =, < 를 알맞게 써넣으세요.

21+18 ○ 12+26

12 같은 모양에 적힌 수의 합을 각각 구하세요.

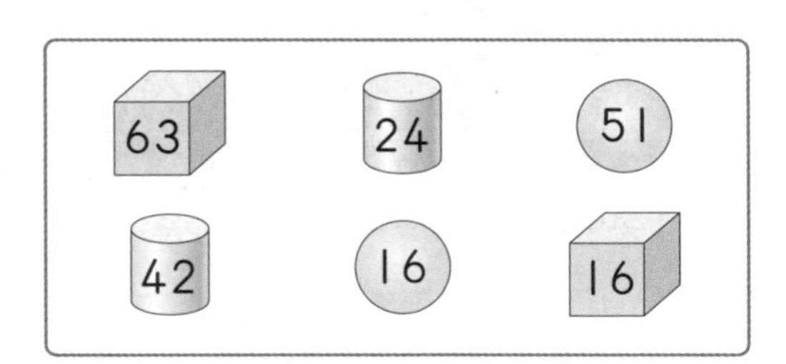

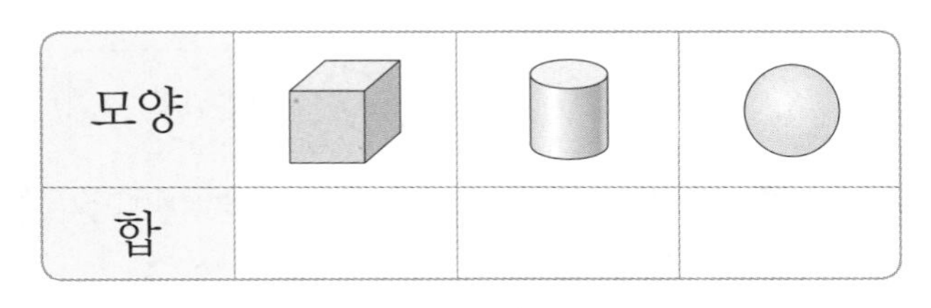

모양			
합			

13 빈칸에 알맞은 수를 써넣으세요.

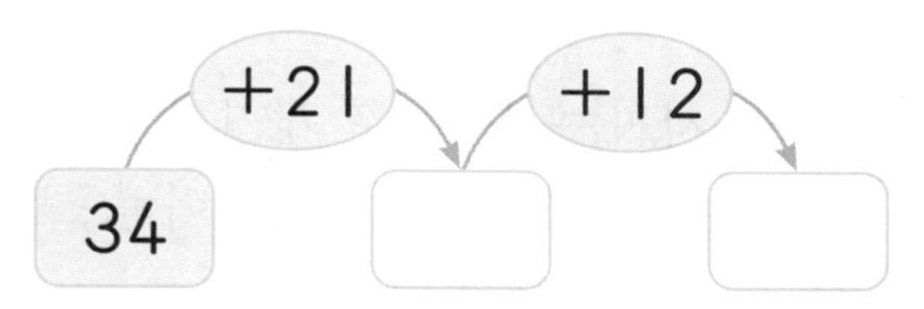

활용문제

14 하린이와 도윤이는 적금 통장을 만들기 위해 은행에 갔습니다. 도윤이가 은행에서 뽑은 번호표는 몇 번인가요?

(　　　　　　)

15 어떤 수에 24를 더했더니 38이 되었습니다. 어떤 수는 얼마인지 구하세요.

(　　　　　　)

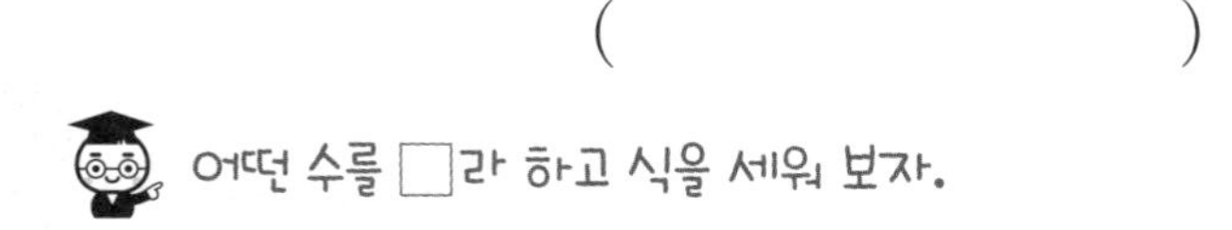

6 덧셈과 뺄셈(3)

STEP 2 기본 다지기

개념 확인 | p.160 개념 4

기본 4 여러 가지 덧셈하기

16 배와 사과는 모두 몇 개인지 구하려고 합니다. □ 안에 알맞은 수를 써넣으세요.

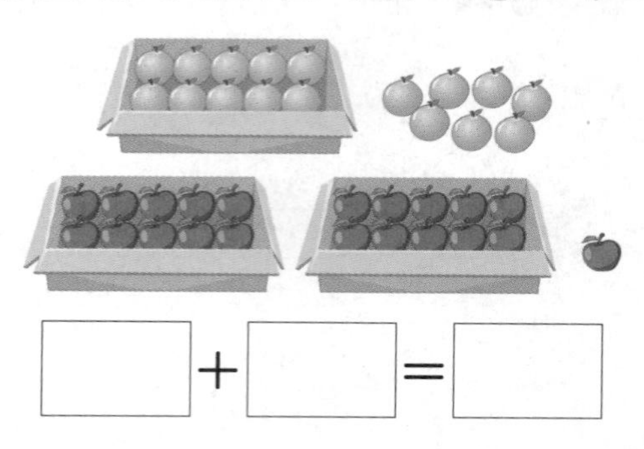

□ + □ = □

17 덧셈을 하세요.

$16+21=$ □

$16+31=$ □

$16+41=$ □

$16+51=$ □

18 지유와 시후가 말하는 수가 같으면 ○표, 다르면 ×표 하세요.

내 수는 30보다 27만큼 더 큰 수야.

내 수는 27보다 30만큼 더 큰 수야.

( )

[19~21] 선반에 있는 물건을 보고 물음에 답하세요.

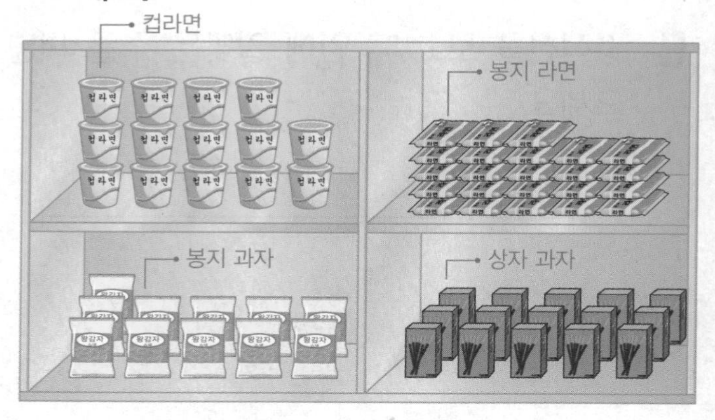

19 라면은 모두 몇 개인가요?

( )

20 과자는 모두 몇 개인가요?

( )

21 오른쪽 선반에 있는 물건은 모두 몇 개인가요?

( )

오른쪽 선반에는 봉지 라면과 상자 과자가 있어요.

22 그림을 보고 여러 가지 덧셈식을 쓰세요.

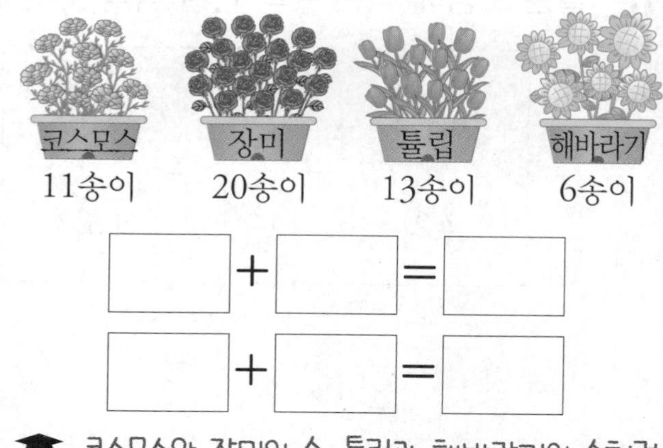

□ + □ = □

□ + □ = □

코스모스와 장미의 수, 튤립과 해바라기의 수처럼 덧셈식은 여러 가지가 나올 수 있어.

≫ 정답과 해설 p. 37

실력+ 주머니에서 수를 골라 덧셈식 만들기

❶ 파란색 주머니에서 수를 하나 골라 씁니다.
❷ 초록색 주머니에서 수를 하나 골라 씁니다.
❸ 고른 두 수의 덧셈식을 만들어 계산합니다.

23 주머니에서 수를 하나씩 골라 덧셈식을 2개 만들어 보세요.

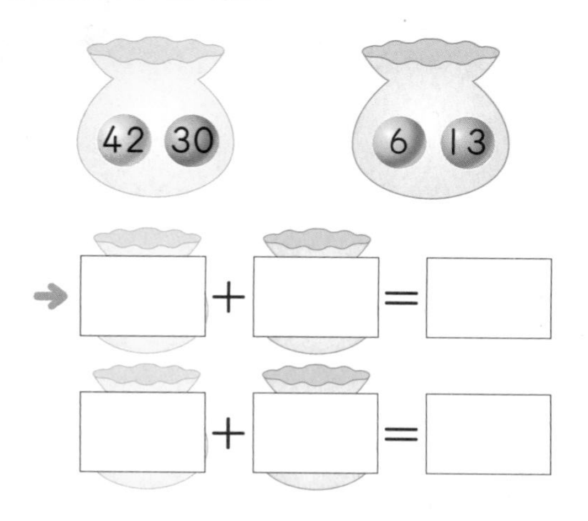

24 주머니에서 수를 하나씩 골라 덧셈식을 3개 만들어 보세요.

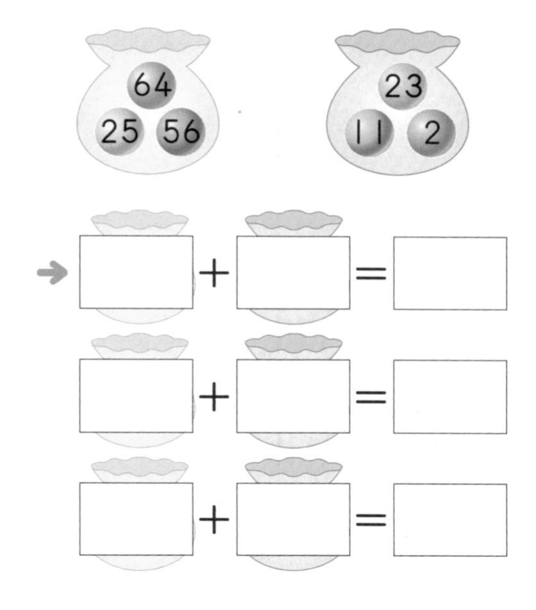

실력+ □ 안에 알맞은 수 구하기

❶ 낱개끼리의 계산에서 □ 안에 알맞은 숫자를 구합니다.
❷ 10개씩 묶음끼리의 계산에서 □ 안에 알맞은 숫자를 구합니다.

25 □ 안에 알맞은 숫자를 써넣으세요.

$$\begin{array}{rcc} & 3 & \square \\ + & 2 & 7 \\ \hline & \square & 8 \end{array}$$

26 □ 안에 알맞은 숫자를 써넣으세요.

$$\begin{array}{rcc} & 5 & \square \\ + & \square & 3 \\ \hline & 6 & 7 \end{array}$$

27 □ 안에 알맞은 숫자를 써넣으세요.

$$\begin{array}{rcc} & \square & 5 \\ + & 2 & \square \\ \hline & 4 & 9 \end{array}$$

STEP 1 개념 익히기

개념 5 (몇십몇)−(몇)

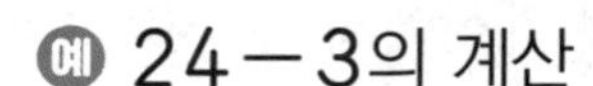

예 24−3의 계산

방법1 직접 표시하여 빼기

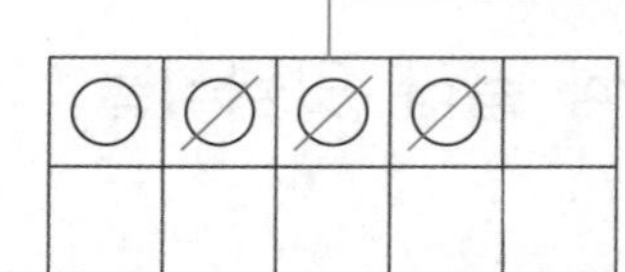

빼는 수만큼 ○를 /으로 지워 보자!

→ $24-3=21$

방법2 모형으로 알아보기

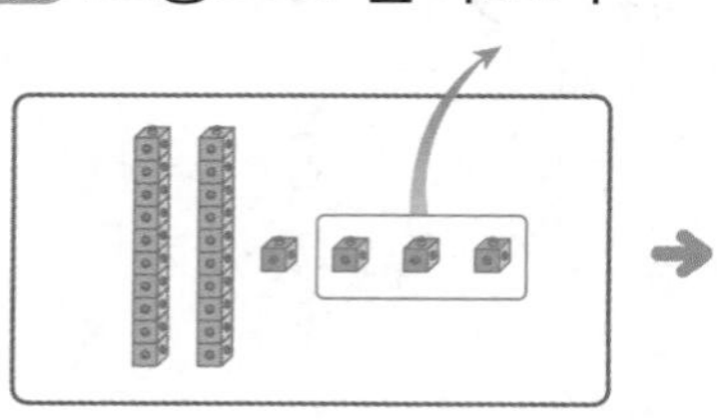

→

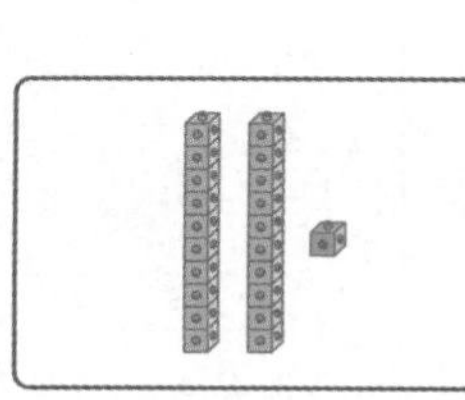

$24-3=21$

방법3 세로 셈으로 계산하기

$$\begin{array}{r} 24 \\ -\ \ 3 \\ \hline \end{array} \rightarrow \begin{array}{r} 24 \\ -\ \ 3 \\ \hline 1 \end{array} \rightarrow \begin{array}{r} 24 \\ -\ \ 3 \\ \hline 21 \end{array}$$

1 그림을 보고 뺄셈을 하세요.

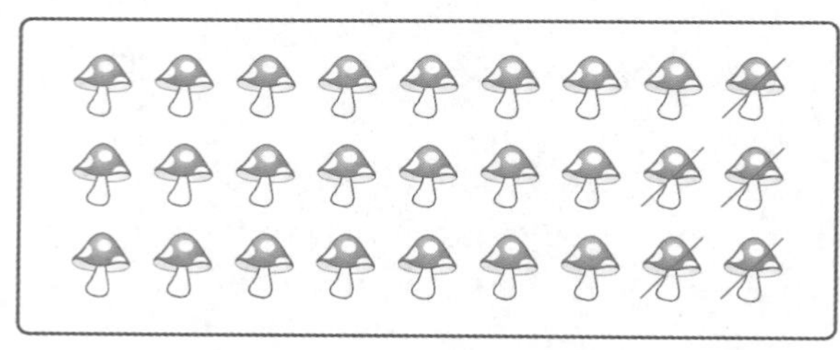

$27-5=$ □

• 남은 버섯은 10개씩 묶음 몇 개와 낱개 몇 개인지 세어 봅니다.

2 뺄셈을 하세요.

(1) $\begin{array}{r} 45 \\ -\ \ 2 \\ \hline \square \end{array}$

(2) $\begin{array}{r} 88 \\ -\ \ 6 \\ \hline \square \end{array}$

(3) $\begin{array}{r} 95 \\ -\ \ 4 \\ \hline \square \end{array}$

• 낱개는 낱개끼리 뺍니다.

3 그림을 보고 먹고 남은 귤은 몇 개인지 뺄셈식으로 나타내 보세요.

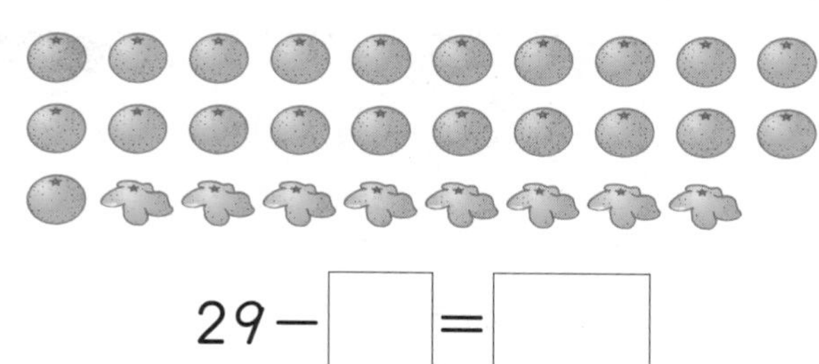

29 − ☐ = ☐

• (먹고 남은 귤의 수)
=(처음 귤의 수)
−(먹은 귤의 수)

4 97 − 2를 계산한 것입니다. 계산에서 <u>틀린</u> 곳을 찾아 바르게 고쳐 보세요.

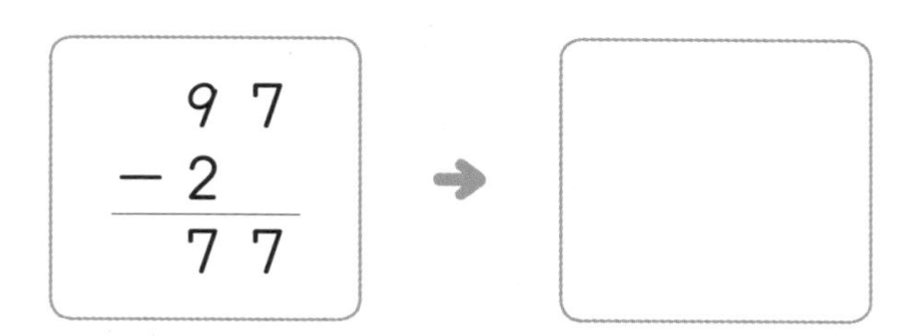

• 낱개의 수끼리 줄을 맞추어 세로 셈으로 나타내 계산합니다.

5 차가 같은 것끼리 이어 보세요.

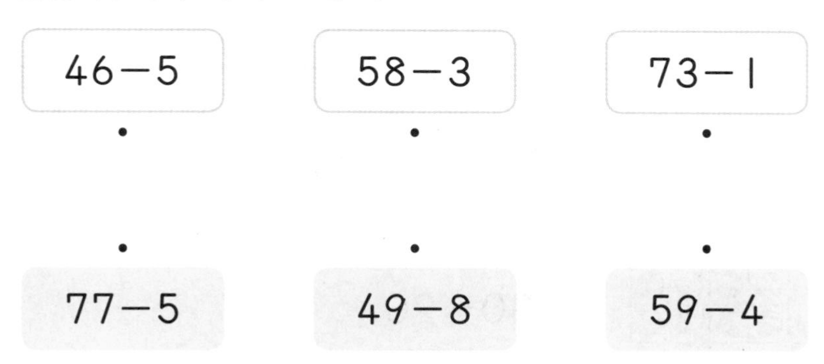

6 다음이 나타내는 수를 구하세요.

64보다 2만큼 더 작은 수

(　　　　　　)

• '■만큼 더 작은 수'는 '■를 뺀 수'입니다.
예 5보다 3만큼 더 작은 수
➔ 5−3=2

개념 익히기

개념 6 (몇십)−(몇십)

개념 플러스

예 50−30의 계산

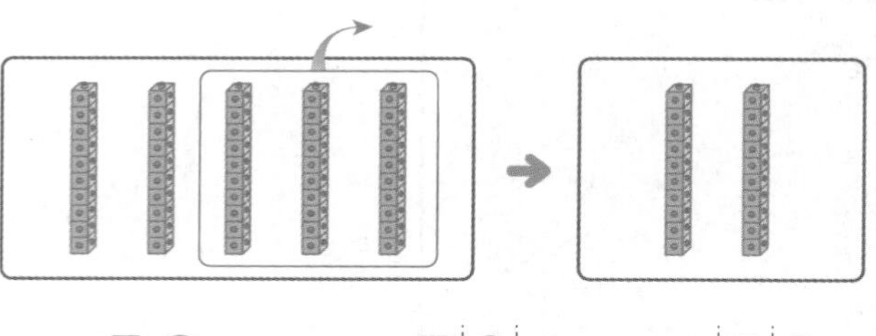

$$\begin{array}{r} 50 \\ -\,30 \\ \hline \end{array} \rightarrow \begin{array}{r} 50 \\ -\,30 \\ \hline 0 \end{array} \rightarrow \begin{array}{r} 50 \\ -\,30 \\ \hline 20 \end{array}$$

10개씩 묶음은 10개씩 묶음끼리 빼자.

개념 7 (몇십몇)−(몇십몇)

예 26−12의 계산

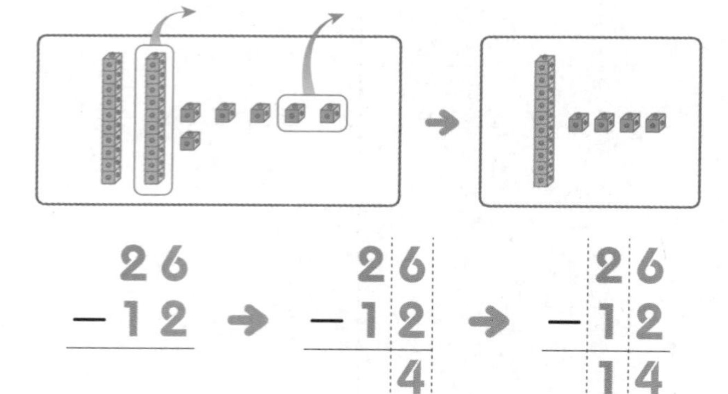

$$\begin{array}{r} 26 \\ -\,12 \\ \hline \end{array} \rightarrow \begin{array}{r} 26 \\ -\,12 \\ \hline 4 \end{array} \rightarrow \begin{array}{r} 26 \\ -\,12 \\ \hline 14 \end{array}$$

10개씩 묶음은 10개씩 묶음끼리, 낱개는 낱개끼리 빼자!

- 10개씩 묶음의 수는 몇십을, 낱개의 수는 몇을 나타내므로 몇십을 나타내는 수끼리, 몇을 나타내는 수끼리 빼야 합니다.

1 탁구공이 골프공보다 몇 개 더 많은지 □ 안에 알맞은 수를 써넣으세요.

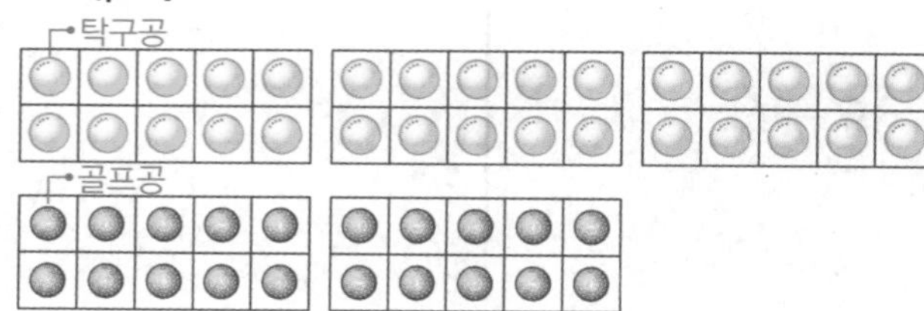

30−20 = □

2 모형을 보고 뺄셈을 하세요.

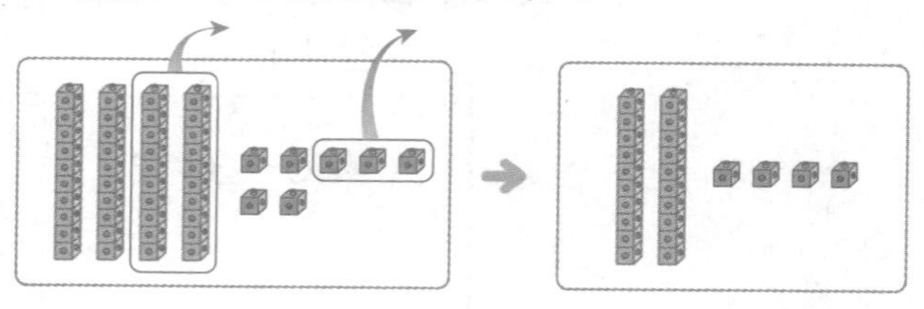

47−23 = □

- 10개씩 묶음과 낱개가 각각 몇 개씩 남는지 살펴봅니다.

3 빨셈을 하세요.

(1)
$$\begin{array}{r} 70 \\ -\ 10 \\ \hline \square \end{array}$$

(2)
$$\begin{array}{r} 78 \\ -\ 52 \\ \hline \square \end{array}$$

(3) 90−60

(4) 83−40

• 10개씩 묶음은 10개씩 묶음끼리, 낱개는 낱개끼리 뺍니다.

4 계산 결과를 찾아 이어 보세요.

63−41 •

98−78 •

• 20

• 22

• 24

5 3개의 수 중에서 2개를 골라 차가 20이 되는 뺄셈식을 쓰세요.

40　50　60

➔ □ − □ = 20

• 큰 수에서 작은 수를 빼어 20이 되는 경우를 찾습니다.

6 신발장에 실내화가 36켤레 있습니다. 23명이 실내화를 각자 신었을 때 남은 실내화는 몇 켤레인가요?

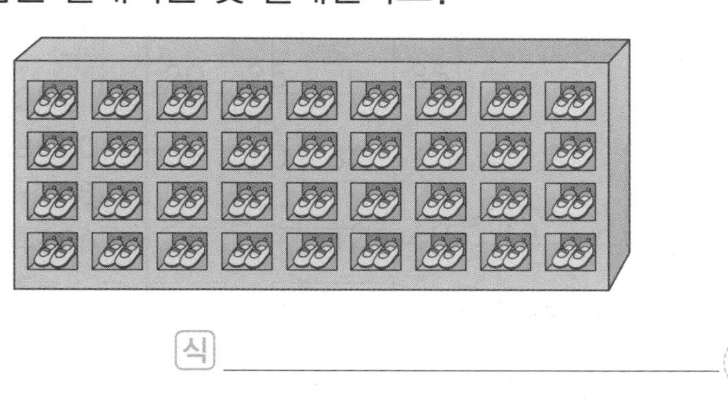

식 ____________

꼭! 단위까지 따라 쓰세요.

답 ____________ 켤레

• (남은 실내화 켤레 수)
=(신발장에 있는 실내화 켤레 수)−(실내화를 신은 사람 수)

STEP 1 개념 익히기

개념 8 여러 가지 뺄셈하기

1 그림을 보고 뺄셈식 만들기

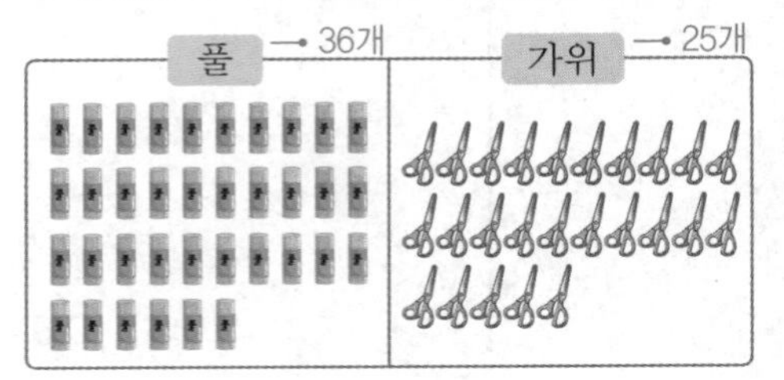

(1) 풀은 가위보다 36−25=11(개) 더 많습니다.

(2) 학생 12명이 풀을 1개씩 빌려갔을 때 남는 풀은 36−12=24(개)입니다.

2 규칙을 찾아 뺄셈하기

55−12=43
65−12=53
75−12=63
85−12=73

10씩 커지는 수에서 같은 수를 빼면 차도 10씩 커집니다.

55−12=43
55−22=33
55−32=23
55−42=13

같은 수에서 10씩 커지는 수를 빼면 차는 10씩 작아집니다.

개념 플러스

- 그림을 보고 여러 가지 뺄셈식을 만들 수 있습니다.
  - 예 미술 시간에 가위 14개를 사용했을 때 사용하지 않은 가위
  - ➔ 25−14=11(개)

1 우유가 주스보다 몇 개 더 많은지 뺄셈식으로 나타내 보세요.

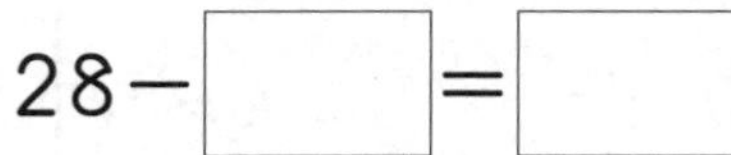

28−☐=☐

- (우유의 수)−(주스의 수)

2 뺄셈을 하세요.

(1) 77−42=☐
78−42=☐
79−42=☐

(2) 34−20=☐
34−21=☐
34−22=☐

[3~5] 알뜰 시장에 나온 물건을 보고 물음에 답하세요.

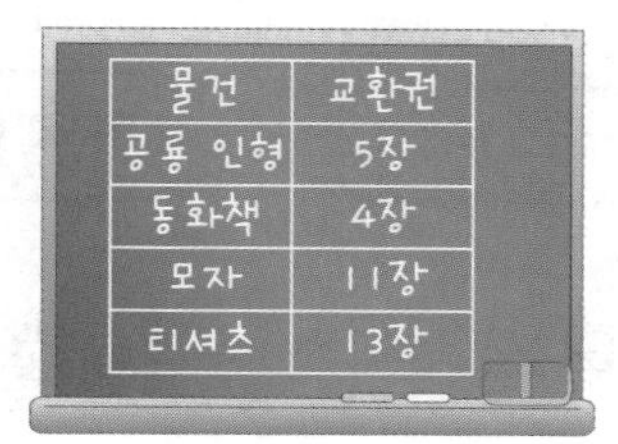

물건	교환권
공룡 인형	5장
동화책	4장
모자	11장
티셔츠	13장

3 연준이는 교환권 47장을 가지고 있습니다. 연준이가 모자를 한 개 사면 남는 교환권은 몇 장인가요?

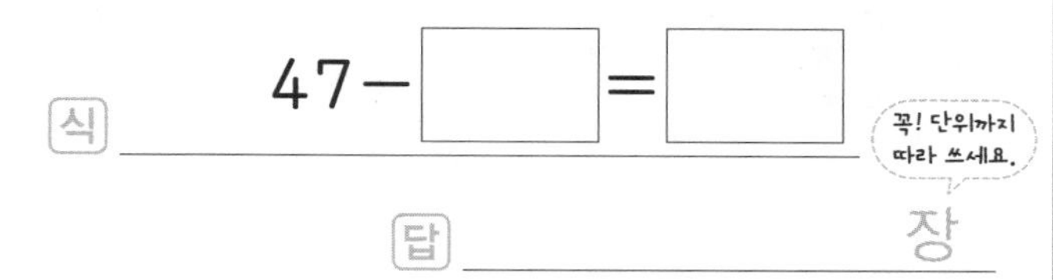

식 47 − ☐ = ☐

답 ____________ 장

4 지현이는 교환권 36장을 가지고 있습니다. 지현이가 공룡 인형을 한 개 사면 남는 교환권은 몇 장인가요?

식 36 − ☐ = ☐

답 ____________ 장

5 서정이는 교환권 25장을 가지고 있습니다. 서정이가 티셔츠를 한 장 사면 남는 교환권은 몇 장인가요?

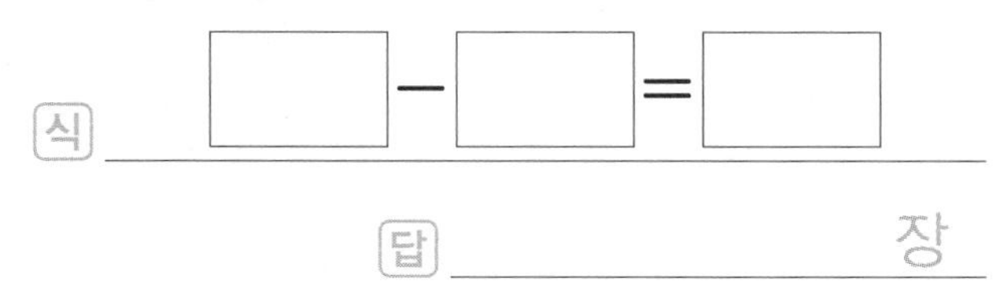

식 ☐ − ☐ = ☐

답 ____________ 장

6 다은이와 지호가 말하는 수를 각각 구하세요.

다은: 내 수는 86보다 62만큼 더 작은 수야.

지호: 내 수는 58보다 28만큼 더 작은 수야.

다은이의 수: ☐　　　지호의 수: ☐

기본 다지기

개념 확인 | p.166 개념 5

기본 5 (몇십몇)−(몇)

1 모형을 보고 □ 안에 알맞은 수를 써넣으세요.

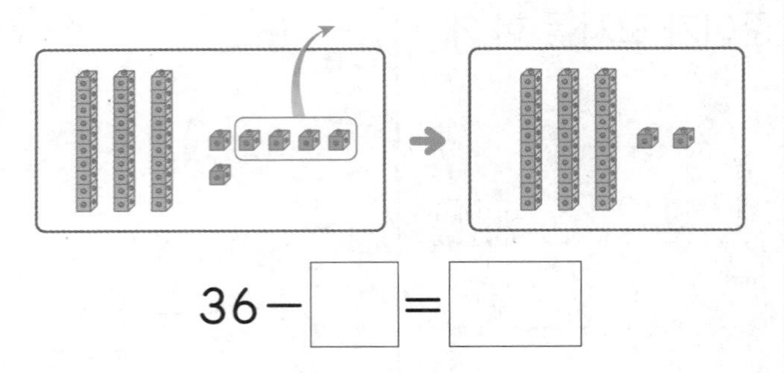

36−□=□

2 빈 곳에 알맞은 수를 써넣으세요.

활용 문제

3 수직선을 보고 □ 안에 알맞은 수를 써넣으세요.

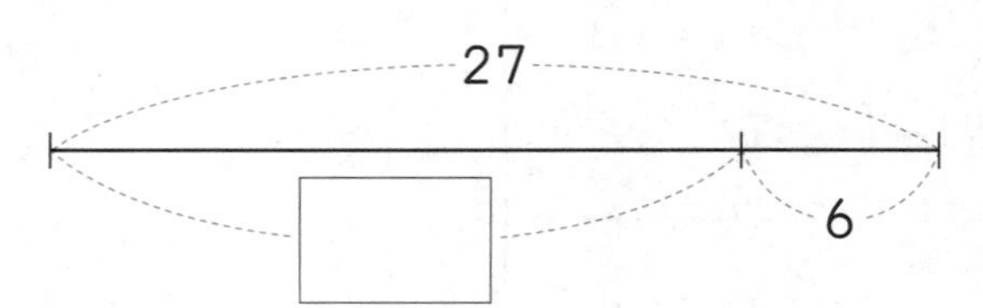

4 연우는 엽서를 48장 가지고 있었는데 그 중에서 5장을 사용하였습니다. 남아 있는 엽서는 몇 장인가요?

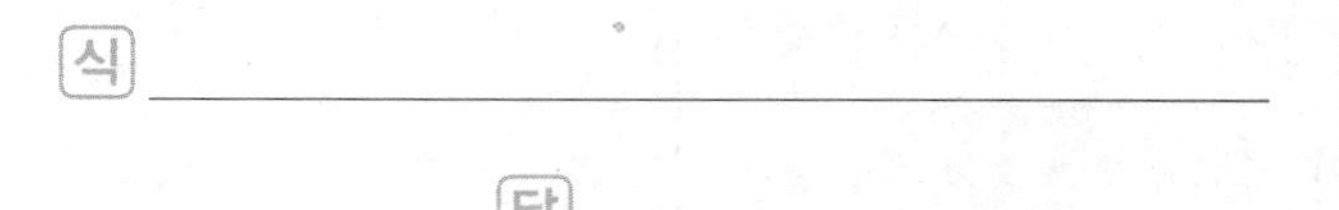

개념 확인 | p.168 개념 6

기본 6 (몇십)−(몇십)

5 빈 곳에 두 수의 차를 써넣으세요.

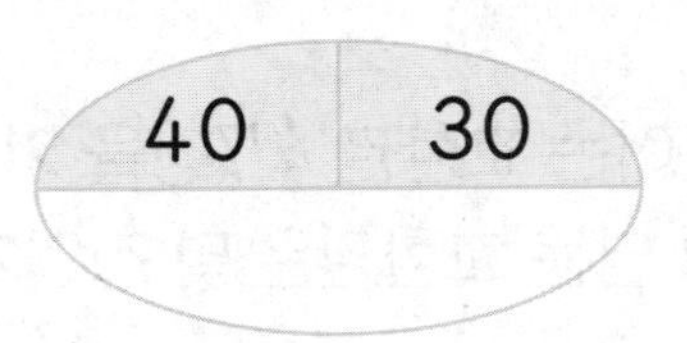

6 가장 큰 수에서 가장 작은 수를 뺀 값을 구하세요.

20 80 50

(　　　　　)

7 차가 큰 것부터 순서대로 ○ 안에 1, 2, 3을 써넣으세요.

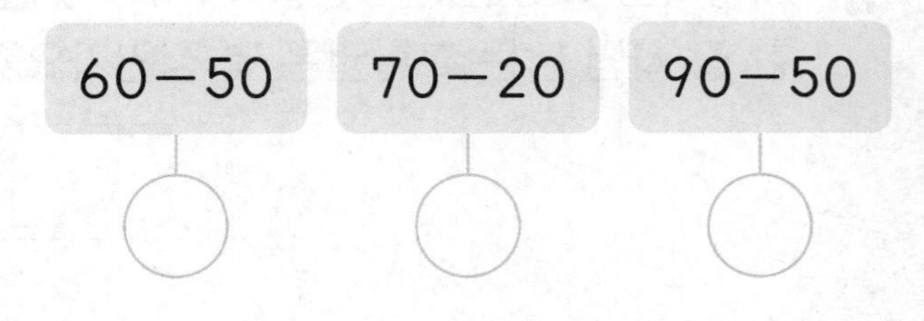

8 우리 학교 농구부 학생은 모두 50명입니다. 남학생이 20명일 때 여학생은 몇 명인지 구하세요.

(　　　　　)

(여학생 수)=(농구부 전체 학생 수)−(남학생 수)

개념 확인 | p.168 개념 7

기본 7 (몇십몇)－(몇십몇)

9 초콜릿이 사탕보다 몇 개 더 많은가요?

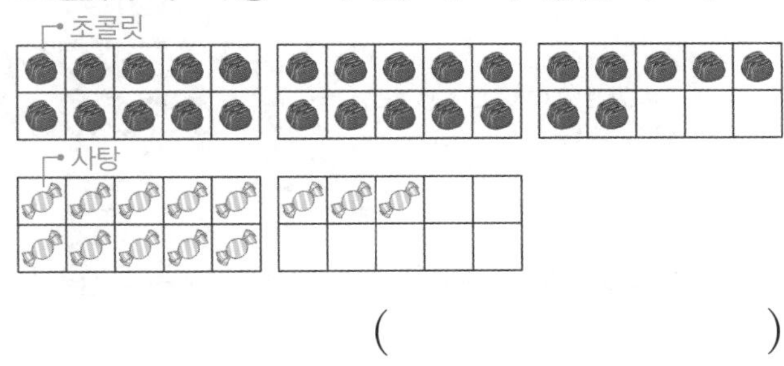

(　　　　　　)

10 빈칸에 알맞은 수를 써넣으세요.

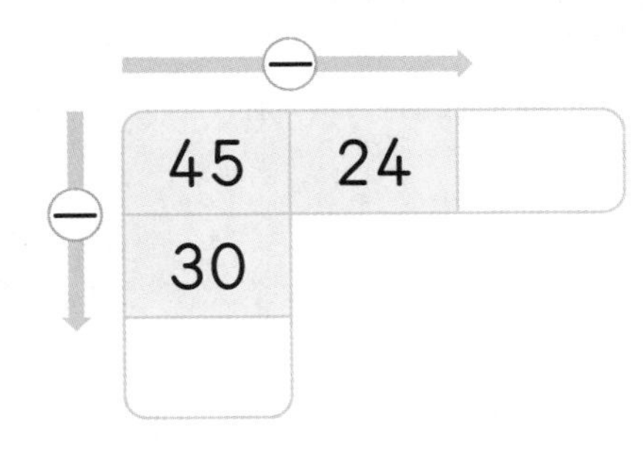

11 크기를 비교하여 ○ 안에 >, =, <를 알맞게 써넣으세요.

40 ○ 86－54

활용문제

12 차가 40보다 큰 식을 찾아 기호를 쓰세요.

㉠ 74－41　㉡ 68－26

(　　　　　　)

13 수족관에 열대어가 34마리, 새우가 12마리 있습니다. 열대어가 새우보다 몇 마리 더 많은가요?

식 ____________________

답 ____________________

14 계산 결과가 다른 것을 찾아 기호를 쓰세요.

㉠ 53－22　㉡ 66－35
㉢ 79－47　㉣ 97－66

(　　　　　　)

15 차가 같은 것끼리 이어 보세요.

52－30 •	• 48－22
76－50 •	• 65－41
37－13 •	• 94－72

개념 확인 | p.170 개념 8

기본 8 여러 가지 뺄셈하기

16 노란 달걀이 흰 달걀보다 몇 개 더 많은지 구하려고 합니다. □ 안에 알맞은 수를 써넣으세요.

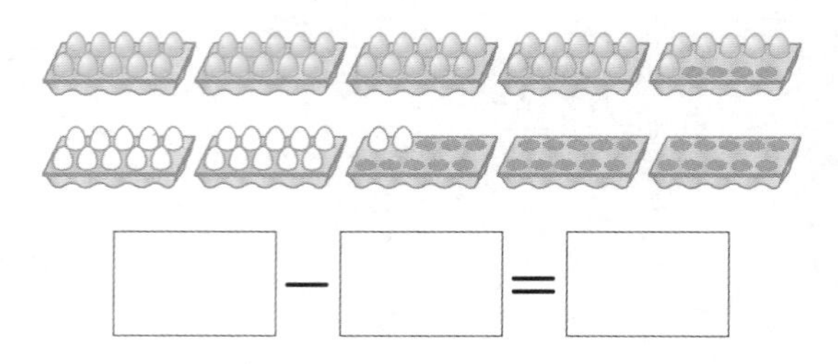

□ − □ = □

17 다음이 나타내는 수를 구하세요.

65보다 32만큼 더 작은 수

(　　　　　　　)

18 뺄셈을 하고, 규칙에 따라 다음에 올 뺄셈식을 쓰세요.

59 − 23 = □

58 − 23 = □

57 − 23 = □

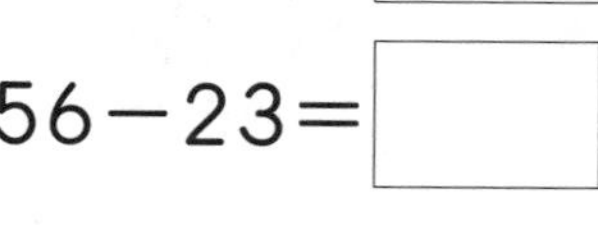

56 − 23 = □

차가 어떻게 변하는지 살펴봐요!

다음에 올 뺄셈식 ______________

[19~21] 가게 진열대에 있는 물건을 보고 물음에 답하세요.

반지	팔찌

19 반지가 팔찌보다 몇 개 더 많은가요?

(　　　　　　　)

20 지원이와 은서가 반지를 하나씩 샀을 때 남은 반지는 몇 개인가요?

(　　　　　　　)

21 팔찌가 11개 팔렸을 때 남은 팔찌는 몇 개인가요?

(　　　　　　　)

22 그림을 보고 여러 가지 뺄셈식을 쓰세요.

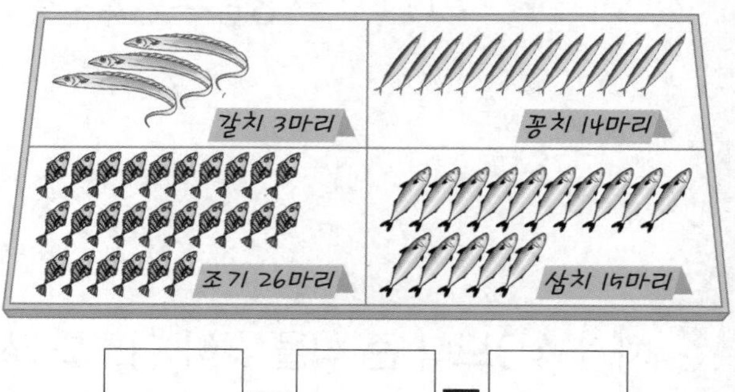

□ − □ = □

□ − □ = □

» 정답과 해설 p. 39

실력+ 뺄셈식 완성하기

예 차가 14인 뺄셈식 완성하기

11 36 25

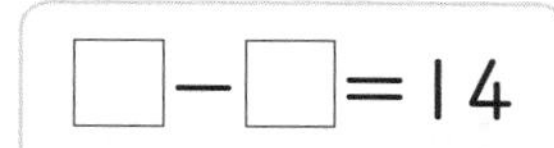

□−□=14

❶ 낱개끼리의 차가 4인 두 수를 찾습니다.
➔ 11과 36(×), 11과 25(○),
36과 25(×)

❷ 차가 14인지 계산해 봅니다.
➔ 25−11=14

23 차가 23인 두 수를 찾아 □ 안에 알맞은 수를 써넣으세요.

16 28 4 39

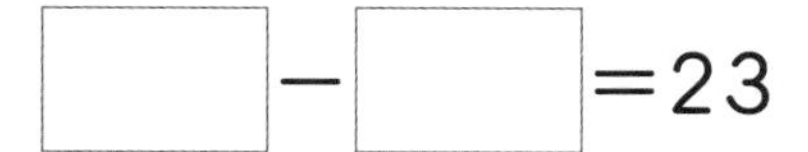

□−□=23

24 차가 45인 두 수를 찾아 □ 안에 알맞은 수를 써넣으세요.

34 57 23 12

□−□=45

25 차가 31인 두 수를 찾아 □ 안에 알맞은 수를 써넣으세요.

74 22 88 43

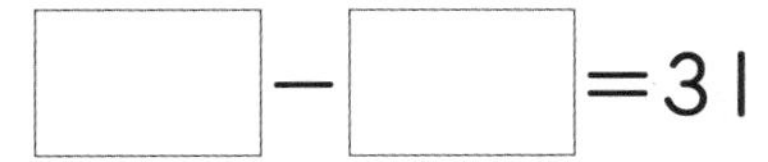

□−□=31

실력+ 처음에 있던 수 구하기

예 귤 4개와 사과 3개를 먹고 남은 귤과 사과의 수가 같을 때 처음에 있던 사과의 수 구하기

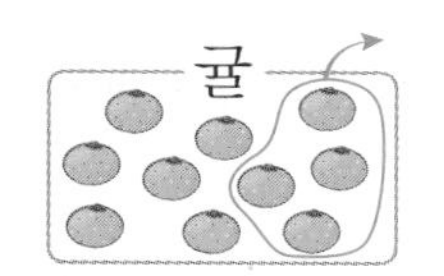

❶ 남은 귤의 수를 구합니다.
➔ 10−4=6(개)

❷ 처음에 있던 사과의 수를 □개라 하고 식을 세웁니다.
➔ □−3=6

❸ 9−3=6이므로 처음에 있던 사과의 수는 9개입니다.

26 연준이는 미술 시간에 파란 색종이 20장 중에서 10장을 쓰고, 빨간 색종이 몇 장 중에서 14장을 썼습니다. 남은 파란 색종이와 빨간 색종이의 수가 같을 때 처음에 연준이가 가지고 있던 빨간 색종이는 몇 장인가요?

( )

27 주원이는 오렌지맛 사탕 37개 중에서 5개를 먹고, 포도맛 사탕 몇 개 중에서 13개를 친구들과 나눠 먹었습니다. 남은 오렌지맛 사탕과 포도맛 사탕의 수가 같을 때 처음에 주원이가 가지고 있던 포도맛 사탕은 몇 개인가요?

( )

응용력 올리기

복습책 p.32에 유사 문제 제공

1 □ 안에 들어갈 수 있는 가장 큰(작은) 수 구하기

1부터 9까지의 수 중에서 □ 안에 들어갈 수 있는 가장 작은 수를 구하세요.

$62+3<6\square$

덧셈식을 계산하여 식을 간단하게 나타내자.
예 $51+5<5\square$
→ $56<5\square$

해결 과정

❶ $62+3$을 계산해 보세요.

( )

❷ □ 안에 들어갈 수 있는 수를 모두 구하세요.

( )

❸ □ 안에 들어갈 수 있는 가장 작은 수는 무엇인가요?

( )

1-1 1부터 9까지의 수 중에서 □ 안에 들어갈 수 있는 가장 큰 수를 구하세요.

$41+5>4\square$

( )

1-2 1부터 9까지의 수 중에서 □ 안에 들어갈 수 있는 가장 큰 수를 구하세요.

$76-\square>72$

( )

해결 과정을 따라 풀자!

» 정답과 해설 p. 40

2 수 카드로 차가 가장 큰 뺄셈식 만들기

수 카드를 한 번씩만 사용하여 (몇십몇)−(몇)의 뺄셈식을 만들려고 합니다. 두 수의 차가 가장 큰 뺄셈식을 만들고 계산해 보세요.

4　　3　　6

두 수의 차가 가장 크려면 (몇십몇)을 가장 큰 수로 만들어야 해.

해결 과정

❶ 수 카드 3장 중 2장을 사용하여 가장 큰 몇십몇을 만들어 보세요.

(　　　　　　　　)

❷ 위 ❶에서 만들고 남은 수 카드의 수는 무엇인가요?

(　　　　　　　　)

❸ 두 수의 차가 가장 큰 뺄셈식을 만들고 계산해 보세요.

식 □□ − □ = □

2-1 수 카드를 한 번씩만 사용하여 (몇십몇)−(몇)의 뺄셈식을 만들려고 합니다. 두 수의 차가 가장 큰 뺄셈식을 만들고 계산해 보세요.

1　　8　　5

식 ______________________

해결 과정을 따라 풀자!

2-2 수 카드 중 3장을 골라 한 번씩만 사용하여 (몇십몇)−(몇)의 뺄셈식을 만들려고 합니다. 두 수의 차가 가장 큰 뺄셈식을 만들고 계산해 보세요.

2　　9　　6　　4

식 ______________________

복습책 p.33에 유사 문제 제공

3 두 반의 학생 수의 차 구하기

주아네 반과 예원이네 반 학생 수를 나타낸 표입니다. 두 반의 학생 수의 차는 몇 명인지 구하세요.

주아네 반		예원이네 반	
남학생	여학생	남학생	여학생
16명	13명	11명	16명

남학생 수와 여학생 수를 더해서 반 전체 학생 수를 구할 수 있어.

해결 과정

❶ 주아네 반 학생 수는 모두 몇 명인가요?

( )

❷ 예원이네 반 학생 수는 모두 몇 명인가요?

( )

❸ 두 반의 학생 수의 차는 몇 명인가요?

( )

3-1 다엘이네 반과 윤서네 반 학생 수를 나타낸 표입니다. 두 반의 학생 수의 차는 몇 명인지 구하세요.

다엘이네 반		윤서네 반	
남학생	여학생	남학생	여학생
12명	20명	15명	21명

( )

해결 과정을 따라 풀자!

3-2 시은이네 반 학생 수는 27명입니다. 채희네 반 학생 수는 시은이네 반 학생 수보다 2명 더 많고, 하늘이네 반 학생 수는 시은이네 반 학생 수보다 3명 더 적습니다. 채희네 반과 하늘이네 반 학생 수의 차는 몇 명인지 구하세요.

( )

≫ 정답과 해설 p. 40

4 모양이 나타내는 수 구하기

같은 모양은 같은 수를 나타냅니다. ▲가 나타내는 수는 얼마인지 구하세요.

$15+34=$■
■$-26=$▲

■가 나타내는 수를 먼저 구한 후 이것을 이용하여 ▲가 나타내는 수를 구해.

해결 과정

❶ ■가 나타내는 수는 얼마인가요?

(　　　　　　　　)

❷ ▲가 나타내는 수는 얼마인가요?

(　　　　　　　　)

4-1 같은 모양은 같은 수를 나타냅니다. ●가 나타내는 수는 얼마인지 구하세요.

$58-27=$◆
$44+$◆$=$●

(　　　　　　　　)

해결 과정을 따라 풀자!

4-2 같은 모양은 같은 수를 나타냅니다. ★이 나타내는 수는 얼마인지 구하세요.

$22+$♠$=34$
★$-$♠$=56$

(　　　　　　　　)

응용력 올리기

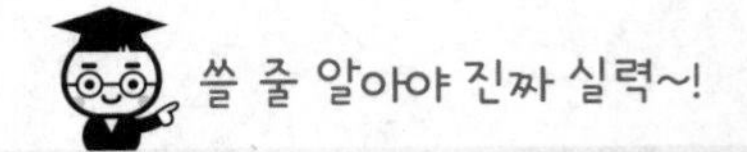

1 시후와 지유의 대화를 읽고 바르게 계산하면 얼마인지 구하세요.

풀이

답

사고력

2 하린이와 지호가 가지고 있는 초콜릿은 각각 다음과 같습니다. 두 사람이 가지고 있는 초콜릿은 모두 몇 개인지 구하세요.

풀이

답

» 정답과 해설 p. 41

창의·융합 서술형 수능 대비

융합형

3 유희네 반 학급 문고에 있는 책은 모두 38권입니다. 현재 학급 문고 책꽂이에 책이 5권 남아 있습니다. 빌려간 책은 몇 권인지 구하세요.

창의력

4 |조건|과 같이 저울 위에 구슬을 올려놓았더니 양쪽의 무게가 같았습니다. 연필과 지우개의 무게를 각각 구하세요.

풀이

답 연필: ______ g 지우개: ______ g

TEST

단원 기본 평가

점수 점

[1~2] 그림을 보고 계산을 하세요.

1

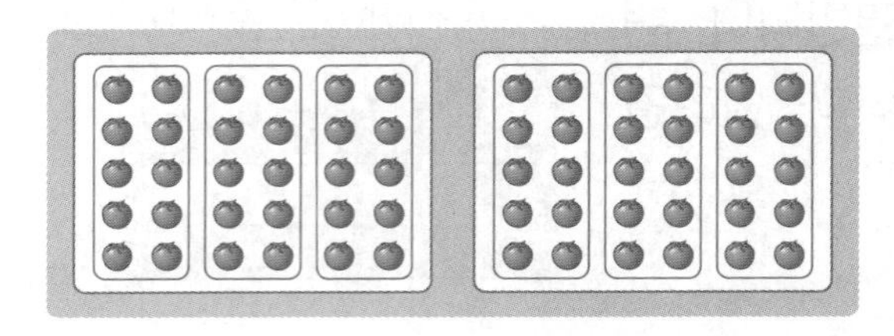

30+30=☐

2

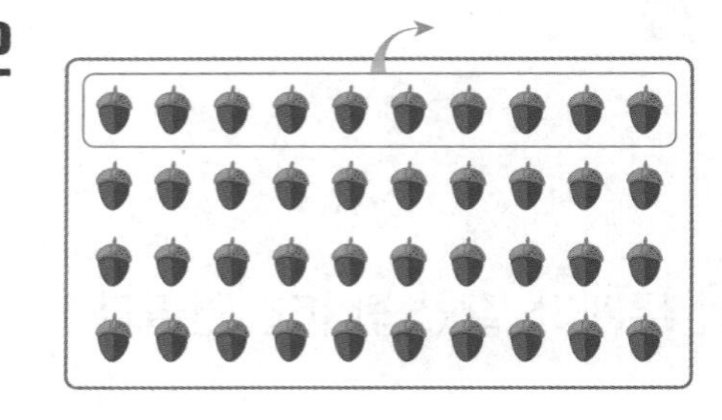

40−10=☐

3 계산해 보세요.

(1)
$$\begin{array}{r} 1\ 1 \\ +\ 4\ 6 \\ \hline \square \end{array}$$

(2)
$$\begin{array}{r} 6\ 4 \\ -\ 2\ 2 \\ \hline \square \end{array}$$

4 빈칸에 알맞은 수를 써넣으세요.

78 → −4 → ☐

5 빈 곳에 두 수의 합을 써넣으세요.

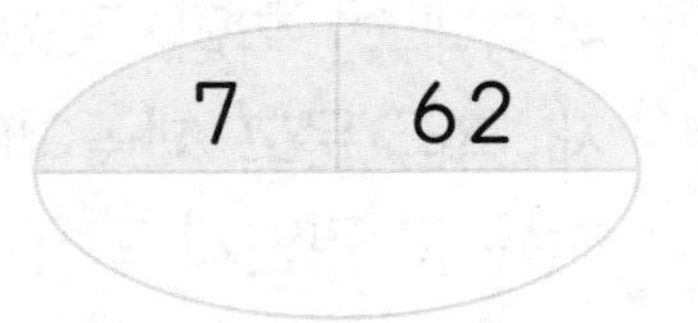

6 바구니에 야구공이 21개 있고, 축구공이 6개 있습니다. 바구니에 있는 공은 모두 몇 개인지 덧셈식으로 나타내 보세요.

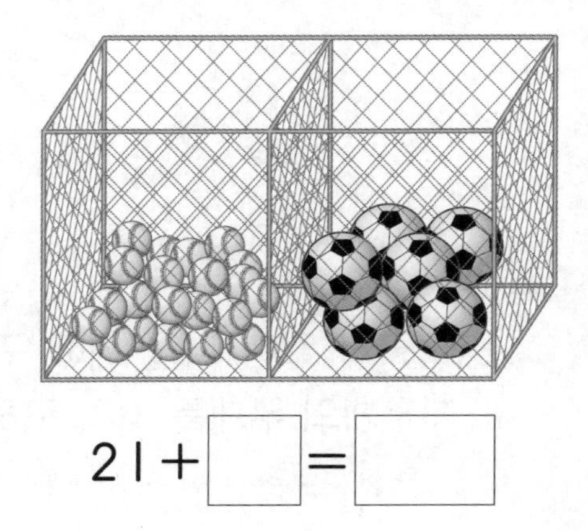

21+☐=☐

7 크기를 비교하여 ○ 안에 >, =, <를 알맞게 써넣으세요.

32+53 ○ 86

8 흰색 비누가 분홍색 비누보다 몇 개 더 많은가요?

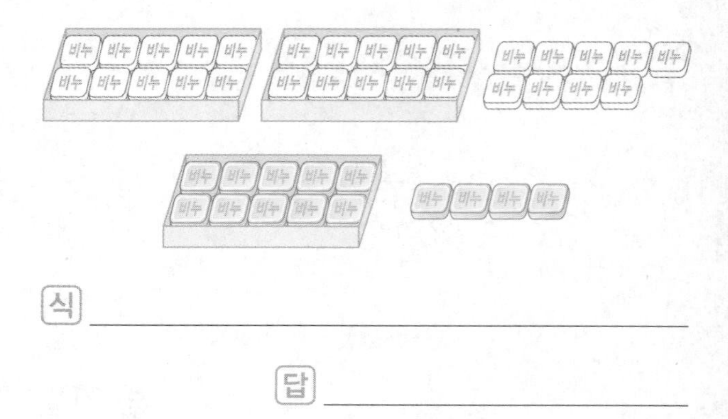

식 ____________________

답 ____________________

9 화단에 꽃을 소희가 14송이, 경철이가 25송이 심었습니다. 두 사람이 심은 꽃이 모두 몇 송이인지 구하는 덧셈식을 찾아 기호를 쓰세요.

㉠ $14+52=66$
㉡ $14+25=39$
㉢ $41+52=93$

(　　　　　　)

10 □ 안에 알맞은 수를 써넣고 계산 결과가 큰 사람의 이름을 쓰세요.

(　　　　　　)

11 종이학을 동준이는 41개, 현애는 38개 접었습니다. 동준이와 현애가 접은 종이학은 모두 몇 개인가요?

(　　　　　　)

12 가장 큰 수와 가장 작은 수의 차를 구하세요.

53　　74　　30

(　　　　　　)

13 계산 결과가 가장 큰 것에 ○표, 가장 작은 것에 △표 하세요.

$80-50$	$15+22$	$10+30$
(　　)	(　　)	(　　)

14 계산 결과가 같은 것끼리 이어 보세요.

$30+5$ •	• $68-3$
$42+23$ •	• $65-30$

15 덧셈을 하고, 규칙에 따라 다음에 올 덧셈식을 쓰세요.

$22+1=23$
$22+2=$ □
$22+3=$ □
$22+4=$ □

다음에 올 덧셈식 ______________

6 덧셈과 뺄셈(3)

16 빈칸에 알맞은 수를 써넣으세요.

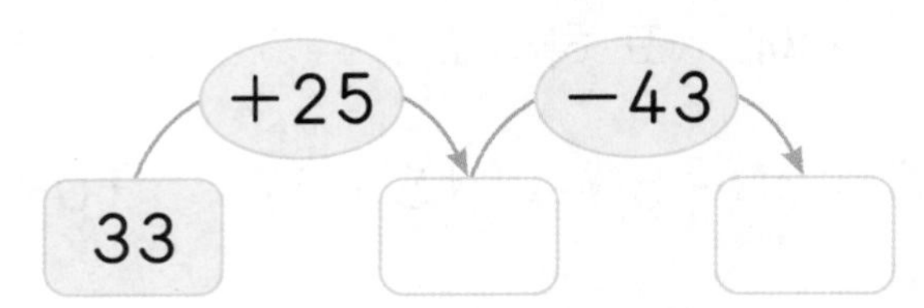

17 기계에서 뽑힌 공에 적힌 수를 하나씩 골라 뺄셈식을 2개 만들어 보세요.

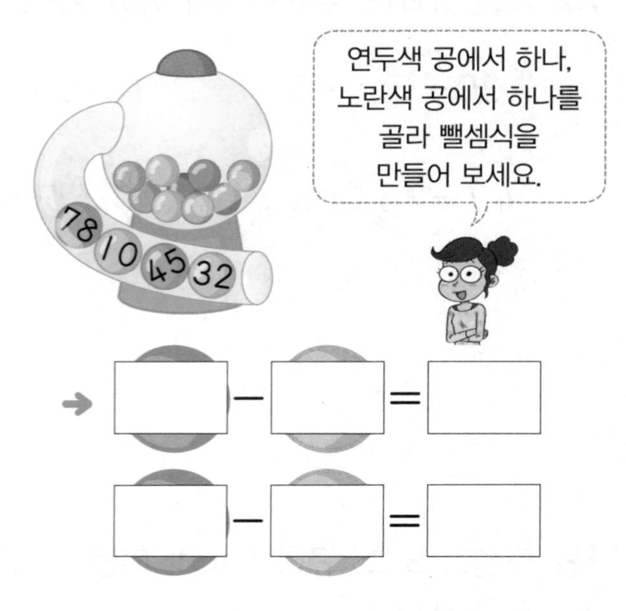

➜ ☐ − ☐ = ☐

☐ − ☐ = ☐

18 다음 두 식의 차가 같을 때 ☐ 안에 알맞은 수를 구하세요.

19−5	16−☐

(　　　　　　　)

서술형

19 1부터 9까지의 수 중에서 ☐ 안에 들어갈 수 있는 가장 작은 수를 구하려고 합니다. 풀이 과정을 쓰고 답을 구하세요.

$54+2<5$☐

풀이

답 ________________

서술형

20 윤희네 반과 예원이네 반 학생 수를 나타낸 표입니다. 두 반의 학생 수의 차는 몇 명인지 풀이 과정을 쓰고 답을 구하세요.

윤희네 반		예원이네 반	
남학생	여학생	남학생	여학생
14명	11명	11명	12명

풀이

답 ________________

단원 실력 평가

점수 점

복습책 p.36~37에 실력 평가 추가 제공

1 계산해 보세요.

(1)
$$\begin{array}{r} 46 \\ +\ \ 3 \\ \hline \end{array}$$

(2)
$$\begin{array}{r} 58 \\ -\ \ 5 \\ \hline \end{array}$$

2 모형은 모두 몇 개인지 덧셈식으로 나타내 보세요.

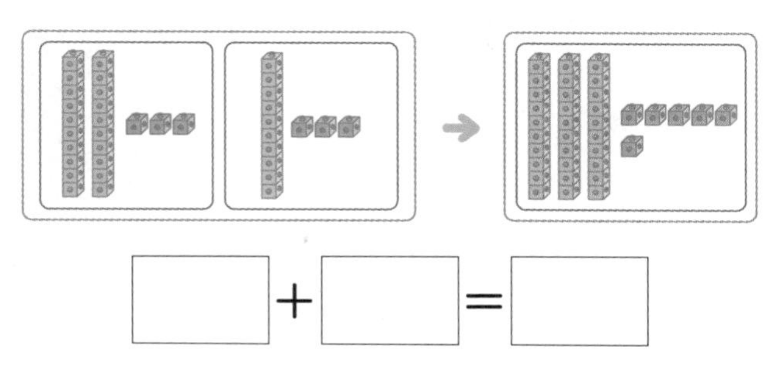

☐ + ☐ = ☐

3 빈칸에 두 수의 차를 써넣으세요.

65	22

4 다음이 나타내는 수를 구하세요.

40보다 50만큼 더 큰 수

(　　　　　　　)

5 그림을 보고 남은 주스는 몇 병인지 뺄셈식으로 나타내 보세요.

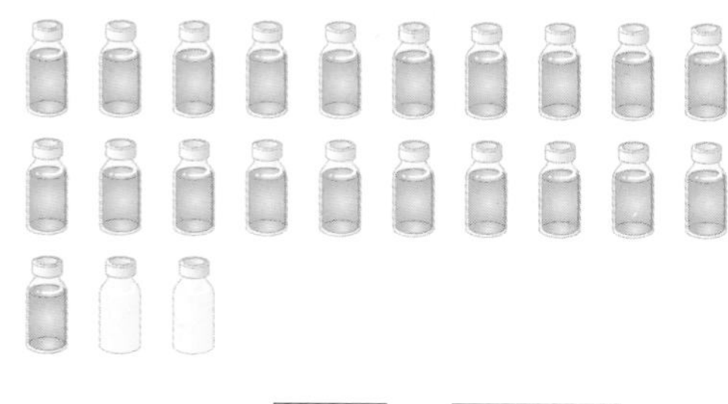

23 − ☐ = ☐

6 꽃밭에 있는 꽃은 모두 몇 송이인가요?

식 ________________

답 ________________

7 수직선을 보고 ☐ 안에 알맞은 수를 써넣으세요.

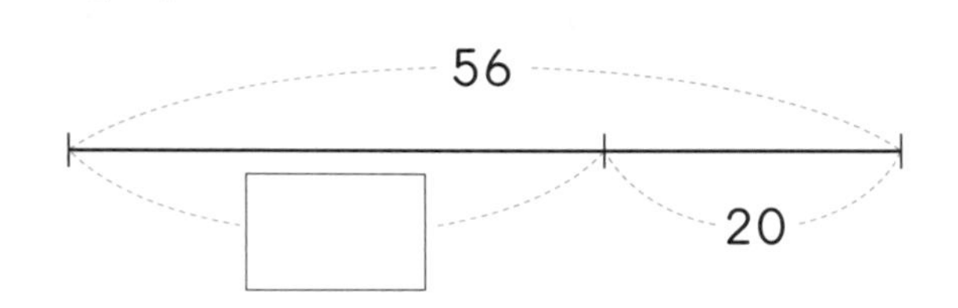

8 두 수의 합과 차를 각각 구하세요.

55　　24

합 (　　　　　　　)

차 (　　　　　　　)

6 덧셈과 뺄셈 (3)

9 빈칸에 알맞은 수를 써넣으세요.

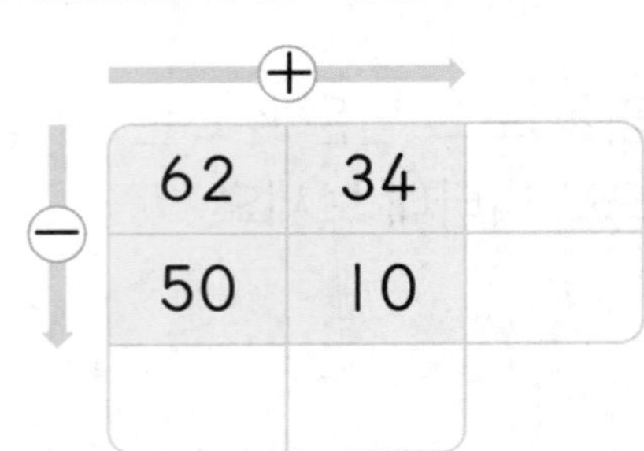

10 연필을 민주는 39자루, 태현이는 21자루 가지고 있습니다. 민주가 태현이보다 연필을 몇 자루 더 가지고 있는지 구하는 뺄셈식을 완성하세요.

39 − □ = □

11 지호와 도윤이 중 더 큰 수를 말한 사람의 이름을 쓰세요.

(　　　　　　　　)

12 계산 결과를 비교하여 ○ 안에 >, =, < 를 알맞게 써넣으세요.

45+32 ○ 99−23

13 합과 차를 구한 후 계산 결과를 아래 표에서 찾아 색칠해 보세요.

36+12=48,　6+52=□

48−4=□, 70−30=□

43	21	78	53	33
32	18	48	15	56
68	44	24	58	46
51	62	40	22	45
25	50	34	71	65

14 □ 안에 알맞은 숫자를 써넣으세요.

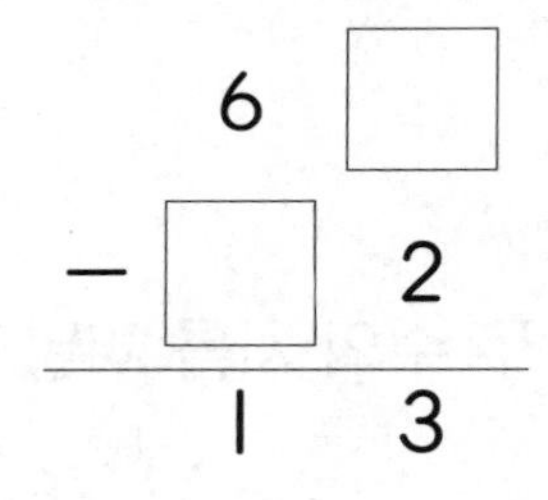

15 지난해 혜지네 학교 방송반 학생은 모두 28명이었습니다. 올해 4명이 졸업해서 나가고 신입생 5명이 더 들어왔습니다. 현재 방송반 학생은 모두 몇 명인가요?

(　　　　　　　　)

16 68에서 어떤 수를 뺐더니 20이 되었습니다. 어떤 수는 얼마인가요?

( )

17 가게에 파란색 우산이 35개 있고, 빨간색 우산은 파란색 우산보다 3개 더 적게 있습니다. 가게에 있는 파란색 우산과 빨간색 우산은 모두 몇 개인가요?

( )

18 4개의 수 중에서 2개를 골라 합이 79이고 차가 13인 덧셈식과 뺄셈식을 만들어 보세요.

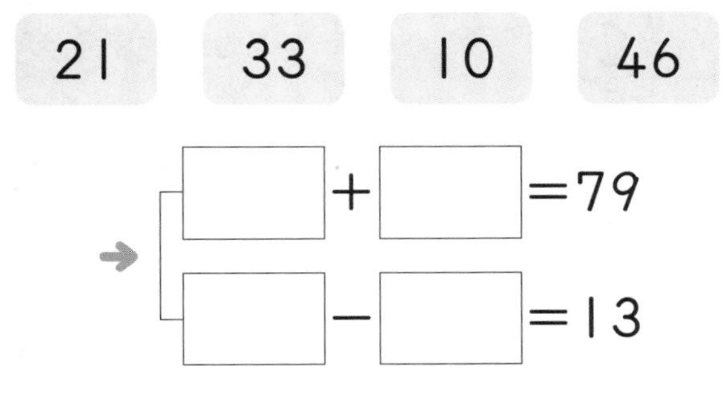

서술형

19 같은 모양은 같은 수를 나타냅니다. ▲가 나타내는 수는 얼마인지 풀이 과정을 쓰고 답을 구하세요.

49−27=■
■+15=▲

풀이

답 ______________

서술형

20 수 카드 중 3장을 골라 한 번씩만 사용하여 (몇십몇)−(몇)의 뺄셈식을 만들려고 합니다. 두 수의 차가 가장 큰 뺄셈식을 만들고 계산하는 풀이 과정을 쓰고 식을 구하세요.

풀이

식 ______________

MEMO
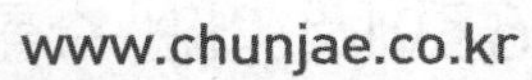
www.chunjae.co.kr

힘이 되는
좋은 말

친절한 말은 아주 짧기 때문에
말하기가 쉽다.

하지만 그 말의 메아리는 무궁무진하게
울려 퍼지는 법이다.

Kind words can be short and easy to speak,
but their echoes are truly endless.

테레사 수녀

친절한 말, 따뜻한 말 한마디는 누군가에게 커다란 힘이 될 수도 있어요.
나쁜 말 대신 좋은 말을 하게 되면 언젠가 나에게 보답으로 돌아온답니다.
앞으로 나쁘고 거친 말 대신 좋고 예쁜 말만 쓰기로 우리 약속해요!

#차원이_다른_클라쓰
#강의전문교재
#초등교재

수학교재

●**수학리더 시리즈**
- 수학리더 [연산] 예비초~6학년/A·B단계
- 수학리더 [개념] 1~6학년/학기별
- 수학리더 [기본] 1~6학년/학기별
- 수학리더 [유형] 1~6학년/학기별
- 수학리더 [기본+응용] 1~6학년/학기별
- 수학리더 [응용·심화] 1~6학년/학기별

신간 수학리더 [최상위] 3~6학년/학기별

●**독해가 힘이다 시리즈** *문제해결력
- 수학도 독해가 힘이다 1~6학년/학기별

신간 초등 문해력 독해가 힘이다 문장제 수학편 1~6학년/단계별

●**수학의 힘 시리즈**

신간 수학의 힘 1~2학년/학기별
- 수학의 힘 알파[실력] 3~6학년/학기별
- 수학의 힘 베타[유형] 3~6학년/학기별

●**Go! 매쓰 시리즈**
- Go! 매쓰(Start) *교과서 개념 1~6학년/학기별
- Go! 매쓰(Run A/B/C) *교과서+사고력 1~6학년/학기별
- Go! 매쓰(Jump) *유형 사고력 1~6학년/학기별

●**계산박사** 1~12단계

●**수학 더 익힘** 1~6학년/학기별

월간교재

●**NEW 해법수학** 1~6학년

●**해법수학 단원평가 마스터** 1~6학년/학기별

●**월간 무등샘평가** 1~6학년

전과목교재

●**리더 시리즈**
- 국어 1~6학년/학기별
- 사회 3~6학년/학기별
- 과학 3~6학년/학기별

22개정 교육과정 반영

수학리더 기본+응용

복습책

BOOK 2

1-2

응용력 강화 문제
진도책 응용력 올리기 반복학습

실력 평가
단원별 실력 체크

성취도 평가
전 단원 총정리

리더가 되기 위한 **공부 비법**

천재교육

복습책
포인트 3가지

- ▶ 진도책 STEP3 응용력 올리기 유형 반복 학습
- ▶ 응용력 강화 문제를 풀어 보며 응용력 기르기
- ▶ 실력 평가와 성취도 평가를 풀면서 실력 체크

수학 리더 기본+응용 1-2

BOOK 2

복습책 차례

1단원 응용력 강화 문제

» □ 안에 들어갈 수 있는 수 구하기

진도책 p.22의 유사 문제

1 1부터 9까지의 수 중에서 □ 안에 들어갈 수 있는 가장 큰 수를 구하세요.

□4<62

[풀이]

답 ______

2 1부터 9까지의 수 중에서 □ 안에 들어갈 수 있는 가장 작은 수를 구하세요.

□7>64

[풀이]

답 ______

» 어떤 수보다 ■만큼 더 큰(작은) 수 구하기

진도책 p.23의 유사 문제

3 어떤 수보다 1만큼 더 큰 수는 85입니다. 어떤 수보다 1만큼 더 작은 수는 얼마인지 구하세요.

[풀이]

답 ______

4 어떤 수보다 3만큼 더 작은 수는 60입니다. 어떤 수보다 3만큼 더 큰 수는 얼마인지 구하세요.

[풀이]

답 ______

» 수 카드로 가장 큰(작은) 수 만들기

진도책 p.24의 유사 문제

5 다음 수 카드 3장 중에서 2장을 사용하여 가장 큰 짝수를 만들어 보세요.

5 8 4

[풀이]

답 ____________

6 다음 수 카드 4장 중에서 2장을 사용하여 가장 작은 홀수를 만들어 보세요.

9 1 6 3

[풀이]

답 ____________

» 설명을 만족하는 수 구하기

진도책 p.25의 유사 문제

7 다음 설명을 만족하는 수는 모두 몇 개인지 구하세요.

- 58보다 크고 66보다 작은 수입니다.
- 홀수입니다.

[풀이]

답 ____________

8 다음 설명을 만족하는 수는 모두 몇 개인지 구하세요.

- 75보다 크고 84보다 작은 수입니다.
- 10개씩 묶음의 수가 낱개의 수보다 작습니다.

[풀이]

답 ____________

9 감자가 한 봉지에 10개씩 3봉지, 고구마가 한 봉지에 10개씩 4봉지 있습니다. 감자와 고구마는 모두 몇 개인지 구하세요.

( )

10 달걀이 10개씩 묶음 8개와 낱개 3개가 있습니다. 그중에서 10개씩 묶음 2개와 낱개 1개를 사용하였습니다. 남은 달걀은 몇 개인지 구하세요.

( )

11 지수는 공책을 10권씩 묶음 6개와 낱개 26권 가지고 있습니다. 태주는 지수가 가지고 있는 공책보다 1권 더 많이 가지고 있다면 태주가 가지고 있는 공책은 몇 권인지 구하세요.

( )

12 네 친구가 주운 도토리의 수입니다. 도토리를 가장 많이 주운 친구는 누구인지 구하세요.

이름	유미	다은	수현	선우
도토리 수(개)	7▲	95	8■	91

( )

13 □ 안에 들어갈 수 있는 몇십몇 중에서 낱개의 수가 6인 수를 모두 구하세요.

54 < □ < 82

( )

14 4장의 수 카드 중에서 2장을 뽑아 한 번씩만 사용하여 몇십몇을 만들려고 합니다. 만들 수 있는 수 중에서 73보다 큰 수는 모두 몇 개인지 구하세요.

( )

맞힌 문제 수 개/15개

1 다음을 수로 나타내 보세요.

10개씩 묶음 6개

( )

2 다음을 보고 □ 안에 알맞은 수나 말을 써넣으세요.

96 - 97 - 98 - 99 - ?

99보다 1만큼 더 큰 수는 □이고 □이라고 읽습니다.

3 □ 안에 알맞은 수를 써넣으세요.

69와 71 사이에 있는 수는 □입니다.

4 ●의 수를 세어 쓰고 짝수인지, 홀수인지 쓰세요.

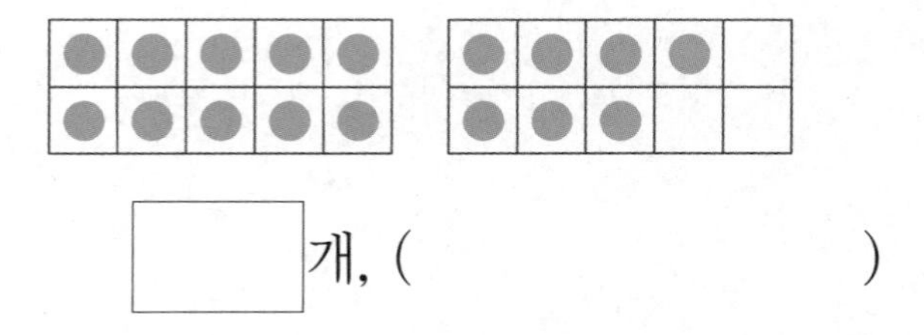

□개, ( )

5 두 수의 크기를 비교하여 ○ 안에 >, <를 알맞게 써넣으세요.

74 ○ 75

6 수수깡은 모두 몇 개인가요?

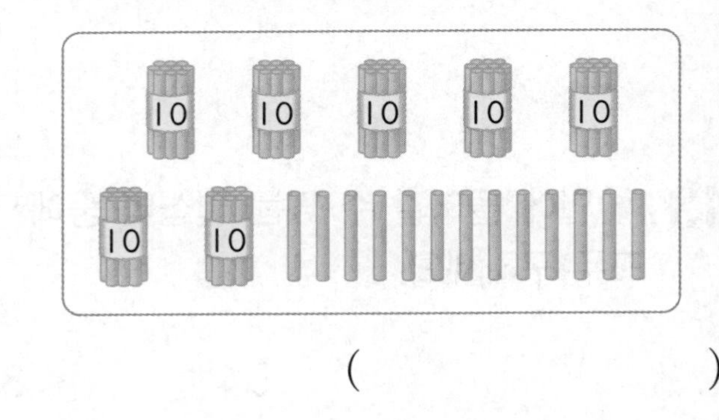

( )

7 나타내는 수가 다른 것을 찾아 기호를 쓰세요.

㉠ 팔십 ㉡ 80 ㉢ 일흔 ㉣ 여든

( )

8 토마토를 소민이는 88개, 재원이는 92개 땄습니다. 소민이와 재원이 중에서 누가 토마토를 더 많이 땄나요?

( )

9 88보다 크고 93보다 작은 수는 모두 몇 개인가요?

( )

10 □ 안에 알맞은 수를 구하세요.

□보다 1만큼 더 큰 수는 91입니다.

( )

11 빈칸에 알맞은 수를 써넣으세요.

3만큼 더 작은 수		3만큼 더 큰 수
	81	

12 한 상자에 10개씩 들어 있는 호두과자가 9상자 있었습니다. 그중에서 3상자를 팔았다면 남은 호두과자는 몇 개인지 구하세요.

( )

13 빈칸에 알맞은 수를 써넣으세요.

10개씩 묶음	낱개
3	

➜ 57

14 채소 가게에 오이가 10개씩 6상자와 낱개 8개 있습니다. 피망은 오이보다 1개 더 많고, 양배추는 피망보다 2개 더 많습니다. 양배추는 몇 개인가요?

( )

15 다음 설명을 만족하는 수는 모두 몇 개인지 구하세요.

- 84보다 크고 96보다 작은 수입니다.
- 짝수입니다.

( )

》 더 많이 남은 것 구하기

진도책 p.52의 유사 문제

1 꿀떡 10개와 찹쌀떡 10개가 있었습니다. 동생에게 꿀떡 5개와 찹쌀떡 2개를 주었습니다. 꿀떡과 찹쌀떡 중 어느 것이 더 많이 남았는지 구하세요.

[풀이]

답 ______

2 동화책 10권과 위인전 10권이 있었습니다. 친구에게 동화책 4권과 위인전 6권을 빌려주었습니다. 동화책과 위인전 중 어느 것이 더 많이 남았는지 구하세요.

[풀이]

답 ______

》 모르는 수 구하기

진도책 p.53의 유사 문제

3 두 식의 계산 결과는 같습니다. ㉠에 알맞은 수를 구하세요.

$3+7$	$4+$㉠

[풀이]

답 ______

4 두 식의 계산 결과는 같습니다. ㉠에 알맞은 수를 구하세요.

$8+$㉠	$5+5$

[풀이]

답 ______

» 수 카드로 덧셈식 만들기

진도책 p.54의 유사 문제

5 수 카드 중 2장을 골라 덧셈식을 완성해 보세요.

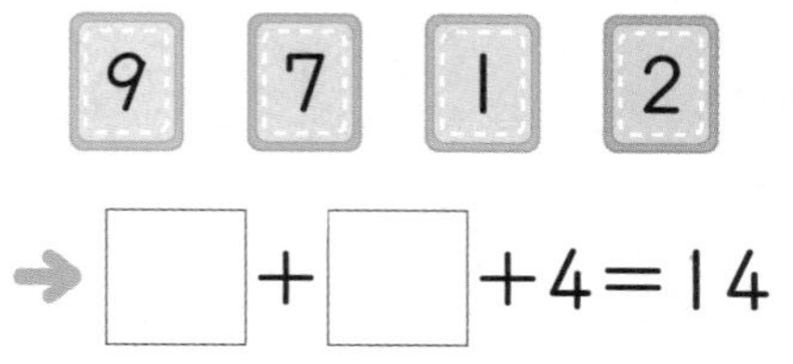

➔ $\square + \square + 4 = 14$

[풀이]

6 수 카드 중 2장을 골라 덧셈식을 완성해 보세요.

1 3 7 8

➔ $6 + \square + \square = 16$

[풀이]

» □ 안에 들어갈 수 있는 수 구하기

진도책 p.55의 유사 문제

7 1부터 9까지의 수 중 □ 안에 공통으로 들어갈 수 있는 수를 구하세요.

㉠ $9 - 1 - 2 > \square$

㉡ $10 - 6 < \square$

[풀이]

[답] ____________

8 1부터 9까지의 수 중 □ 안에 공통으로 들어갈 수 있는 수를 구하세요.

㉠ $9 - 3 - 3 > \square$

㉡ $10 - 9 < \square$

[풀이]

[답] ____________

9 3에 어떤 수를 더했더니 10이 되었습니다. 어떤 수를 구하세요.

( )

10 ㉠과 ㉡에 알맞은 수 중 더 작은 것의 기호를 쓰세요.

10－㉠＝2, 10－㉡＝6

( )

11 같은 모양끼리 이어 목걸이를 만들려고 합니다. ▣ 모양과 △ 모양은 각각 몇 개인가요?

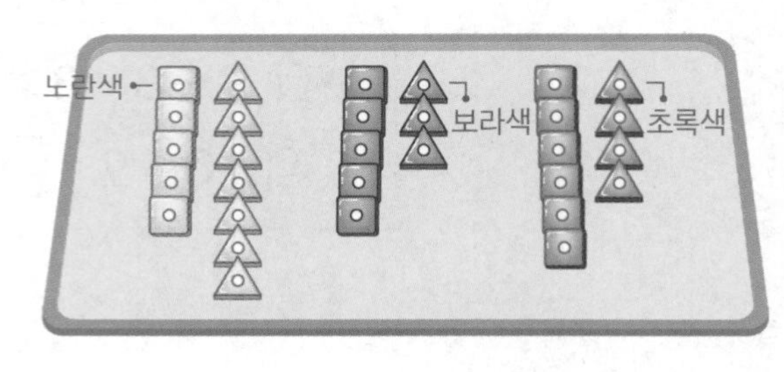

▣ 모양 ( )

△ 모양 ( )

12 같은 모양은 같은 수를 나타낼 때 ★에 알맞은 수를 구하세요.

- 7 − 2 − 3 = ▲
- ▲ + ▲ + ▲ = ♥
- 4 + ♥ + ▲ = ★

(　　　　　　)

13 연우와 지혜는 1층에서 엘리베이터를 탔습니다. 지혜는 4층 더 올라가서 내렸고, 연우는 지혜보다 3층 더 올라가서 내렸습니다. 연우가 내린 층은 몇 층인가요?

(　　　　　　)

14 수지는 사탕을 몇 개 가지고 있었는데 언니에게 3개를 주고, 동생에게 2개를 주었더니 4개가 남았습니다. 수지가 처음에 가지고 있던 사탕은 몇 개인가요?

(　　　　　　)

2 단원 실력 평가

1 세 수의 합을 구하세요.

5　ㅣ　3

(　　　　　　)

2 계산에서 잘못된 곳을 찾아 바르게 계산해 보세요.

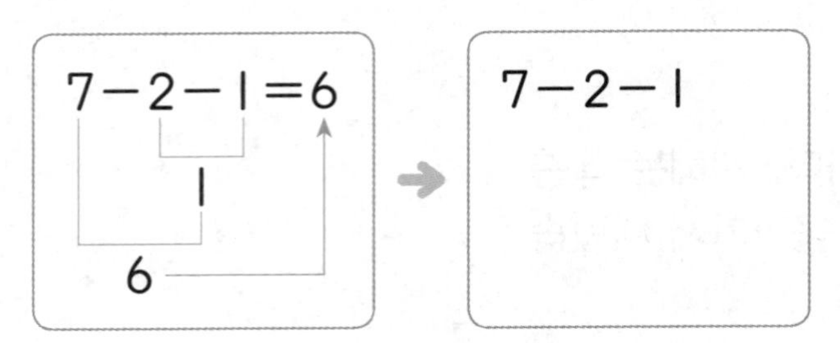

3 빈칸에 알맞은 수를 써넣으세요.

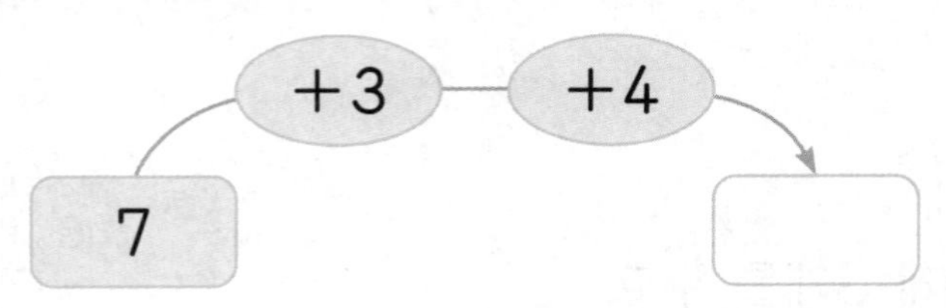

4 합이 같은 식에 ○표 하세요.

7＋3　6＋3　5＋5　4＋4

5 계산 결과가 더 큰 것에 ○표 하세요.

3＋2＋3	ㅣ＋4＋2
(　　)	(　　)

6 낙엽을 현아가 5장, 지서가 5장 모았습니다. 두 사람이 모은 낙엽은 모두 몇 장인가요?

식 ______________________

답 ______________

7 울타리 안에 양이 ㅣ0마리 있었는데 몇 마리가 울타리 밖으로 나가서 3마리만 남았습니다. 울타리 밖으로 나간 양은 몇 마리인가요?

(　　　　　　)

8 투호 놀이에서 화살을 몇 개 넣었는지 나타낸 것입니다. ㅣ반이 넣은 화살은 모두 몇 개인가요?

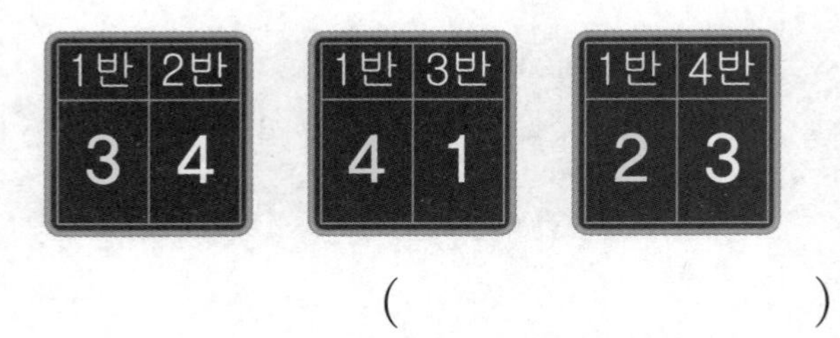

(　　　　　　)

9 크기를 비교하여 ○ 안에 >, =, <를 알맞게 써넣으세요.

4+6+1 ○ 12

10 |보기|와 같이 계산하여 빈 곳에 알맞은 수를 써넣으세요.

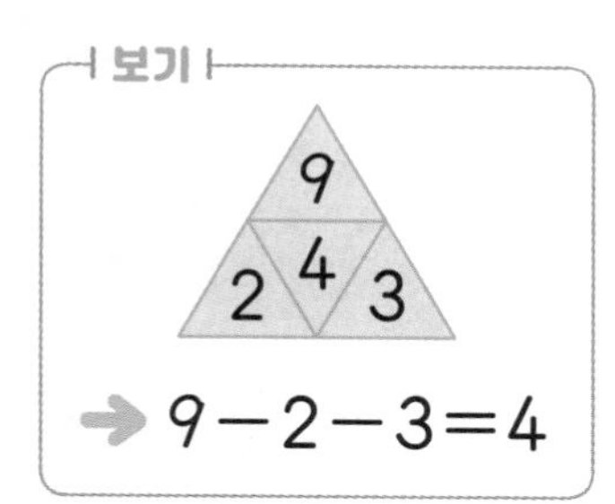

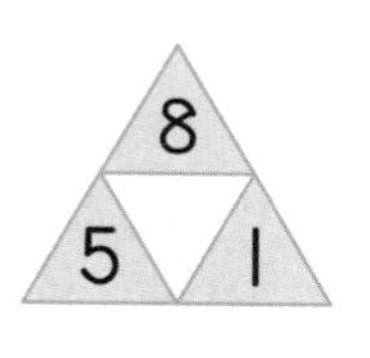

11 □ 안에 수 카드 1, 4, 2, 8 중 알맞은 수를 써넣어 덧셈식을 완성해 보세요.

덧셈식 □+□+6=16

12 같은 모양은 같은 수를 나타냅니다. ▲에 알맞은 수를 구하세요.

• 10−■=4
• ■+9+1=▲

(　　　　　　)

13 □ 안에 알맞은 수가 가장 큰 것을 찾아 기호를 쓰세요.

㉠ 2+8+□=14
㉡ □+5+5=13
㉢ 1+□+9=15

(　　　　　　)

14 현수는 호두과자 10개 중에서 2개를 먹었고, 유진이는 호두과자 7개 중에서 5개를 먹었습니다. 두 사람이 먹고 남은 호두과자는 모두 몇 개인가요?

(　　　　　　)

15 수 카드 중 3장을 골라 세 수의 뺄셈식을 만들려고 합니다. 계산 결과가 가장 클 때의 값을 구하세요.

7 1 4 9

(　　　　　　)

3단원 응용력 강화 문제

» 선을 따라 잘랐을 때 생기는 모양의 수 구하기

진도책 p.84의 유사 문제

1 색종이를 선을 따라 모두 자르면 어떤 모양이 몇 개 생기는지 차례로 구하세요.

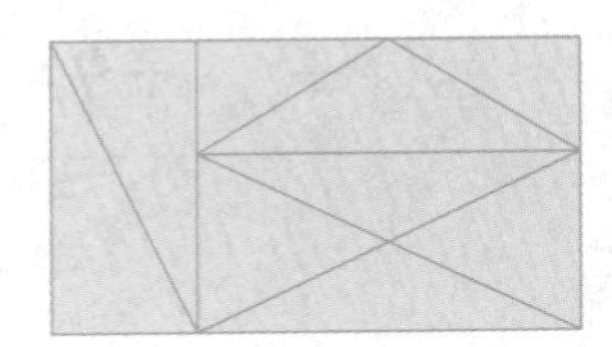

[풀이]

[답] ________ , ________

2 색종이를 선을 따라 모두 자르면 어떤 모양이 몇 개 생기는지 차례로 구하세요.

[풀이]

[답] ________ , ________

» 거울에 비친 시계의 시각 구하기

진도책 p.85의 유사 문제

3 예서가 세수를 하고 거울에 비친 시계를 보았더니 오른쪽과 같았습니다. 예서가 본 시계의 시각을 써 보세요.

[풀이]

[답] ________

4 현우가 피아노 학원에 도착해서 거울에 비친 시계를 보았더니 오른쪽과 같았습니다. 현우가 본 시계의 시각을 써 보세요.

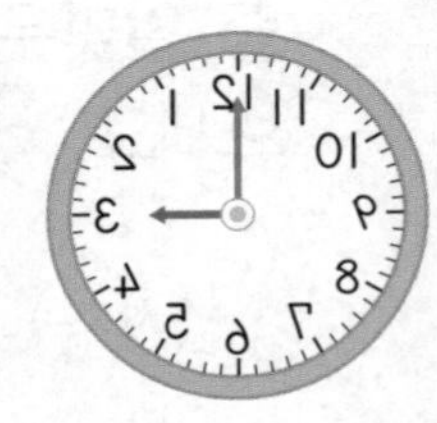

[풀이]

[답] ________

» 꾸미기 전에 있던 붙임딱지의 수 구하기

진도책 p.86의 유사 문제

5 오른쪽과 같이 일기장에 □, △, ○ 모양의 붙임딱지를 붙여 꾸미고 남은 붙임딱지의 수를 세어 보았더니 □ 모양은 3개, △ 모양은 1개, ○ 모양은 1개였습니다. 꾸미기 전에 가장 많이 있던 붙임딱지의 모양은 무엇인지 구하세요.

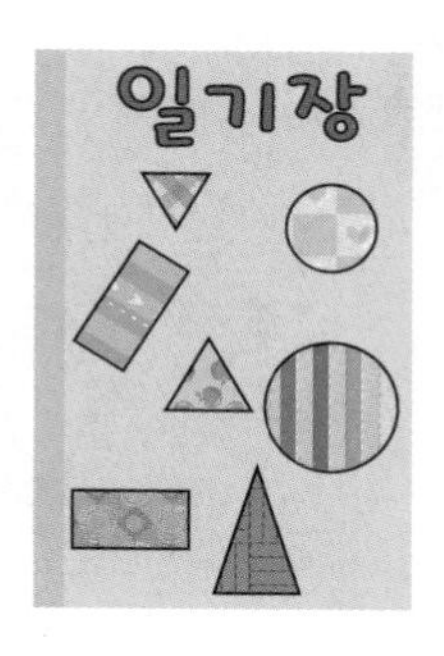

[풀이]

답 ______________

6 오른쪽과 같이 달력에 □, △, ○ 모양의 붙임딱지를 붙여 꾸미고 남은 붙임딱지의 수를 세어 보았더니 □ 모양은 2개, △ 모양은 3개, ○ 모양은 2개였습니다. 꾸미기 전에 가장 적게 있던 붙임딱지의 모양은 무엇인지 구하세요.

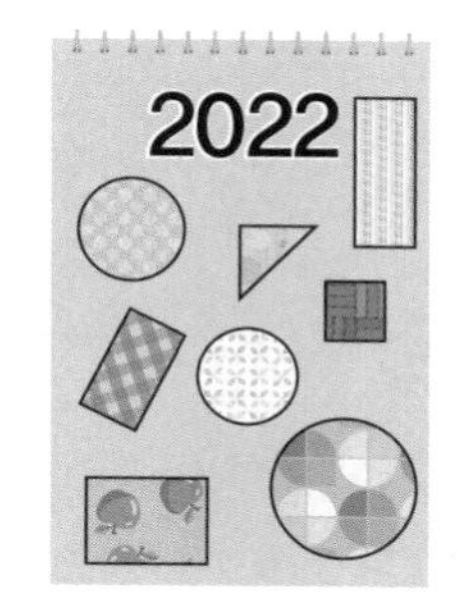

[풀이]

답 ______________

» 크고 작은 모양의 수 구하기

진도책 p.87의 유사 문제

7 오른쪽 그림에서 찾을 수 있는 크고 작은 □ 모양은 모두 몇 개인지 구하세요.

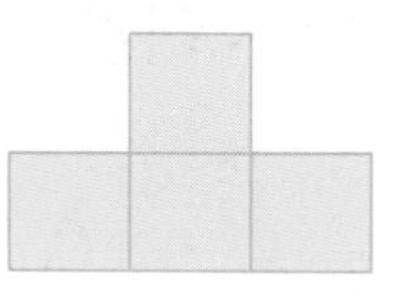

[풀이]

답 ______________

8 오른쪽 그림에서 찾을 수 있는 크고 작은 △ 모양은 모두 몇 개인지 구하세요.

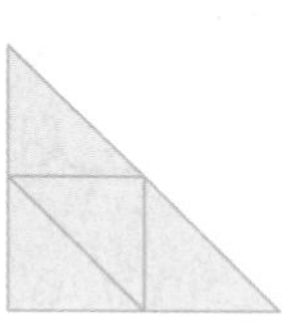

[풀이]

답 ______________

3 모양과 시각

9 세 물건을 고무찰흙 위에 본떴을 때 나타나는 모양에서 뾰족한 부분은 모두 몇 군데인가요?

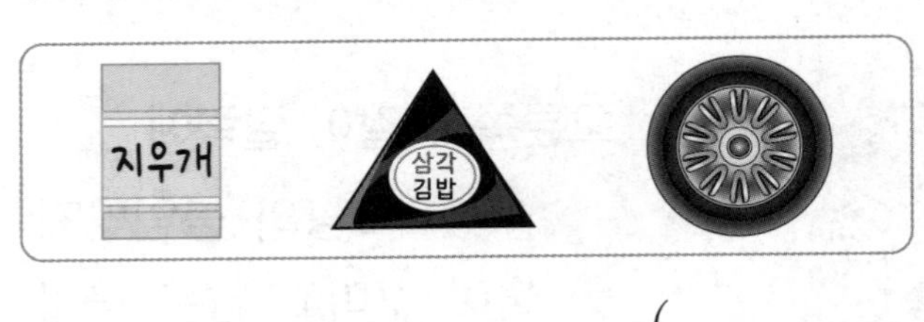

( )

10 6시를 나타내는 시계에서 짧은바늘이 가리키는 숫자와 긴바늘이 가리키는 숫자의 합을 구하세요.

( )

11 오늘 오후에 인경이와 서진이가 도서관에 도착한 시각입니다. 도서관에 먼저 도착한 사람은 누구인가요?

인경

서진

( )

12 3개의 점을 선으로 이어 만들 수 있는 △ 모양은 모두 몇 개인가요?

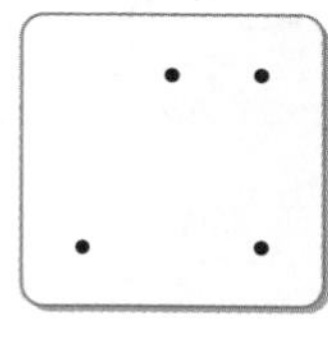

( )

13 설명하는 시각을 구하세요.

- 2시와 4시 사이의 시각입니다.
- 긴바늘이 6을 가리킵니다.
- 3시보다 늦은 시각입니다.

( )

14 □, △ 모양으로 왕관을 만들었습니다. 똑같은 왕관을 한 개 더 만들었다면 왕관 2개에 이용한 □ 모양은 모두 몇 개인가요?

( )

맞힌 문제 수 개/15개

1 시계가 다음 시각을 나타낼 때 짧은바늘과 긴바늘이 각각 가리키는 숫자를 쓰세요.

9시

짧은바늘 (　　　　　)
긴바늘 (　　　　　)

2 시계가 나타내는 시각을 쓰세요.

(　　　　　　　)

3 ○ 모양에 대한 설명으로 잘못된 것을 찾아 기호를 쓰세요.

㉠ 둥근 부분이 있습니다.
㉡ 곧은 선이 없습니다.
㉢ 뾰족한 부분이 있습니다.

(　　　　　)

4 같은 모양끼리 모은 것에 ○표 하세요.

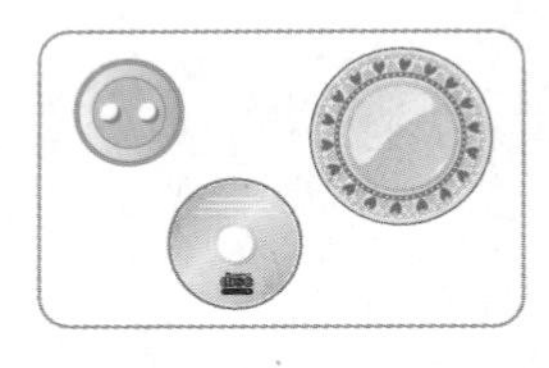

(　　　) (　　　)

5 오른쪽 모양을 만드는 데 이용하지 않은 모양을 찾아 ○표 하세요.

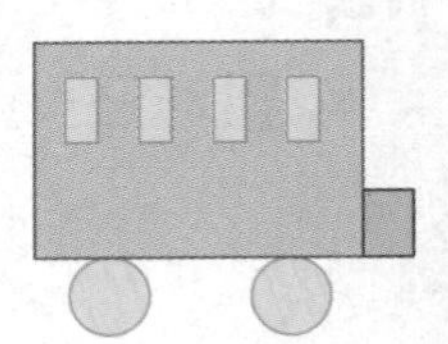

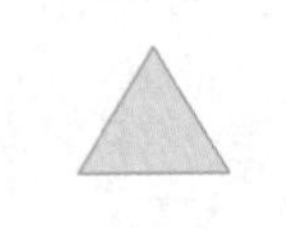

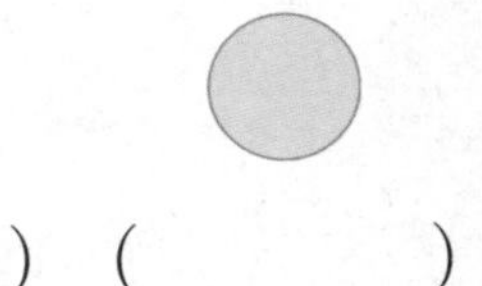

(　　　) (　　　) (　　　)

6 왼쪽은 □, △, ○ 모양의 일부분을 본 뜬 것입니다. 같은 모양끼리 이어 보세요.

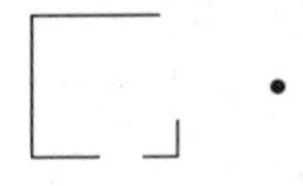

7 □, △, ○ 모양으로 만든 집입니다. 이용한 □, △, ○ 모양의 수를 세어 빈칸에 써넣으세요.

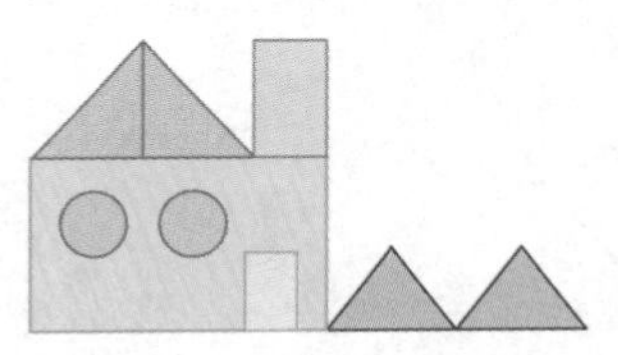

모양	□	△	○
수(개)			

8 색종이를 선을 따라 모두 자르면 어떤 모양이 몇 개 생기는지 차례로 구하세요.

(　　　　　), (　　　　　)

9 왼쪽 시계에서 긴바늘이 한 바퀴 움직인 후의 시각을 오른쪽 시계에 나타내 보세요.

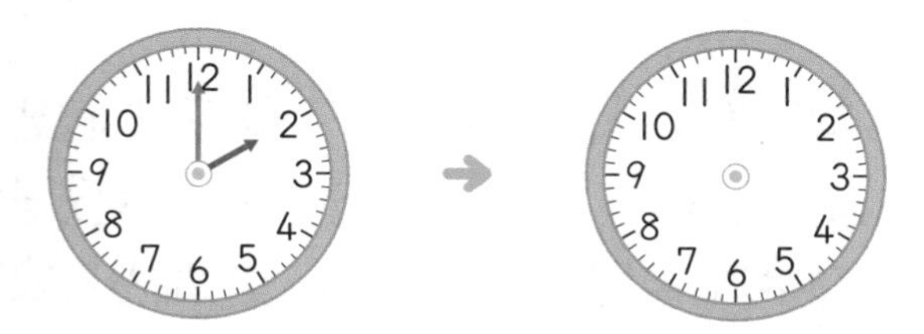

10 같은 모양끼리 모았을 때 모은 모양이 3개인 모양을 찾아 ○표 하세요.

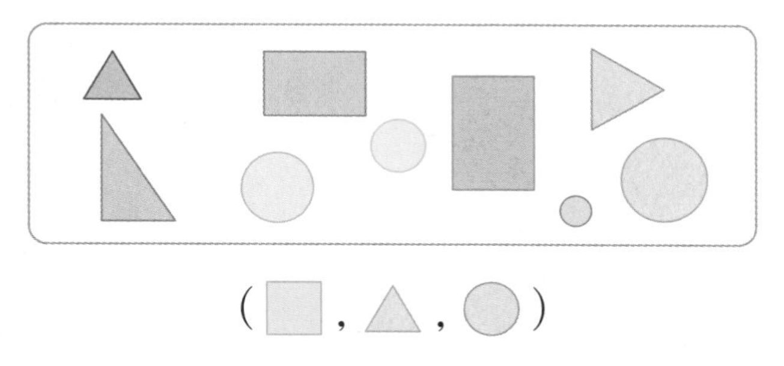

(□ , △ , ○)

11 거울에 비친 시계를 보았더니 다음과 같았습니다. 시계가 나타내는 시각을 쓰세요.

( )

12 □ 모양을 더 많이 이용하여 만든 사람의 이름을 쓰세요.

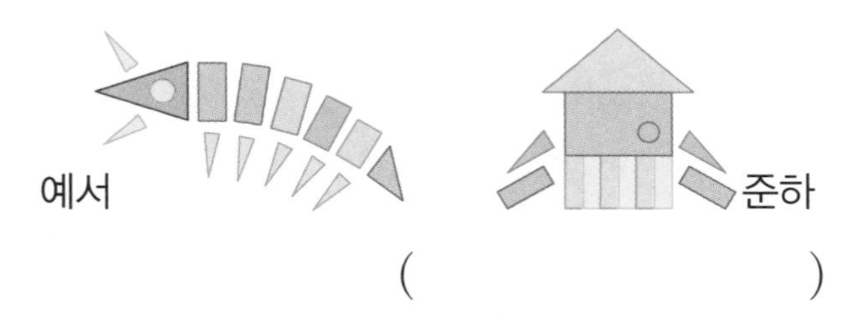

( )

13 이용한 □, △, ○ 모양 중에서 가장 많은 모양은 가장 적은 모양보다 몇 개 더 많은가요?

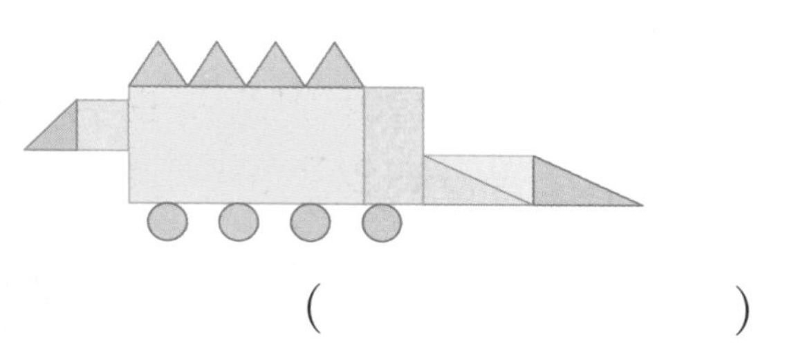

( )

14 설명하는 시각을 쓰세요.

- 긴바늘은 6을 가리킵니다.
- 3시 30분보다 늦고 5시보다 빠른 시각입니다.

( )

15 우재가 다음과 같은 모양을 만들려고 했더니 △ 모양은 2개가 남고, ○ 모양은 1개가 모자랐습니다. 우재가 가지고 있는 □,

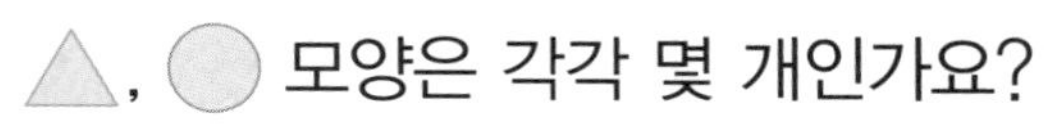

△, ○ 모양은 각각 몇 개인가요?

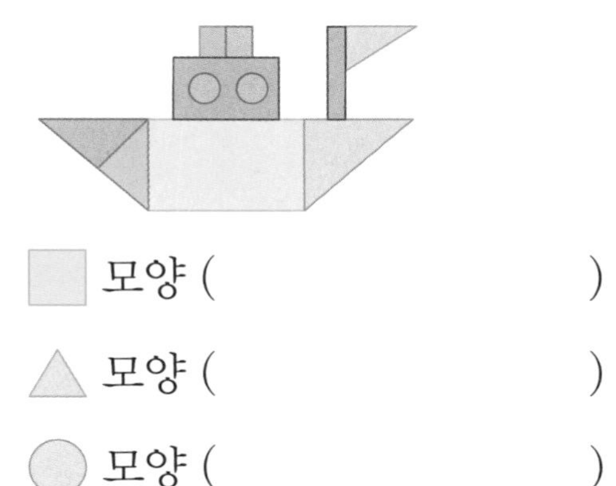

□ 모양 ( )

△ 모양 ( )

○ 모양 ( )

4단원 응용력 강화 문제

» 붙인 타일의 수 구하기

진도책 p.107의 유사 문제

1 민주가 다음과 같이 타일을 8개 붙인 다음 몇 개를 더 붙여 빈칸을 모두 채웠습니다. 민주가 붙인 타일은 모두 몇 개인가요?

[풀이]

답 ______________

2 재우가 다음과 같이 타일을 7개 붙인 다음 몇 개를 더 붙여 빈칸을 모두 채웠습니다. 재우가 붙인 타일은 모두 몇 개인가요?

[풀이]

답 ______________

» 상자 안에 있는 물건의 수 구하기

진도책 p.117의 유사 문제

3 상자 안에 사탕이 15개 있었습니다. 윤아가 사탕 7개를 꺼내어 먹은 후에 재민이가 사탕 5개를 사서 상자 안에 넣었다면 상자 안에 있는 사탕은 몇 개인가요?

[풀이]

답 ______________

4 상자 안에 색종이가 14장 있었습니다. 지훈이가 색종이 5장을 꺼내간 후에 형이 색종이 6장을 상자 안에 넣었다면 상자 안에 있는 색종이는 몇 장인가요?

[풀이]

답 ______________

» 합 또는 차가 가장 큰 식 만들기

진도책 p.118의 유사 문제

5 두 수를 골라 합이 가장 큰 덧셈식을 만들어 보세요.

4 2 7 5

[풀이]

[식] ____________________

6 두 수를 골라 차가 가장 큰 뺄셈식을 만들어 보세요.

11 9 16 8

[풀이]

[식] ____________________

» 꺼내야 하는 공 찾기

진도책 p.119의 유사 문제

7 꺼낸 공에 적힌 두 수의 합이 크면 이기는 놀이를 하고 있습니다. 진주가 이기려면 어떤 수가 적힌 공을 꺼내야 하는지 구하세요.

[풀이]

[답] ____________________

8 꺼낸 공에 적힌 두 수의 합이 크면 이기는 놀이를 하고 있습니다. 민서가 이기려면 어떤 수가 적힌 공을 꺼내야 하는지 구하세요.

[풀이]

[답] ____________________

9 7에 어떤 수를 더했더니 15가 되었습니다. 어떤 수는 얼마인가요?

(　　　　　　　　)

10 3상자 중에서 2상자를 골라 막대사탕을 가장 많이 가지려고 합니다. 막대사탕을 가장 많이 가졌을 때는 모두 몇 개인가요?

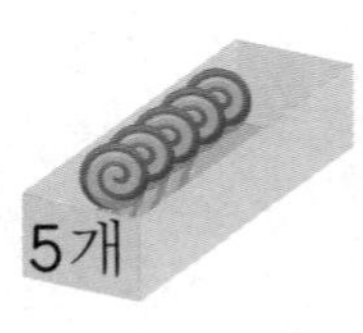

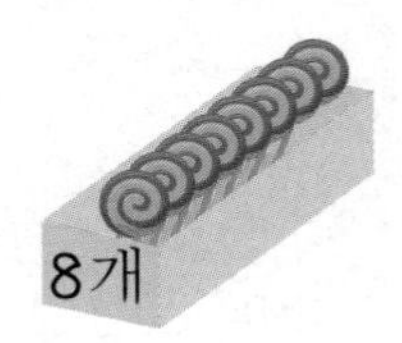

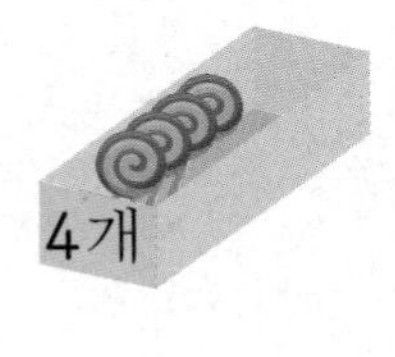

(　　　　　　　　)

11 소희의 나이는 8살이고 지훈이는 소희보다 3살 더 많습니다. 유진이가 지훈이보다 2살 더 적다면 유진이의 나이는 몇 살인가요?

(　　　　　　　　)

12 ◆+♥의 값을 구하세요.

◆+6=12　　　14−♥=5

(　　　　　　)

13 □ 안에 들어갈 수 있는 수는 모두 몇 개인지 구하세요.

13−4<□<7+6

(　　　　　　)

14 4장의 수 카드 중에서 2장을 뽑았더니 뽑은 두 수의 합은 14이고, 두 수의 차는 4였습니다. 뽑은 2장의 수 카드의 수를 구하세요.

8　5　6　9

(　　　　　　), (　　　　　　)

실력 평가

개/15개

1 2장의 카드에 그려진 ◆ 모양을 각각 세어 두 수의 합을 구하세요.

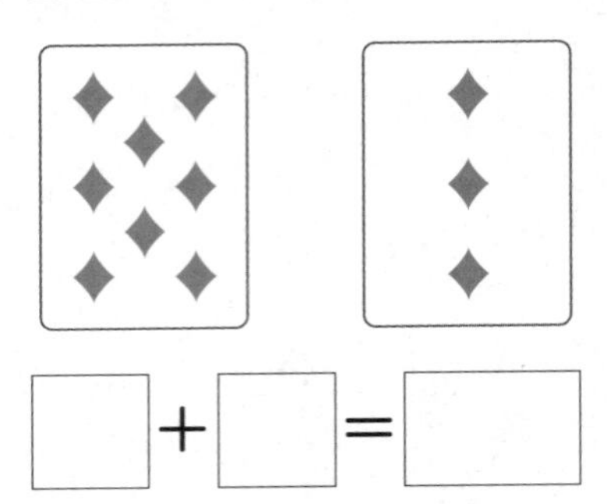

□ + □ = □

2 빈칸에 알맞은 수를 써넣으세요.

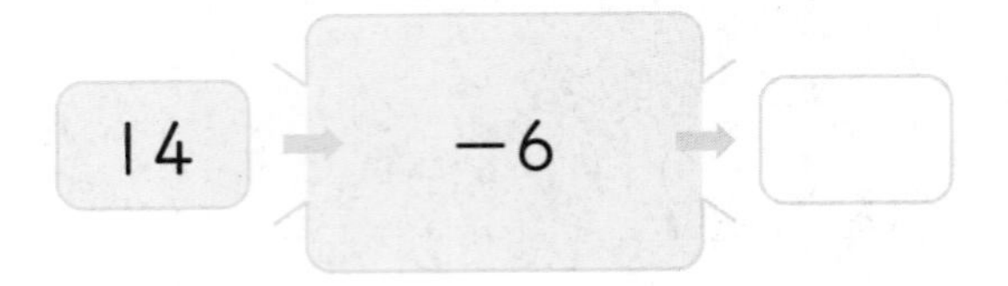

3 합이 13인 두 수를 찾아 ○표 하세요.

7, 4	4, 9	5, 7
(　　)	(　　)	(　　)

4 설명하는 수를 구하세요.

15보다 8만큼 더 작은 수

(　　　　)

5 놀이터에서 어린이 6명이 놀고 있었는데 어린이 7명이 더 왔습니다. 놀이터에서 놀고 있는 어린이는 모두 몇 명인가요?

식 ________________

답 ________________

6 인형이 17개, 로봇이 9개 있습니다. 인형은 로봇보다 몇 개 더 많은가요?

식 ________________

답 ________________

7 빈칸에 알맞은 수를 써넣으세요.

7+7 14	7+8 15	7+9 16
	8+8 	8+9
		9+9

8 차가 7인 뺄셈식을 모두 찾아 기호를 쓰세요.

㉠ 11−6　　㉡ 12−5
㉢ 13−8　　㉣ 14−7

(　　　　)

9 빈칸에 알맞은 수를 써넣으세요.

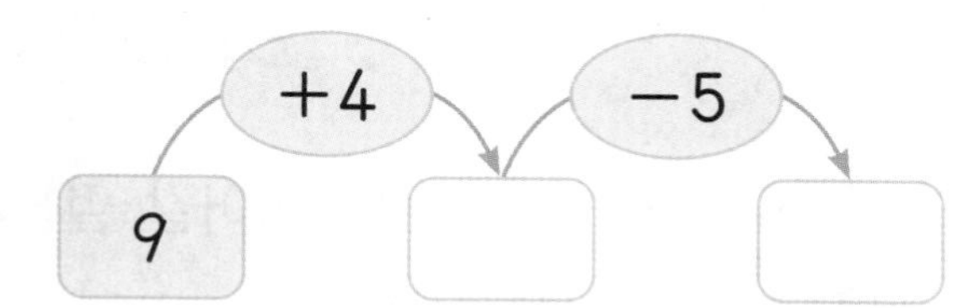

10 현주는 동화책 6권과 위인전 5권을 가지고 있습니다. 그중에서 4권을 친구에게 빌려주었다면 남은 책은 몇 권인가요?

( )

11 ■와 ▲ 사이에 있는 수를 구하세요.

14−8=■
9+▲=17

( )

12 수 카드 2장을 골라 카드에 적힌 두 수의 합을 구하려고 합니다. 합이 가장 클 때의 값을 구하세요.

7 4 9 2

( )

13 ㉠에 알맞은 수를 구하세요.

8+㉠=6+6

( )

14 영우는 색종이를 어제는 7장, 오늘은 5장 접었습니다. 소희는 색종이를 어제는 6장, 오늘은 8장 접었습니다. 영우와 소희 중 어제와 오늘 색종이를 더 많이 접은 사람은 누구인가요?

( )

15 꺼낸 공에 적힌 두 수의 차가 작으면 이기는 놀이를 하고 있습니다. 다은이가 이기려면 어떤 수가 적힌 공을 꺼내야 하는지 구하세요.

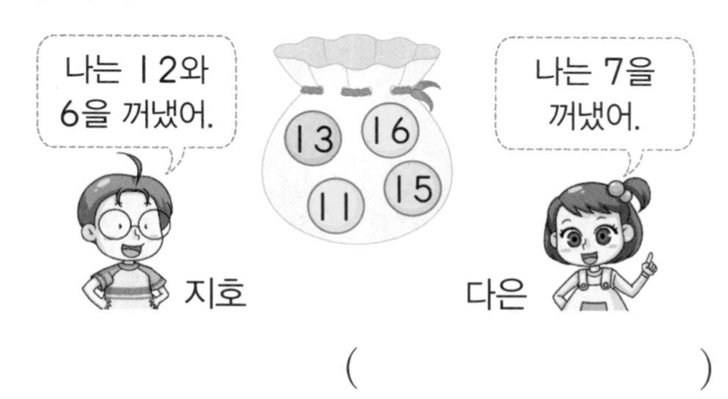

( )

» 규칙에 따라 펼친 손가락의 수 구하기

진도책 p.142의 유사 문제

1 규칙에 따라 ㉠과 ㉡에 들어갈 펼친 손가락은 모두 몇 개인가요?

가위	바위	보	가위	바위	보	㉠	㉡

[풀이]

답 ______

2 규칙에 따라 ㉠과 ㉡에 들어갈 펼친 손가락은 모두 몇 개인가요?

보	가위	보	가위	㉠	가위	보	㉡

[풀이]

답 ______

» 수 배열에 알맞은 수의 크기 비교하기

진도책 p.143의 유사 문제

3 규칙에 따라 수를 써넣을 때 ㉠과 ㉡ 중 알맞은 수가 더 큰 것의 기호를 쓰세요.

10 — 15 — 10 — 15 — 10 — ㉠

3 — 5 — 7 — 9 — 11 — ㉡

[풀이]

답 ______

4 규칙에 따라 수를 써넣을 때 ㉠과 ㉡ 중 알맞은 수가 더 작은 것의 기호를 쓰세요.

40 — 36 — 32 — 28 — 24 — ㉠

14 — 16 — 18 — 20 — 22 — ㉡

[풀이]

답 ______

» 규칙에 따라 늘어놓은 바둑돌 구하기

진도책 p.144의 유사 문제

5 규칙에 따라 바둑돌을 늘어놓았습니다. 14번째에 놓이는 바둑돌은 무슨 색인지 구하세요.

(풀이)

(답) ____________

6 규칙에 따라 바둑돌을 늘어놓았습니다. 16번째에 놓이는 바둑돌은 무슨 색인지 구하세요.

● ○ ● ● ○ ● ● ○ ● …

(풀이)

(답) ____________

» 찢어진 수 배열표에서 규칙 찾기

진도책 p.145의 유사 문제

7 찢어진 수 배열표에서 ■에 알맞은 수를 구하세요.

(풀이)

(답) ____________

8 찢어진 수 배열표에서 ♥에 알맞은 수를 구하세요.

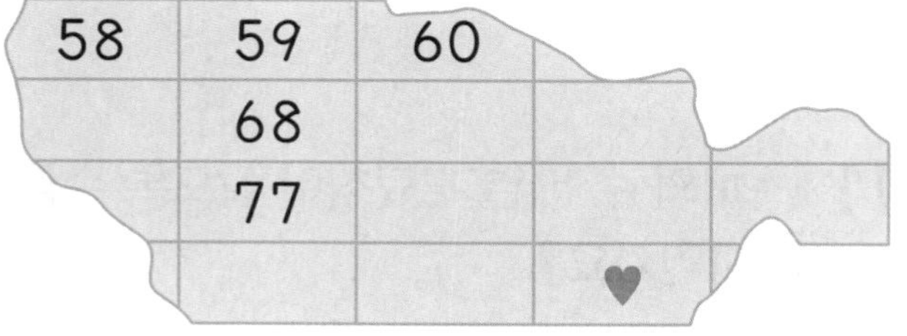

(풀이)

(답) ____________

9 도윤이가 만든 규칙에 따라 물건을 늘어놓을 때 ㉠과 ㉡에 알맞은 물건을 각각 구하세요.

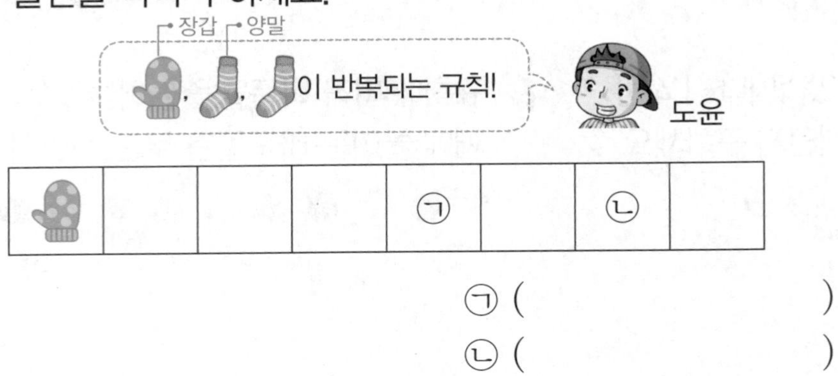

㉠ (　　　　　　　　)
㉡ (　　　　　　　　)

10 규칙에 따라 두발자전거와 세발자전거를 늘어놓았습니다. 빈 곳에 놓아야 할 자전거의 바퀴 수는 모두 몇 개인가요?

(　　　　　　　　)

11 보기의 수 배열과 규칙이 같도록 수를 쓴다면 ㉠에 알맞은 수는 얼마인가요?

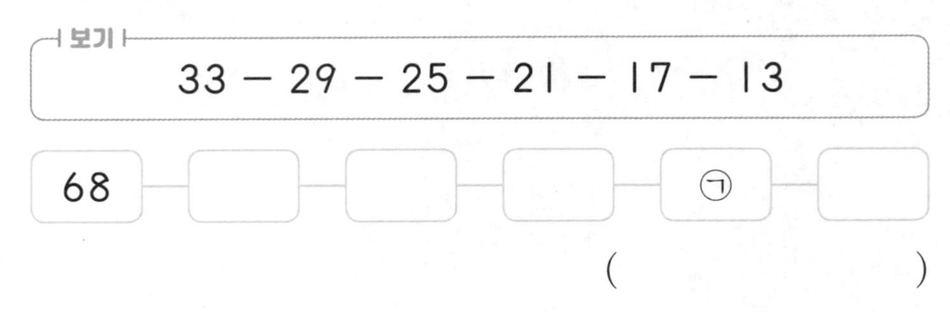

(　　　　　　　　)

12 규칙에 따라 ㉠과 ㉡에 알맞은 수를 각각 구하세요.

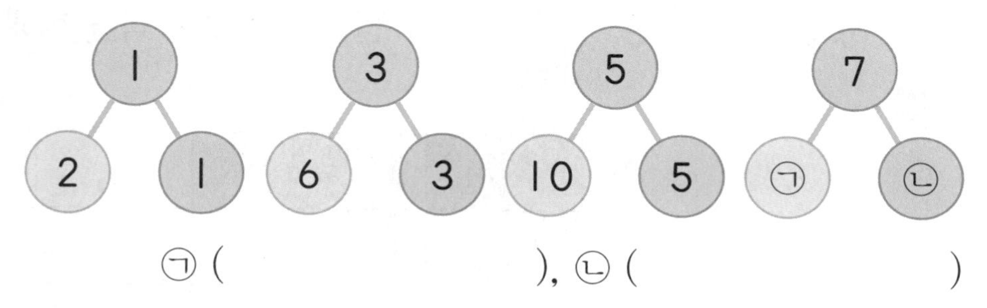

㉠ (　　　　　　　　　　), ㉡ (　　　　　　　　　　)

13 수 배열표에 수의 순서에 따라 붙임딱지를 규칙적으로 붙이고 있습니다. 42가 들어갈 칸에 붙일 붙임딱지는 무엇인가요?

해 달 별

☀	☾	★	☀	☾	★	26	27
28	29	30		☀	☾	★	35
36	37						

(　　　　　　　　　　)

14 규칙에 따라 바둑돌 15개를 늘어놓는다면 검은색 바둑돌과 흰색 바둑돌 중 어느 것이 몇 개 더 많은지 차례로 쓰세요.

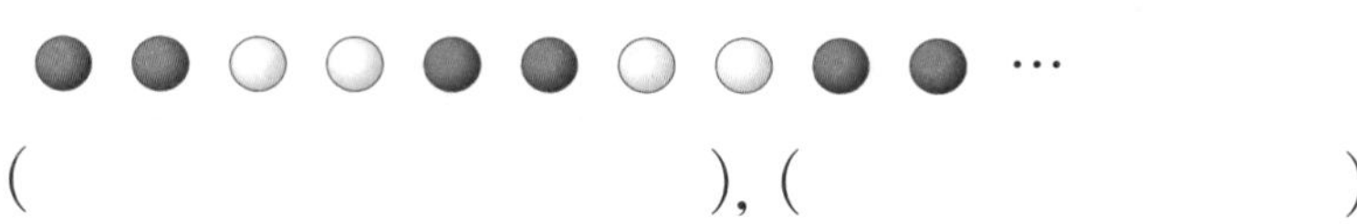

(　　　　　　　　　　), (　　　　　　　　　　)

5단원 실력 평가

맞힌 문제 수 개/15개

1 규칙을 바르게 설명한 것에 ○표 하세요.

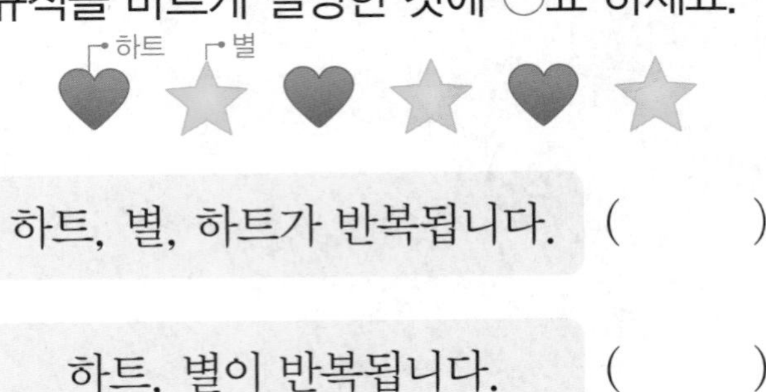

하트, 별, 하트가 반복됩니다. (　　　)

하트, 별이 반복됩니다. (　　　)

2 규칙에 따라 빈칸에 알맞은 그림을 그려 보세요.

↑	↓	↑	↓				

3 규칙에 따라 빈칸에 알맞은 수를 써넣으세요.

30 — 28 — 26 — 24 — □

4 오이와 당근을 규칙에 따라 늘어놓은 것입니다. 빈칸에 들어갈 채소는 무엇인가요?

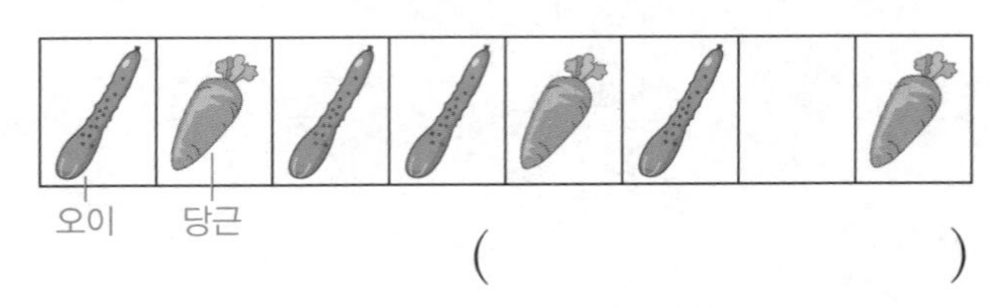

(　　　　　　　)

5 규칙에 따라 빈칸에 알맞은 색을 칠해 보세요.

노란색　주황색

[6~7] 수 배열표를 보고 물음에 답하세요.

31	32	33	34	35	36	37	38	39	40
41	42	43	44	45	46	47	48	49	50
51	52	53	54	55	56	57	58	59	60
61	62	63	64	65	66	67	68	69	70

서술형

6 ……에 있는 수의 규칙을 찾아 쓰세요.

규칙 33부터 시작하여 ↓ 방향으로

7 색칠한 수의 규칙에 따라 나머지 부분에 색칠해 보세요.

8 규칙에 따라 무늬를 완성하려고 합니다. ♥를 그려야 하는 칸을 찾아 기호를 쓰세요.

♥	◆	●	◆	♥	◆	●	◆
♥	◆	●	◆	㉠	㉡	㉢	㉣

(　　　　　　　)

9 △, □, □가 반복되는 규칙으로 나타낼 수 있는 것의 기호를 쓰세요.

( )

10 규칙에 따라 ㉠과 ㉡에 알맞은 구슬의 색을 각각 쓰세요.

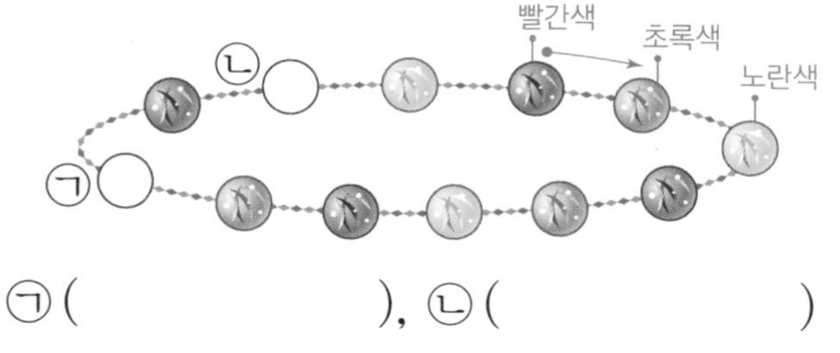

㉠ ( ), ㉡ ( )

11 건우가 설명하는 규칙에 따라 수를 쓰려고 합니다. ㉠에 알맞은 수를 구하세요.

( )

12 보기의 수 배열과 규칙이 같은 것의 기호를 쓰세요.

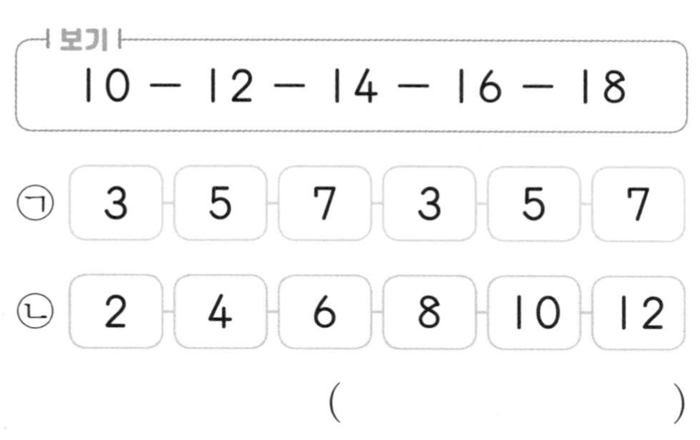

( )

13 규칙에 따라 빈칸에 수를 썼을 때 ㉠과 ㉡에 알맞은 수의 합을 구하세요.

2	1	1	2	㉠	1	㉡	1

( )

14 𝅘𝅥(위)는 탬버린을 치고 𝅘𝅥(아래)는 캐스터네츠를 칩니다. 규칙에 따라 악보를 완성하면 탬버린은 몇 번 쳐야 하나요?

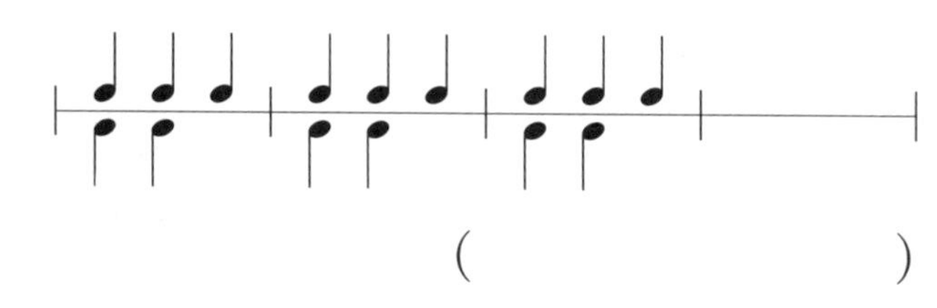

( )

15 규칙에 따라 흰색 바둑돌과 검은색 바둑돌을 늘어놓으려고 합니다. 12번째 바둑돌은 무슨 색인가요?

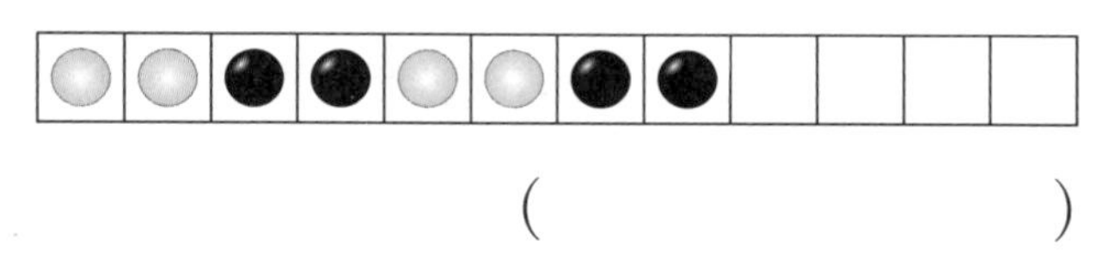

( )

6 단원 응용력 강화 문제

» □ 안에 들어갈 수 있는 가장 큰(작은) 수 구하기

진도책 p.176의 유사 문제

1 1부터 9까지의 수 중에서 □ 안에 들어갈 수 있는 가장 작은 수를 구하세요.

$54+3<5\square$

[풀이]

답 ______

2 1부터 9까지의 수 중에서 □ 안에 들어갈 수 있는 가장 큰 수를 구하세요.

$87-\square>81$

[풀이]

답 ______

» 수 카드로 차가 가장 큰 뺄셈식 만들기

진도책 p.177의 유사 문제

3 수 카드를 한 번씩만 사용하여 (몇십몇)−(몇)의 뺄셈식을 만들려고 합니다. 두 수의 차가 가장 큰 뺄셈식을 만들고 계산해 보세요.

6 7 5

[풀이]

식 ______

4 수 카드 중 3장을 골라 한 번씩만 사용하여 (몇십몇)−(몇)의 뺄셈식을 만들려고 합니다. 두 수의 차가 가장 큰 뺄셈식을 만들고 계산해 보세요.

9 5 8 4

[풀이]

식 ______

» 두 반의 학생 수의 차 구하기

진도책 p.178의 유사 문제

5 하윤이네 반과 형준이네 반 학생 수를 나타낸 표입니다. 두 반의 학생 수의 차는 몇 명인지 구하세요.

하윤이네 반		형준이네 반	
남학생	여학생	남학생	여학생
14명	14명	12명	11명

풀이

답 ____________

6 민지네 반 학생 수는 24명입니다. 수호네 반 학생 수는 민지네 반 학생 수보다 4명 더 많고, 진아네 반 학생 수는 민지네 반 학생 수보다 2명 더 적습니다. 수호네 반과 진아네 반 학생 수의 차는 몇 명인지 구하세요.

풀이

답 ____________

» 모양이 나타내는 수 구하기

진도책 p.179의 유사 문제

7 같은 모양은 같은 수를 나타냅니다. ■가 나타내는 수는 얼마인지 구하세요.

23+24=▲
88−▲=■

풀이

답 ____________

8 같은 모양은 같은 수를 나타냅니다. ●가 나타내는 수는 얼마인지 구하세요.

32+♥=68
●−♥=41

풀이

답 ____________

9 두 식의 계산 결과가 같을 때 □ 안에 알맞은 수를 구하세요.

14+43	78−□

(   )

10 연필 1타는 12자루입니다. 연필 2타 중에서 3자루를 사용했다면 남은 연필은 몇 자루인지 구하세요.

(   )

11 과일 가게에 참외는 32개 있고, 사과는 참외보다 23개 더 많이 있습니다. 과일 가게에 있는 참외와 사과는 모두 몇 개인지 구하세요.

(   )

12 지우네 반은 색종이 67장 중에서 25장을 사용하였고, 혜미네 반은 색종이 75장 중에서 32장을 사용하였습니다. 어느 반에 색종이가 더 많이 남았는지 구하세요.

( )

13 어떤 수에서 12를 빼야 할 것을 잘못하여 더했더니 44가 되었습니다. 바르게 계산하면 얼마인지 구하세요.

( )

14 수 카드 중 2장을 골라 한 번씩만 사용하여 몇십몇을 만들려고 합니다. 만들 수 있는 수 중에서 가장 큰 수와 가장 작은 수의 차는 얼마인지 구하세요.

7 2 4 8

( )

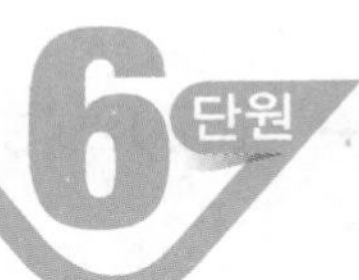

6단원 실력 평가

맞힌 문제 수 개/15개

1 계산해 보세요.

(1)
$$\begin{array}{r} 60 \\ +\ \ 5 \\ \hline \square \end{array}$$

(2)
$$\begin{array}{r} 78 \\ -\ \ 4 \\ \hline \square \end{array}$$

2 빈칸에 두 수의 합을 써넣으세요.

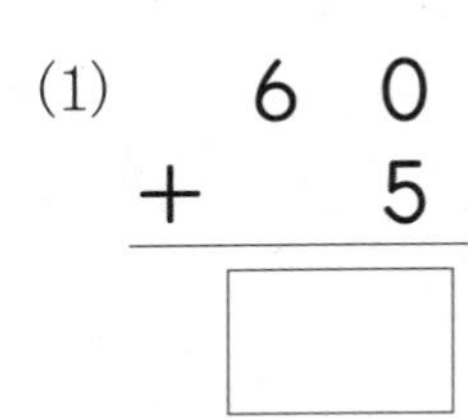

23	52

3 수직선을 보고 □ 안에 알맞은 수를 써넣으세요.

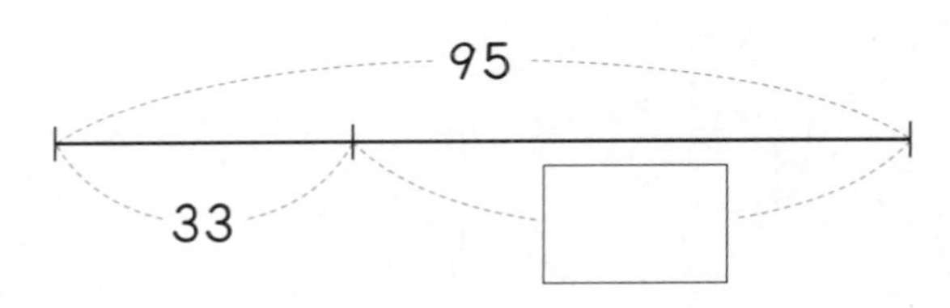

4 덧셈을 하세요.

$31+42=\square$

$33+42=\square$

$35+42=\square$

$37+42=\square$

5 계산 결과의 크기를 비교하여 ○ 안에 >, =, <를 알맞게 써넣으세요.

$20+30 \bigcirc 80-40$

6 가장 큰 수와 가장 작은 수의 차를 구하세요.

43 78 75

(　　　　　　)

7 □ 안에 알맞은 수를 써넣으세요.

34 → $-\square$ → 12

8 성훈이네 마을 남학생은 56명, 여학생은 43명입니다. 성훈이네 마을 학생은 모두 몇 명인지 구하세요.

(　　　　　　)

[9~10] 규호는 고구마를 45개 캤고, 감자를 32개 캤습니다. 물음에 답하세요.

9 고구마와 감자를 모두 몇 개 캤는지 구하세요.

식 ______________________

답 ______________

10 고구마를 감자보다 몇 개 더 많이 캤는지 구하세요.

식 ______________________

답 ______________

11 □ 안에 알맞은 수를 써넣으세요.

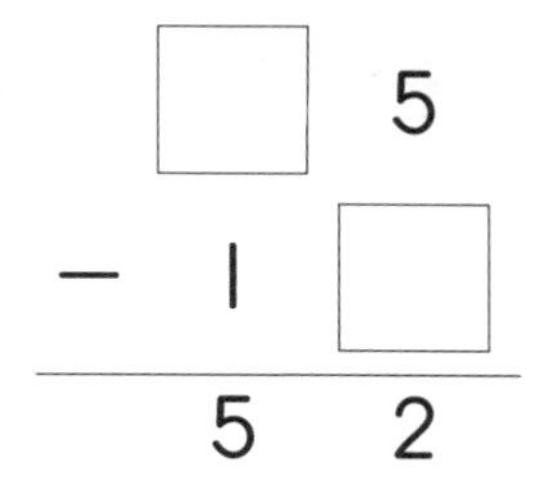

$$\begin{array}{r} \square\ 5 \\ -\ 1\ \square \\ \hline 5\ 2 \end{array}$$

12 어떤 수에 15를 더했더니 38이 되었습니다. 어떤 수는 얼마인지 구하세요.

(　　　　　　　)

13 하린이와 지호가 모은 딱지의 수는 다음과 같습니다. 두 사람이 모은 딱지는 모두 몇 장인지 구하세요.

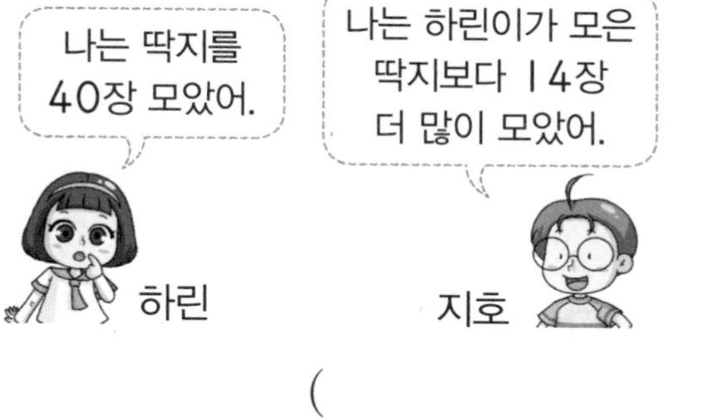

(　　　　　　　)

14 다음에서 차가 24인 두 수를 찾아 □ 안에 알맞은 수를 써넣으세요.

58　69　20　34

→ □ − □ = 24

15 수 카드 중 3장을 골라 한 번씩만 사용하여 (몇십몇)−(몇)의 뺄셈식을 만들려고 합니다. 두 수의 차가 가장 큰 뺄셈식을 만들고 계산해 보세요.

7　6　2　3

식 ______________________

1~6 단원 성취도 평가

1 모형을 보고 □ 안에 알맞은 수를 써넣으세요.

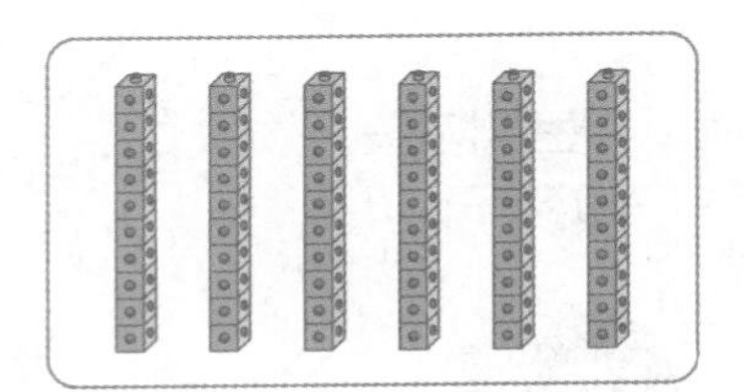

10개씩 묶음이 6개이므로 □ 입니다.

2 다음을 수로 쓰세요.

여든셋

( )

3 다음에서 설명하는 수를 쓰세요.

99보다 1만큼 더 큰 수

( )

4 두 수의 크기를 비교하여 ○ 안에 >, < 를 알맞게 써넣으세요.

78 ○ 82

5 빈칸에 알맞은 수를 써넣으세요.

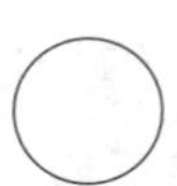

+24

35 → □

6 두 수의 차를 구하세요.

20 50

( )

[7~8] 그림을 보고 물음에 답하세요.

분홍색 구슬 13개	●●●●●●●●●● ●●●
파란색 구슬 16개	●●●●●●●●●● ●●●●●●
초록색 구슬 11개	●●●●●●●●●● ●

7 분홍색 구슬과 초록색 구슬은 모두 몇 개인가요?

식 ______

답 ______

8 파란색 구슬은 초록색 구슬보다 몇 개 더 많은가요?

식 ______

답 ______

9 ■ 모양에는 □표, ▲ 모양에는 △표, ● 모양에는 ○표 하세요.

( ) ( ) ( )

[10~11] 모양을 보고 물음에 답하세요.

10 모양을 만드는 데 이용하지 않은 모양에 ○표 하세요.

(■ , ▲ , ●) 모양

11 모양을 만드는 데 이용한 ■ 모양은 모두 몇 개인가요?

(   )

12 오른쪽은 어떤 모양의 부분을 나타낸 그림입니다. 알맞은 모양을 찾아 기호를 쓰세요.

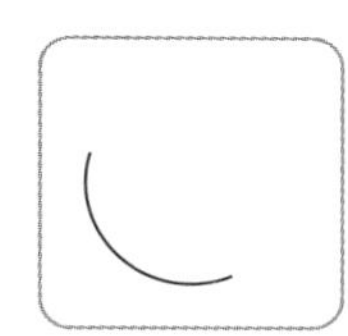

㉠ ■   ㉡ ▲   ㉢ ●

(   )

13 □ 안에 알맞은 수를 써넣으세요.

$9+3=\square+9$

14 필통에 빨간색 색연필 6자루, 파란색 색연필 7자루가 들어 있습니다. 필통에 들어 있는 색연필은 모두 몇 자루인가요?

식 ____________________

답 ____________________

15 펼친 손가락은 몇 개인가요?

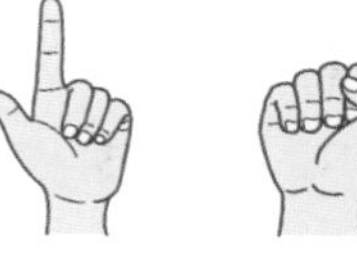

식 ____________________

답 ____________________

16 계산 결과가 더 큰 것의 기호를 쓰세요.

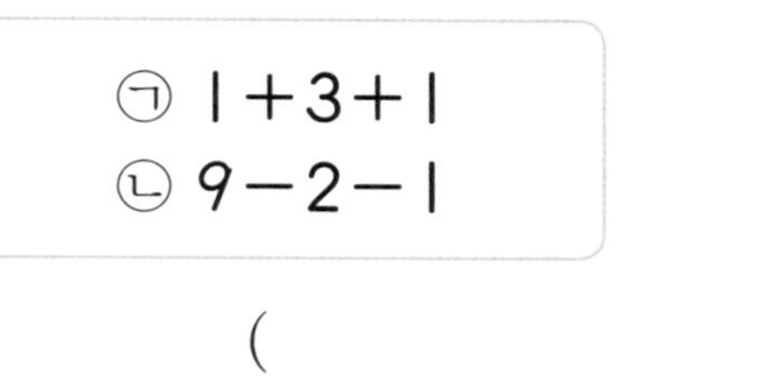

㉠ $1+3+1$

㉡ $9-2-1$

(   )

17 밑줄 친 두 수의 합이 10이 되도록 ○ 안에 알맞은 수를 써넣고 계산해 보세요.

$5+\bigcirc+7=\square$

성취도 평가

18 지수가 잠자리에 들기 전에 거울에 비친 시계를 보았더니 오른쪽과 같았습니다. 지수가 본 시계의 시각을 구하세요.

(　　　　　　　　)

19 규칙에 따라 바둑돌을 늘어놓았습니다. 바둑돌 12개를 늘어놓는다면 흰색 바둑돌은 모두 몇 개인지 구하세요.

● ● ○ ○ ● ● ○ ○ ● ……

(　　　　　　　　)

20 규칙에 따라 ㉠과 ㉡에 들어갈 펼친 손가락은 각각 몇 개인가요?

						㉠	㉡

㉠ (　　　　　), ㉡ (　　　　　)

21 찢어진 수 배열표에서 ▲에 알맞은 수를 구하세요.

62	63	64	
70	71		
78			
			▲

(　　　　　　　　)

22 1부터 9까지의 수 중에서 □ 안에 들어갈 수 있는 수는 모두 몇 개인가요?

$12-5>\square$

(　　　　　　　　)

23 음악실에 장구는 7개 있고, 탬버린은 장구보다 8개 더 많이 있습니다. 트라이앵글은 탬버린보다 6개 더 적게 있다면 트라이앵글은 몇 개인가요?

(　　　　　　　　)

24 두 수의 차가 가장 큰 뺄셈식을 만들고 차를 구하세요.

14　8　13　7

식 ______________________

답 ______________

25 꺼낸 공에 적힌 두 수의 합이 크면 이기는 놀이를 하고 있습니다. 혜교는 4와 8을 꺼냈고, 태우는 5를 꺼냈습니다. 태우가 이기려면 어떤 수가 적힌 공을 꺼내야 하는지 구하세요.

6　1　3　9　2　7

(　　　　　　　　)

정답과 해설

100까지의 수

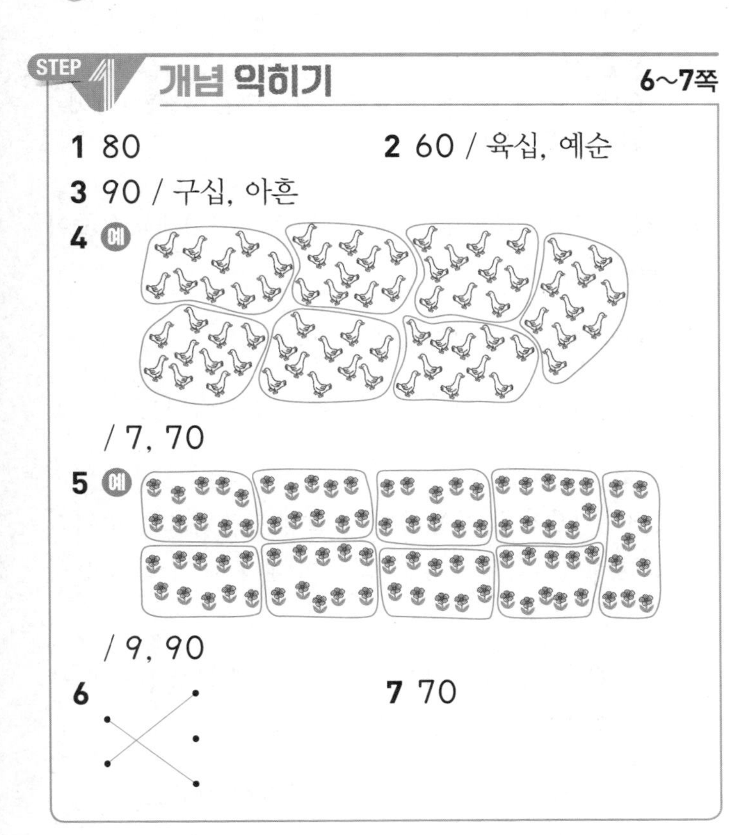

STEP 1 개념 익히기 6~7쪽

1 80
2 60 / 육십, 예순
3 90 / 구십, 아흔
4 예 / 7, 70
5 예 / 9, 90
6
7 70

6 10개씩 묶음 6개 ➔ 60(육십),
10개씩 묶음 8개 ➔ 80(팔십)

참고 개념
10개씩 묶음 ■개 ➔ ■0

7 일흔을 수로 쓰면 70입니다.

STEP 1 개념 익히기 8~9쪽

1 2, 62
2 (   )(   )(○)
3 5
4 5
5 55
6 칠십육, 팔십이
7 8, 3 / 83개

1 10개씩 묶음 6개와 낱개 2개 ➔ 62

3~5
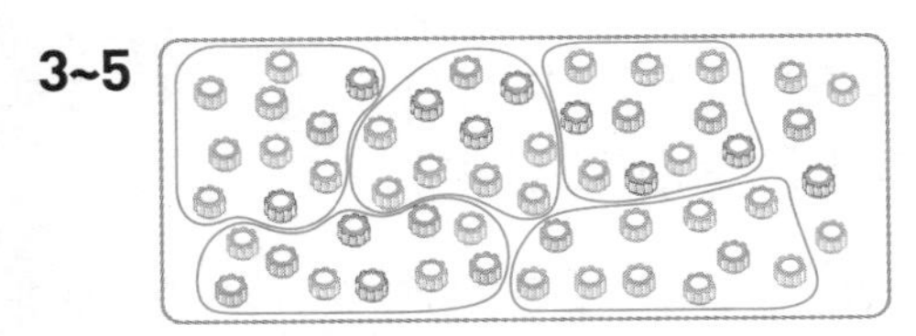
10개씩 묶음 5개, 낱개 5개 ➔ 55개

참고 개념
물건의 수를 셀 때에는 10개씩 묶은 후 10개씩 묶음의 수와 낱개의 수를 셉니다.

7
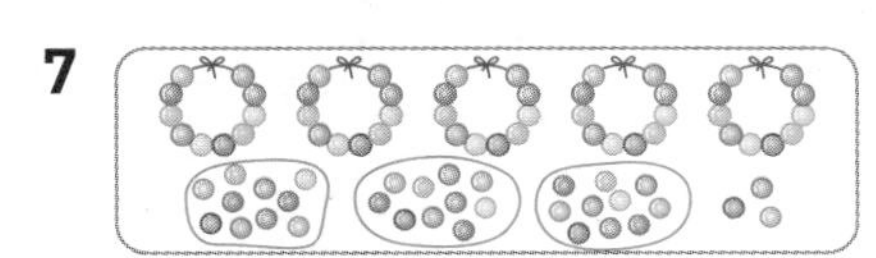
구슬은 10개씩 묶음 5개와 낱개를 10개씩 묶은 것 3개, 낱개 3개입니다.
➔ 10개씩 묶음 8개와 낱개 3개이므로 구슬은 모두 83개입니다.

STEP 1 개념 익히기 10~11쪽

1 68, 69, 70 / 68, 70
2 100 / 백
3 59에 △표, 61에 ○표
4 (1) 50, 53 (2) 89, 90
5
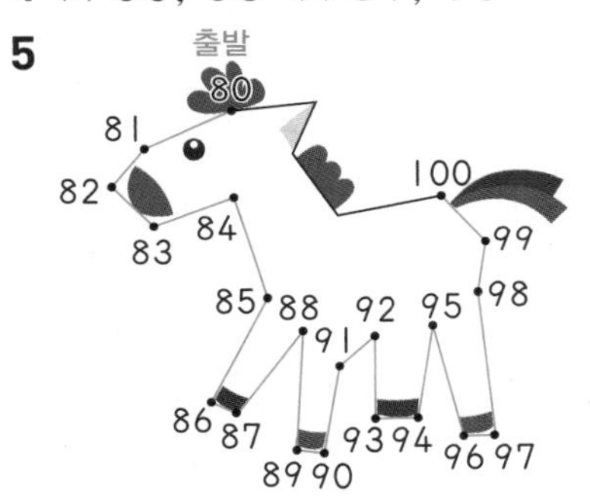

6 (위에서부터) 61 / 66, 69, 70 / 72, 73 / 78, 79, 80, 81

3 59 – 60 – 61
1만큼 더 작은 수 / 1만큼 더 큰 수

4 (1) 51보다 1만큼 더 작은 수는 50, 52보다 1만큼 더 큰 수는 53입니다.
(2) 88보다 크고 91보다 작은 수는 89, 90입니다.

5 80부터 100까지의 수를 순서대로 이어 봅니다.

6 61부터 82까지 수의 순서를 생각하며 씁니다.

STEP 2 기본 다지기 12~15쪽

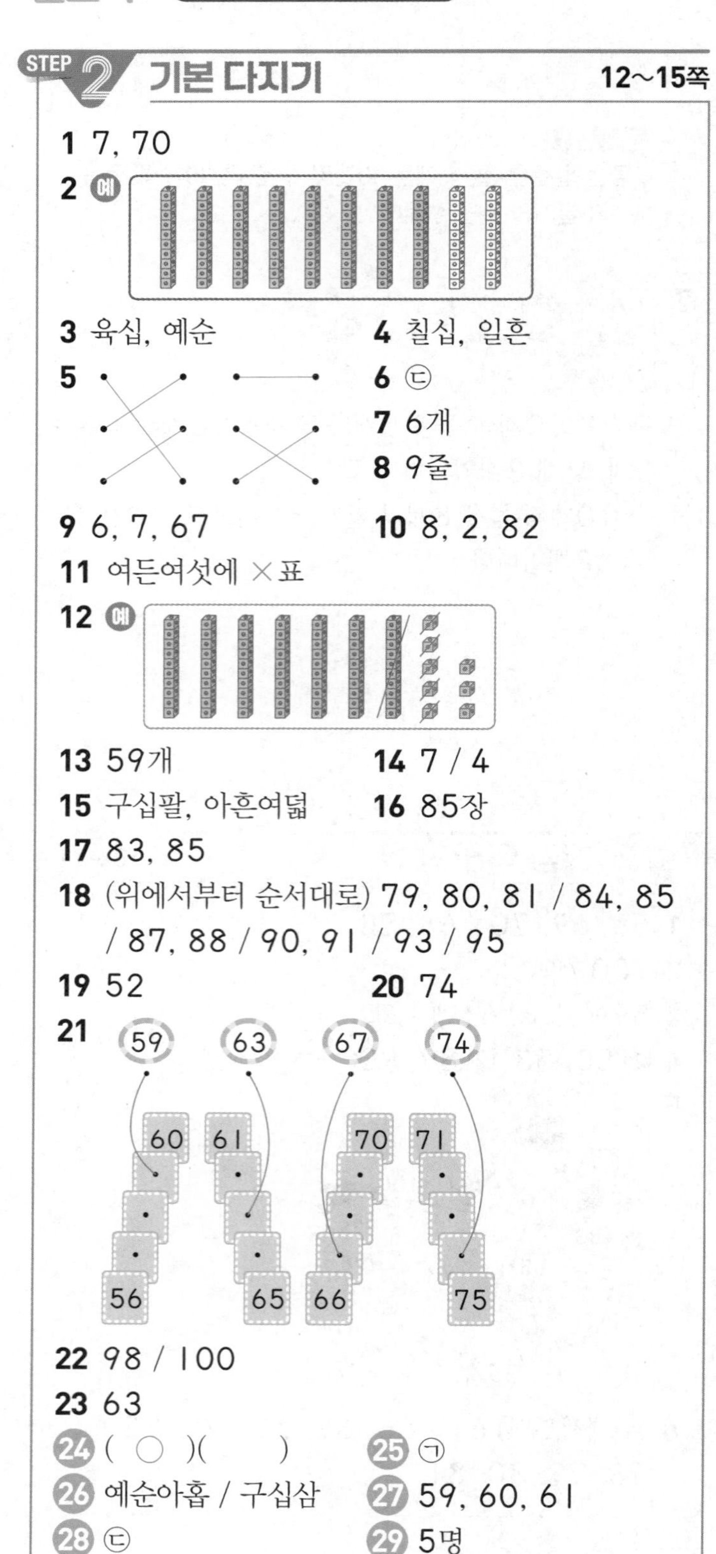

1 7, 70
2 예
3 육십, 예순
4 칠십, 일흔
5
6 ㉢
7 6개
8 9줄
9 6, 7, 67
10 8, 2, 82
11 여든여섯에 ×표
12 예
13 59개
14 7 / 4
15 구십팔, 아흔여덟
16 85장
17 83, 85
18 (위에서부터 순서대로) 79, 80, 81 / 84, 85 / 87, 88 / 90, 91 / 93 / 95
19 52
20 74
21

22 98 / 100
23 63
24 (○)(   )
25 ㉠
26 예순아홉 / 구십삼
27 59, 60, 61
28 ㉢
29 5명

2 80은 10개씩 묶음 8개이므로 모형 8개에 색칠합니다.

3 60은 육십 또는 예순이라고 읽습니다.

4 70은 칠십 또는 일흔이라고 읽습니다.

5 • 예순, 육십 ➔ 60
• 아흔, 구십 ➔ 90
• 여든, 팔십 ➔ 80

6 ㉠, ㉡, ㉣은 70이고 ㉢은 80입니다.

7 예순 ➔ 60
달걀판에 달걀을 10개씩 담을 수 있으므로 달걀 60개를 모두 담으려면 달걀판은 6개 필요합니다.

> **참고 개념**
> 60은 10개씩 묶음 6개이므로 달걀 60개를 달걀판 6개에 담을 수 있습니다.

8 90은 10개씩 묶음 9개이므로 모두 10개씩 9줄이 됩니다.

10 10개씩 묶음 8개와 낱개 2개 ➔ 82

11 76은 칠십육 또는 일흔여섯이라고 읽습니다.

12 예순셋은 63입니다.
63은 10개씩 묶음 6개와 낱개 3개이므로 주어진 모형에서 10개씩 묶음 모형 1개와 낱개 모형 5개를 지웁니다.

13 지우개를 10개씩 묶어 보면 10개씩 묶음 5개와 낱개 9개입니다. ➔ 59개

14 74는 10개씩 묶음 7개와 낱개 4개입니다.

15 빨대의 수는 10개씩 묶음 9개와 낱개 8개이므로 98입니다. 98은 구십팔 또는 아흔여덟이라고 읽습니다.

> **주의 개념**
> 98을 구십여덟, 아흔팔이라고 읽지 않도록 주의합니다.

16 낱장 15장은 10장씩 묶음 1개와 낱장 5장과 같습니다.
10장씩 묶음 8개와 낱장 5장은 85장이므로 재연이가 모은 칭찬 붙임딱지는 모두 85장입니다.

17 84보다 1만큼 더 작은 수는 84 바로 앞의 수인 83이고, 84보다 1만큼 더 큰 수는 84 바로 뒤의 수인 85입니다.

18 77부터 96까지의 수를 순서대로 씁니다.

19 51－52－53에서 51보다 1만큼 더 크고 53보다 1만큼 더 작은 수는 52입니다.

20 □보다 1만큼 더 큰 수가 75이므로 □는 75보다 1만큼 더 작은 수입니다. ➔ 74

22 • 시후: 99보다 1만큼 더 작은 수는 98입니다.
• 하린: 99보다 1만큼 더 큰 수는 100입니다.

23 68부터 수를 거꾸로 씁니다.
➜ 68 − 67 − 66 − 65 − 64 − 63 (㉠)

24 수는 상황에 따라 두 가지 방법으로 다르게 읽어야 해.
80층은 팔십 층으로 읽어야 합니다.

25 ㉠의 96은 구십육으로 읽어야 합니다.

26 69살 ➜ 예순아홉 살, 93일 ➜ 구십삼 일

27 58과 62 사이에 있는 수는 59, 60, 61입니다.

28 87과 95 사이에 있는 수는 88, 89, 90, 91, 92, 93, 94입니다.

주의 개념
■와 ▲ 사이에 있는 수에는 ■와 ▲가 포함되지 않습니다.

29 78과 84 사이에 있는 수는 79, 80, 81, 82, 83입니다.
따라서 78번째와 84번째 사이에 서 있는 사람은 모두 5명입니다.

STEP 1 개념 익히기 16~17쪽

1 55, 61 **2** 77, 73 / >
3 (1) > (2) <
4 71에 △표, 79에 ○표
5 수경이네 할아버지

1 10개씩 묶음의 수가 61은 6이고 55는 5이므로 55는 61보다 작습니다.

3 (1) 86 ⊘> 78 (8>7) (2) 94 ⊘< 97 (4<7)

4 71과 79 중에서 79가 더 크고 79와 76 중에서 79가 더 크므로 79가 가장 큽니다.
71과 76 중에서 71이 더 작으므로 71이 가장 작습니다.

다른 풀이
10개씩 묶음의 수가 7로 같으므로 낱개의 수를 비교합니다. 9>6>1이므로 79>76>71입니다.

5 75 < 83 (7<8) ➜ 수경이네 할아버지의 연세가 더 적습니다.

STEP 1 개념 익히기 18~19쪽

1 (1) 예 / 홀수에 ○표
(2) 예 / 짝수에 ○표
2 11, 홀수
3 12, 13, 14, 15, 16, 17
4 집, 출발, 3, 4, 6, 7, 9, 10, 21, 25, 14, 27, 학교
5 경진
6

31	32	33	34	35	36	37	38	39	40
41	42	43	44	45	46	47	48	49	50
51	52	53	54	55	56	57	58	59	60

1 (1) 둘씩 짝을 지을 때 하나가 남습니다. ➜ 홀수
(2) 둘씩 짝을 지을 때 남는 것이 없습니다. ➜ 짝수

2 딸기의 수는 11이고, 11은 홀수입니다.

4 짝수: 4, 6, 10, 14
홀수: 3, 7, 9, 21, 25, 27

5 16은 둘씩 짝을 지을 때 남는 것이 없는 수이므로 짝수이고, 19는 둘씩 짝을 지으면 하나가 남으므로 홀수입니다.

6 일의 자리 수가 1, 3, 5, 7, 9인 수에 모두 △표 합니다.

STEP 2 기본 다지기 20~22쪽

1 (1) 71에 ○표 (2) 99에 ○표
2 77
3 82, 90에 ○표
4 26, 34, 37, 53, 85
5 주원
6 ㉡
7 시원, 우성, 민경
8 바나나
9 지호
10 4개
11 2개
12 (1) 홀수 (2) 짝수
13 22, 34 / 17, 13, 9
14 짝수
15 3개
16 4개
17 6
18 짝수
19 짝수
20 다은

1 (1) 10개씩 묶음의 수가 큰 쪽이 더 큰 수이므로 $64<71$입니다.
(2) 10개씩 묶음의 수가 같으면 낱개의 수가 큰 쪽이 더 큰 수이므로 $99>92$입니다.

> **참고 개념**
> 10개씩 묶음의 수를 먼저 비교하고 10개씩 묶음의 수가 같으면 낱개의 수를 비교합니다.

2 10개씩 묶음의 수가 7로 같으므로 낱개의 수가 가장 큰 수를 찾습니다.

3 10개씩 묶음의 수가 다르므로 10개씩 묶음의 수가 7보다 큰 수를 모두 찾으면 82, 90입니다.

4 10개씩 묶음의 수가 3, 5, 2, 8로 다르므로 10개씩 묶음의 수가 가장 작은 26이 가장 작고, 10개씩 묶음의 수가 가장 큰 85가 가장 큽니다. 10개씩 묶음의 수가 3인 34와 37 중에서 낱개의 수가 더 큰 37이 더 큽니다.

5 10개씩 묶음의 수가 5인 56이 가장 작습니다.
10개씩 묶음의 수가 6인 65와 60 중에서 낱개의 수가 더 많은 65가 60보다 더 크므로 가장 큰 수는 65입니다.
따라서 주원이가 작년 한 해 동안 책을 가장 많이 빌려 읽었습니다.

6 ㉠ 95 ㉡ 97 ㉢ 96
➔ ㉠ 95 $<$ ㉢ 96 $<$ ㉡ 97

7 우성이는 62개보다 1개 더 많은 63개를 땄습니다. $62<63<72$이므로 귤을 많이 딴 사람부터 순서대로 이름을 쓰면 시원, 우성, 민경입니다.

8 귤: 14개 ➔ 짝수, 감: 6개 ➔ 짝수,
바나나: 7개 ➔ 홀수

9 20은 둘씩 짝을 지을 때 남는 것이 없는 수이므로 짝수입니다.

10 짝수: 24, 26, 28, 30 ➔ 4개

> **참고 개념**
> 짝수는 낱개의 수가 0, 2, 4, 6, 8인 수입니다.

11 짝수는 18, 36이므로 모두 2개입니다.

12 (1) $5+2=7$ ➔ 홀수
(2) $9-3=6$ ➔ 짝수

13 낱개의 수가 0, 2, 4, 6, 8인 수는 짝수, 1, 3, 5, 7, 9인 수는 홀수입니다.

14 빠진 번호는 85와 87 사이의 수인 86이고, 86은 짝수입니다.

15 10개씩 묶음의 수가 8로 같으므로 낱개의 수를 비교하면 $4>\square$이어야 합니다.
□ 안에 들어갈 수 있는 수는 1, 2, 3이므로 모두 3개입니다.

16 낱개의 수가 2로 같으므로 10개씩 묶음의 수를 비교하면 $\square>5$이어야 합니다.
□ 안에 들어갈 수 있는 수는 6, 7, 8, 9이므로 모두 4개입니다.

17 낱개의 수를 비교하면 $8>6$이므로 □ 안에 들어갈 수 있는 수는 7보다 작아야 합니다.
□ 안에 들어갈 수 있는 수는 1, 2, 3, 4, 5, 6이므로 □ 안에 들어갈 수 있는 가장 큰 수는 6입니다.

18 홀수를 2개 골라 더해 보고 결과가 짝수인지 홀수인지 알아봐.
예 (홀수)+(홀수)
➔ $5+3=8$ (짝수)
$9+7=16$ (짝수)

19 예 (짝수)−(짝수)
➔ $8-2=6$ (짝수)
$6-4=2$ (짝수)

20 지호: 예 (짝수)+(짝수)

➔ 2 + 4 = 6 (짝수)

6 + 8 = 14 (짝수)

다은: 예 (홀수)−(짝수)

➔ 9 − 2 = 7 (홀수)

11 − 6 = 5 (홀수)

STEP 3 응용력 올리기 23~25쪽

1 ❶ 큰에 ○표, 뒤에 ○표 ❷ 70 ❸ 71

1-1 88 1-2 77

2 ❶ 9 ❷ 5 ❸ 95

2-1 82 2-2 10

3 ❶ 17, 18, 19, 20, 21, 22 ❷ 18, 20, 22 ❸ 3개

3-1 5개 3-2 2개

1 ❶ **1만큼 더 작은 수를 거꾸로 나타내기**
어떤 수는 69보다 1만큼 더 큰 수이므로 69 바로 뒤의 수입니다.
❷ **어떤 수 구하기**
69 바로 뒤의 수는 70이므로 어떤 수는 70입니다.
❸ **어떤 수보다 1만큼 더 큰 수 구하기**
70보다 1만큼 더 큰 수는 70 바로 뒤의 수인 71입니다.

1-1 ❶ **1만큼 더 큰 수를 거꾸로 나타내기**
어떤 수는 90보다 1만큼 더 작은 수이므로 90 바로 앞의 수입니다.
❷ **어떤 수 구하기**
90 바로 앞의 수는 89이므로 어떤 수는 89입니다.
❸ **어떤 수보다 1만큼 더 작은 수 구하기**
89보다 1만큼 더 작은 수는 89 바로 앞의 수인 88입니다.

1-2 ❶ **2만큼 더 작은 수를 거꾸로 나타내기**
어떤 수는 72보다 2만큼 더 큰 수이므로 72부터 1씩 2번 뒤의 수입니다.
❷ **어떤 수 구하기**
72−73−74이므로 어떤 수는 74입니다.
❸ **어떤 수보다 3만큼 더 큰 수 구하기**
74보다 3만큼 더 큰 수는 74−75−76−77이므로 77입니다.

2 ❶ **10개씩 묶음의 수에 놓아야 하는 수 구하기**
수 카드의 수를 비교하면 5<6<9입니다.
10개씩 묶음의 수가 클수록 더 큰 수이므로 10개씩 묶음의 수에 가장 큰 수인 9를 놓아야 합니다.
❷ **낱개의 수에 놓아야 하는 수 구하기**
홀수를 만들어야 하므로 낱개의 수에 남은 수 중 홀수인 5를 놓습니다.
❸ **만들 수 있는 가장 큰 홀수 구하기**
만들 수 있는 가장 큰 홀수는 95입니다.

2-1 ❶ **10개씩 묶음의 수에 놓아야 하는 수 구하기**
수 카드의 수를 비교하면 2<7<8입니다.
10개씩 묶음의 수가 클수록 더 큰 수이므로 10개씩 묶음의 수에는 가장 큰 수인 8을 놓아야 합니다.
❷ **낱개의 수에 놓아야 하는 수 구하기**
짝수를 만들어야 하므로 낱개의 수에 남은 수 중 짝수인 2를 놓습니다.
❸ **만들 수 있는 가장 큰 짝수 구하기**
만들 수 있는 가장 큰 짝수는 82입니다.

2-2 ❶ **10개씩 묶음의 수에 놓아야 하는 수 구하기**
수 카드의 수를 비교하면 0<1<3<4입니다. 10개씩 묶음의 수가 작을수록 더 작은 수이고, 이때 0은 10개씩 묶음의 수가 될 수 없으므로 10개씩 묶음의 수에는 다음으로 작은 수인 1을 놓아야 합니다.
❷ **낱개의 수에 놓아야 하는 수 구하기**
짝수를 만들어야 하므로 낱개의 수에는 남은 수 중 짝수인 0 또는 4를 놓을 수 있습니다.
❸ **만들 수 있는 가장 작은 짝수 구하기**
10<14이므로 만들 수 있는 가장 작은 짝수는 10입니다.

3 ❶ **16보다 크고 23보다 작은 수 모두 구하기**
17, 18, 19, 20, 21, 22입니다.
❷ **위 ❶에서 구한 수 중 짝수 구하기**
짝수는 18, 20, 22입니다.
❸ **설명을 만족하는 수는 모두 몇 개인지 구하기**
모두 3개입니다.

3-1 ❶ **37보다 크고 48보다 작은 수 모두 구하기**
38, 39, 40, 41, 42, 43, 44, 45, 46, 47입니다.
❷ **위 ❶에서 구한 수 중 홀수 구하기**
홀수는 39, 41, 43, 45, 47입니다.
❸ **설명을 만족하는 수는 모두 몇 개인지 구하기**
모두 5개입니다.

3-2 ❶ **54보다 크고 62보다 작은 수 모두 구하기**
55, 56, 57, 58, 59, 60, 61입니다.
❷ **위 ❶에서 구한 수 중 10개씩 묶음의 수가 낱개의 수보다 큰 수 구하기**
10개씩 묶음의 수가 낱개의 수보다 큰 것은 60, 61입니다.
❸ **설명을 만족하는 수는 모두 몇 개인지 구하기**
모두 2개입니다.

STEP 3 응용력 올리기 서술형 수능 대비 26~27쪽

1	97	**2**	6개
3	27 / 48	**4**	하엘, 주희, 민서, 우성

1 수 카드의 수를 비교하면 $2<5<6<7<9$입니다. 10개씩 묶음의 수가 클수록 더 큰 수이므로 9를 10개씩 묶음의 수로 놓고 낱개의 수는 그 다음으로 큰 수인 7을 놓습니다.
따라서 만들 수 있는 가장 큰 수는 97입니다.

2 구슬이 10개씩 4봉지와 낱개로 23개가 있습니다. 낱개 23개는 10개씩 2봉지와 낱개 3개이므로 구슬은 모두 10개씩 $4+2=6$(봉지)와 낱개 3개입니다.
팔찌 한 개를 만드는 데 구슬이 10개 필요하므로 주원이가 가진 구슬로는 팔찌를 6개까지 만들 수 있습니다.

3 • 다은: 짝수는 16, 48이므로 $16<48$, 홀수는 27, 51이므로 $27<51$입니다.
➔ ㉠=27
• 시후: 30보다 작은 수는 16, 27이므로 $16<27$, 30보다 큰 수는 51, 48이므로 $48<51$입니다.
➔ ㉡=48

4 10개씩 묶음의 수가 클수록 큰 수이므로 10개씩 묶음의 수를 비교합니다.
$8>7>6>5$이므로 색종이를 많이 가지고 있는 사람부터 순서대로 쓰면 하엘, 주희, 민서, 우성입니다.

TEST 단원 기본 평가 28~30쪽

1 80　　**2** 73
3 큽니다에 ○표, >　　**4** 6, 짝수에 ○표
5 (선 잇기)　　**6** <
7 (1) 95 (2) 69　　**8** 79, 81에 ○표
9 ( )( )(○)
10 70원　　**11** ②
12 ⑤
13 73에 △표, 89에 ○표
14 18, 46, 50에 ○표, 23, 31, 9에 △표
15 78　　**16** 100
17 86　　**18** 95 / 99
19 예 ❶ 10개씩 묶음의 수가 6으로 같으므로 낱개의 수를 비교하면 $\square<5$이어야 합니다.
❷ □ 안에 들어갈 수 있는 수는 1, 2, 3, 4이므로 모두 4개입니다.
답 4개
20 예 ❶ 수 카드의 수를 비교하면 $2<6<7$입니다. 10개씩 묶음의 수가 작을수록 더 작은 수이므로 10개씩 묶음의 수에는 가장 작은 수인 2를 놓아야 합니다.
❷ 홀수를 만들어야 하므로 낱개의 수에 남은 수 중 홀수인 7을 놓습니다.
❸ 만들 수 있는 가장 작은 홀수는 27입니다.
답 27

2 참고 개념
10개씩 묶음 ■개와 낱개 ▲개는 ■▲입니다.

4 사과가 6개 있습니다. 6은 둘씩 짝을 지을 때 남는 것이 없는 수이므로 짝수입니다.

5 • 10개씩 묶음 6개 ➔ 60 ➔ 육십, 예순
• 10개씩 묶음 9개 ➔ 90 ➔ 구십, 아흔

6 10개씩 묶음의 수가 같으면 낱개의 수가 큰 수가 더 큽니다.

7 (1) 94보다 1만큼 더 큰 수는 94 바로 뒤의 수인 95입니다.
(2) 70보다 1만큼 더 작은 수는 70 바로 앞의 수인 69입니다.

8 78, 79, 80, 81, 82, 83
78과 83 사이에 있는 수

10 10개씩 묶음 7개는 70이므로 가율이가 모은 동전은 모두 70원입니다.

11 ① 팔십오 또는 여든다섯이라고 읽습니다.
③ 84보다 1만큼 더 큰 수입니다.
④ 86보다 1만큼 더 작은 수입니다.
⑤ 10개씩 묶음 8개와 낱개 5개인 수입니다.

12 ⑤ (90보다 1만큼 더 큰 수)=91 ➜ 91<95

13 큰 수부터 차례로 쓰면 89, 81, 76, 73이므로 89에 ○표, 73에 △표 합니다.

14 짝수: 18, 46, 50
홀수: 23, 31, 9

참고 개념
0, 2, 4, 6, 8로 끝나는 수는 짝수이고, 1, 3, 5, 7, 9로 끝나는 수는 홀수입니다.

15 낱개 18개는 10개씩 묶음 1개와 낱개 8개입니다.
(10개씩 묶음 6개와 낱개 18개)
=(10개씩 묶음 7개와 낱개 8개)=78

16 • 10개씩 묶음이 10개인 수는 100입니다.
• 아흔아홉을 수로 쓰면 99이고 99보다 1만큼 더 큰 수는 100입니다.

17 □보다 1만큼 더 작은 수가 85이므로 □는 85보다 1만큼 더 큰 수입니다. ➜ 86

18 97−96−95에서 97보다 2만큼 더 작은 수는 95이고, 97−98−99에서 97보다 2만큼 더 큰 수는 99입니다.

다른 풀이
• 97보다 1만큼 더 작은 수는 96이고 96보다 1만큼 더 작은 수는 95입니다.
• 97보다 1만큼 더 큰 수는 98이고 98보다 1만큼 더 큰 수는 99입니다.

19 채점 기준

❶ □ 안에 들어갈 수 있는 수의 범위를 알아봄.	3점	5점
❷ □ 안에 들어갈 수 있는 수의 개수를 구함.	2점	

20 채점 기준

❶ 10개씩 묶음의 수에 놓아야 하는 수를 구함.	2점	5점
❷ 낱개의 수에 놓아야 하는 수를 구함.	2점	
❸ 만들 수 있는 가장 작은 홀수를 구함.	1점	

TEST 단원 실력 평가 31~33쪽

1 5, 6 / 56
2 작습니다에 ○표 / 큽니다에 ○표
3 구십오, 아흔다섯
4 11, 13, 15, 17에 ○표
5 예순, 여든
6 >
7

51	52	53	54	55	56	57	58	59	60
61	62	63	64	65	66	67	68	69	70
71	72	73	74	75	76	77	78	79	80
81	82	83	84	85	86	87	88	89	90

8 98 / 100
9 ㉣
10 85개
11 주아
12 83에 ○표, 61에 △표
13 짝수, 홀수 / 4, 6, 8, 5, 7, 9
14 6명
15 92에 ○표
16 79송이
17 59개
18 86개
19 예 ❶ 어떤 수는 83보다 1만큼 더 작은 수이므로 83 바로 앞의 수입니다.
❷ 83 바로 앞의 수는 82이므로 어떤 수는 82입니다.
❸ 82보다 2만큼 더 작은 수는 82−81−80이므로 80입니다.
답 80
20 예 ❶ 53보다 크고 60보다 작은 수는 54, 55, 56, 57, 58, 59입니다.
❷ 위 ❶에서 구한 수 중 10개씩 묶음의 수가 낱개의 수보다 작은 것은 56, 57, 58, 59입니다.
❸ 설명을 만족하는 수는 모두 4개입니다.
답 4개

1 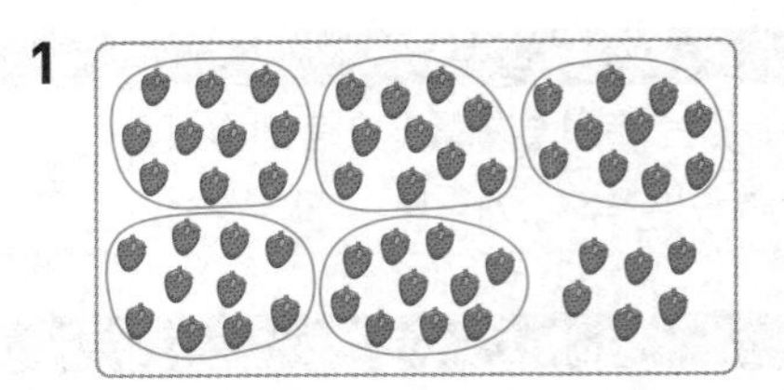

10개씩 묶음 5개와 낱개 6개이므로 딸기는 모두 56개입니다.

6 구십이: 92, 쉰여섯: 56 ➔ $92>56$ ($9>5$)

10 10개씩 묶음 8개와 낱개 5개는 85이므로 지우개는 모두 85개입니다.

11 $91>76$ ($9>7$) ➔ 주아가 줄넘기를 더 많이 했습니다.

12 10개씩 묶음의 수를 먼저 비교합니다.
10개씩 묶음의 수가 8인 83과 80 중 83이 가장 크고, 10개씩 묶음의 수가 6인 61이 가장 작습니다.

14 54와 61 사이에 있는 수는 55, 56, 57, 58, 59, 60입니다. 따라서 54번째와 61번째 사이에 서 있는 학생은 모두 6명입니다.

15 주어진 수 중에서 75보다 큰 수는 77, 92이고, 이 중에서 짝수는 92입니다.

16 80보다 1만큼 더 작은 수는 79이므로 시원이네 반이 심은 꽃은 79송이입니다.

17 10개씩 묶음의 수를 비교하면 10개씩 묶음이 5개인 59가 가장 작습니다. 따라서 수빈이가 가지고 있는 사탕이 59개로 가장 적습니다.

18 낱개 36개는 10개씩 묶음 3개와 낱개 6개와 같습니다. 10개씩 5상자와 낱개 36개는 10개씩 8상자와 낱개 6개와 같습니다.
따라서 참외는 모두 86개입니다.

19

채점 기준		
❶ 1만큼 더 큰 수를 거꾸로 나타냄.	2점	5점
❷ 어떤 수를 구함.	1점	
❸ 어떤 수보다 2만큼 더 작은 수를 구함.	2점	

20

채점 기준		
❶ 53보다 크고 60보다 작은 수를 모두 구함.	2점	5점
❷ 위 ❶에서 구한 수 중 10개씩 묶음의 수가 낱개의 수보다 작은 수를 찾음.	2점	
❸ 설명을 만족하는 수의 개수를 구함.	1점	

2 덧셈과 뺄셈(1)

STEP 1 개념 익히기 36~37쪽

1 예 (○ 7개 그림) / 7
2 (1) 6 / 5, 5, 6 (2) 5 / 3, 3, 5
3 (계산 순서대로) (1) 6, 8, 8 (2) 8, 9, 9
4 (1) 5 (2) 8
5 (선 잇기)
6 ㉡

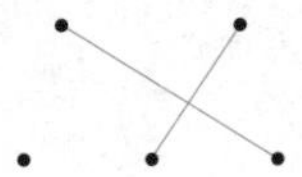

1 ○를 4개 그리고, 이어서 1개를 더 그리면 ○는 모두 7개가 됩니다.
➔ $2+4+1=7$

2 (1) $3+2=5$, $5+1=6$ ➔ $3+2+1=6$
(2) $2+1=3$, $3+2=5$ ➔ $2+1+2=5$

4 (1) $1+3+1=4+1=5$
(2) $4+2+2=6+2=8$

5 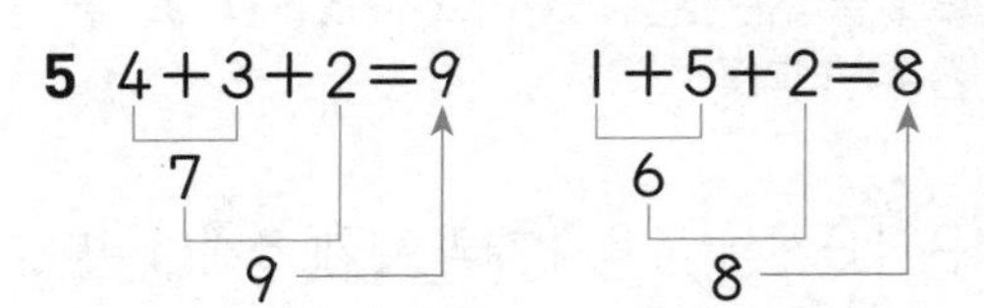

6 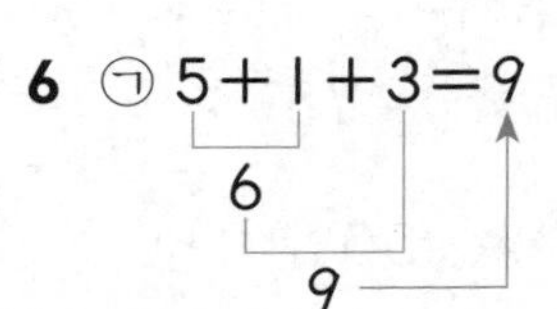

STEP 1 개념 익히기 38~39쪽

1 예 (○ 9개 중 6개를 /로 지움) / 3
2 (1) 1 / 2, 2, 1 (2) 2 / 4, 4, 2
3 (계산 순서대로) (1) 6, 1, 1 (2) 2, 1, 1
4 (1) 1 (2) 2
5 ( )(○)
6 ( )(○)

1 ○를 /으로 4개 지우고 이어서 2개를 더 지우면 남는 ○는 3개입니다.
➔ $9-4-2=3$

2 (1) $5-3=2$, $2-1=1$
➔ $5-3-1=1$
(2) $6-2=4$, $4-2=2$
➔ $6-2-2=2$

3 참고 개념
세 수의 뺄셈은 앞에서부터 순서대로 계산해야 합니다.

4 (1) $7-2-4=1$ (7−2 → 5, 5−4 → 1) (2) $9-6-1=2$ (9−6 → 3, 3−1 → 2)

5 앞의 두 수를 먼저 빼고, 두 수를 빼고 나온 수에서 나머지 한 수를 빼야 합니다.

6 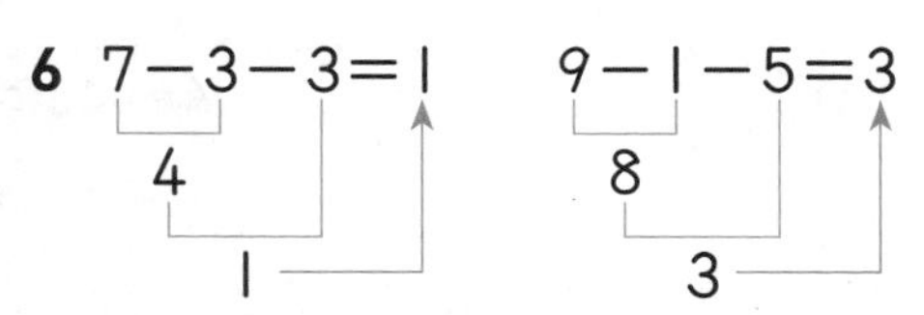

➔ 계산 결과가 3인 것은 $9-1-5$입니다.

STEP 2 기본 다지기 40~41쪽

1 3, 8
2 (1) 8 (2) 6
3 8
4 7
5 >
6 1, 3
7 (1) 3 (2) 4
8 1
9 (선 잇기)
10 (1) (○)(   ) (2) (   )(○)
11 4, 2, 1 / 1개
12 $2+3+4=9$ / 9권
13 $9-3-4=2$ / 2개
14 $1+2+2=5$ / 5곡

---

1 $3+2=5$, $5+3=8$

2 (1) $6+1+1=8$ (6+1 → 7, 7+1 → 8) (2) $1+2+3=6$ (1+2 → 3, 3+3 → 6)

3 $3+3=6$, $6+2=8$

4 $4+2+1=7$ (4+2 → 6, 6+1 → 7)

5 세 수의 합을 먼저 구하고 크기를 비교하자.
$3+3=6$, $6+3=9$
➔ $9>8$

6 8마리의 새 중 4마리와 1마리가 각각 날아갔습니다.
➔ $8-4=4$, $4-1=3$

7 (1) $7-1-3=3$ (7−1 → 6, 6−3 → 3) (2) $9-3-2=4$ (9−3 → 6, 6−2 → 4)

8 $9-2-6=1$ (9−2 → 7, 7−6 → 1)

9 $4-1-1=2$ (3, 2) $6-2-1=3$ (4, 3) $8-3-4=1$ (5, 1)

10 (1) $6-2-3=4-3=1$
➔ $2>1$
(2) $7-2-1=5-1=4$
➔ $3<4$

정답과 해설

11 (전체 토마토의 수)−(지호가 먹은 토마토의 수)
−(동생이 먹은 토마토의 수)
$=7-4-2$
→ $7-4-2=1$(개)

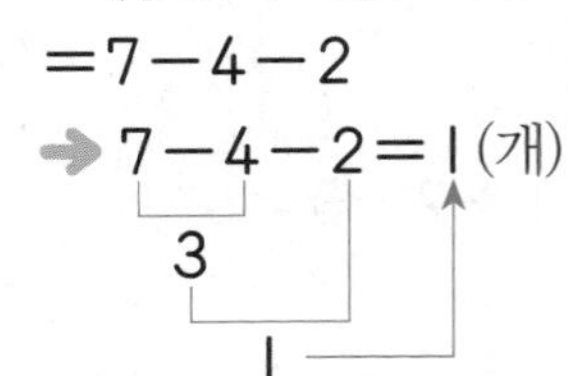

참고 개념
식을 세울 때 빼는 수의 순서를 바꾸어 써도 정답입니다.

12 (과학책의 수)+(동화책의 수)+(위인전의 수)
$=2+3+4$
→ $2+3+4=9$(권)
5
9

참고 개념
식을 세울 때 더하는 수의 순서를 바꾸어 써도 정답입니다.

13 (처음에 가지고 있던 초콜릿의 수)−(호영이에게 준 초콜릿의 수)−(정화에게 준 초콜릿의 수)
→ $9-3-4=2$(개)

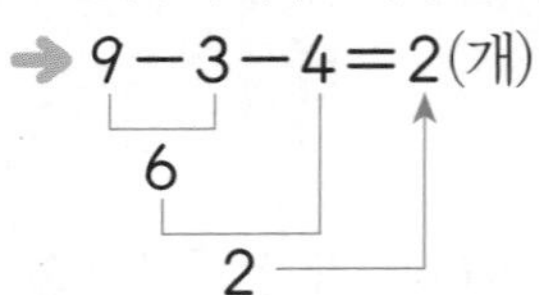

14 1반이 넣은 골은 왼쪽부터 1골, 2골, 2골입니다.
→ $1+2+2=5$(골)

주의 개념
1반이 아닌 다른 반이 넣은 골의 수를 더하지 않도록 주의합니다.

STEP 1 개념 익히기 42~43쪽

1 (1) 3 (2) 1
2 (1) 8 (2) 4
3 6, 4
4 (선 잇기)
5 7
6 $1+9$, $2+8$, $4+6$, $7+3$에 색칠

1 (1) 7과 3을 더하면 10이 됩니다.
(2) 9와 1을 더하면 10이 됩니다.

2 (1) 2와 8을 더하면 10이 됩니다.
(2) 4와 6을 더하면 10이 됩니다.

3 주사위의 눈이 6개, 4개이므로 $6+4=10$입니다.

4 8과 더해서 10이 되는 수는 2,
1과 더해서 10이 되는 수는 9,
5와 더해서 10이 되는 수는 5입니다.

5 3(펼친 손가락의 수)과 더해서 10이 되는 수는 7(접은 손가락의 수)입니다.

참고 개념
펼친 손가락의 수와 접은 손가락의 수가 달라져도 전체 손가락의 수는 항상 10개입니다.

6 $1+9=10$, $8+1=9$, $9+0=9$,
$2+8=10$, $4+6=10$, $7+3=10$

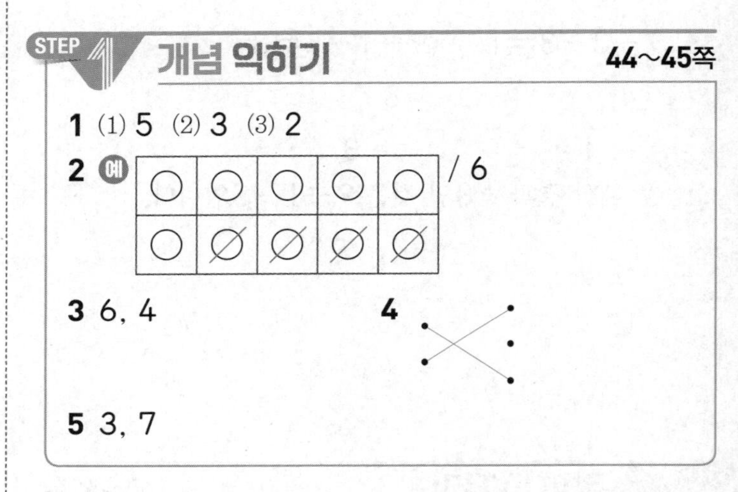

STEP 1 개념 익히기 44~45쪽

1 (1) 5 (2) 3 (3) 2
2 예 / 6
3 6, 4
4 (선 잇기)
5 3, 7

1 (1) 터지지 않고 남은 풍선의 수를 세면 5개입니다.
→ $10-5=5$
(2) 구슬 10개에서 7개를 덜어 내면 3개가 남습니다.
→ $10-7=3$
(3) 하나씩 짝 지으면 $10-8=2$(개)가 남습니다.

2 10개 중 4개를 /으로 지우면 6개가 남습니다.

3 파란색 모형이 빨간색 모형보다 $10-6=4$(개) 더 많습니다.

4 $10-2=8$, $10-9=1$

5 손가락 10개 중 펼친 손가락 3개를 빼면 접은 손가락은 7개입니다.
→ $10-3=7$

STEP 1 개념 익히기 46~47쪽

1 (계산 순서대로) (1) 10, 13, 13
(2) 10, 12, 12

2 (1) 13 (2) 12

3 (계산 순서대로) (1) 10, 14, 14 (2) 10, 11, 11

4 (1) 7+3에 ◯, 15 (2) 2+8에 ◯, 16

5 (선 잇기)

1 (1) 5+5+3=13 (10, 13) (2) 2+6+4=12 (10, 12)

2 (1) 9+1+3=13 (10, 13) (2) 2+5+5=12 (10, 12)

3 (1) 8+2+4=14 (10, 14) (2) 1+3+7=11 (10, 11)

4 (1) 7+3+5=15 (10, 15) (2) 6+2+8=16 (10, 16)

5 4+6+9=10+9, 7+1+9=7+10

STEP 2 기본 다지기 48~51쪽

1 5, 10

2 1

3 7, 3에 ◯표

4 6+4=10 / 10개

5

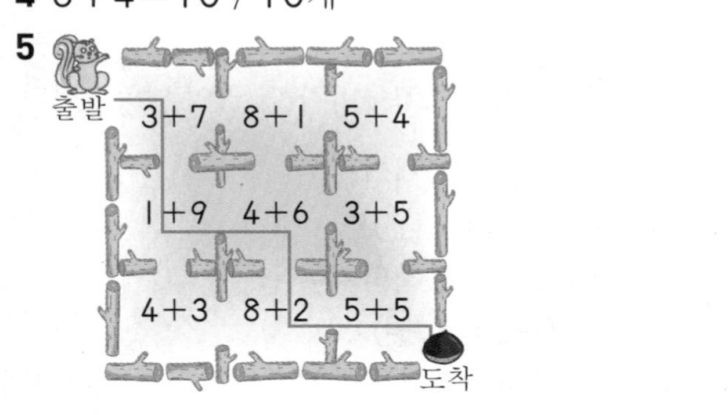

6 2살

7 4, 6

8 (선 잇기)

9 1

10 8

11 10−2=8 / 8장

12 4, 소 / 6, 방 / 7, 차

13 ( )(◯)

14 1과 9에 색칠 / 13

15 (1) 10 (2) 10

16 18

17 17

18 15

19 ㉡

20 8+1+9=18

21 ( )(◯)

22

8	2	4
4	3	3
5	9	1

23

5	1	8
7	6	1
8	3	4

24

1	4	7
5	5	6
2	8	1

→ 덧셈식
4+6=10
5+5=10
2+8=10

25 5, 17

26 1, 16

27 2, 13

1 로봇이 윗줄에 5개, 아랫줄에 5개 있으므로 5+5=10입니다.

2 9와 더해서 10이 되는 수는 1입니다.

3 4와 더해서 10이 되는 수는 6,
7과 더해서 10이 되는 수는 3,
5와 더해서 10이 되는 수는 5,
3과 더해서 10이 되는 수는 7입니다.

4 (어제 먹은 귤의 수)+(오늘 먹은 귤의 수)
=6+4=10(개)

5 3+7=10, 1+9=10, 4+6=10,
8+2=10, 5+5=10

6 8과 더해서 10이 되는 수는 2입니다.
➜ 8살에서 2살을 더 먹으면 10살이 됩니다.

7 ♡ 10개에서 4개를 덜어 내면 6개가 남습니다.

8 전체 수에서 /으로 표시한 수를 빼는 뺄셈식을 찾습니다.

9 10−9=1

10 10에서 2가 남으려면 8을 빼야 합니다.

11 10−(친구에게 준 색종이의 수)
$=10-2=8$(장)

13 $10-8=2$, $10-1=9$
➔ $2<9$

14 $1+9+3=13$
10
13

15 (1) $3+7+2=10+2$
(2) $5+5+9=10+9$

16 $6+4+8=18$
10
18

17 $8+2+7=17$
10
17

18 $5+4+6=15$
10
15

19 5와 5를 더하면 10이므로 ㉡ 2+10과 합이 같습니다.

20 책의 수를 세어 보면 차례로 8권, 1권, 9권입니다.
➔ $8+1+9=8+10=18$

21 $4+8+2=4+10=14$
$6+3+7=6+10=16$
➔ $14<16$

22 더해서 10이 되는 두 수는 8과 2, 9와 1입니다.

23 더해서 10이 되는 두 수는 7과 3, 6과 4입니다.

24 더해서 10이 되는 두 수는 4와 6, 5와 5, 2와 8입니다.
➔ $4+6=10$, $5+5=10$, $2+8=10$

25 5와 더해서 10이 되는 수는 5입니다.
➔ $\underline{5+5}+7=10+7=17$

참고 개념
10이 되는 더하기
$1+9=10$, $2+8=10$, $3+7=10$, $4+6=10$, $5+5=10$, $6+4=10$, $7+3=10$, $8+2=10$, $9+1=10$

26 9와 더해서 10이 되는 수는 1입니다.
➔ $\underline{9+1}+6=10+6=16$

27 8과 더해서 10이 되는 수는 2입니다.
➔ $3+\underline{2+8}=3+10=13$

STEP 3 응용력 올리기 52~55쪽

1 ❶ 7개 ❷ 5개 ❸ 젤리
1-1 고구마 **1-2** 시후
2 ❶ 10 ❷ 10 ❸ 5
2-1 3 **2-2** 8
3 ❶ 10 ❷ 3, 7 ❸ 3, 7
3-1 1, 9
3-2 예 $6+1+9=16$, $6+2+8=16$, $6+3+7=16$, $6+4+6=16$
4 ❶ 5, 6, 7, 8, 9 ❷ 1, 2, 3, 4, 5 ❸ 5
4-1 6 **4-2** 3

1 ❶ **친구에게 주고 남은 젤리의 개수 구하기**
$10-3=7$(개)
❷ **친구에게 주고 남은 초콜릿의 개수 구하기**
$10-5=5$(개)
❸ **❶과 ❷에서 구한 수 비교하기**
7개>5개이므로 젤리가 더 많이 남았습니다.

1-1 ❶ (남은 감자의 수)
$=10-8=2$(개)
❷ (남은 고구마의 수)
$=10-7=3$(개)
❸ 2개<3개이므로 고구마가 더 많이 남았습니다.

1-2 ❶ (지유에게 남는 공책의 수)
$=9-1-4=4$(권)
❷ (시후에게 남는 공책의 수)
$=9-2-2=5$(권)
❸ 4권<5권이므로 남는 공책이 더 많은 사람은 시후입니다.

2 ❶ **2+8의 계산 결과 구하기**
2+8=10
❷ **5+㉠의 계산 결과 구하기**
두 식의 계산 결과가 같으므로 5+㉠의 계산 결과도 10입니다.
❸ **㉠에 알맞은 수 구하기**
5와 더해서 10이 되는 수는 5입니다.
➜ ㉠=5

2-1 ❶ 1+9=10
❷ 두 식의 계산 결과가 같으므로 ㉠+7의 계산 결과도 10입니다.
❸ 7과 더해서 10이 되는 수는 3이므로 ㉠=3입니다.

2-2 ❶ 4+6=10
❷ 두 식의 계산 결과가 같으므로 □+2의 계산 결과도 10입니다.
❸ 2와 더해서 10이 되는 수는 8이므로 □ 안에 알맞은 수는 8입니다.

3 ❶ 10+5=15이므로 □+□는 10이 되어야 합니다.

3-1 ❶ **□+□ 얼마가 되어야 하는지 구하기**
2+10=12이므로 □+□=10이 되어야 합니다.
❷ **골라야 할 두 수 카드 찾기**
골라야 할 두 수 카드: 1, 9
❸ **덧셈식 완성하기**
덧셈식 완성하기: 2+1+9=12
또는 2+9+1=12

3-2 ❶ ■와 ●의 합이 10이 되는 두 수를 찾습니다.
➜ 1과 9, 2와 8, 3과 7, 4와 6, 5와 5
❷ 만들 수 있는 덧셈식: 6+1+9, 6+2+8, 6+3+7, 6+4+6, 6+5+5, 6+6+4, 6+7+3, 6+8+2, 6+9+1

4 ❶ 9−2−3=4, 4<□이므로 □ 안에 들어갈 수 있는 수는 5, 6, 7, 8, 9입니다.
❷ 10−4=6, 6>□이므로 □ 안에 들어갈 수 있는 수는 1, 2, 3, 4, 5입니다.
❸ □ 안에 공통으로 들어갈 수 있는 수는 5입니다.

4-1 ❶ **㉠의 □ 안에 들어갈 수 있는 수 모두 구하기**
㉠ 8−1−2=5, 5<□이므로 □ 안에 들어갈 수 있는 수는 6, 7, 8, 9입니다.
❷ **㉡의 □ 안에 들어갈 수 있는 수 모두 구하기**
㉡ 10−3=7, 7>□이므로 □ 안에 들어갈 수 있는 수는 1, 2, 3, 4, 5, 6입니다.
❸ **□ 안에 공통으로 들어갈 수 있는 수 구하기**
□ 안에 공통으로 들어갈 수 있는 수: 6

4-2 ❶ 2+3+□<9, 5+□<9에서 5+4=9이므로 □ 안에는 4보다 작은 1, 2, 3이 들어갈 수 있습니다.
❷ □ 안에 들어갈 수 있는 가장 큰 수: 3

STEP 3 응용력 올리기 서술형 수능 대비 56~57쪽

1 4
2 10−2=8 / 8개
3 6
4 캐리

1 차례로 누르면 8−3−1=4입니다.
(8−3=5, 5−1=4)

2 ○ 모양: 10개
△ 모양: 2개
➜ 10−2=8(개)

3 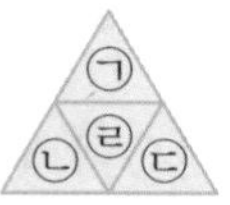

㉠+㉡+㉢=㉣의 규칙입니다.
➜ 1+4+1=6이므로 빈 곳에 알맞은 수는 6입니다.

4 딜리: 10−7=3
캐리: 10−6=4
➜ 3<4이므로 더 많이 움직인 로봇은 캐리입니다.

TEST 단원 기본 평가 58~60쪽

1 8
2 (계산 순서대로) 5, 8, 8
3 10
4 2+8에 ⬭, 14
5 7
6
7 3
8 19
9 ( )(○)
10 10−6=4
11 2
12 3개
13 5+5=10 / 10송이
14 1
15 ㉡
16 2, 16
17 12개
18 6 / 10, 6(또는 6, 2)
19 예 ❶ 모두 몇 개인지 구해야 하므로 세 수의 덧셈식을 만듭니다.
❷ (냉장고에 들어 있는 과일 수)
=2+3+4=9(개)

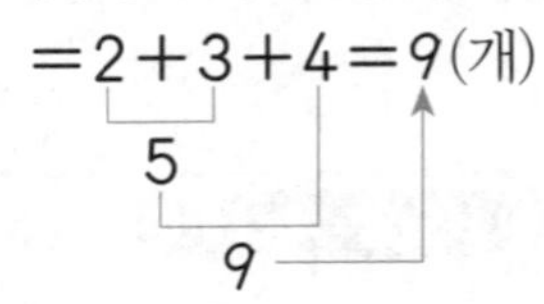

답 9개

20 예 ❶ 3+7=10
❷ 두 식의 계산 결과가 같으므로 1+㉠의 계산 결과도 10입니다.
❸ 1과 더해서 10이 되는 수는 9이므로 ㉠=9입니다.
답 9

3 연못 안에 오리가 6마리가 있고, 밖에 4마리가 있으므로 모두 10마리입니다. ➔ 6+4=10

4 2와 8을 더하면 10이므로 2와 8을 묶습니다.

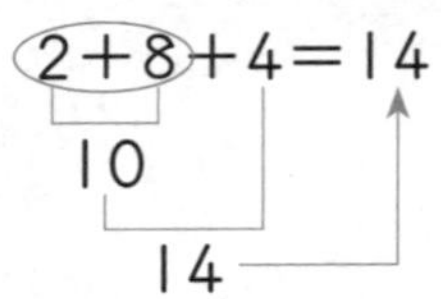

5 3과 더해서 10이 되는 수는 7입니다.

6 • 9+1+5에서 앞의 두 수를 더하면 10이 되므로 9+1+5=10+5입니다.
• 8+3+7에서 뒤의 두 수를 더하면 10이 되므로 8+3+7=8+10입니다.

7 8−3−2=3
5
3

8 9+5+5=9+10=19

9 9+1+3=10+3=13
➔ 12<13

10 구슬 10개에서 6개를 꺼내면 4개가 남습니다.
➔ 10−6=4

11 8+2=10이고, 8과 더해서 10이 되는 수는 2이므로 □=2입니다.

12 파란색 모형: 10개, 빨간색 모형: 7개
➔ 10−7=3(개)

13 (빨간 튤립의 수)+(노란 튤립의 수)
=5+5=10(송이)

14 10에서 9가 남으려면 1을 빼야 하므로 어떤 수는 1입니다.

15 ㉠ 9−1−3=5 ㉡ 1+2+1=4

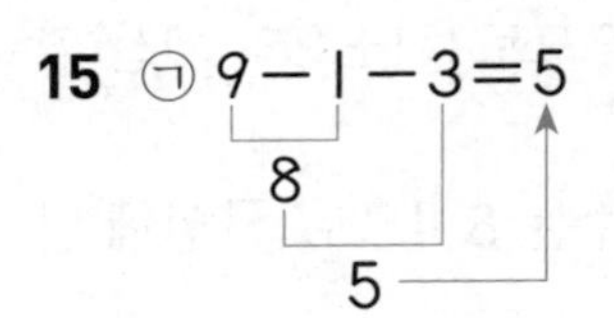

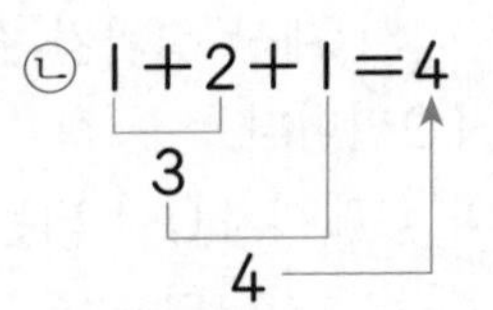

➔ 5>4이므로 ㉠>㉡입니다.

16 8과 더해서 10이 되는 수는 2입니다.
➔ 6+2+8=16
10
16

17 보를 내면 펼친 손가락이 5개, 가위를 내면 펼친 손가락이 2개입니다.
➔ 5+5+2=12(개)
10
12

18 4와 더해서 10이 되는 수는 6이므로 뚜껑이 닫힌 상자 안에 들어 있는 빵은 6개입니다.

19 채점 기준

❶ 모두 몇 개인지 구하는 식은 덧셈식임을 앎.	2점	5점
❷ 냉장고에 들어 있는 과일 수를 구함.	3점	

20 채점 기준

❶ 3+7의 값을 구함.	2점	5점
❷ 1+㉠의 계산 결과를 구함.	1점	
❸ ㉠에 알맞은 수를 구함.	2점	

TEST 단원 실력 평가 61~63쪽

1 2, 9
2 (1) 18 (2) 4
3 (선 잇기)
4 2, 8
5 3
6 17
7 (위에서부터) 9, 5, 8
8 10−7=3 / 3개
9 <
10 10개
11 18명
12 8
13 10
14 ( )(○)
15 1
16 1
17

1	6	8
8	1	4
5	3	7

/ 3+7=10
18 4, 6
19 예 ❶ (남은 도토리의 수)=10−6=4(개)
❷ (남은 밤의 수)=10−4=6(개)
❸ 4개<6개이므로 밤이 더 많이 남았습니다.
답 밤
20 예 ❶ ㉠ 9−4−2=3, 3<□이므로 □ 안에 들어갈 수 있는 수는 4, 5, 6, 7, 8, 9입니다.
❷ ㉡10−5=5, 5>□이므로 □ 안에 들어갈 수 있는 수는 1, 2, 3, 4입니다.
❸ □ 안에 공통으로 들어갈 수 있는 수: 4 답 4

2 (1) 4+6+8=10+8=18
(2) 9−3−2=6−2=4

3 •4+1+9=4+10
•5+5+6=10+6

4 (펼친 손가락의 수)
=(전체 손가락의 수)−(접은 손가락의 수)
=10−2=8

5 6−1−2=5−2=3

6 7+8+2=7+10=17

7 1과 더해서 10이 되는 수는 9, 5와 더해서 10이 되는 수는 5, 2와 더해서 10이 되는 수는 8입니다.

8 (남은 초콜릿의 수)
=(처음에 있던 초콜릿의 수)−(먹은 초콜릿의 수)
=10−7=3(개)

9 3+1+9=13
➔ 13<15

10 5개하고 5개를 더 건너야 하므로 5+5=10에서 모두 10개를 건너는 것입니다.

11 8+4+6=18(명)
(4+6=10, 8+10=18)

12 10에서 2가 남으려면 8을 빼야 합니다.

13 6>4>3>2>1이므로 3보다 큰 두 수는 4와 6입니다. ➔ 4+6=10

14 4+2+1=7, 3+3+2=8
➔ 7<8

15 3+7=10
9와 더해서 10이 되는 수는 1입니다.

16 2<5<8이므로 가장 큰 수는 8입니다.
➔ 8−5−2=3−2=1

17 더해서 10이 되는 두 수는 6과 4, 3과 7입니다.

18 10+7=17이므로 □+□는 10이 되어야 합니다.
골라야 할 두 수 카드: 4, 6
➔ [4]+[6]+7=17 또는 [6]+[4]+7=17

19 채점 기준

채점 기준		
❶ 남은 도토리의 수를 구함.	2점	5점
❷ 남은 밤의 수를 구함.	2점	
❸ ❶과 ❷에서 구한 수의 크기를 비교하여 더 많이 남은 것을 찾음.	1점	

20 채점 기준

채점 기준		
❶ ㉠에서 □ 안에 들어갈 수 있는 수를 구함.	2점	5점
❷ ㉡에서 □ 안에 들어갈 수 있는 수를 구함.	2점	
❸ ❶과 ❷를 이용하여 □ 안에 공통으로 들어갈 수 있는 수를 구함.	1점	

모양과 시각

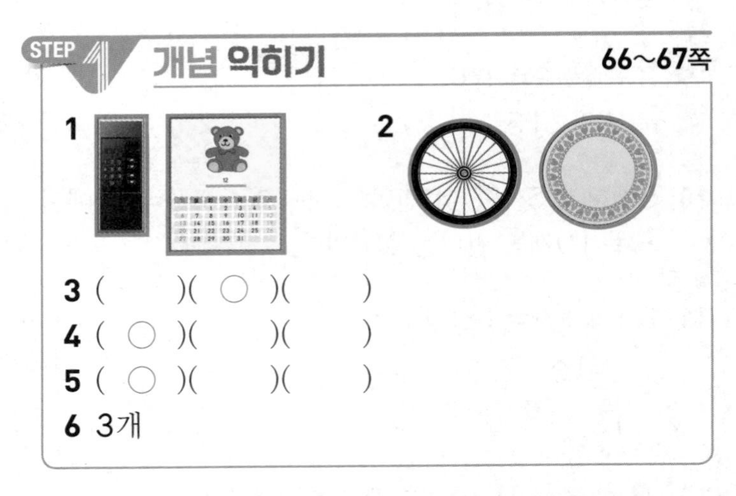

STEP 1 개념 익히기 66~67쪽

1 (물건 그림)　2 (물건 그림)
3 (　)(○)(　)
4 (○)(　)(　)
5 (○)(　)(　)
6 3개

3 편지봉투는 □ 모양이므로 □ 모양의 물건을 찾으면 거울입니다.

4 교통 표지판은 △ 모양이므로 △ 모양의 물건을 찾으면 삼각자입니다.

6

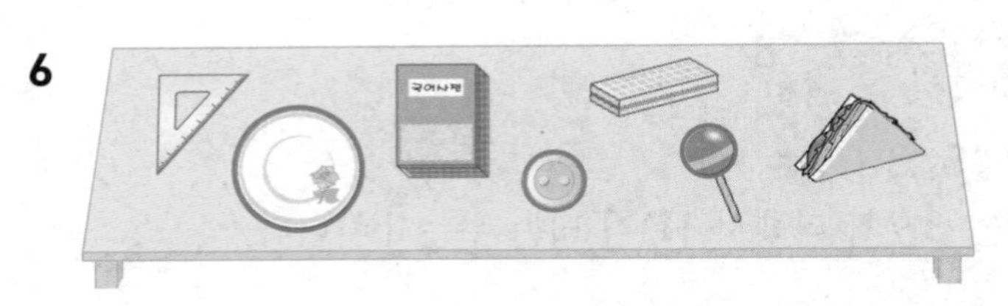

➜ ○ 모양의 물건은 모두 3개입니다.

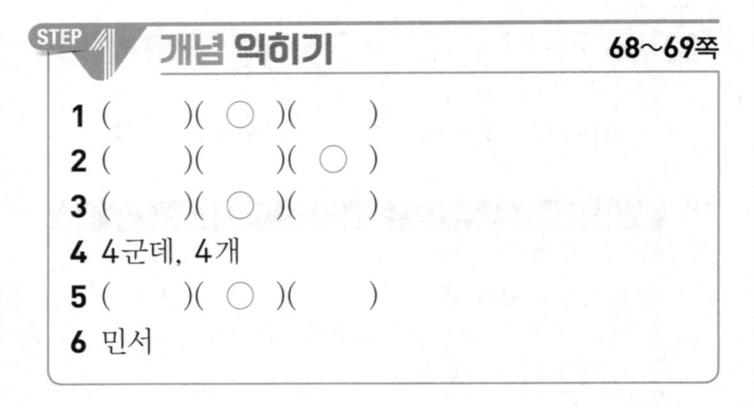

STEP 1 개념 익히기 68~69쪽

1 (　)(○)(　)
2 (　)(　)(○)
3 (　)(○)(　)
4 4군데, 4개
5 (　)(○)(　)
6 민서

2 동전을 종이 위에 본뜨면 ○ 모양이 나타납니다.

5 우성이는 □ 모양, 민서는 ○ 모양, 하민이는 △ 모양을 만들었습니다.

6 뾰족한 부분이 없는 모양은 ○ 모양이므로 민서가 만들었습니다.

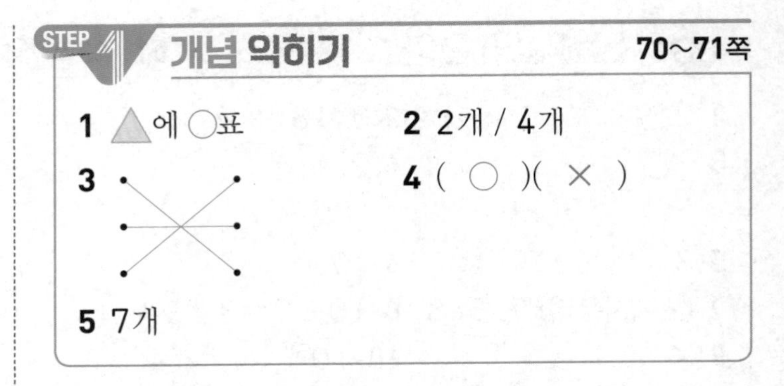

STEP 1 개념 익히기 70~71쪽

1 △에 ○표　2 2개 / 4개
3 (선 잇기)　4 (○)(×)
5 7개

1 △ 모양 5개를 이용하여 만든 모양입니다.

4 거북선의 머리 부분은 □ 모양과 △ 모양으로 만들었습니다.
거북선의 몸통 부분은 □, △, ○ 모양을 이용해서 만들었습니다.

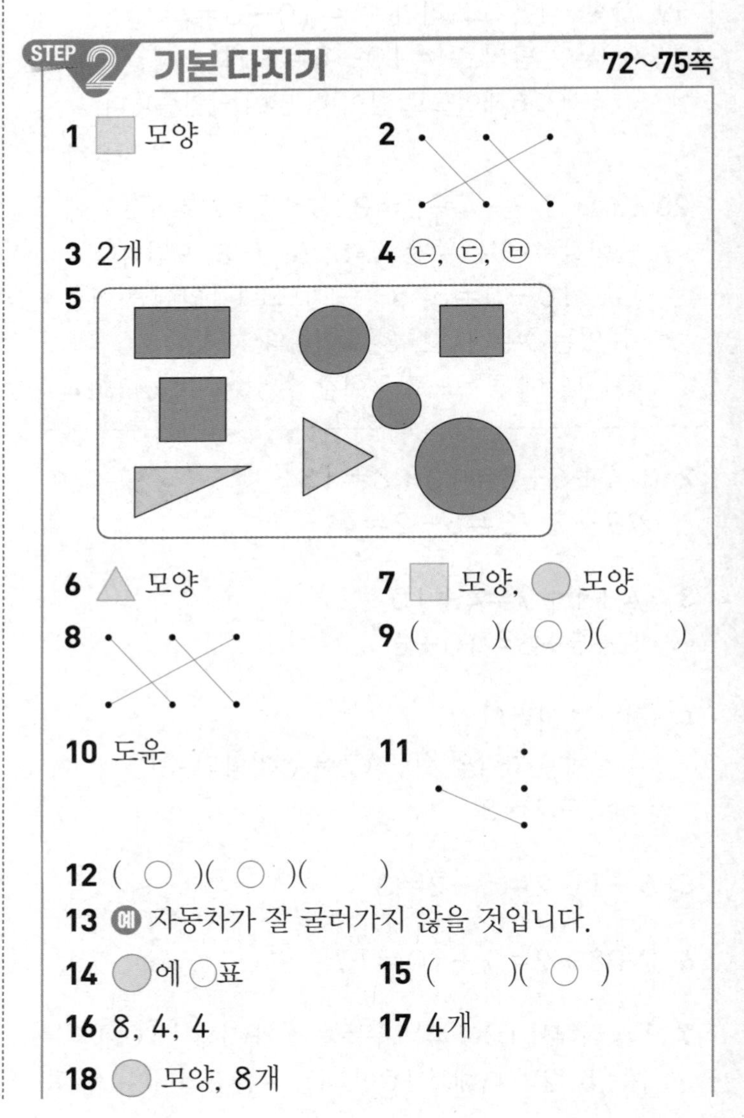

STEP 2 기본 다지기 72~75쪽

1 □ 모양　2 (선 잇기)
3 2개　4 ㉡, ㉢, ㉤
5 (도형 그림)
6 △ 모양　7 □ 모양, ○ 모양
8 (선 잇기)　9 (　)(○)(　)
10 도윤　11 (선 잇기)
12 (○)(○)(　)
13 예 자동차가 잘 굴러가지 않을 것입니다.
14 ○에 ○표　15 (　)(○)
16 8, 4, 4　17 4개
18 ○ 모양, 8개

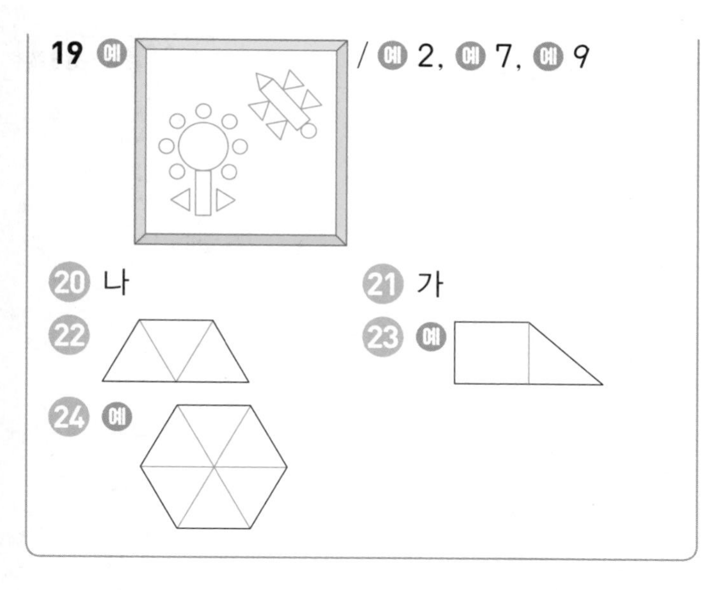

20 나

21 가

22

23 예

24 예

7 태극기 전체 모양과 네 모서리의 건곤감리는 □ 모양이고, 가운데 태극 문양은 ○ 모양입니다.

참고 개념

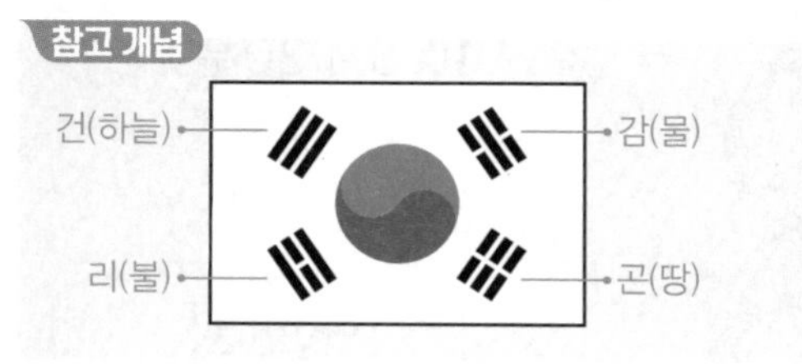

9 엽서와 필통을 종이 위에 본뜨면 □ 모양이 나타나고, 삼각자를 종이 위에 본뜨면 △ 모양이 나타납니다.

11 주어진 그림은 ○ 모양의 일부분입니다.

12 바닥 부분에 물감을 묻혀 찍으면 △ 모양이 나타나고, 옆 부분에 물감을 묻혀 찍으면 □ 모양이 나타납니다.

13 평가 기준

○ 모양이 아니므로 잘 굴러가지 않는다고 썼으면 정답으로 합니다.

15 • 왼쪽 모양: □ 모양 2개, △ 모양 4개로 만든 모양입니다.

• 오른쪽 모양: □ 모양 6개, △ 모양 4개, ○ 모양 2개로 만든 모양입니다.

17 |보기|는 △ 모양의 일부분을 본뜬 것입니다.

오른쪽 성을 만드는 데 △ 모양을 4개 이용하였습니다.

18 □ 모양: 1개, △ 모양: 4개, ○ 모양: 8개

➜ 가장 많이 이용한 모양은 ○ 모양이고 8개입니다.

20 가는 □ 모양 3개, △ 모양 0개, ○ 모양 3개로 만든 모양입니다.

21

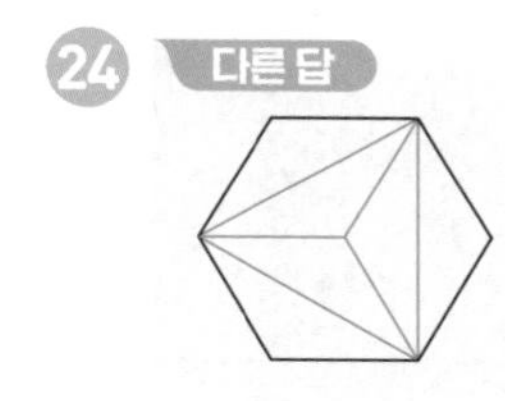

가는 □ 모양 3개, △ 모양 1개, ○ 모양 3개로 만든 모양이고, 나는 □ 모양 4개, △ 모양 1개, ○ 모양 2개로 만든 모양입니다. 주어진 모양은 □ 모양 3개, △ 모양 1개, ○ 모양 3개이므로 주어진 모양으로 만들 수 있는 모양은 가입니다.

23 □ 모양과 △ 모양은 다양하므로 □ 모양은 뾰족한 부분이 4군데, △ 모양은 뾰족한 부분이 3군데 있도록 선을 그으면 됩니다.

24 다른 답

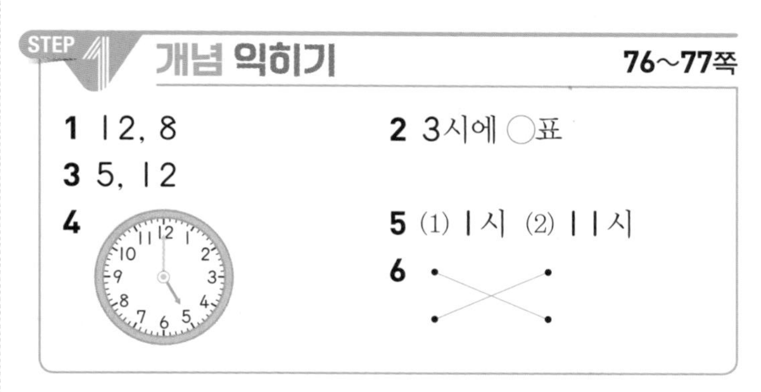

왼쪽과 같이 선을 그어도 모양과 크기가 같은 △ 모양이 6개 만들어집니다.

STEP 1 개념 익히기 76~77쪽

1 12, 8

2 3시에 ○표

3 5, 12

4

5 (1) 1시 (2) 11시

6

4 짧은바늘이 5, 긴바늘이 12를 가리키게 그립니다.

5 (1) 짧은바늘이 1, 긴바늘이 12를 가리키므로 1시입니다.

(2) 짧은바늘이 11, 긴바늘이 12를 가리키므로 11시입니다.

6  짧은바늘: 9, 긴바늘: 12 → 9시

 짧은바늘: 10, 긴바늘: 12 → 10시

10:00 → 10시

9:00 → 9시

참고 개념
디지털시계에서 ':' 앞은 시, ':' 뒤는 분을 나타냅니다.

STEP 1 개념 익히기 78~79쪽

1 6, 4
2 9시 30분에 색칠
3 1, 6
4
5 (1) 7시 30분
(2) 10시 30분
6

2 짧은바늘이 9와 10의 가운데, 긴바늘이 6을 가리키므로 9시 30분입니다.

4 짧은바늘이 1과 2의 가운데, 긴바늘이 6을 가리키게 그립니다.

주의 개념
긴바늘과 짧은바늘이 가리키는 방향이 서로 바뀌지 않도록 주의합니다.

5 (1) 짧은바늘이 7과 8의 가운데, 긴바늘이 6을 가리키므로 7시 30분입니다.
(2) 짧은바늘이 10과 11의 가운데, 긴바늘이 6을 가리키므로 10시 30분입니다.

6  짧은바늘: 12와 1의 가운데, 긴바늘: 6
→ 12시 30분

 짧은바늘: 5와 6의 가운데, 긴바늘: 6
→ 5시 30분

STEP 2 기본 다지기 80~83쪽

1 7
2 준서
3 ×
4
5 / 9시
6 ㉡
7 / 12시
8 예 짧은바늘과 긴바늘이 가리키는 숫자를 바꾸어 설명해서 잘못되었습니다.
9
10 3시 30분
11
12
13 ( )(○)
14 / 8시 30분
15 4시 30분
16 6
17 소희
18 간 시각 나온 시각
19
20
21 7시
22 (○)(○)( )
23 숙제, 독서

2 짧은바늘이 3, 긴바늘이 12를 가리키므로 3시이고 세 시라고 읽습니다.

3 왼쪽 시계: 짧은바늘이 8, 긴바늘이 12를 가리키므로 8시입니다.
오른쪽 시계: 12시

4 긴바늘이 12를 가리키게 그립니다.

5 짧은바늘이 9를, 긴바늘이 12를 가리키도록 그립니다.

6 ㉡ 짧은바늘이 6, 긴바늘이 12를 가리키므로 6시입니다.

7 시계의 짧은바늘과 긴바늘이 완전히 겹쳐지는 시각은 12시입니다.

8 평가 기준
짧은바늘과 긴바늘이 가리키는 숫자를 바꾸어 설명해서 잘못되었다고 썼으면 정답으로 합니다.

9 긴바늘이 12를 가리키므로 '몇 시'이고 짧은바늘이 10과 12 사이를 가리키는 '몇 시'는 11시입니다.

10 짧은바늘이 3과 4의 가운데, 긴바늘이 6을 가리키므로 3시 30분입니다.

11 짧은바늘이 11과 12의 가운데를 가리키게 그립니다.

12 디지털시계가 나타내는 시각은 1시 30분이므로 짧은바늘이 1과 2의 가운데, 긴바늘이 6을 가리키게 그립니다.

13 긴바늘이 6을 가리킬 때 짧은바늘은 숫자와 숫자의 가운데를 가리켜야 합니다.

14 긴바늘이 6을 가리키므로 '몇 시 30분'이고 짧은바늘이 8과 9의 가운데를 가리키므로 8시 30분입니다.

15 긴바늘이 6을 가리키면 '몇 시 30분'을 나타내.
시계의 짧은바늘이 4와 5의 가운데, 긴바늘이 6을 가리키므로 4시 30분입니다.

16 → 긴바늘이 6을 가리킵니다.

17 소희: 9시, 윤서: 9시 30분
→ 9시가 9시 30분보다 더 빠른 시각이므로 더 일찍 일어난 사람은 소희입니다.

18 • 5시 30분: 짧은바늘은 5와 6의 가운데, 긴바늘은 6을 가리키게 그립니다.
• 7시 30분: 짧은바늘은 7과 8의 가운데, 긴바늘은 6을 가리키게 그립니다.

19 시계의 긴바늘이 한 바퀴 움직이는 동안 짧은바늘은 숫자 1칸을 움직이므로 짧은바늘이 숫자 2에서 3으로 움직입니다. 따라서 짧은바늘은 3을 가리키고 긴바늘은 12를 가리키게 그립니다.

20 7시는 짧은바늘이 7, 긴바늘이 12를 가리킵니다. 따라서 시계의 긴바늘이 한 바퀴 움직이는 동안 짧은바늘이 숫자 7에서 8로 움직이므로 짧은바늘은 8을 가리키고 긴바늘은 12를 가리키게 그립니다.

21 6시는 짧은바늘이 6, 긴바늘이 12를 가리킵니다. 따라서 시계의 긴바늘이 한 바퀴 움직이는 동안 짧은바늘이 숫자 6에서 7로 움직이므로 시후가 수영을 끝낸 시각은 7시입니다.

22

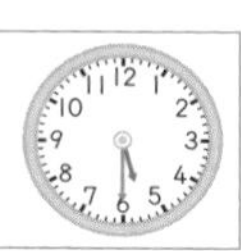

4시와 6시 사이의 시각

23 숙제: 8시, 독서: 7시 30분, 샤워: 6시, 식사: 6시 30분
→ 주어진 시각 중 7시부터 8시 30분 사이의 시각은 8시, 7시 30분이므로 이때 한 일은 숙제와 독서입니다.

STEP 3 응용력 올리기 84~87쪽

1 ❶ △ 모양 ❷ 8개

1-1 □ 모양, 10개 **1-2** △ 모양, 6개

2 ❶ 4, 12 ❷ 4시

2-1 7시 **2-2** 11시 30분

3 ❶ 3, 2, 3 ❷ 5, 3, 6 ❸ ○ 모양

3-1 □ 모양

4 ❶ 3개 ❷ 2개, 1개 ❸ 6개

4-1 5개 **4-2** 5개

1 **❶ 선을 따라 모두 잘랐을 때 생기는 모양 알아보기**
선을 따라 모두 자르면 뾰족한 부분이 3군데인 △ 모양이 생깁니다.
❷ 위 ❶에서 구한 모양의 수 구하기
잘라서 생기는 △ 모양은 모두 8개입니다.

1-1 ❶ 선을 따라 모두 자르면 뾰족한 부분이 4군데인 □ 모양이 생깁니다.
❷ 잘라서 생기는 □ 모양은 모두 10개입니다.

1-2 **❶ 선을 따라 모두 잘랐을 때 생기는 □ 모양과 △ 모양의 수를 각각 구하기**
□ 모양: 2개, △ 모양: 8개
❷ 위 ❶에서 구한 모양의 수를 이용하여 어떤 모양이 몇 개 더 많은지 구하기
잘라서 생기는 △ 모양이 □ 모양보다
$8-2=6$(개) 더 많습니다.

2 **❶ 시계의 짧은바늘과 긴바늘이 각각 가리키는 숫자 찾기**
짧은바늘이 4, 긴바늘이 12를 가리킵니다.
❷ 준호가 본 시계의 시각 쓰기
짧은바늘이 4, 긴바늘이 12를 가리키므로 4시입니다.

2-1 **❶ 시계의 짧은바늘과 긴바늘이 각각 가리키는 숫자 찾기**
짧은바늘이 7, 긴바늘이 12를 가리킵니다.
❷ 수진이가 본 시계의 시각 쓰기
7시

2-2 **❶ 시계의 짧은바늘과 긴바늘이 각각 가리키는 곳 찾기**
짧은바늘이 11과 12의 가운데, 긴바늘이 6을 가리킵니다.
❷ 현아가 본 시계의 시각 쓰기
11시 30분

3 ❷ 꾸미기 전에 있던 붙임딱지는
□ 모양 $3+2=5$(개), △ 모양 $2+1=3$(개),
○ 모양 $3+3=6$(개)입니다.

참고 개념
(필통을 꾸미기 전에 있던 붙임딱지의 수)
=(필통에 붙인 붙임딱지의 수)+(남은 붙임딱지의 수)

❸ $6>5>3$이므로 필통을 꾸미기 전에 가장 많이 있던 붙임딱지의 모양은 ○ 모양입니다.

3-1 **❶ 메모장에 붙인 붙임딱지의 수 세어 보기**
메모장에 붙인 각 모양의 붙임딱지의 수를 세어 보면
□ 모양 4개, △ 모양 3개, ○ 모양 1개입니다.
❷ 꾸미기 전에 있던 붙임딱지의 수 각각 구하기
꾸미기 전에 있던 붙임딱지는
□ 모양 $4+3=7$(개), △ 모양 $3+2=5$(개),
○ 모양 $1+5=6$(개)입니다.
❸ 꾸미기 전에 가장 많이 있던 붙임딱지의 모양 구하기
$7>6>5$이므로 □ 모양입니다.

4 **❶ □ 모양 1개짜리의 수 구하기**

①	②	③

왼쪽부터 ①, ②, ③이라고 하면 □ 모양 1개짜리는 ①, ②, ③으로 3개입니다.
❷ □ 모양 2개짜리, 3개짜리의 수 각각 구하기
□ 모양 2개짜리는 ①+②, ②+③으로 2개,
□ 모양 3개짜리는 ①+②+③으로 1개입니다.
❸ 크고 작은 □ 모양의 수 모두 구하기
그림에서 찾을 수 있는 크고 작은 □ 모양은 ①, ②, ③, ①+②, ②+③, ①+②+③으로 모두 6개입니다.

4-1 **❶ □ 모양 1개짜리의 수 구하기**

①	
②	③

위쪽부터 ①, ②, ③이라고 하면 □ 모양 1개짜리는 ①, ②, ③으로 3개입니다.
❷ □ 모양 2개짜리, 3개짜리의 수 각각 구하기
□ 모양 2개짜리는 ①+②, ②+③으로 2개이고, 3개짜리는 없습니다.
❸ 크고 작은 □ 모양의 수 모두 구하기
그림에서 찾을 수 있는 크고 작은 □ 모양은 ①, ②, ③, ①+②, ②+③으로 모두 5개입니다.

참고 개념
□ 모양 3개짜리인 ①+②+③은 □ 모양이 아닙니다.

4-2 ❶ △ 모양 1개짜리의 수 구하기

위쪽부터 ①, ②, ③, ④라고 하면 △ 모양 1개짜리는 ①, ②, ③, ④로 4개입니다.

❷ △ 모양 2개짜리, 3개짜리, 4개짜리의 수 각각 구하기

△ 모양 2개짜리, 3개짜리는 없고, △ 모양 4개짜리는 ①+②+③+④로 1개입니다.

❸ 크고 작은 △ 모양의 수 모두 구하기

그림에서 찾을 수 있는 크고 작은 △ 모양은 ①, ②, ③, ④, ①+②+③+④로 모두 5개입니다.

STEP 3 응용력 올리기 서술형 수능 대비 88~89쪽

1 □ 모양
2 □ 모양, 4개 / △ 모양, 4개
3 4회
4 ○ 모양

1 점판 위의 빨간색 점 4개를 번호 순서대로 곧게 이으면 □ 모양이 그려집니다.

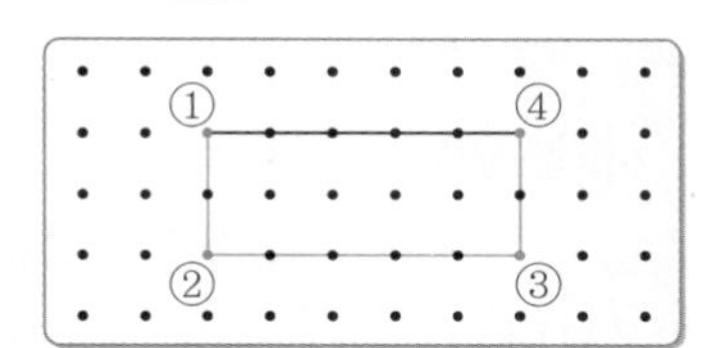

참고 개념
□ 모양은 뾰족한 부분이 4군데이고, 곧은 선이 4개입니다.

2 지호가 2번 접은 색종이를 펼친 모양은 오른쪽과 같고, 선을 따라 모두 오리면 □ 모양이 4개 생깁니다.
지유가 2번 접은 색종이를 펼친 모양은 오른쪽과 같고, 선을 따라 모두 오리면 △ 모양이 4개 생깁니다.

3 처음부터 볼 수 있는 공연은 3시 30분 이후에 시작하는 4시 공연입니다. 따라서 처음부터 볼 수 있는 공연은 4회 공연입니다.

4

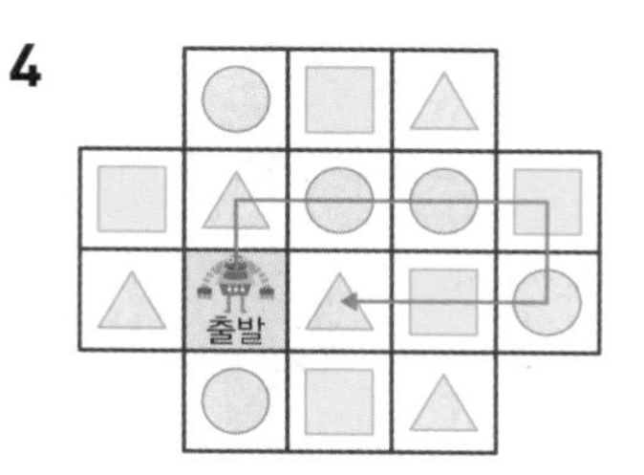

로봇이 담은 조각은 △ 모양 2개, ○ 모양 3개, □ 모양 2개이므로 가장 많이 담은 조각은 ○ 모양입니다.

TEST 단원 기본 평가 90~92쪽

1 ( )( )(○)
2 7시
3 ○에 ○표
4
5
6 (○)( )( )
7 ○ 모양
8
9 △에 ○표
10 지호
11 ㉠
12 △ 모양, 2개
13 6개
14 16
15 △에 ○표
16 ㉢
17 ③
18 2시
19 예 ❶ 선을 따라 모두 자르면 △ 모양이 6개, □ 모양이 7개 생깁니다.
❷ 잘라서 생기는 □ 모양이 △ 모양보다 7−6=1(개) 더 많습니다.

답 □ 모양, 1개

20 예 ❶ 가방에 붙인 각 모양의 붙임딱지의 수를 세어 보면 □ 모양 4개, △ 모양 1개, ○ 모양 2개입니다.
❷ 꾸미기 전에 있던 붙임딱지는 □ 모양 4+1=5(개), △ 모양 1+5=6(개), ○ 모양 2+2=4(개)입니다.
❸ 6>5>4이므로 꾸미기 전에 가장 많이 있던 붙임딱지의 모양은 △ 모양입니다.
답 △ 모양

8 짧은바늘이 1, 긴바늘이 12를 가리키게 그립니다.

10 교실 벽에 걸려 있는 시계는 ○ 모양입니다.

참고 개념
삼각자는 △ 모양, 수학책은 □ 모양, 시간표는 □ 모양입니다.

11 뾰족한 부분이 없고 둥근 부분이 있는 것은 ○ 모양이므로 ㉠입니다.

12 → △ 모양이 2개 생깁니다.

13 보기는 □ 모양의 일부분을 본뜬 것입니다.
오른쪽 강아지를 만드는 데 □ 모양을 6개 이용하였습니다.

14 짧은바늘이 가리키는 숫자: 4
긴바늘이 가리키는 숫자: 12
→ 4+12=16

15 □ 모양 1개, △ 모양 5개, ○ 모양 4개로 만든 모양입니다. 따라서 가장 많이 이용한 모양은 △ 모양입니다.

18 1시와 6시 사이의 긴바늘이 12를 가리키는 시각은 2시, 3시, 4시, 5시입니다.
이 중 3시보다 빠른 시각은 2시입니다.

19 채점 기준

❶ △ 모양과 □ 모양의 수를 각각 구함.	2점	5점
❷ ❶에서 구한 수를 이용하여 어떤 모양이 몇 개 더 많은지 구함.	3점	

20 채점 기준

❶ 가방에 붙인 모양별 붙임딱지의 수를 각각 구함.	1점	5점
❷ 꾸미기 전에 있던 모양별 붙임딱지의 수를 각각 구함.	2점	
❸ ❷에서 구한 수를 비교하여 가장 많이 있던 모양을 구함.	2점	

TEST 단원 실력 평가 93~95쪽

1 (단추 그림)
2 (○)(　)(　)
3 ㉡
4 (○)(　)
5 수지
6 (　)(○)(　)
7 / 6시
8 △에 ○표
9 4, 3, 5
10 ○에 ○표
11 ㉡, ㉣, ㉥
12 10시
13 3개
14 ㉠, ㉣
15 3개
16 7시 30분, 8시 30분
17 2번
18 수정

19 예 ❶ 짧은바늘이 9와 10의 가운데, 긴바늘이 6을 가리킵니다.
❷ 은우가 본 시계의 시각: 9시 30분
답 9시 30분

20 예 ❶ 위쪽부터 ①, ②, ③, ④라고 하면 □ 모양 1개짜리는 ①, ②, ③, ④로 4개입니다.
❷ □ 모양 2개짜리는 ①+②, ③+④, ①+③, ②+④로 4개이고, 3개짜리는 없고, 4개짜리는 ①+②+③+④로 1개입니다.
❸ 그림에서 찾을 수 있는 크고 작은 □ 모양은 ①, ②, ③, ④, ①+②, ③+④, ①+③, ②+④, ①+②+③+④로 모두 9개입니다.
답 9개

5 은호는 □ 모양을 만들었습니다.

7 짧은바늘이 6, 긴바늘이 12를 가리키면 6시입니다.

10 5>4>3이므로 ○ 모양을 가장 많이 이용하였습니다.

12 9시는 짧은바늘이 9, 긴바늘이 12를 가리킵니다. 따라서 시계의 긴바늘이 한 바퀴 움직이는 동안 짧은바늘이 숫자 9에서 10으로 움직이므로 연두가 책 읽기를 끝낸 시각은 10시입니다.

13 이용한 □ 모양은 3개, △ 모양은 2개, ○ 모양은 5개입니다.
➡ 5−2=3(개)

14 긴바늘이 6을 가리키므로 '몇 시 30분'인 시각을 찾습니다.

15 종이를 점선을 따라 모두 오리면 □ 모양 4개, △ 모양 2개, ○ 모양 3개가 생기므로 나온 개수가 가장 적은 모양은 △ 모양입니다.
△ 모양의 곧은 선은 3개입니다.

16 • 목욕을 시작한 시각: 짧은바늘이 7과 8의 가운데, 긴바늘이 6을 가리키므로 7시 30분입니다.
• 목욕을 끝낸 시각: 짧은바늘이 8과 9의 가운데, 긴바늘이 6을 가리키므로 8시 30분입니다.

17 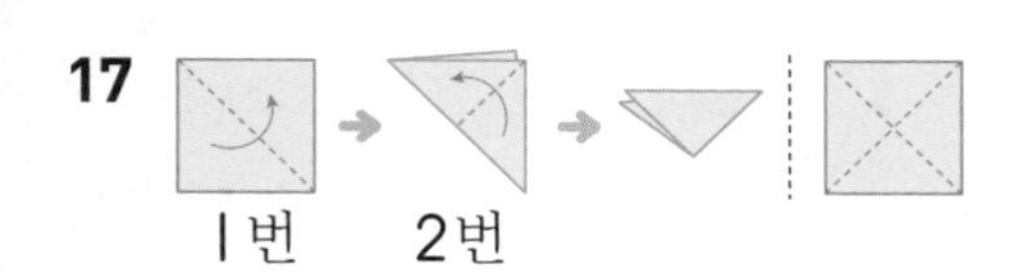

18 아버지: 8시, 어머니: 6시 30분, 수정: 6시
➡ 제일 먼저 양치질을 시작한 사람은 수정입니다.

19 채점 기준

❶ 짧은바늘과 긴바늘이 각각 가리키는 곳을 찾음.	2점	5점
❷ 은우가 본 시계의 시각을 씀.	3점	

20 채점 기준

❶ □ 모양 1개짜리의 수를 구함.	2점	5점
❷ □ 모양 2개짜리, 3개짜리, 4개짜리의 수를 각각 구함.	2점	
❸ 크고 작은 □ 모양의 수를 모두 구함.	1점	

3 덧셈과 뺄셈(2)

STEP 1 개념 익히기 98~99쪽

1 (계산 순서대로) 1, 14
2 (계산 순서대로) 5, 2, 12
3 (계산 순서대로) (1) 2, 12 (2) 2, 7, 17
4 예 ○○○○ / 14
5 (1) 15 (2) 18
6 7+4=11 / 11개

1 뒤의 수 5를 1과 4로 가르기 하여 9와 1을 더해서 10을 만들고, 남은 4와 더하면 14가 됩니다.

2 뒤의 수 7을 5와 2로 가르기 하여 5와 5를 더해서 10을 만들고, 남은 2와 더하면 12가 됩니다.

3 (1) 뒤의 수 6을 4와 2로 가르기 하여 6과 4를 더해서 10을 만들고, 남은 2와 더하면 12가 됩니다.
(2) 뒤의 수 9를 2와 7로 가르기 하여 8과 2를 더해서 10을 만들고, 남은 7과 더하면 17이 됩니다.

4 8+6=14
2 4

5 (1) 7+8=15
3 5
(2) 9+9=18
1 8

6 (딸기 맛 사탕의 수)+(포도 맛 사탕의 수)
=7+4=11(개)

STEP 1 개념 익히기 100~101쪽

1 (계산 순서대로) 2, 13
2 (계산 순서대로) 2, 7, 12
3 (계산 순서대로) 2, 1, 13
4 15
5 17
6 5+7=12 / 12마리

1 앞의 수 5를 3과 2로 가르기 하여 8과 2를 더해서 10을 만들고, 남은 3을 더하면 13이 됩니다.

2 앞의 수 9를 2와 7로 가르기 하여 3과 7을 더해서 10을 만들고, 남은 2를 더하면 12가 됩니다.

3 앞의 수 7을 5와 2로 가르기 하고 뒤의 수 6을 5와 1로 가르기 하여 5와 5를 더해서 10을 만들고, 남은 2와 1을 더하면 13이 됩니다.

4 8+7=15
5 3

5 9+8=17
7 2

참고 개념

9 + 8 = 17
5 4 5 3

6 (처음에 있었던 참새의 수)+(더 날아 온 참새의 수)
=5+7=12(마리)

STEP 1 개념 익히기 102~103쪽

1 (1) 12, 13 (2) 12, 11
2 (1) 12, 13, 14 / 커집니다에 ○표
(2) 14, 15 / 같습니다에 ○표
3 12, 12, 12, 12 4 7+9에 색칠

1 (1) 왼쪽 수는 항상 5이고 오른쪽 수는 5부터 1씩 커지므로 합도 1씩 커집니다.
➔ 5+7=12, 5+8=13
(2) 오른쪽 수는 항상 8이고 왼쪽 수는 6부터 1씩 작아지므로 합도 1씩 작아집니다.
➔ 4+8=12, 3+8=11

3 6+6=12, 7+5=12, 8+4=12,
9+3=12

참고 개념

6+6=12
7+5=12
8+4=12
9+3=12
➔ 1씩 커지는 수에 1씩 작아지는 수를 더하면 합이 같습니다.

4 5+9=14, 7+9=16

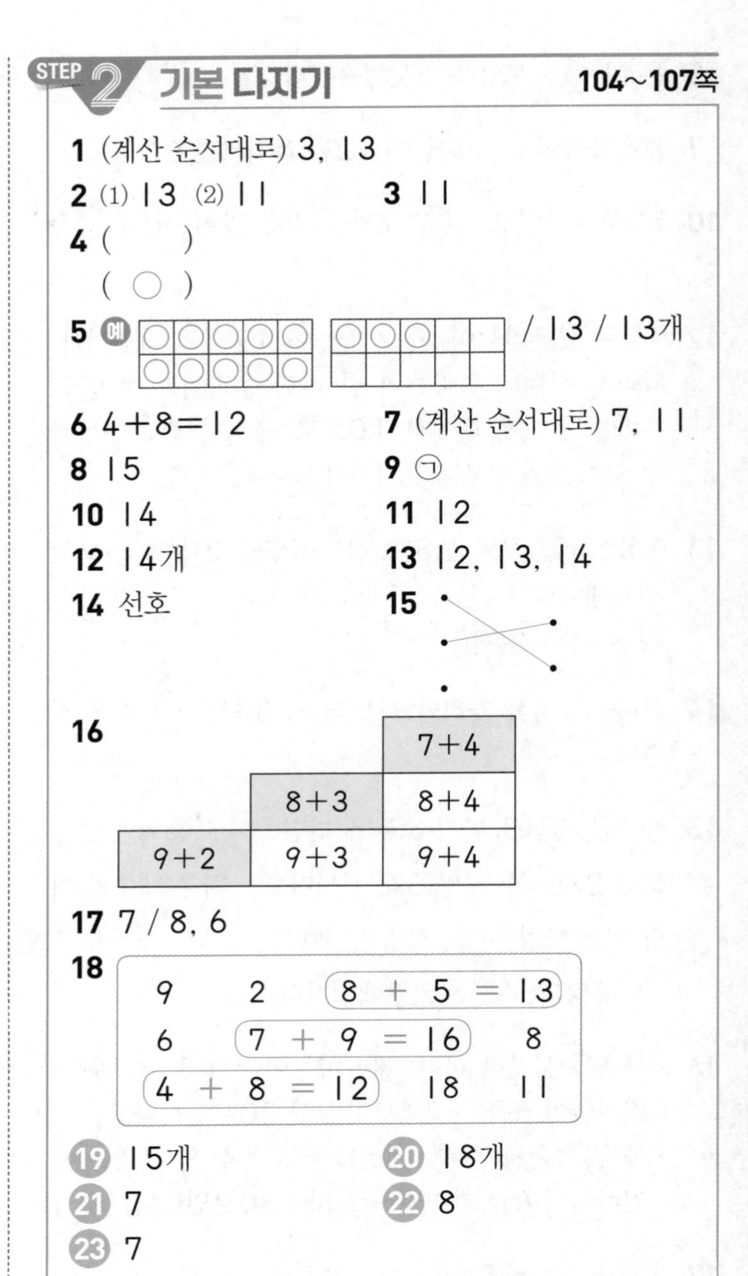

STEP 2 기본 다지기 104~107쪽

1 (계산 순서대로) 3, 13
2 (1) 13 (2) 11
3 11
4 ( )
(○)
5 예 / 13 / 13개
6 4+8=12
7 (계산 순서대로) 7, 11
8 15
9 ㉠
10 14
11 12
12 14개
13 12, 13, 14
14 선호
15
16

		7+4
	8+3	8+4
9+2	9+3	9+4

17 7 / 8, 6
18

9	2	8 + 5 = 13		
6	7 + 9 = 16			8
4 + 8 = 12			18	11

19 15개
20 18개
21 7
22 8
23 7

1 뒤의 수 9를 6과 3으로 가르기 하여 4와 6을 더해서 10을 만들고, 남은 3을 더하면 13이 됩니다.

2 (1) 7+6=13
3 3
(2) 6+5=11
4 1

3 5+6=11
5 1

4 7+4=11
3 1
8+7=15
2 5

5 9+4=13
1 3

6 4+8=12
6 2

7 $8+3=11$ (3을 1과 7로 가르기)

8 $6+9=15$ (6을 5와 1로 가르기)

9 ㉠ $8+5=13$ (8을 3과 5로 가르기) ㉡ $5+7=12$ (5를 2와 3으로 가르기) ➜ $13>12$

10 먼저 세 수의 크기를 비교하자.

가장 큰 수: 9, 가장 작은 수: 5

➜ $9+5=14$

11 가장 큰 수: 8, 가장 작은 수: 4

➜ $8+4=12$

12 (지호가 모은 유리병의 수)

=(하린이가 모은 유리병의 수)=7개

➜ (하린이와 지호가 모은 유리병의 수)

=(하린이가 모은 유리병의 수)

+(지호가 모은 유리병의 수)

=7+7=14(개)

13 $4+8=12$, $5+8=13$, $6+8=14$

14 유나: 왼쪽 수가 항상 같아도 오른쪽 수가 변하면 합도 변합니다.

15 두 수를 서로 바꾸어 더해도 합은 같습니다.

$7+9=9+7$, $8+9=9+8$

다른 풀이

7+9=16, 8+9=17, 9+9=18,

9+8=17, 9+7=16

16 $7+4=11$, $8+3=11$, $9+2=11$

17 6+8을 계산하여 ㉠에 알맞은 수를 먼저 구하자.

㉠ $6+8=14$

합이 14인 덧셈식: $7+7=14$, $8+6=14$

18 $7+9=16$, $4+8=12$

19 빈칸은 9칸이므로 진희가 더 붙인 타일은 9개입니다.

➜ 6+9=15(개)

20 빈칸은 9칸이므로 정호가 더 붙인 타일은 9개입니다.

➜ 9+9=18(개)

21 5+6=11이므로 4+□=11입니다.

4와 더해서 11이 되는 수는 7이므로 □ 안에 알맞은 수는 7입니다.

22 6+7=13이므로 5+□=13입니다.

5와 더해서 13이 되는 수는 8이므로 □ 안에 알맞은 수는 8입니다.

23 9+6=15이므로 8+□=15입니다.

8과 더해서 15가 되는 수는 7이므로 □ 안에 알맞은 수는 7입니다.

STEP 1 개념 익히기 108~109쪽

1 (계산 순서대로) 2, 10
2 (계산 순서대로) 5, 8
3 9
4 (계산 순서대로) (1) 7, 9 (2) 1, 4
5 예 (그림) / 8
6 예 (그림) / 9

1 12를 10과 2로 가르기 하여 12에서 2를 빼면 10입니다.

2 7을 5와 2로 가르기 하여 15에서 5를 빼고 남은 10에서 2를 빼면 8입니다.

3 $15-6=9$ (6을 5와 1로 가르기)

4 (1) 8을 7과 1로 가르기 하여 17에서 7을 빼고 남은 10에서 1을 빼면 9입니다.
(2) 7을 1과 6으로 가르기 하여 11에서 1을 빼고 남은 10에서 6을 빼면 4입니다.

5 $16-8=8$ (8을 6과 2로 가르기)

6 $18-9=9$ (9를 8과 1로 가르기)

STEP 1 개념 익히기 110~111쪽

1 (계산 순서대로) 1, 5
2 (계산 순서대로) 2, 5
3 (계산 순서대로) (1) 7, 8 (2) 6, 8
4 7
5 ㉡
6 정민
7 (1) 9 (2) 7

1 11을 10과 1로 가르기 하여 10에서 6을 빼고 남은 4와 1을 더하면 5입니다.

2 12를 10과 2로 가르기 하여 10에서 7을 빼고 남은 3과 2를 더하면 5입니다.

3 (1) 17을 10과 7로 가르기 하여 10에서 9를 빼고 남은 1과 7을 더하면 8입니다.
(2) 16을 10과 6으로 가르기 하여 10에서 8을 빼고 남은 2와 6을 더하면 8입니다.

4 하나씩 짝을 지어 보면 7 차이가 나므로 15−8=7입니다.

5 구슬 13개 중 왼쪽에 있는 10개에서 8개를 빼고 남은 2개와 3개를 더하면 모두 5개가 됩니다.
➔ ㉡ 13−8=5

6 10에서 4를 빼고 남은 6과 1을 더하면 7입니다.

7 (1) 18−9=9
10 8
(2) 14−7=7
10 4

STEP 1 개념 익히기 112~113쪽

1 (1) 5, 4 (2) 8, 9
2 (1) 7, 8, 9 / 1 (2) 9, 9 / 9
3 (위에서부터) 9, 8 / 9
4 ( )(○)

1 (1) 같은 수에서 1씩 커지는 수를 빼면 차는 1씩 작아집니다. ➔ 12−7=5, 12−8=4
(2) 1씩 커지는 수에서 같은 수를 빼면 차는 1씩 커집니다. ➔ 13−5=8, 14−5=9

3 16−7=9, 16−8=8, 17−8=9

참고 개념

16−9=7
16−8=8
16−7=9
➔ 같은 수에서 1씩 작아지는 수를 빼면 차는 1씩 커집니다.

15−8=7
16−8=8
17−8=9
➔ 1씩 커지는 수에서 같은 수를 빼면 차는 1씩 커집니다.

4 11−7=4, 13−8=5

STEP 2 기본 다지기 114~116쪽

1 (1) 8 (2) 6 (3) 9 (4) 9
2 7
3 13−6=7
4 예 ○○○○○ / ○○○○Ø ØØØØØ / 8개
5 13−4=9 / 9장
6 ( )(○)( )
7 (1) 9 (2) 7
8 6
9 ㉡
10 예 13−7=6
11 17−9=8 / 8자루
12 9
13

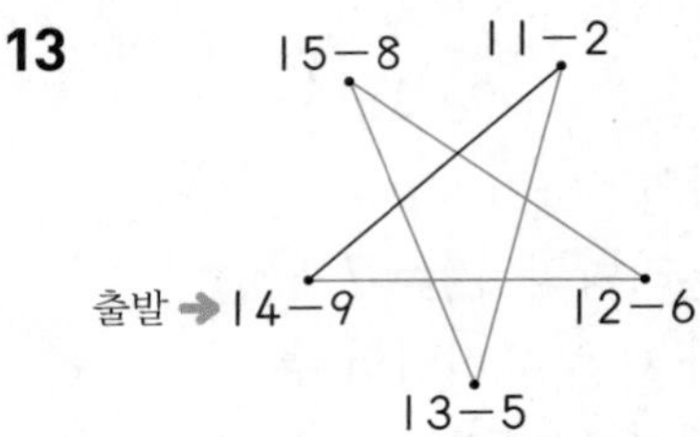

14 시우
15 12, 4 / 14, 6
16 1, 2
17 1, 2, 3
18 8, 9

1 (1) 11−3=8
1 2
(2) 14−8=6
4 4
(3) 16−7=9
6 1
(4) 18−9=9
8 1

2 12−5=7
2 3

4 (남은 머핀의 수)
=(처음에 있던 머핀의 수)−(먹은 머핀의 수)
=15−7=8(개)
5 2

5 (남은 딱지의 수)
=(처음에 가지고 있던 딱지의 수)
−(친구에게 준 딱지의 수)
=13−4=9(장)
3 1

6 12−8=4, 14−7=7, 13−9=4
➔ 계산 결과가 다른 하나는 14−7입니다.

7 (1) 12−3=9
10 2
(2) 16−9=7
10 6

8 $11-5=6$
10 1

9 ㉠ $15-7=8$ ㉡ $14-8=6$
10 5 / 10 4

10 다른 풀이
13−6=7, 7−6=1로도 뺄셈식을 만들 수 있습니다.

11 (어린이의 수)−(연필의 수)
$=17-9=8$(자루)
10 7

12 가장 큰 수: 14, 가장 작은 수: 5
➜ $14-5=9$

13 $14-9=5$ ➜ $12-6=6$ ➜ $15-8=7$
➜ $13-5=8$ ➜ $11-2=9$

14 같은 수에서 1씩 작아지는 수를 빼면 차는 1씩 커집니다.

15 ★이 있는 칸에 들어갈 뺄셈식은 $13-5$이고 $13-5=8$입니다.
차가 같은 뺄셈식은 $12-4$와 $14-6$입니다.

16 $11-8=3$이므로 □ 안에는 3보다 작은 수인 1, 2가 들어갈 수 있습니다.

17 $13-9=4$이므로 □ 안에는 4보다 작은 수인 1, 2, 3이 들어갈 수 있습니다.

18 $15-8=7$이므로 □ 안에는 7보다 큰 수인 8, 9가 들어갈 수 있습니다.

STEP 3 응용력 올리기 117~119쪽

1 ❶ 4개 ❷ 11개
1-1 14개 1-2 14개
2 ❶ 9, 7, 6, 5 ❷ 9, 7
❸ $9+7=16$
2-1 $8+4=12$
2-2 $15-8=7$
3 ❶ 13 ❷ 9
3-1 8 3-2 12

1 ❶ **지우가 동전을 꺼내간 후 상자 안의 동전 수 구하기**
$13-9=4$(개)
❷ **정수가 동전을 넣은 후 상자 안의 동전 수 구하기**
$4+7=11$(개)

1-1 ❶ (세호가 먹고 남은 초콜릿의 수)
$=16-8=8$(개)
❷ (진희가 초콜릿 6개를 넣은 후 상자 안에 있는 초콜릿의 수)$=8+6=14$(개)

1-2 ❶ **파란 구슬의 수 구하기**
$12-3=9$(개)
❷ **노란 구슬의 수 구하기**
$9+5=14$(개)

2 ❶ **수 카드의 수의 크기 비교하기**
$9>7>6>5$
❷ **합이 가장 크게 되는 두 수 구하기**
합이 가장 큰 덧셈식을 만들려면 가장 큰 수와 두 번째로 큰 수를 골라야 합니다. ➜ 9, 7
❸ **합이 가장 큰 덧셈식 만들기**
$9+7=16$

2-1 ❶ 수 카드의 수의 크기 비교하기: $8>4>3>1$
❷ 합이 가장 크려면 가장 큰 수와 두 번째로 큰 수의 합을 구해야 합니다.
가장 큰 수: 8, 두 번째로 큰 수: 4
❸ 합이 가장 큰 덧셈식:
$8+4=12$

2-2 ❶ **수 카드의 수의 크기 비교하기**
$15>13>9>8$
❷ **차가 가장 크게 되는 두 수 구하기**
차가 가장 크려면 가장 큰 수와 가장 작은 수의 차를 구해야 합니다.
가장 큰 수: 15, 가장 작은 수: 8
❸ **차가 가장 큰 뺄셈식 만들기**
$15-8=7$

3 ❶ **현수가 꺼낸 공에 적힌 두 수의 합 구하기**
$8+5=13$
❷ **❶에서 구한 수를 이용하여 지호가 꺼내야 하는 공 찾기**
지호가 이기려면 꺼낸 공에 적힌 두 수의 합이 13보다 커야 합니다.
6과 더하여 13보다 큰 수는 $6+9=15$이므로 지호는 9가 적힌 공을 꺼내야 합니다.

3-1 ❶ 건우가 꺼낸 공에 적힌 두 수의 합: $9+4=13$
❷ 서아가 이기려면 꺼낸 공에 적힌 두 수의 합이 13보다 커야 합니다.
7과 더하여 13보다 큰 수는 $7+8=15$이므로 서아는 8이 적힌 공을 꺼내야 합니다.

3-2 ❶ 하린이가 꺼낸 공에 적힌 두 수의 차: $11-7=4$
❷ 준수가 이기려면 꺼낸 공에 적힌 두 수의 차가 4보다 작아야 합니다.
9와의 차가 4보다 작은 수는 $12-9=3$이므로 준수는 12가 적힌 공을 꺼내야 합니다.

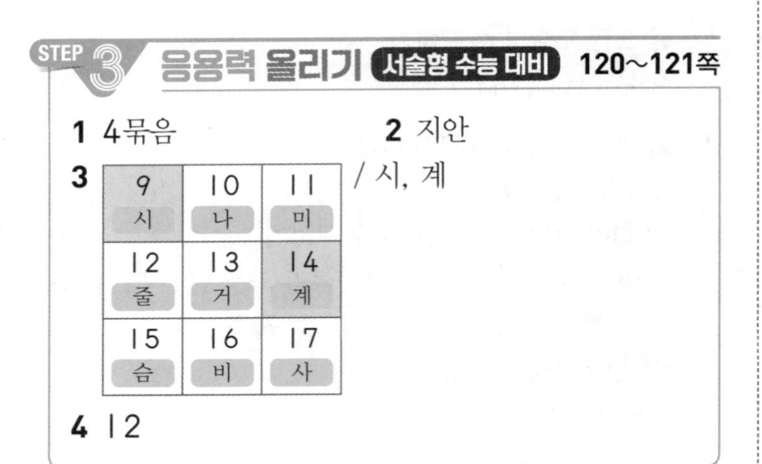

STEP 3 응용력 올리기 서술형 수능 대비 120~121쪽

1 4묶음 **2** 지안

3

9 시	10 나	11 미
12 줄	13 거	14 계
15 슴	16 비	17 사

/ 시, 계

4 12

1

➔ 합이 11이 되는 덧셈식은 $5+6$, $7+4$, $3+8$, $2+9$이므로 모두 4묶음입니다.

2 $15-7=8$, $12-6=6$, $16-8=8$, $14-5=9$
도윤이가 가지고 있는 뺄셈식을 계산하면 차가 8이므로 지안이와 차가 같습니다.
➔ 도윤이의 짝은 지안입니다.

3 $17-8=9$ ➔ 시, $9+5=14$ ➔ 계

4

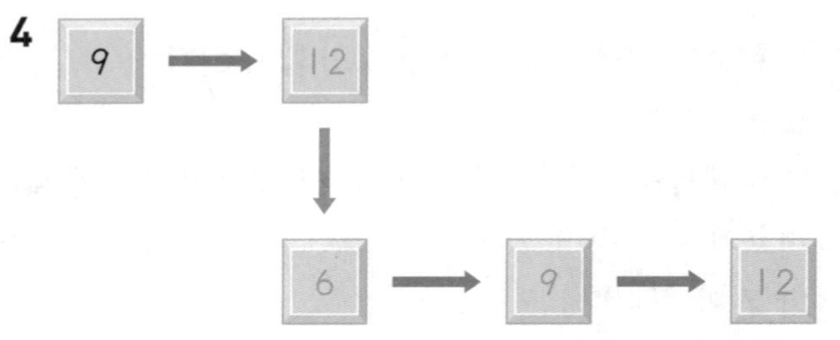

$9+3=12$, $12-6=6$, $6+3=9$, $9+3=12$
➔ ㉠$=12$

TEST 단원 기본 평가 122~124쪽

1 (계산 순서대로) 4, 5, 15

2 예

○	○	○	○	○
○	Ø	Ø	Ø	Ø

Ø	Ø	Ø		

/ (계산 순서대로) 3, 6

3 (계산 순서대로) 3, 2, 12

4 7

5 $8+7=15$

6 ( )(○)

7 $15-6=9$, 9개

8 $7+6=13$ / 13마리

9 ㉢

10 5

11 >

12 $6+8$, 14

13

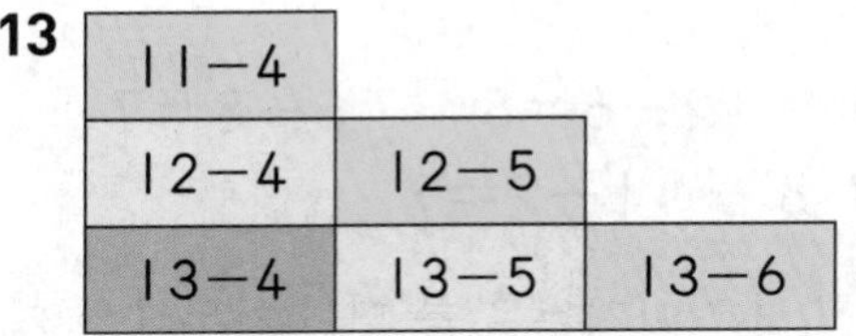

11−4		
12−4	12−5	
13−4	13−5	13−6

14

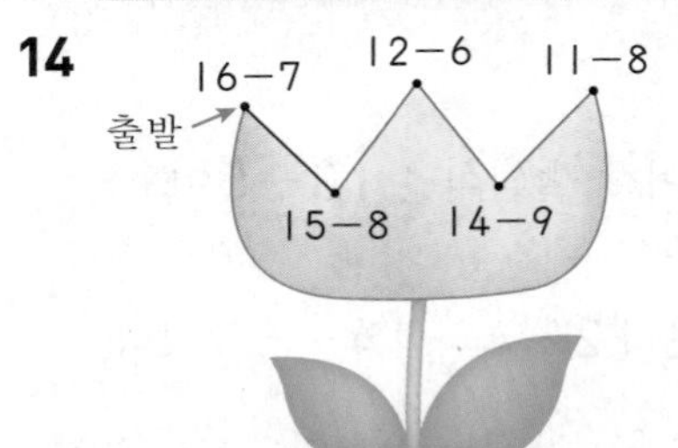

15

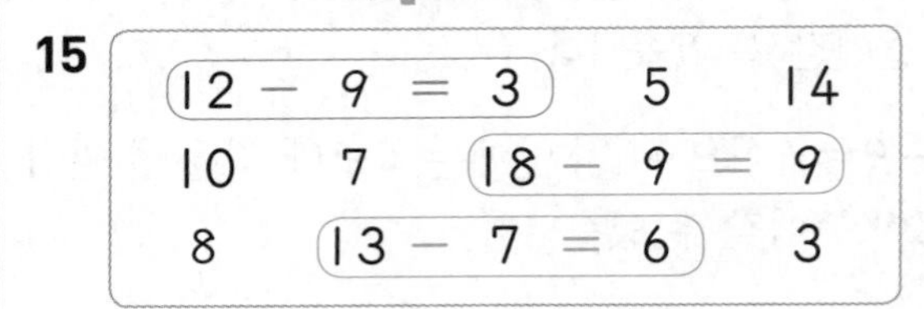

16 주호

17 1, 2, 3

18 $9+8=17$

19 예 ❶ $6+6=12$이므로 $5+\square=12$입니다.
❷ 5와 더해서 12가 되는 수는 7이므로 □ 안에 알맞은 수는 7입니다.
답 7

20 예 ❶ (수희가 먹고 남은 사탕의 수)
$=17-8=9$(개)
❷ (선호가 사탕 4개를 넣은 후 상자 안에 있는 사탕의 수)$=9+4=13$(개)
답 13개

1 9를 4와 5로 가르기 하여 6과 4를 더해서 10을 만들고, 남은 5를 더하면 15가 됩니다.

2 7을 3과 4로 가르기 하여 13에서 3을 빼고 남은 10에서 4를 빼면 6입니다.

4 $16-9=7$
10 6

5 $8+7=15$
5 3

6 $4+7=11$ (×), $5+8=13$ (◯)

7 $15-6=9$(개)
5 1

8 $7+6=13$(마리)
3 3

9 오른쪽 수는 항상 5이고 왼쪽 수는 9부터 1씩 작아지므로 합은 1씩 작아집니다.
㉠ $9+5=14$ ㉡ $8+5=13$ ㉢ $7+5=12$
➔ $14>13>12$

10 $12-7=5$
2 5

11 $8+9=17$ ➔ $17>15$

14 $16-7=9$ ➔ $15-8=7$ ➔ $12-6=6$
➔ $14-9=5$ ➔ $11-8=3$

15 $18-9=9$, $13-7=6$

16 주호: $15-6=9$, 지현: $11-5=6$
➔ $9>6$이므로 두 수의 차가 더 큰 사람은 주호입니다.

17 $12-8=4$이므로 □ 안에는 4보다 작은 수인 1, 2, 3이 들어갈 수 있습니다.

18 수의 크기를 비교하면 $9>8>5>3$입니다. 합이 가장 큰 덧셈식을 만들려면 가장 큰 수와 두 번째로 큰 수를 더해야 합니다. ➔ $9+8=17$

19

채점 기준		
❶ 6+6의 값을 구함.	2점	5점
❷ ❶에서 구한 수를 이용하여 □ 안에 알맞은 수를 구함.	3점	

20 참고 개념
먹은 사탕의 수는 뺄셈식으로, 넣은 사탕의 수는 덧셈식으로 만듭니다.

채점 기준		
❶ 수희가 먹고 남은 사탕의 수를 구함.	2점	5점
❷ 선호가 사탕을 넣은 후 상자 안에 있는 사탕의 수를 구함.	3점	

TEST 단원 실력 평가 125~127쪽

1 (1) 14 (2) 9
2 8
3 희주
4 12, 12 / 17, 17
5 (선 잇기)
6 1
7 ㉡
8 $16-9=7$ / 7개
9 $8+9=17$ / 17개
10 지호
11 8
12 (◯)(◯)( )
13 9
14 $7+9=16$
15
출발 ➔ 4+6, 5+6, 7+5, 4+9, 7+7, 8+7

16

(7 + 7 = 14)	16	9
8	6	(9 + 3 = 12)
4	(5 + 7 = 12)	15

17 준수
18 9

19 예 ❶ (현주가 가지고 있던 젤리의 수)
$=7+6=13$(개)
❷ (먹고 남은 젤리의 수)$=13-9=4$(개)
답 4개

20 예 ❶ 지민이가 꺼낸 공에 적힌 두 수의 합:
$5+6=11$
❷ 지우가 이기려면 꺼낸 공에 적힌 두 수의 합이 11보다 커야 합니다.
3과 더하여 11보다 큰 수는 $3+9=12$이므로 지우는 9가 적힌 공을 꺼내야 합니다. 답 9

1 (1) $6+8=14$
4 4
(2) $14-5=9$
10 4

2 $12-4=8$

3 희주: $3+9=12$

4 두 수를 서로 바꾸어 더해도 합은 같습니다.

5 $4+7=11$, $8+5=13$

6 같은 수에서 1씩 커지는 수를 빼면 차는 1씩 작아집니다.

정답과 해설

7 ㉠ 13−7=6
㉡ 11−8=3

8 (감의 수)−(귤의 수)
=16−9=7(개)

9 (민성이가 캔 감자의 수)+(재희가 캔 감자의 수)
=8+9=17(개)

10 다은: 7+6=13, 지호: 9+3=12
➜ 13>12

11 가장 큰 수: 15, 가장 작은 수: 7
➜ 15−7=8

12 14−6=8, 13−5=8, 11−4=7

13 12−8=4에서 왼쪽 수는 12로 같고 차는 1만큼 작아졌으므로 오른쪽 수는 1만큼 큰 수인 9입니다.

14 실에 꿴 구슬이 7개, 낱개 구슬이 9개 있습니다.
➜ 7+9=16

15 4+6=10 ➜ 5+6=11 ➜ 7+5=12
➜ 4+9=13 ➜ 7+7=14 ➜ 8+7=15

16 9+3=12, 5+7=12

17 수 카드에 적힌 두 수의 차를 각각 구하면
준수: 12−3=9, 지연: 15−8=7입니다.
➜ 9>7이므로 수 카드에 적힌 두 수의 차가 더 큰 사람은 준수입니다.

18 수의 크기 비교하기: 16>11>9>7
차가 가장 크려면 가장 큰 수와 가장 작은 수의 차를 구해야 합니다.
가장 큰 수: 16, 가장 작은 수: 7
➜ 16−7=9

19

채점 기준		
❶ 현주가 가지고 있던 젤리의 수를 구함.	2점	5점
❷ 먹고 남은 젤리의 수를 구함.	3점	

20

채점 기준		
❶ 지민이가 꺼낸 공에 적힌 두 수의 합을 구함.	2점	5점
❷ ❶에서 구한 수를 이용하여 지우가 꺼내야 하는 공을 구함.	3점	

규칙 찾기

STEP 1 개념 익히기 130~131쪽

1 오이, 배추
2 (,)
3 토끼
4 토끼
5

2 가위, 가위, 연필이 반복됩니다.

참고 개념
반복되는 부분을 찾아 규칙을 구하여 다음에 올 것은 무엇인지 알아봅니다.

3 토끼, 당근이 반복됩니다.

4 토끼, 당근, 토끼가 반복됩니다.

5 첫째 줄과 셋째 줄은 보라색, 보라색, 초록색, 초록색이 반복됩니다.
둘째 줄은 초록색, 초록색, 보라색, 보라색이 반복됩니다.

STEP 1 개념 익히기 132~133쪽

1 7, 4
2 4
3 1
4 1, 1, 9
5 70, 80, 90
6 30, 25, 20
7 ×

4 1, 1, 9가 반복되므로 9 다음에는 1, 1, 9가 옵니다.

5 20부터 시작하여 10씩 커지므로 60 다음에는 70, 70 다음에는 80, 80 다음에는 90입니다.

6 55부터 시작하여 5씩 작아지므로 35 다음에는 30, 30 다음에는 25, 25 다음에는 20입니다.

7 43 − 39 − 35 − 31 − 27 − 23 − 19 − 15
➜ 43부터 시작하여 4씩 작아지는 규칙입니다.

STEP 1 개념 익히기 134~135쪽

1 1　　**2** 10
3 11　　**4** 1
5 53, 5
6 (위에서부터) 89, 99
7

61	**62**	63	64	**65**	66	67	**68**	69	70
71	72	73	**74**	75	76	**77**	78	79	**80**
81	82	**83**	84	85	**86**	87	88	**89**	90

3 1 — 12 — 23 — 34 — 45
+11 +11 +11 +11

5 53 — 58 — 63 — 68 — 73 —···
+5 +5 +5 +5

7 62부터 시작하여 3씩 커집니다.

STEP 1 개념 익히기 136~137쪽

1 (1) 포크, 숟가락 (2) ○, △, ○
2 ○, ×, ○　　**3** 4, 4, 2
4 □, ○, □, ○　　**5** 2, 2, 4

1 (2) 숟가락은 ○, 포크는 △로 나타내면 ○, △, ○가 반복됩니다.

2 초록불, 빨간불, 초록불이 반복됩니다.
초록불은 ○, 빨간불은 ×로 나타내면 ○, ×, ○가 반복됩니다.

3 ▯▯▯▯, ▯▯▯▯, ▯▯가 반복됩니다.
▯▯▯▯는 4, ▯▯는 2로 나타내면 4, 4, 2가 반복됩니다.

4 과자, 초콜릿이 반복됩니다.
과자는 □, 초콜릿은 ○로 나타내면 □, ○가 반복됩니다.

5 타조, 고양이, 타조가 반복됩니다.
타조는 2, 고양이는 4로 나타내면 2, 4, 2가 반복됩니다.

STEP 2 기본 다지기 138~142쪽

1 　　**2** ◺, ◺
3 ( )
(○)　　**4** ㉡
5 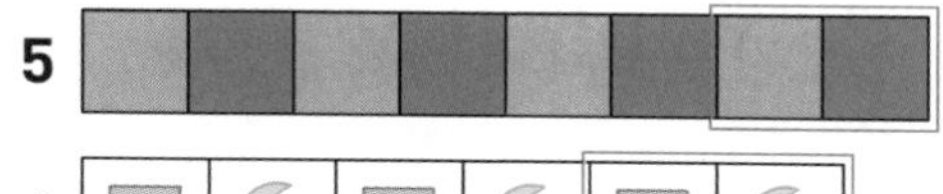
6 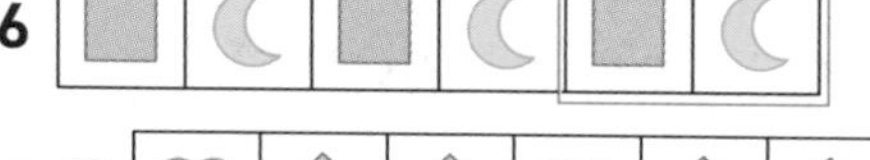
7 예
8 ㉡　　**9** 1, 3
10 35, 45, 55　　**11** ㉡
12 9　　**13** 4, 28
14 21, 31　　**15** ㉡
16 70, 71, 72, 73, 74, 75, 76
17

41	42	43	44	**45**	46	47	48	**49**	50
51	52	**53**	54	55	56	**57**	58	59	60
61	62	63	64	**65**	66	67	68	**69**	70

18 6씩
19

31	32	33	34	35	**36**	37	38	39	40
41	42	43	44	45	**46**	47	48	49	50
51	52	53	54	55	**56**	57	58	59	60
61	62	63	64	65	**66**	67	68	69	70

20

12	13	14	15	16	17	**18**
19	20	21	22	23	**24**	25
26	27	28	29	**30**	31	32
33	34	35	**36**	37	38	39

/ 예 6씩 커집니다.

21 38, 50　　**22** ㉠
23 3, 4, 4　　**24** 8, 3, 8
25 ㅁ, ㄴ, ㅁ　　**26** ㉡
27 (위에서부터) ▪ / 2, 1
28 5
29 2개, 5개　　**30** 5개, 5개
31 5개　　**32** 27, 29, 31, 33
33 32, 29, 26, 23　　**34** 46, 52, 64, 70

3 야구방망이 한 개와 야구공 두 개가 반복됩니다.

4 ㉠ 색이 빨간색, 파란색, 빨간색이 반복됩니다.

5 주황색, 초록색이 반복됩니다.

7 예 ♥, ◇, ◇이 반복되도록 규칙을 만들었습니다.

8 첫째 줄은 ★, ●가 반복되고, 둘째 줄은 ●, ★이 반복됩니다.

11 ㉠ 10부터 시작하여 2씩 작아집니다.

13 48 − 44 − 40 − 36 − 32 − 28
(−4, −4, −4, −4, −4)
➜ 48부터 시작하여 4씩 작아지는 규칙입니다.

14 6부터 시작하여 5씩 커집니다.

15 ㉡ 1부터 시작하여 ↘ 방향으로 3씩 커집니다.

18 61부터 시작하여 6씩 뛰어 센 것입니다.

19 31부터 시작하여 5씩 커지는 규칙입니다.

20 평가 기준
규칙에 따라 색칠하고, 수가 몇씩 커지는지 규칙을 바르게 썼으면 정답으로 합니다.

21 32부터 시작하여 1씩 커지는 규칙이므로 ★에 알맞은 수는 38이고 ▲에 알맞은 수는 50입니다.

23 클로버 잎이 3개, 4개, 4개가 반복됩니다.
세잎클로버는 3, 네잎클로버는 4로 나타내면 3, 4, 4가 반복됩니다.

24 ▦, ▦, ▦이 반복됩니다.
▦은 8, ▦은 3으로 나타내면 8, 3, 8이 반복됩니다.

25 ▦은 ㅁ, ▦은 ㄴ으로 나타내면 ㅁ, ㄴ, ㅁ이 반복됩니다.

26 |보기|는 탁구채, 탁구공이 반복됩니다.
탁구채는 □, 탁구공은 ▽로 나타내면 □, ▽가 반복되므로 바르게 나타낸 것은 ㉡입니다.

27 주사위는 ⚀, ⚁, ⚂이 반복됩니다.
⚀은 1, ⚁는 2, ⚂은 3으로 나타내면 1, 2, 3이 반복됩니다.

28 손가락 장갑, 벙어리 장갑이 반복됩니다.
손가락 장갑은 5, 벙어리 장갑은 2로 나타내면 5, 2가 반복됩니다. ➜ ㉠에 알맞은 수는 5입니다.

29 펼친 손가락이 2개, 5개, 0개가 반복되므로 ㉠에는 펼친 손가락 2개 그림이 들어가고, ㉡에는 펼친 손가락 5개 그림이 들어갑니다.

30 펼친 손가락이 5개, 5개, 2개가 반복되므로 ㉠에는 펼친 손가락 5개 그림이 들어가고, ㉡에도 펼친 손가락 5개 그림이 들어갑니다.

31 펼친 손가락이 5개, 0개가 반복되므로 ㉠에는 펼친 손가락 5개 그림이 들어가고, ㉡에는 펼친 손가락 0개 그림이 들어갑니다.
➜ 5+0=5(개)

32 |보기|의 수 배열의 규칙은 2씩 커지는 규칙이므로 25부터 시작하여 2씩 커지도록 수를 써넣습니다.

33 |보기|의 수 배열의 규칙은 3씩 작아지는 규칙이므로 35부터 시작하여 3씩 작아지도록 수를 써넣습니다.

34 |보기|의 수 배열의 규칙은 6씩 커지는 규칙입니다. 58의 오른쪽으로는 58부터 시작하여 6씩 커지도록 써넣고, 58의 왼쪽으로는 58부터 시작하여 6씩 작아지도록 수를 써넣습니다.

STEP 3 응용력 올리기 143~145쪽

1 ❶ 20, 14 ❷ ㉠	
1-1 ㉡	**1-2** ㉡
2 ❶ 검은색, 검은색 ❷ 검은색	
2-1 흰색	**2-2** 10개
3 ❶ 1씩 ❷ 6씩 ❸ 88	
3-1 75	**3-2** ㉡

1 ❶ **㉠과 ㉡에 알맞은 수 구하기**
• 10, 20이 반복되는 규칙입니다.
➜ ㉠=20
• 4부터 시작하여 2씩 커지는 규칙입니다.
➜ ㉡=14
❷ **㉠과 ㉡ 중 알맞은 수가 더 큰 것 구하기**
㉠ 20>㉡ 14이므로 더 큰 것은 ㉠입니다.

1-1 ❶ ㉠과 ㉡에 알맞은 수 구하기
• 15부터 시작하여 5씩 커지는 규칙입니다.
➜ ㉠=40
• 58부터 시작하여 4씩 작아지는 규칙입니다.
➜ ㉡=42
❷ ㉠과 ㉡ 중 알맞은 수가 더 큰 것 구하기
㉠ 40<㉡ 42이므로 더 큰 것은 ㉡입니다.

1-2 ❶ ㉠과 ㉡에 알맞은 수 구하기
• 13부터 시작하여 2씩 커지는 규칙입니다.
➜ ㉠=23
• 48부터 시작하여 6씩 작아지는 규칙입니다.
➜ ㉡=18
❷ ㉠과 ㉡ 중 알맞은 수가 더 작은 것 구하기
㉠ 23>㉡ 18이므로 더 작은 것은 ㉡입니다.

2 ❶ 반복되는 부분 찾기
흰색, 검은색, 검은색이 반복됩니다.
❷ 17번째에 놓이는 바둑돌의 색 구하기
규칙에 따라 늘어놓으면 17번째에 놓이는 바둑돌은 검은색입니다.

2-1 ❶ 반복되는 부분 찾기
흰색, 검은색, 흰색이 반복됩니다.
❷ 16번째에 놓이는 바둑돌의 색 구하기
규칙에 따라 늘어놓으면 16번째에 놓이는 바둑돌은 흰색입니다.

2-2 ❶ 반복되는 부분 찾기
검은색, 검은색, 흰색이 반복됩니다.
❷ 바둑돌 14개를 늘어놓을 때 검은색 바둑돌의 개수 구하기
규칙에 따라 바둑돌 14개를 늘어놓으면 검은색 바둑돌은 모두 10개입니다.

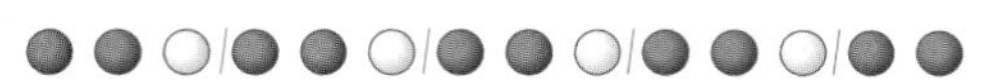

3 ❶ → 방향으로 몇씩 커지는지 알아보기
→ 방향으로 1씩 커집니다.
❷ ↓ 방향으로 몇씩 커지는지 알아보기
↓ 방향으로 6씩 커집니다.
❸ ❶과 ❷를 이용하여 ★에 알맞은 수 구하기
79부터 시작하여 ↓ 방향으로 1칸 간 수는 85이고, 85부터 시작하여 → 방향으로 3칸 간 수는 88이므로 ★에 알맞은 수는 88입니다.

3-1 ❶ → 방향으로 몇씩 커지는지 알아보기
→ 방향으로 1씩 커집니다.
❷ ↓ 방향으로 몇씩 커지는지 알아보기
↓ 방향으로 9씩 커집니다.
❸ ❶과 ❷를 이용하여 ●에 알맞은 수 구하기
64부터 시작하여 ↓ 방향으로 1칸 간 수는 73이고, 73부터 시작하여 → 방향으로 2칸 간 수는 75이므로 ●에 알맞은 수는 75입니다.

3-2 ❶ 10개씩 묶음 8개와 낱개 12개인 수 구하기
10개씩 묶음 8개와 낱개 12개인 수는 92입니다.
❷ → 방향과 ↓ 방향으로 몇씩 커지는지 알아보기
→ 방향으로 1씩 커지고, ↓ 방향으로 7씩 커집니다.
❸ ㉠, ㉡, ㉢, ㉣에 알맞은 수 구하기
77부터 시작하여 ↓ 방향으로 2칸 간 수는 91이므로 ㉠ 91, ㉡ 92, ㉢ 93, ㉣ 94입니다. 따라서 92가 들어갈 칸은 ㉡입니다.

STEP 3 응용력 올리기 서술형 수능 대비 146~147쪽

1 쿵　　2 24
3 (시계), 4시 30분
4

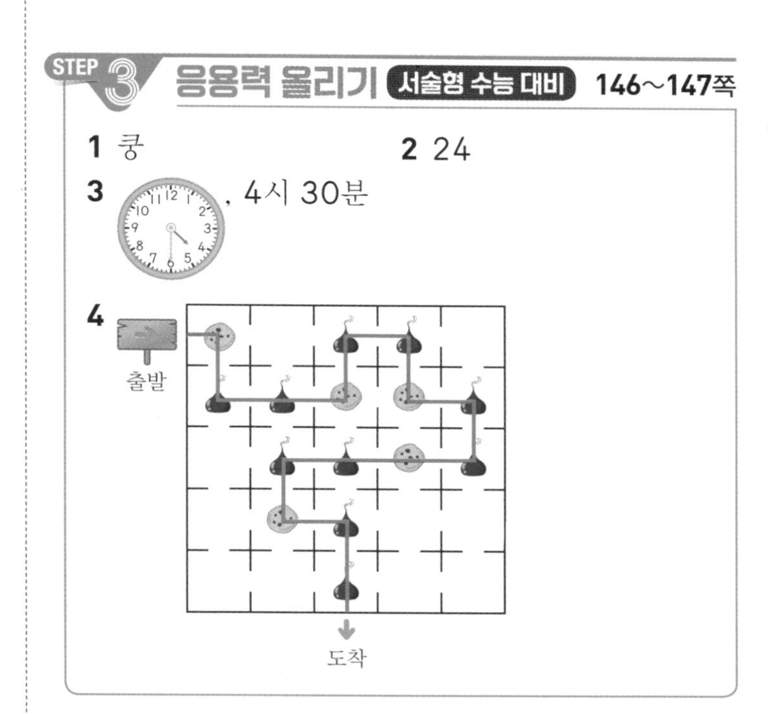

1 덩, 쿵, 쿵, 덕, 쿵이 반복됩니다.

2 4부터 시작하여 운전석 뒤쪽으로 1칸 갈 때마다 4씩 커집니다. 20 다음에는 24이므로 ㉠에 알맞은 수는 24입니다.

3 10시 30분, 4시 30분이 반복됩니다. 빈 곳에 알맞은 시각은 4시 30분입니다.

4 과자, 초콜릿, 초콜릿이 반복됩니다.

TEST 단원 기본 평가 148~150쪽

1 ()

2 자전거, 자동차

3 △

4 2

5 5, 1, 1

6 ○, △, ○, △

7 52

8 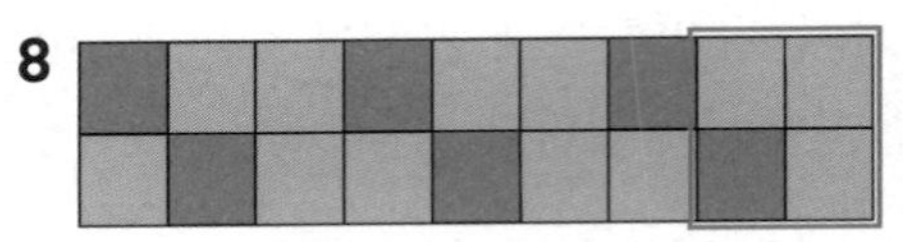

9 11

10 18, 14

11 (위에서부터) 7, 8 / 13, 14

12 ㉠

13 ㉡

14 예 주사위

15

11	12	13	14	15	16	17	18	19	20
21	22	23	24	25	26	27	28	29	30
31	32	33	34	35	36	37	38	39	40

16 예 3부터 시작하여 ↓ 방향으로 3씩 커집니다.

17 37

18 4마리

19 예 ❶ 펼친 손가락이 2개, 2개, 5개가 반복됩니다.
❷ ㉠에는 펼친 손가락 2개 그림이 들어가고, ㉡에는 펼친 손가락 5개 그림이 들어갑니다.
답 2개, 5개

20 예 ❶ • 9, 5가 반복되는 규칙입니다.
➜ ㉠=5
• 17부터 시작하여 2씩 작아지는 규칙입니다.
➜ ㉡=7
❷ ㉠ 5<㉡ 7이므로 더 큰 것은 ㉡입니다.
답 ㉡

1 큰 나무, 작은 나무가 반복됩니다.
따라서 작은 나무 다음에는 큰 나무가 알맞습니다.

4 7부터 시작하여 1씩 작아지는 규칙입니다.

5 500원, 100원, 100원이 반복됩니다.
500원은 5, 100원은 1로 나타내면 5, 1, 1이 반복됩니다.

6 교통표지판이 ● 모양, ▲ 모양이 반복됩니다.
● 모양 교통표지판은 ○, ▲ 모양 교통표지판은 △로 나타내면 ○, △가 반복됩니다.

7 32 − 37 − 42 − 47 − 52
(+5, +5, +5, +5)

8 첫째 줄은 파란색, 분홍색, 분홍색이 반복되고, 둘째 줄은 분홍색, 파란색, 분홍색이 반복됩니다.

9 41 − 52 − 63 − 74 − 85
(+11, +11, +11, +11)
➜ 41부터 시작하여 11씩 커집니다.

10 20부터 시작하여 2씩 작아지므로 20−18−16−14−12입니다.

11 → 방향으로 1씩 커지고, ↓ 방향으로 4씩 커지는 규칙입니다.

12 ㉠ 튤립, 장미가 반복됩니다.

13 ♩, ♪, ♪가 반복됩니다.
♩는 1, ♪는 2로 나타내면 1, 2, 2가 반복됩니다.
➜ ㉡

14 원기둥, 구, 상자 모양이 반복되므로 □ 안에는 상자 모양이 들어갑니다.
➜ 상자 모양의 물건을 찾으면 주사위, 상자 등이 있습니다.

15 15부터 시작하여 5씩 커집니다.

16 평가 기준
|보기|와 다른 규칙을 찾아 바르게 썼으면 정답으로 합니다.

17 17부터 시작하여 4씩 커집니다.
17 − 21 − 25 − 29 − 33 − 37
(+4, +4, +4, +4, +4)

18 강아지, 고양이가 반복됩니다.
빈칸에 알맞은 동물은 차례로 강아지, 고양이, 강아지, 고양이, 강아지이므로 완성한 그림에서 고양이는 모두 4마리입니다.

19 채점 기준

❶ 펼친 손가락의 규칙을 구함.	2점	5점
❷ ㉠과 ㉡에 들어갈 펼친 손가락의 개수를 각각 구함.	3점	

20 채점 기준

❶ ㉠과 ㉡에 알맞은 수를 각각 구함.	3점	5점
❷ ㉠과 ㉡ 중 알맞은 수가 더 큰 것을 구함.	2점	

TEST 단원 실력 평가 151~153쪽

1 △　2 >

3 0, 1, 1　4 56

5 지안

6 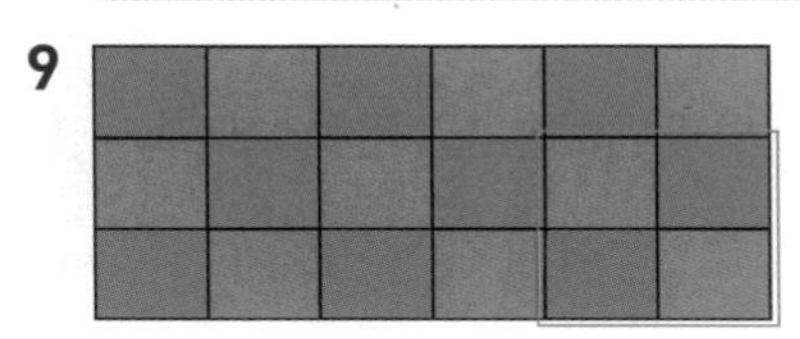

7 (왼쪽부터) 쿵, 쿵, 짝

8

12	13	14	15	16	17	18	19
20	21	22	23	24	25	26	27
28	29	30	31	32	33	34	35

9

10 ㉠

11 3 4 5 3 4 5 4 4 / 3

12 65

13 예 6씩 커집니다.

14 70　15 

16

□	□	○	□	□	○	□
○	○	□	○	○	□	○

17 ①, ④　18 32, 37, 42, 47

19 예 ❶ 검은색, 흰색, 검은색이 반복됩니다.
❷ 규칙에 따라 늘어놓으면 13번째에 놓이는 바둑돌은 검은색입니다.

답 검은색

20 예 ❶ → 방향으로 1씩 커집니다.
❷ ↓ 방향으로 8씩 커집니다.
❸ 39부터 시작하여 → 방향으로 3칸 간 수는 42이고, 42부터 시작하여 ↓ 방향으로 1칸 간 수는 50이므로 ■에 알맞은 수는 50입니다. 답 50

3 접힌 우산, 펼친 우산, 펼친 우산이 반복됩니다.
접힌 우산은 0으로, 펼친 우산은 1로 나타내면 0, 1, 1이 반복됩니다.

4 44부터 시작하여 3씩 커지는 규칙이므로
44 — 47 — 50 — 53 — 56입니다.

5 보라색, 주황색, 주황색이 반복됩니다.

6 ○, △, △가 반복됩니다.

7 ㉿-㉿-㉿... (쿵)—(쿵)—(짝)이 반복됩니다.

9 첫째 줄과 셋째 줄은 초록색, 빨간색이 반복됩니다.
둘째 줄은 빨간색, 초록색이 반복됩니다.

10 사과, 귤, 사과, 사과가 반복됩니다.
사과는 ○, 귤은 △로 나타내면 ○, △, ○, ○가 반복되므로 바르게 나타낸 것은 ㉠입니다.

11 5 다음에는 3이 와야 합니다.

12 40—45—50이므로 40부터 시작하여 5씩 커집니다.
+5 +5
➔ 40—45—50—55—60—65

13 **평가 기준**
수가 몇씩 커지는지 규칙을 바르게 썼으면 정답으로 합니다.

14 → 방향으로 1씩 커지고, ↓ 방향으로 6씩 커진다.
★에 알맞은 수는 58에서 ↓ 방향으로 2칸 가면 58—64—70이므로 70입니다.

15 8시 30분과 9시가 반복되므로 빈 곳에 9시가 되도록 시곗바늘을 그려 넣습니다.

16 첫째 줄은 노란색, 노란색, 보라색이 반복되고, 둘째 줄은 보라색, 보라색, 노란색이 반복됩니다.
노란색은 □, 보라색은 ○로 나타내면 첫째 줄은 □, □, ○가 반복되고, 둘째 줄은 ○, ○, □가 반복됩니다.

17 첫째 줄, 둘째 줄 모두 ■, ▲, ▲가 반복됩니다.

18 |보기|의 수 배열의 규칙은 5씩 커지는 규칙입니다.
27부터 5씩 커지도록 수를 써넣습니다.

19 **채점 기준**

❶ 반복되는 부분을 찾음	2점	5점
❷ 13번째에 놓이는 바둑돌의 색을 구함.	3점	

20 **채점 기준**

❶ → 방향으로 몇씩 커지는지 구함.	2점	5점
❷ ↓ 방향으로 몇씩 커지는지 구함.	2점	
❸ ❶과 ❷를 이용하여 ■에 알맞은 수를 구함.	1점	

덧셈과 뺄셈 (3)

STEP 1 개념 익히기 156~157쪽

1 38
2 (1) 53 (2) 66 (3) 76
3 23, 28
4 $\begin{array}{r} 42 \\ +\ 3 \\ \hline 45 \end{array}$
5 (선 잇기)
6 69

2 낱개는 낱개끼리 더합니다.

3 초록색 지우개가 23개, 노란색 지우개가 5개 있습니다.
$\begin{array}{r} 23 \\ +\ 5 \\ \hline 28 \end{array}$ → 23+5=28

4 낱개 3은 낱개 2와 나란히 한 줄로 맞추어 써야 합니다.

5 2+36=38, 40+7=47, 53+4=57
34+4=38, 5+52=57, 6+41=47

6 61보다 8만큼 더 큰 수 → 61+8=69

참고 개념
■보다 ▲만큼 더 큰 수 → ■+▲

STEP 1 개념 익히기 158~159쪽

1 60
2 58
3 (1) 70 (2) 37 (3) 80 (4) 65
4 (선 잇기)
5 ( )(○)(△)
6 41+54=95(또는 54+41=95), 95개

3 (3) $\begin{array}{r} 30 \\ +50 \\ \hline 80 \end{array}$ (4) $\begin{array}{r} 52 \\ +13 \\ \hline 65 \end{array}$

4 30+20=50, 40+40=80
20+60=80, 10+40=50

참고 개념
(몇십)+(몇십)은 (몇)+(몇)의 뒤에 0을 1개 붙인 것과 같습니다.
예 3+2=5 → 30+20=50
4+4=8 → 40+40=80
2+6=8 → 20+60=80
1+4=5 → 10+40=50

5 46+32=78, 14+65=79, 53+21=74
→ 79>78>74

참고 개념
10개씩 묶음은 10개씩 묶음끼리, 낱개는 낱개끼리 더합니다.

6 (감자의 수)+(고구마의 수)
=41+54=95(개)

STEP 1 개념 익히기 160~161쪽

1 15, 39
2 (1) 35, 36, 37 (2) 85, 86, 87
3 13, 35, 35권
4 6, 28, 28권
5 14+13=27(또는 13+14=27), 27권
6 58, 58

1 ● 모양 쿠키가 24개, ★ 모양 쿠키가 15개이므로 쿠키는 모두 24+15=39(개)입니다.

2 (1) 20+15=35
20+16=36
20+17=37
→ 같은 수에 1씩 커지는 수를 더하면 합도 1씩 커집니다.
(2) 64+21=85
65+21=86
66+21=87
→ 1씩 커지는 수에 같은 수를 더하면 합도 1씩 커집니다.

3 (노란색 책의 수)+(초록색 책의 수)
=22+13=35(권)

4 아랫줄에 있는 책은 노란색 책과 빨간색 책입니다.
➔ (노란색 책의 수)+(빨간색 책의 수)
=22+6=28(권)

5 (파란색 책의 수)+(초록색 책의 수)
=14+13=27(권)

6 다은: 15+43=58
도윤: 43+15=58

참고 개념
두 수를 서로 바꾸어 더해도 합은 같습니다.

STEP 2 기본 다지기 162~165쪽

1 4, 36 **2** 49
3 27
4 52+4=56, 56명
5 70
6 (위에서부터) 60, 80
7 정거장 **8** 40명
9 78 **10** 89
11 > **12** 79, 66, 67
13 55, 67 **14** 69번
15 14
16 17+21=38(또는 21+17=38)
17 37, 47, 57, 67 **18** ○
19 37개 **20** 26개
21 38개
22 예 11+20=31 / 13+6=19
23 예 42+6=48 / 30+13=43
24 예 64+11=75 / 25+2=27 / 56+23=79
25 (위에서부터) 1, 5
26 (위에서부터) 4, 1
27 (위에서부터) 2, 4

1 모형은 모두 10개씩 묶음 3개와 낱개 6개이므로 32+4=36입니다.

2
$$\begin{array}{r} 4\ 3 \\ +\quad 6 \\ \hline 4\ 9 \end{array}$$

3 24+3=27

4 (지금 지하철 한 칸에 타고 있는 사람 수)
=(원래 타고 있던 사람 수)+(더 탄 사람 수)
=52+4=56(명)

5 50+20=70

6 10+50=60, 10+70=80

7 거: 30+40=70, 장: 60+30=90,
정: 20+10=30
➔ 30(정)<70(거)<90(장)

8 (줄다리기를 한 전체 학생 수)
=(남학생 수)+(여학생 수)
=20+20=40(명)

9 31+47=78

10 큰 수부터 차례로 쓰면 72, 23, 17입니다.
➔ (가장 큰 수)+(가장 작은 수)=72+17=89

11 21+18=39, 12+26=38
➔ 39>38

12 (상자) 모양: 63+16=79,
(원기둥) 모양: 24+42=66,
(공) 모양: 51+16=67

13 34+21=55, 55+12=67

14 32보다 13만큼 더 큰 수 ➔ 32+13=45
하린이가 뽑은 번호표는 45번이므로 45보다 24만큼 더 큰 수는 45+24=69입니다.
따라서 도윤이가 은행에서 뽑은 번호표는 69번입니다.

15 어떤 수를 □라 하면 □+24=38입니다.
➔ 14+24=38이므로 □=14입니다.

다른 풀이

$$\begin{array}{r} ㉠\ ㉡ \\ +\ 2\ 4 \\ \hline 3\ 8 \end{array}$$

• ㉡+4=8 → ㉡=4
• ㉠+2=3 → ㉠=1
➔ 어떤 수=㉠㉡=14

16 배가 17개, 사과가 21개이므로 모두 17+21=38(개)입니다.

17 16+21=37　16+41=57
16+31=47　16+51=67
➔ 같은 수에 10씩 커지는 수를 더하면 합도 10씩 커집니다.

18 지유: 30+27=57, 시후: 27+30=57

19 컵라면이 14개, 봉지 라면이 23개이므로 라면은 모두 14+23=37(개)입니다.

20 봉지 과자가 11개, 상자 과자가 15개이므로 과자는 모두 11+15=26(개)입니다.

21 봉지 라면이 23개, 상자 과자가 15개이므로 오른쪽 선반에 있는 물건은 모두 23+15=38(개)입니다.

22 11+13=24, 11+6=17, 20+13=33, 20+6=26으로 써도 정답입니다.

23 42+6=48, 30+13=43, 42+13=55, 30+6=36으로 쓰면 정답입니다.

24 64+23=87, 64+11=75, 64+2=66, 25+23=48, 25+11=36, 25+2=27, 56+23=79, 56+11=67, 56+2=58로 쓰면 정답입니다.

25

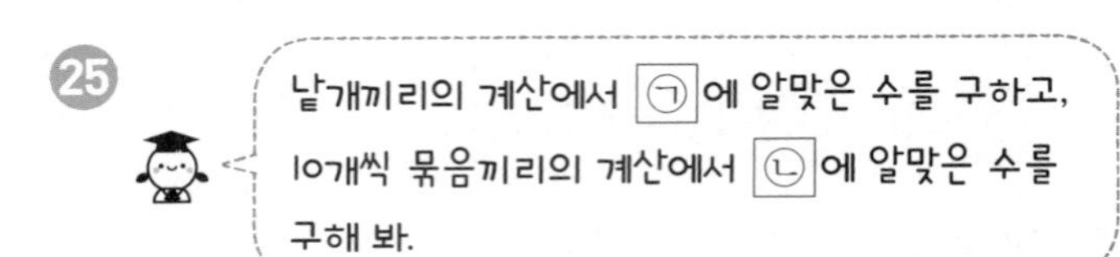

$$\begin{array}{rcc} & 3 & ㉠ \\ + & 2 & 7 \\ \hline & ㉡ & 8 \end{array}$$

- ㉠+7=8 ➔ ㉠=1
- 3+2=㉡ ➔ ㉡=5

26

$$\begin{array}{rcc} & 5 & ㉠ \\ + & ㉡ & 3 \\ \hline & 6 & 7 \end{array}$$

- ㉠+3=7 ➔ ㉠=4
- 5+㉡=6 ➔ ㉡=1

27

$$\begin{array}{rcc} & ㉡ & 5 \\ + & 2 & ㉠ \\ \hline & 4 & 9 \end{array}$$

- 5+㉠=9 ➔ ㉠=4
- ㉡+2=4 ➔ ㉡=2

STEP 1 개념 익히기 166~167쪽

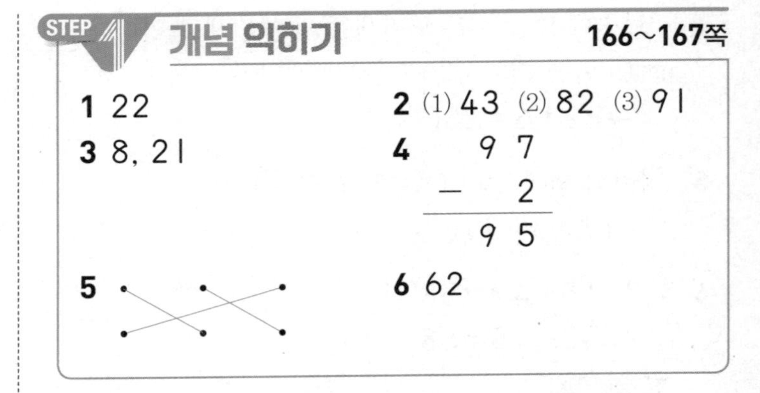

1 22　2 (1) 43 (2) 82 (3) 91
3 8, 21
4
$$\begin{array}{rcc} & 9 & 7 \\ - & & 2 \\ \hline & 9 & 5 \end{array}$$
5 (선 잇기)　6 62

2 낱개는 낱개끼리 뺍니다.

3 귤 29개에서 8개를 먹었습니다.

$$\begin{array}{rcc} & 2 & 9 \\ - & & 8 \\ \hline & 2 & 1 \end{array}$$ ➔ 29−8=21

4 낱개 2는 낱개 7과 나란히 한 줄로 맞추어 써야 합니다.

5 46−5=41, 58−3=55, 73−1=72
77−5=72, 49−8=41, 59−4=55

6 64보다 2만큼 더 작은 수 ➔ 64−2=62

참고 개념
■보다 ▲만큼 더 작은 수 ➔ ■−▲

STEP 1 개념 익히기 168~169쪽

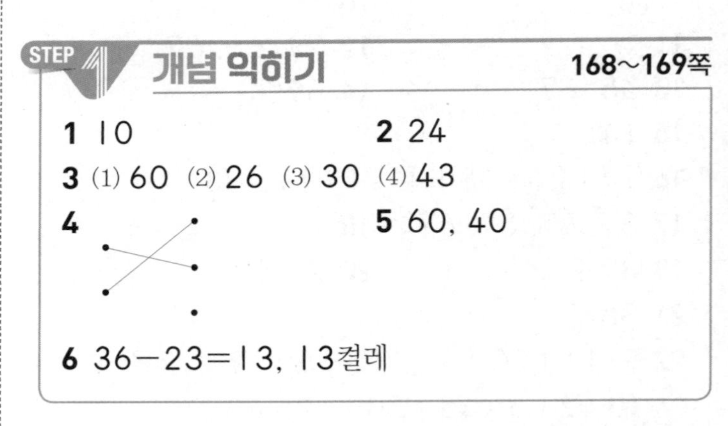

1 10　2 24
3 (1) 60 (2) 26 (3) 30 (4) 43
4 (선 잇기)　5 60, 40
6 36−23=13, 13켤레

1 탁구공이 골프공보다 30−20=10(개) 더 많습니다.

3 (3)
$$\begin{array}{rcc} & 9 & 0 \\ - & 6 & 0 \\ \hline & 3 & 0 \end{array}$$
(4)
$$\begin{array}{rcc} & 8 & 3 \\ - & 4 & 0 \\ \hline & 4 & 3 \end{array}$$

4 63−41=22, 98−78=20

참고 개념
10개씩 묶음은 10개씩 묶음끼리, 낱개는 낱개끼리 뺍니다.

5 만들 수 있는 뺄셈식은 50−40=10, 60−40=20, 60−50=10이므로 차가 20이 되는 뺄셈식은 60−40=20입니다.

6 (남은 실내화 켤레 수)
=(신발장에 있는 실내화 켤레 수)
−(실내화를 신은 사람 수)
=36−23=13(켤레)

STEP 1 개념 익히기 170~171쪽

1 15, 13
2 (1) 35, 36, 37 (2) 14, 13, 12
3 11, 36, 36장
4 5, 31, 31장
5 25−13=12, 12장
6 24, 30

1 우유가 28개, 주스가 15개이므로 우유가 주스보다 28−15=13(개) 더 많습니다.

2 (1) 77−42=35
78−42=36
79−42=37
➔ 1씩 커지는 수에서 같은 수를 빼면 차도 1씩 커집니다.
(2) 34−20=14
34−21=13
34−22=12
➔ 같은 수에서 1씩 커지는 수를 빼면 차는 1씩 작아집니다.

3 (연준이가 가진 교환권 수)
−(모자를 한 개 사는 데 필요한 교환권 수)
=47−11=36(장)

4 (지현이가 가진 교환권 수)
−(공룡 인형을 한 개 사는 데 필요한 교환권 수)
=36−5=31(장)

5 (서정이가 가진 교환권 수)
−(티셔츠를 한 장 사는 데 필요한 교환권 수)
=25−13=12(장)

6 다은: 86−62=24
지호: 58−28=30

STEP 2 기본 다지기 172~175쪽

1 4, 32
2 51
3 21
4 48−5=43, 43장
5 10
6 60
7 3, 1, 2
8 30명
9 14개
10 (위에서부터) 21, 15
11 >
12 ㉡
13 34−12=22, 22마리
14 ㉢
15 
16 46−22=24
17 33
18 36, 35, 34, 33 / 55−23=32
19 14개
20 35개
21 12개
22 예 26−14=12 / 14−3=11
23 39, 16
24 57, 12
25 74, 43
26 24장
27 45개

1 남은 모형은 10개씩 묶음 3개와 낱개 2개이므로 36−4=32입니다.

2
$$\begin{array}{r} 5\ 4 \\ -\ \ \ 3 \\ \hline 5\ 1 \end{array}$$

3 27−6=21

4 (남아 있는 엽서의 수)
=(처음에 가지고 있던 엽서의 수)−(사용한 엽서의 수)
=48−5=43(장)

5 40−30=10

6 80>50>20이므로 80−20=60입니다.

7 60−50=10, 70−20=50, 90−50=40
➔ 50>40>10

8 50−20=30(명)

9 초콜릿이 27개이고, 사탕이 13개이므로 초콜릿이 사탕보다 27−13=14(개) 더 많습니다.

10 $\begin{array}{r} 45 \\ -\ 24 \\ \hline 21 \end{array}$, $\begin{array}{r} 45 \\ -\ 30 \\ \hline 15 \end{array}$

11 $86-54=32$ ➔ $40>32$

12 ㉠ $74-41=33$ ㉡ $68-26=42$
➔ 차가 40보다 큰 식은 ㉡입니다.

13 (열대어의 수)−(새우의 수)$=34-12=22$(마리)

14 ㉠ 31 ㉡ 31 ㉢ 32 ㉣ 31
따라서 계산 결과가 다른 것은 ㉢입니다.

15

$52-30=22$	$48-22=26$
$76-50=26$	$65-41=24$
$37-13=24$	$94-72=22$

16 노란 달걀이 46개, 흰 달걀이 22개이므로 노란 달걀이 $46-22=24$(개) 더 많습니다.

17 $65-32=33$

18 1씩 작아지는 수에서 같은 수를 빼면 차도 1씩 작아집니다.

19 (반지의 수)−(팔찌의 수)$=37-23=14$(개)

20 (남은 반지의 수)=(처음에 있던 반지의 수)
−(지원이와 은서가 산 반지의 수)
$=37-2=35$(개)

21 (남은 팔찌의 수)
=(처음에 있던 팔찌의 수)−(팔린 팔찌의 수)
$=23-11=12$(개)

22
조기가 26마리, 삼치가 15마리일 때 조기는 삼치보다 몇 마리 더 많은지 뺄셈식으로 쓰면 26−15=11이야.

$26-3=23$, $26-15=11$, $15-3=12$, $15-14=1$로 써도 정답입니다.

23 낱개끼리의 차가 3인 두 수를 찾으면 16과 39입니다.
➔ $39-16=23$

24 낱개끼리의 차가 5인 두 수를 찾으면 57과 12입니다.
➔ $57-12=45$

25 낱개끼리의 차가 1인 두 수를 찾으면 74와 43, 22와 43입니다.
➔ $74-43=31$ (○), $43-22=21$ (×)

26 (남은 파란 색종이의 수)$=20-10=10$(장)
처음에 연준이가 가지고 있던 빨간 색종이의 수를 □장이라 하면 □$-14=10$입니다.
[24]$-14=10$이므로 처음에 연준이가 가지고 있던 빨간 색종이는 24장입니다.

27 (남은 오렌지맛 사탕의 수)$=37-5=32$(개)
처음에 주원이가 가지고 있던 포도맛 사탕의 수를 □개라 하면 □$-13=32$입니다.
[45]$-13=32$이므로 처음에 주원이가 가지고 있던 포도맛 사탕은 45개입니다.

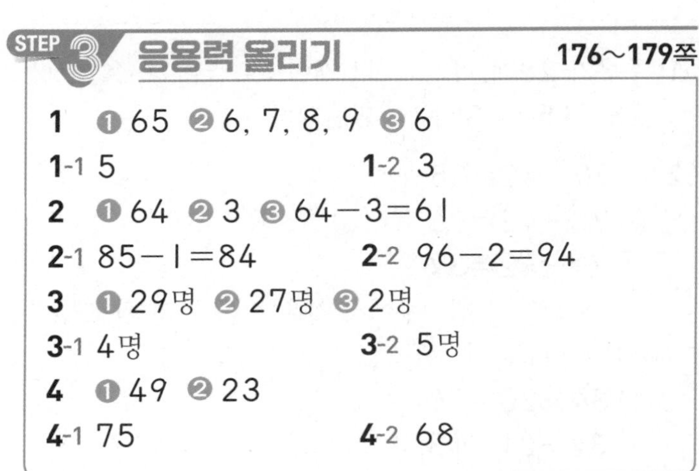

STEP 3 응용력 올리기 176~179쪽

1 ❶ 65 ❷ 6, 7, 8, 9 ❸ 6
1-1 5 **1-2** 3
2 ❶ 64 ❷ 3 ❸ $64-3=61$
2-1 $85-1=84$ **2-2** $96-2=94$
3 ❶ 29명 ❷ 27명 ❸ 2명
3-1 4명 **3-2** 5명
4 ❶ 49 ❷ 23
4-1 75 **4-2** 68

1 **❶ 덧셈식을 계산하여 식을 간단하게 나타내기**
$62+3=65$
❷ □ 안에 들어갈 수 있는 수 구하기
$65<6\square$이므로 □ 안에 들어갈 수 있는 수는 5보다 큰 수인 6, 7, 8, 9입니다.
❸ □ 안에 들어갈 수 있는 가장 작은 수 구하기
위 ❷에서 구한 수 중 가장 작은 수는 6입니다.

1-1 **❶ 덧셈식을 계산하여 식을 간단하게 나타내기**
$41+5=46$
❷ □ 안에 들어갈 수 있는 수 구하기
$46>4\square$이므로 □ 안에 들어갈 수 있는 수는 6보다 작은 수인 1, 2, 3, 4, 5입니다.
❸ □ 안에 들어갈 수 있는 가장 큰 수 구하기
위 ❷에서 구한 수 중 가장 큰 수는 5입니다.

1-2 ❶ **76－□=72가 되는 □ 안의 수 구하기**
76－4=72이므로 76－□가 72와 같아지는 □ 안의 수는 4입니다.
❷ **□ 안에 들어갈 수 있는 수 구하기**
76－□>72이므로 □ 안에 들어갈 수 있는 수는 4보다 작은 수인 1, 2, 3입니다.
❸ **□ 안에 들어갈 수 있는 가장 큰 수 구하기**
위 ❷에서 구한 수 중 가장 큰 수는 3입니다.

2 ❶ **수 카드로 만들 수 있는 가장 큰 몇십몇 구하기**
6>4>3이므로 수 카드 3장 중 2장을 사용하여 가장 큰 몇십몇을 만들면 64입니다.
❷ **위 ❶에서 만들고 남은 카드의 수 구하기**
남은 수 카드의 수는 3입니다.
❸ **두 수의 차가 가장 큰 뺄셈식 구하기**
64－3=61

2-1 ❶ **수 카드로 만들 수 있는 가장 큰 몇십몇 구하기**
8>5>1이므로 수 카드 3장 중 2장을 사용하여 가장 큰 몇십몇을 만들면 85입니다.
❷ **위 ❶에서 만들고 남은 카드의 수 구하기**
남은 수 카드의 수는 1입니다.
❸ **두 수의 차가 가장 큰 뺄셈식 구하기**
85－1=84

2-2 ❶ **수 카드로 만들 수 있는 가장 큰 몇십몇 구하기**
9>6>4>2이므로 수 카드 4장 중 2장을 사용하여 가장 큰 몇십몇을 만들면 96입니다.
❷ **위 ❶에서 만들고 남은 카드의 수 중에서 더 작은 수 구하기**
남은 수 카드의 수는 2, 4인데 두 수의 차가 가장 크려면 빼는 수 몇은 더 작은 수인 2이어야 합니다.
❸ **두 수의 차가 가장 큰 뺄셈식 구하기**
96－2=94

3 ❶ **주아네 반 학생 수 구하기**
(주아네 반 남학생 수)+(주아네 반 여학생 수)
=16+13=29(명)
❷ **예원이네 반 학생 수 구하기**
(예원이네 반 남학생 수)+(예원이네 반 여학생 수)
=11+16=27(명)
❸ **두 반의 학생 수의 차 구하기**
(주아네 반 학생 수)－(예원이네 반 학생 수)
=29－27=2(명)

3-1 ❶ **다엘이네 반 학생 수 구하기**
12+20=32(명)
❷ **윤서네 반 학생 수 구하기**
15+21=36(명)
❸ **두 반의 학생 수의 차 구하기**
(윤서네 반 학생 수)－(다엘이네 반 학생 수)
=36－32=4(명)

3-2 ❶ **채희네 반 학생 수 구하기**
(시은이네 반 학생 수)+2=27+2=29(명)
❷ **하늘이네 반 학생 수 구하기**
(시은이네 반 학생 수)－3=27－3=24(명)
❸ **채희네 반과 하늘이네 반 학생 수의 차 구하기**
29－24=5(명)

4 ❶ **■가 나타내는 수 구하기**
15+34=49 ➔ ■=49
❷ **▲가 나타내는 수 구하기**
■－26=49－26=23 ➔ ▲=23

4-1 ❶ **◆가 나타내는 수 구하기**
58－27=31 ➔ ◆=31
❷ **●가 나타내는 수 구하기**
44+◆=44+31=75 ➔ ●=75

4-2 ❶ **♠가 나타내는 수 구하기**
22+12=34 ➔ ♠=12
❷ **★이 나타내는 수 구하기**
★－12=56, 68－12=56 ➔ ★=68

STEP 3 응용력 올리기 서술형 수능 대비 180~181쪽

1 76	**2** 50개
3 33권	**4** 30 / 70

1 어떤 수를 □라 하면 잘못 계산한 식은 □－21=34입니다.
55－21=34이므로 □=55입니다.
따라서 바르게 계산하면 55+21=76입니다.

2 (지호가 가지고 있는 초콜릿 수)
=(하린이가 가지고 있는 초콜릿 수)－10
=30－10=20(개)
➔ (두 사람이 가지고 있는 초콜릿 수)
=30+20=50(개)

정답과 해설

3 (빌려간 책의 수)
=(학급 문고 책의 수)−(남아 있는 책의 수)
=38−5=33(권)
따라서 빌려간 책은 33권입니다.

4 (노란색 구슬 1개의 무게)=(파란색 구슬 2개의 무게)
=10+10=20(g)
(초록색 구슬 1개의 무게)=(노란색 구슬 2개의 무게)
=20+20=40(g)
➜ (연필의 무게)
=(파란색 구슬 1개의 무게)
+(노란색 구슬 1개의 무게)
=10+20=30(g)
(지우개의 무게)
=(파란색, 노란색, 초록색 구슬 각각 1개씩의 무게)
=10+20+40=70(g)

TEST 단원 기본 평가 182~184쪽

1 60
2 30
3 (1) 57 (2) 42
4 74
5 69
6 6, 27
7 <
8 29−14=15, 15개
9 ㉡
10 51, 53 / 지유
11 79개
12 44
13 (△)( )(○)
14 (선으로 잇기: 엇갈려 연결)
15 24, 25, 26 / 22+5=27
16 58, 15
17 예 78−10=68 / 45−32=13
18 2
19 예 ❶ 54+2=56
❷ 56<5□이므로 □ 안에 들어갈 수 있는 수는 6보다 큰 수인 7, 8, 9입니다.
❸ 위 ❷에서 구한 수 중 가장 작은 수는 7입니다.
답 7
20 예 ❶ (윤희네 반 학생 수)=14+11=25(명)
❷ (예원이네 반 학생 수)=11+12=23(명)
❸ (윤희네 반 학생 수)−(예원이네 반 학생 수)
=25−23=2(명)
답 2명

4
$$\begin{array}{r} 78 \\ -\ \ 4 \\ \hline 74 \end{array}$$

6 (야구공의 수)+(축구공의 수)=21+6=27(개)

7 32+53=85 ➜ 85<86

8 (흰색 비누의 수)−(분홍색 비누의 수)
=29−14=15(개)

9 (소희가 심은 꽃의 수)+(경철이가 심은 꽃의 수)
=14+25=39(송이)

10 시후: 75−24=51, 지유: 75−22=53
➜ 51<53이므로 계산 결과가 큰 사람은 지유입니다.

11 (동준이가 접은 종이학 수)+(현애가 접은 종이학 수)
=41+38=79(개)

12 큰 수부터 차례로 쓰면 74, 53, 30입니다.
➜ (가장 큰 수)−(가장 작은 수)=74−30=44

13 80−50=30, 15+22=37, 10+30=40
➜ 40>37>30이므로 계산 결과가 가장 큰 것은 10+30, 가장 작은 것은 80−50입니다.

14 30+5=35, 42+23=65
68−3=65, 65−30=35

15 같은 수에 1씩 커지는 수를 더하면 합도 1씩 커집니다.

16 33+25=58, 58−43=15

17 여러 가지 뺄셈식이 나올 수 있습니다.
➜ 78−32=46, 45−10=35

18 19−5=14이므로 16−□=14입니다.
➜ 16−[2]=14이므로 □=2입니다.

19 채점 기준

채점 기준	점수	총점
❶ 덧셈식을 계산하여 식을 간단하게 나타냄.	2점	5점
❷ □ 안에 들어갈 수 있는 수를 구함.	2점	
❸ □ 안에 들어갈 수 있는 가장 작은 수를 구함.	1점	

20 채점 기준

채점 기준	점수	총점
❶ 윤희네 반 학생 수를 구함.	2점	5점
❷ 예원이네 반 학생 수를 구함.	2점	
❸ 두 반의 학생 수의 차를 구함.	1점	

TEST 단원 실력 평가 185~187쪽

1 (1) 49 (2) 53 **2** 23+13=36
3 43 **4** 90
5 2, 21
6 15+4=19(또는 4+15=19), 19송이
7 36 **8** 79 / 31
9 (위에서부터) 96, 60 / 12, 24
10 21, 18
11 지호 **12** >
13 (위에서부터) 58 / 44, 40

/

43	21	78	53	33
32	18	48	15	56
68	44	24	58	46
51	62	40	22	45
25	50	34	71	65

14 (위에서부터) 5, 5 **15** 29명
16 48 **17** 67개
18 46, 33(또는 33, 46) / 46, 33
19 예 ❶ 49−27=22 ➔ ■=22
❷ ■+15=22+15=37 ➔ ▲=37
답 37
20 예 ❶ 8>6>5>3이므로 수 카드 4장 중 2장을 사용하여 가장 큰 몇십몇을 만들면 86입니다.
❷ 위 ❶에서 만들고 남은 수 카드의 수는 5, 3인데 두 수의 차가 가장 크려면 빼는 수 몇은 더 작은 수인 3이어야 합니다.
❸ 두 수의 차가 가장 큰 뺄셈식은 86−3=83입니다. 식 86−3=83

3 65−22=43

4 40보다 50만큼 더 큰 수는 40+50=90입니다.

6 (튤립의 수)+(해바라기의 수)
=15+4=19(송이)

7 56−20=36

8 합: 55+24=79
차: 55−24=31

9 62+34=96, 50+10=60, 62−50=12, 34−10=24

10 (민주가 가지고 있는 연필 수)
−(태현이가 가지고 있는 연필 수)
=39−21=18(자루)

11 지호: 58−15=43, 도윤: 23+15=38
➔ 43>38이므로 지호가 말한 수가 더 큽니다.

12 45+32=77, 99−23=76
➔ 77 ⃝> 76

13 6+52=58, 48−4=44, 70−30=40

14 6㉠ − ㉡2 = 13
• ㉠−2=3 ➔ ㉠=5
• 6−㉡=1 ➔ ㉡=5

15 (지난해 방송반 학생 수)−(졸업한 학생 수)
=28−4=24(명),
24+(신입생 수)=24+5=29(명)
따라서 현재 방송반 학생은 모두 29명입니다.

16 어떤 수를 □라 하면 68−□=20입니다.
➔ 68−48=20이므로 □=48입니다.

다른 풀이
68 − ㉠㉡ = 20
• 8−㉡=0 → ㉡=8
• 6−㉠=2 → ㉠=4
➔ 어떤 수=㉠㉡=48

17 (빨간색 우산의 수)=35−3=32(개)
➔ (파란색 우산과 빨간색 우산의 수)
=35+32=67(개)

18 합이 79이고 차가 13인 두 수는 46과 33입니다.

19 채점 기준

채점 기준		
❶ ■가 나타내는 수를 구함.	3점	5점
❷ ▲가 나타내는 수를 구함.	2점	

20 채점 기준

채점 기준		
❶ 수 카드로 만들 수 있는 가장 큰 몇십몇을 구함.	2점	5점
❷ 위 ❶에서 만들고 남은 수 카드의 수 중 더 작은 수를 구함.	2점	
❸ 두 수의 차가 가장 큰 뺄셈식을 구함.	1점	

1 100까지의 수

1단원 응용력 강화 문제 2~5쪽

1 5	2 6
3 83	4 66
5 84	6 13
7 4개	8 2개
9 70개	10 62개
11 87권	12 다은
13 56, 66, 76	14 5개

1 ❶ **낱개의 수를 비교하여 □ 안에 들어갈 수 있는 수 알아보기**
낱개의 수를 비교하면 4>2이므로 □ 안에 들어갈 수 있는 수는 6보다 작아야 합니다.
❷ **□ 안에 들어갈 수 있는 가장 큰 수 구하기**
□ 안에 들어갈 수 있는 수는 1, 2, 3, 4, 5이므로 가장 큰 수는 5입니다.

2 ❶ **낱개의 수를 비교하여 □ 안에 들어갈 수 있는 수 알아보기**
낱개의 수를 비교하면 7>4이므로 □ 안에 들어갈 수 있는 수는 6과 같거나 6보다 커야 합니다.
❷ **□ 안에 들어갈 수 있는 가장 작은 수 구하기**
□ 안에 들어갈 수 있는 수는 6, 7, 8, 9이므로 가장 작은 수는 6입니다.

3 ❶ **1만큼 더 큰 수를 거꾸로 나타내기**
어떤 수는 85보다 1만큼 더 작은 수이므로 85 바로 앞의 수입니다.
❷ **어떤 수 구하기**
85 바로 앞의 수는 84이므로 어떤 수는 84입니다.
❸ **어떤 수보다 1만큼 더 작은 수 구하기**
84보다 1만큼 더 작은 수는 84 바로 앞의 수인 83입니다.

4 ❶ **3만큼 더 작은 수를 거꾸로 나타내기**
어떤 수는 60보다 3만큼 더 큰 수이므로 60부터 1씩 3번 뒤의 수입니다.
❷ **어떤 수 구하기**
60－61－62－63이므로 어떤 수는 63입니다.
❸ **어떤 수보다 3만큼 더 큰 수 구하기**
63보다 3만큼 더 큰 수는 63－64－65－66에서 66입니다.

5 ❶ **10개씩 묶음의 수에 놓아야 하는 수 구하기**
수 카드의 수를 비교하면 4<5<8입니다.
10개씩 묶음의 수가 클수록 더 큰 수이므로 10개씩 묶음의 수에는 가장 큰 수인 8을 놓아야 합니다.
❷ **낱개의 수에 놓아야 하는 수 구하기**
짝수를 만들어야 하므로 낱개의 수에 남은 수 중 짝수인 4를 놓습니다.
❸ **만들 수 있는 가장 큰 짝수 구하기**
만들 수 있는 가장 큰 짝수는 84입니다.

6 ❶ **10개씩 묶음의 수에 놓아야 하는 수 구하기**
수 카드의 수를 비교하면 1<3<6<9입니다.
10개씩 묶음의 수가 작을수록 더 작은 수이므로 10개씩 묶음의 수에는 가장 작은 수인 1을 놓아야 합니다.
❷ **낱개의 수에 놓아야 하는 수 구하기**
홀수를 만들어야 하므로 낱개의 수에는 남은 수 중 홀수인 3 또는 9를 놓을 수 있습니다.
❸ **만들 수 있는 가장 작은 홀수 구하기**
13<19이므로 만들 수 있는 가장 작은 홀수는 13입니다.

7 ❶ **58보다 크고 66보다 작은 수 모두 구하기**
59, 60, 61, 62, 63, 64, 65입니다.
❷ **위 ❶에서 구한 수 중 홀수 구하기**
홀수는 59, 61, 63, 65입니다.
❸ **설명을 만족하는 수는 모두 몇 개인지 구하기**
모두 4개입니다.

8 ❶ **75보다 크고 84보다 작은 수 모두 구하기**
76, 77, 78, 79, 80, 81, 82, 83입니다.
❷ **위 ❶에서 구한 수 중 10개씩 묶음의 수가 낱개의 수보다 작은 수 구하기**
10개씩 묶음의 수가 낱개의 수보다 작은 것은 78, 79입니다.
❸ **설명을 만족하는 수는 모두 몇 개인지 구하기**
모두 2개입니다.

9 감자와 고구마는 한 봉지에 10개씩 3+4=7(봉지)가 있습니다. 10개씩 7봉지는 70개이므로 감자와 고구마는 모두 70개 있습니다.

10 남은 달걀은 10개씩 묶음 8－2=6(개)와 낱개 3－1=2(개)이므로 62개입니다.

11 낱개 26권은 10권씩 묶음 2개와 낱개 6권과 같습니다. 따라서 지수가 가지고 있는 공책은 10권씩 묶음 8개와 낱개 6권이므로 86권입니다.
태주가 가지고 있는 공책은 지수가 가지고 있는 공책보다 1권 더 많으므로 87권입니다.

참고 개념
낱개 10권은 10권씩 묶음 1개와 같으므로 낱개 26권은 10권씩 묶음 2개와 낱개 6권과 같습니다.

12 10개씩 묶음의 수가 클수록 큰 수이므로 10개씩 묶음의 수를 비교합니다. 9>8>7이므로 다은이와 선우가 주운 도토리 수를 비교하면 95>91입니다.
➡ 도토리를 가장 많이 주운 친구는 다은입니다.

13 몇십몇 중에서 낱개의 수가 6인 수는 16, 26, 36, 46, 56, 66, 76, 86, 96입니다.
이 중에서 54보다 크고 82보다 작은 수는 56, 66, 76입니다.

14 73보다 큰 몇십몇을 만들어야 하므로 10개씩 묶음의 수가 7, 8인 수를 만들어 봅니다.
➡ 72, 74, 78, 82, 84, 87
이 중에서 73보다 큰 수는 74, 78, 82, 84, 87로 모두 5개입니다.

1단원 실력 평가 6~7쪽

1 60	**2** 100, 백
3 70	**4** 17, 홀수
5 <	**6** 83개
7 ㉢	**8** 재원
9 4개	**10** 90
11 78, 84	**12** 60개
13 27	**14** 71개
15 5개	

1 10개씩 묶음 6개는 60으로 나타냅니다.

3 69－70－71이므로 69와 71 사이에 있는 수는 70입니다.

4 ●의 수를 세어 보면 17개이고, 둘씩 짝을 지으면 하나가 남으므로 홀수입니다.

5 10개씩 묶음의 수가 같으므로 낱개의 수를 비교하면 74는 75보다 작습니다.

6 낱개를 10개씩 묶어 보면 10개씩 묶음 1개와 낱개 3개입니다. 따라서 10개씩 묶음 8개와 낱개 3개이므로 모두 83개입니다.

7 80은 팔십 또는 여든이라고 읽습니다.

8 88<92이므로 재원이가 토마토를 더 많이 땄습니다.
(8<9)

9 88보다 크고 93보다 작은 수는 89, 90, 91, 92로 모두 4개입니다.

10 □보다 1만큼 더 큰 수가 91이므로 □는 91보다 1만큼 더 작은 수입니다.
91보다 1만큼 더 작은 수는 91 바로 앞의 수인 90입니다.

11 81－80－79－78에서 81보다 3만큼 더 작은 수는 78이고, 81－82－83－84에서 81보다 3만큼 더 큰 수는 84입니다.

12 호두과자 9상자 중에서 3상자를 팔았으므로 남은 상자는 9－3=6(상자)입니다. 따라서 남은 호두과자는 10개씩 6상자이므로 60개입니다.

13 57은 10개씩 묶음 5개와 낱개 7개입니다.
10개씩 묶음 2개는 낱개로 20개이므로 57은 10개씩 묶음 3개, 낱개 27개와 같습니다.

14 10개씩 묶음 6개와 낱개 8개는 68이므로 오이는 68개 있습니다.
➡ 피망은 오이보다 1개 더 많으므로 68보다 1만큼 더 큰 수인 69이고, 양배추는 피망보다 2개 더 많으므로 69보다 2만큼 더 큰 수인 71입니다.

15 84보다 크고 96보다 작은 수는 85, 86, 87, 88, 89, 90, 91, 92, 93, 94, 95입니다.
위에서 구한 수 중 짝수는 86, 88, 90, 92, 94입니다.
따라서 설명을 만족하는 수는 모두 5개입니다.

2 덧셈과 뺄셈(1)

2단원 응용력 강화 문제 8~11쪽

1	찹쌀떡	2	동화책
3	6	4	2
5	9, 1	6	3, 7
7	5	8	2
9	7	10	㉡
11	16개, 14개	12	12
13	8층	14	9개

1 ❶ **남은 꿀떡의 수 구하기**
$10-5=5$(개)
❷ **남은 찹쌀떡의 수 구하기**
$10-2=8$(개)
❸ **❶과 ❷에서 구한 수 비교하기**
5개<8개이므로 찹쌀떡이 더 많이 남았습니다.

2 ❶ **남은 동화책의 수 구하기**
$10-4=6$(권)
❷ **남은 위인전의 수 구하기**
$10-6=4$(권)
❸ **❶과 ❷에서 구한 수 비교하기**
6권>4권이므로 동화책이 더 많이 남았습니다.

3 ❶ **3+7의 계산 결과 구하기**
$3+7=10$
❷ **4+㉠의 계산 결과 구하기**
두 식의 계산 결과가 같으므로 4+㉠의 계산 결과도 10입니다.
❸ **㉠에 알맞은 수 구하기**
4와 더해서 10이 되는 수는 6이므로 ㉠=6입니다.

4 ❶ **5+5의 계산 결과 구하기**
$5+5=10$
❷ **8+㉠의 계산 결과 구하기**
두 식의 계산 결과가 같으므로 8+㉠의 계산 결과도 10입니다.
❸ **㉠에 알맞은 수 구하기**
8과 더해서 10이 되는 수는 2이므로 ㉠=2입니다.

5 ❶ **□+□는 얼마가 되어야 하는지 구하기**
$10+4=14$이므로 □+□=10이 되어야 합니다.
❷ **골라야 할 두 수 카드 찾기**
골라야 할 두 수 카드: 9, 1
❸ **덧셈식 완성하기**
덧셈식 완성하기: $9+1+4=14$
또는 $1+9+4=14$

6 ❶ **□+□는 얼마가 되어야 하는지 구하기**
$6+10=16$이므로 □+□=10이 되어야 합니다.
❷ **골라야 할 두 수 카드 찾기**
골라야 할 두 수 카드: 3, 7
❸ **덧셈식 완성하기**
덧셈식 완성하기: $6+3+7=16$
또는 $6+7+3=16$

7 ❶ **㉠의 □ 안에 들어갈 수 있는 수 모두 구하기**
㉠ $9-1-2=6$, 6>□이므로 □ 안에 들어갈 수 있는 수는 1, 2, 3, 4, 5입니다.
❷ **㉡의 □ 안에 들어갈 수 있는 수 모두 구하기**
㉡ $10-6=4$, 4<□이므로 □ 안에 들어갈 수 있는 수는 5, 6, 7, 8, 9입니다.
❸ **□ 안에 공통으로 들어갈 수 있는 수 구하기**
□ 안에 공통으로 들어갈 수 있는 수: 5

8 ❶ **㉠의 □ 안에 들어갈 수 있는 수 모두 구하기**
㉠ $9-3-3=3$, 3>□이므로 □ 안에 들어갈 수 있는 수는 1, 2입니다.
❷ **㉡의 □ 안에 들어갈 수 있는 수 모두 구하기**
㉡ $10-9=1$, 1<□이므로 □ 안에 들어갈 수 있는 수는 2, 3, 4, 5, 6, 7, 8, 9입니다.
❸ **□ 안에 공통으로 들어갈 수 있는 수 구하기**
□ 안에 공통으로 들어갈 수 있는 수: 2

9 3과 더해서 10이 되는 수는 7이므로 어떤 수는 7입니다.

10 • 10에서 2가 남으려면 8을 빼야 하므로 ㉠=8입니다.
• 10에서 6이 남으려면 4를 빼야 하므로 ㉡=4입니다.
➡ 8>4이므로 더 작은 것은 ㉡입니다.

11

	노란색	보라색	초록색
⊡ 모양	5개	5개	6개
△ 모양	7개	3개	4개

➜ ⊡ 모양: 5+5+6=16(개)
△ 모양: 7+3+4=14(개)

12 • 7−2−3=2이므로 ▲=2입니다.
• ▲=2이므로
▲+▲+▲=2+2+2=6, ♥=6입니다.
• ▲=2, ♥=6이므로
4+♥+▲=4+6+2=12, ★=12입니다.

13 (연우가 내린 층수)=1+4+3=8(층)

14 처음 사탕 수 [9] —(−3)→ [6] —(−2)→ [4] 남은 사탕 수 (거꾸로: +2, +3)

따라서 수지가 처음에 가지고 있던 사탕은 9개입니다.

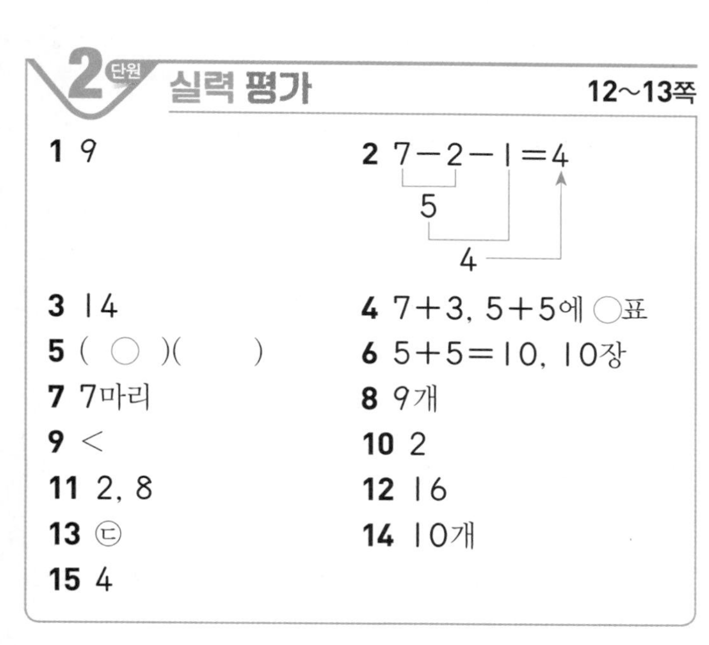

2단원 실력 평가 12~13쪽

1 9
2 7−2−1=4 (7−2=5, 5−1=4)
3 14
4 7+3, 5+5에 ○표
5 (○)(   )
6 5+5=10, 10장
7 7마리
8 9개
9 <
10 2
11 2, 8
12 16
13 ㉢
14 10개
15 4

1 5+1+3=9 (5+1=6, 6+3=9)

2 세 수의 뺄셈은 앞에서부터 순서대로 계산해야 합니다.

3 7+3+4=10+4=14

4 7+3=10, 6+3=9, 5+5=10, 4+4=8

5 3+2+3=5+3=8
1+4+2=5+2=7
➜ 8>7

6 (현아가 모은 낙엽의 수)+(지서가 모은 낙엽의 수)
=5+5=10(장)

7 10마리에서 3마리만 남으려면 7마리를 빼야 합니다. ➜ 10−7=3
따라서 울타리 밖으로 나간 양은 7마리입니다.

8 1반이 넣은 화살은 왼쪽부터 3개, 4개, 2개입니다.
➜ 3+4+2=9(개)

9 4+6+1=10+1=11
➜ 11<12

10 |보기|는 맨 위에 있는 수에서 양쪽에 있는 수를 빼면 가운데 수가 되는 규칙입니다.
➜ 8−5−1=2

11 10+6=16이므로 □+□=10이 되어야 합니다.
골라야 할 두 수 카드: 2, 8
➜ [2]+[8]+6=16 또는 [8]+[2]+6=16

12 • 10에서 4가 남으려면 6을 빼야 하므로 ■=6입니다.
• ■+9+1=6+9+1=16이므로 ▲=16입니다.

13 ㉠ 2+8+□=14, 10+□=14 ➜ □=4
㉡ □+5+5=13, □+10=13 ➜ □=3
㉢ 1+□+9=15, 10+□=15 ➜ □=5
따라서 5>4>3이므로 □ 안에 알맞은 수가 가장 큰 것은 ㉢입니다.

14 (현수가 먹고 남은 호두과자의 수)
=10−2=8(개)
(유진이가 먹고 남은 호두과자의 수)
=7−5=2(개)
➜ (두 사람이 먹고 남은 호두과자의 수)
=8+2=10(개)

15 계산 결과가 가장 크려면 빼지는 수는 커야 하고, 빼는 수는 작아야 합니다.
➜ 9>7>4>1이므로 계산 결과가 가장 클 때의 값은 9−1−4=4입니다.

3 모양과 시각

3단원 응용력 강화 문제 14~17쪽

1 △ 모양, 9개
2 □ 모양, 10개
3 8시
4 3시
5 □ 모양
6 △ 모양
7 8개
8 5개
9 7군데
10 18
11 인경
12 4개
13 3시 30분
14 8개

1 ❶ **선을 따라 모두 잘랐을 때 생기는 모양 알아보기**
선을 따라 모두 자르면 뾰족한 부분이 3군데인 △ 모양이 생깁니다.
❷ **위 ❶에서 구한 모양의 수 구하기**
잘라서 생기는 △ 모양은 모두 9개입니다.

2 ❶ 선을 따라 모두 자르면 뾰족한 부분이 4군데인 □ 모양이 생깁니다.
❷ 잘라서 생기는 □ 모양은 모두 10개입니다.

3 ❶ **시계의 짧은바늘과 긴바늘이 각각 가리키는 숫자 찾기**
짧은바늘이 8, 긴바늘이 12를 가리킵니다.
❷ **예서가 본 시계의 시각 구하기**
8시

4 ❶ **시계의 짧은바늘과 긴바늘이 각각 가리키는 숫자 찾기**
짧은바늘이 3, 긴바늘이 12를 가리킵니다.
❷ **현우가 본 시계의 시각 구하기**
3시

5 ❶ **일기장에 붙인 붙임딱지의 수 세어 보기**
□ 모양: 2개, △ 모양: 3개, ○ 모양: 2개
❷ **꾸미기 전에 있던 붙임딱지의 수 각각 구하기**
□ 모양: 2+3=5(개), △ 모양: 3+1=4(개),
○ 모양: 2+1=3(개)
❸ **꾸미기 전에 가장 많이 있던 붙임딱지의 모양 구하기**
5>4>3이므로 □ 모양입니다.

6 ❶ **달력에 붙인 붙임딱지의 수 세어 보기**
□ 모양: 4개, △ 모양: 1개, ○ 모양: 3개
❷ **꾸미기 전에 있던 붙임딱지의 수 각각 구하기**
□ 모양: 4+2=6(개), △ 모양: 1+3=4(개),
○ 모양: 3+2=5(개)
❸ **꾸미기 전에 가장 적게 있던 붙임딱지의 모양 구하기**
4<5<6이므로 △ 모양입니다.

7 ❶ **□ 모양 1개짜리의 수 구하기**

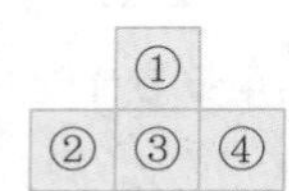

위쪽부터 ①, ②, ③, ④라고 하면 □ 모양 1개짜리는 ①, ②, ③, ④로 4개입니다.
❷ **□ 모양 2개짜리, 3개짜리, 4개짜리의 수 각각 구하기**
□ 모양 2개짜리는 ①+③, ②+③, ③+④로 3개이고, 3개짜리는 ②+③+④로 1개이고, 4개짜리는 없습니다.
❸ **크고 작은 □ 모양의 수 모두 구하기**
①, ②, ③, ④, ①+③, ②+③, ③+④, ②+③+④로 모두 8개입니다.

8 ❶ **△ 모양 1개짜리의 수 구하기**

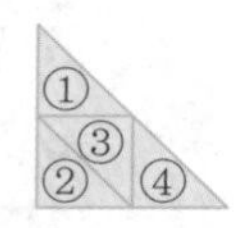

위쪽부터 ①, ②, ③, ④라고 하면 △ 모양 1개짜리는 ①, ②, ③, ④로 4개입니다.
❷ **△ 모양 2개짜리, 3개짜리, 4개짜리의 수 각각 구하기**
△ 모양 2개짜리, 3개짜리는 없고, △ 모양 4개짜리는 ①+②+③+④로 1개입니다.
❸ **크고 작은 △ 모양의 수 모두 구하기**
①, ②, ③, ④, ①+②+③+④로 모두 5개입니다.

9 지우개: □ 모양 → 4군데,
삼각김밥: △ 모양 → 3군데,
바퀴: ○ 모양 → 0군데
➔ 4+3=7(군데)

10 
짧은바늘이 가리키는 숫자: 6
긴바늘이 가리키는 숫자: 12
➔ 6+12=18

11 인경: 1시, 서진: 1시 30분
➔ 1시가 1시 30분보다 더 빠른 시각이므로 도서관에 먼저 도착한 사람은 인경입니다.

참고 개념
■시는 ■시 30분보다 빠른 시각입니다.

12 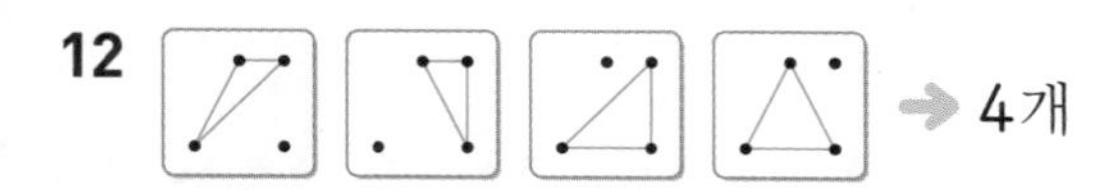 ➔ 4개

13 2시와 4시 사이에 긴바늘이 6을 가리키는 시각: 2시 30분, 3시 30분
➔ 2시 30분, 3시 30분 중 3시보다 늦은 시각: 3시 30분

14 왕관을 1개 만드는 데 이용한 □ 모양은 4개입니다. 따라서 왕관 2개에 이용한 □ 모양은 모두 4+4=8(개)입니다.

3단원 실력 평가 18~19쪽

1 9, 12
2 2시 30분
3 ㉢
4 ( )(○)
5 ( )(○)( )
6 (선 잇기)
7 3 / 4 / 2
8 △ 모양, 8개
9 (시계 그림)
10 △에 ○표
11 5시
12 준하
13 5개
14 4시 30분
15 5개 / 6개 / 1개

1 9시는 짧은바늘이 9, 긴바늘이 12를 가리킵니다.

2 짧은바늘이 2와 3의 가운데, 긴바늘이 6을 가리키므로 2시 30분입니다.

3 ○ 모양은 뾰족한 부분이 없습니다.

4 왼쪽은 □ 모양과 △ 모양이 섞여 있고, 오른쪽은 ○ 모양끼리 모았습니다.

5 모양을 만드는 데 □ 모양과 ○ 모양을 이용했습니다.

8  ➔ △ 모양, 8개

9 시계의 긴바늘이 한 바퀴 움직이면 짧은바늘이 숫자 한 칸을 움직입니다. 따라서 짧은바늘이 한 칸 움직이면 짧은바늘은 3을 가리키고, 긴바늘은 12를 가리키므로 3시입니다.

10 □ 모양: 2개, △ 모양: 3개, ○ 모양: 4개
➔ 모은 모양이 3개인 모양은 △ 모양입니다.

11 짧은바늘이 5, 긴바늘이 12를 가리키므로 5시입니다.

12 □ 모양을 세어 보면 예서는 5개, 준하는 9개입니다.
➔ 5<9이므로 □ 모양을 더 많이 이용하여 만든 사람은 준하입니다.

13 □ 모양: 3개, △ 모양: 8개, ○ 모양: 4개
8>4>3이므로 가장 많은 모양은 △ 모양이고, 가장 적은 모양은 □ 모양입니다.
➔ △ 모양은 □ 모양보다 8−3=5(개) 더 많습니다.

14 긴바늘이 6을 가리키면 30분을 나타냅니다. 30분을 나타내는 시각 중에서 3시 30분보다 늦고 5시보다 빠른 시각은 4시 30분입니다.

참고 개념
몇 시를 나타내는 숫자가 작을수록 빠른 시각입니다.

15 만들려는 모양은 □ 모양 5개, △ 모양 4개, ○ 모양 2개입니다.
➔ 우재가 가지고 있는 □ 모양은 만들려고 했던 모양과 같은 5개, △ 모양은 4+2=6(개), ○ 모양은 2−1=1(개)입니다.

정답과 해설

4 덧셈과 뺄셈(2)

4단원 응용력 강화 문제 20~23쪽

1 12개	2 14개
3 13개	4 15장
5 $7+5=12$	6 $16-8=8$
7 9	8 7
9 8	10 13개
11 9살	12 15
13 3개	14 5, 9

1 **❶ 민주가 더 붙인 타일의 수 구하기**
빈칸은 4칸이므로 민주가 더 붙인 타일은 4개입니다.
❷ 민주가 붙인 타일의 수 구하기
(붙어 있는 타일의 수)+(더 붙인 타일의 수)
$=8+4=12$(개)

2 **❶ 재우가 더 붙인 타일의 수 구하기**
빈칸은 7칸이므로 재우가 더 붙인 타일은 7개입니다.
❷ 재우가 붙인 타일의 수 구하기
(붙어 있는 타일의 수)+(더 붙인 타일의 수)
$=7+7=14$(개)

3 **❶ 윤아가 먹고 남은 사탕의 수 구하기**
$15-7=8$(개)
❷ 재민이가 사탕 5개를 넣은 후 상자 안에 있는 사탕의 수 구하기
$8+5=13$(개)

4 **❶ 지훈이가 꺼내간 후에 남은 색종이의 수 구하기**
$14-5=9$(장)
❷ 형이 색종이 6장을 넣은 후 상자 안에 있는 색종이의 수 구하기
$9+6=15$(장)

5 **❶ 수 카드의 수의 크기 비교하기**
$7>5>4>2$
❷ 합이 가장 크게 되는 두 수 구하기
합이 가장 크려면 가장 큰 수와 두 번째로 큰 수의 합을 구해야 합니다.
가장 큰 수: 7, 두 번째로 큰 수: 5
❸ 합이 가장 큰 덧셈식 만들기
합이 가장 큰 덧셈식: $7+5=12$

6 **❶ 수 카드의 수의 크기 비교하기**
$16>11>9>8$
❷ 차가 가장 크게 되는 두 수 구하기
차가 가장 크려면 가장 큰 수와 가장 작은 수의 차를 구해야 합니다.
가장 큰 수: 16, 가장 작은 수: 8
❸ 차가 가장 큰 뺄셈식 만들기
차가 가장 큰 뺄셈식: $16-8=8$

7 **❶ 기태가 꺼낸 공에 적힌 두 수의 합 구하기**
$7+6=13$
❷ ❶에서 구한 수를 이용하여 진주가 꺼내야 하는 공의 수 구하기
진주가 이기려면 꺼낸 공에 적힌 두 수의 합이 13보다 커야 합니다.
5와 더하여 13보다 큰 수는 $5+9=14$이므로 진주는 9가 적힌 공을 꺼내야 합니다.

8 **❶ 승재가 꺼낸 공에 적힌 두 수의 합 구하기**
$6+8=14$
❷ ❶에서 구한 수를 이용하여 민서가 꺼내야 하는 공의 수 구하기
민서가 이기려면 꺼낸 공에 적힌 두 수의 합이 14보다 커야 합니다.
9와 더하여 14보다 큰 수는 $9+7=16$이므로 민서는 7이 적힌 공을 꺼내야 합니다.

9 7과 더해서 15가 되는 수는 8이므로 어떤 수는 8입니다.
➔ $7+\boxed{8}=15$

10 막대사탕을 가장 많이 가지려면 막대사탕이 가장 많이 들어 있는 상자와 두 번째로 많이 들어 있는 상자를 골라야 합니다.
가장 많이 들어 있는 상자: 8개,
두 번째로 많이 들어 있는 상자: 5개
➔ $8+5=13$(개)

11 (지훈이의 나이)=(소희의 나이)+3
$=8+3=11$(살)
(유진이의 나이)=(지훈이의 나이)−2
$=11-2=9$(살)

12 • 6과 더해서 12가 되는 수는 6이므로 ◆=6입니다.
• ○○○○○○⊘⊘⊘⊘⊘⊘⊘⊘⊘
14에서 9를 빼면 5이므로 ♥=9입니다.
➡ ◆+♥=6+9=15

13 13−4=9, 7+6=13이므로 9<□<13입니다.
따라서 □ 안에 들어갈 수 있는 수는 10, 11, 12로 모두 3개입니다.

14 8+6=14, 5+9=14이므로 합이 14인 두 수는 8과 6, 5와 9입니다.
➡ 8−6=2, 9−5=4이므로 차가 4인 두 수는 5와 9입니다.

4단원 실력 평가 24~25쪽

1 8+3=11
2 8
3 ( )(○)( )
4 7
5 6+7=13, 13명
6 17−9=8, 8개
7 (위에서부터) 16, 17 / 18
8 ㉡, ㉣
9 13, 8
10 7권
11 7
12 16
13 4
14 소희
15 11

1 ◆ 모양이 왼쪽 카드에 8개, 오른쪽 카드에 3개이므로 두 수의 합은 8+3=11입니다.

2 14−6=8
10 4

3 7+4=11, 4+9=13, 5+7=12

4 15−8=7
5 3

5 (처음에 놀고 있던 어린이 수)+(더 온 어린이 수)
=6+7=13(명)

6 (인형의 수)−(로봇의 수)
=17−9=8(개)

7 8+8=16, 8+9=17, 9+9=18

8 ㉠ 11−6=5 ㉡ 12−5=7
㉢ 13−8=5 ㉣ 14−7=7
➡ 차가 7인 뺄셈식은 ㉡, ㉣입니다.

9 9+4=13, 13−5=8

10 (동화책과 위인전의 수)=6+5=11(권)
(빌려주고 남은 책의 수)=11−4=7(권)

11 14−8=6이므로 ■=6입니다.
9와 더해서 17이 되는 수는 8이므로 ▲=8입니다.
➡ 6과 8 사이에 있는 수는 7입니다.

12 9>7>4>2
합이 가장 크려면 가장 큰 수와 두 번째로 큰 수의 합을 구해야 합니다. ➡ 9+7=16

13 6+6=12이므로 8+㉠=12입니다.
8과 더해서 12가 되는 수는 4이므로 ㉠=4입니다.

14 영우: (어제 접은 색종이의 수)
+(오늘 접은 색종이의 수)
=7+5=12(장)
소희: (어제 접은 색종이의 수)
+(오늘 접은 색종이의 수)
=6+8=14(장)
➡ 12장<14장이므로 색종이를 더 많이 접은 사람은 소희입니다.

15 지호가 꺼낸 공에 적힌 두 수의 차: 12−6=6
다은이가 이기려면 꺼낸 공에 적힌 두 수의 차가 6보다 작아야 합니다.
7과의 차가 6보다 작은 수는 11−7=4이므로 다은이는 11이 적힌 공을 꺼내야 합니다.

5 규칙 찾기

5단원 응용력 강화 문제 26~29쪽

1 2개	2 7개
3 ㉠	4 ㉠
5 흰색	6 검은색
7 59	8 88
9 양말, 장갑	10 5개
11 52	12 14, 7
13 달	14 검은색 바둑돌, 1개

1 ❶ **펼친 손가락의 규칙 알아보기**
펼친 손가락이 2개, 0개, 5개가 반복됩니다.
❷ **㉠과 ㉡에 들어갈 펼친 손가락의 수를 각각 구하여 합 구하기**
㉠에는 펼친 손가락 2개 그림이 들어가고, ㉡에는 펼친 손가락 0개 그림이 들어갑니다.
➔ 2+0=2(개)

2 ❶ **펼친 손가락의 규칙 알아보기**
펼친 손가락이 5개, 2개가 반복됩니다.
❷ **㉠과 ㉡에 들어갈 펼친 손가락의 수를 각각 구하여 합 구하기**
㉠에는 펼친 손가락 5개 그림이 들어가고, ㉡에는 펼친 손가락 2개 그림이 들어갑니다.
➔ 5+2=7(개)

3 ❶ **㉠과 ㉡에 알맞은 수 구하기**
• 10, 15가 반복되는 규칙입니다.
➔ ㉠=15
• 3부터 시작하여 2씩 커지는 규칙입니다.
➔ ㉡=13
❷ **㉠과 ㉡ 중 알맞은 수가 더 큰 것 구하기**
㉠ 15>㉡ 13이므로 더 큰 것은 ㉠입니다.

4 ❶ **㉠과 ㉡에 알맞은 수 구하기**
• 40부터 시작하여 4씩 작아지는 규칙입니다.
➔ ㉠=20
• 14부터 시작하여 2씩 커지는 규칙입니다.
➔ ㉡=24
❷ **㉠과 ㉡ 중 알맞은 수가 더 작은 것 구하기**
㉠ 20<㉡ 24이므로 더 작은 것은 ㉠입니다.

5 ❶ **반복되는 부분 찾기**
흰색, 흰색, 검은색이 반복됩니다.
❷ **14번째에 놓이는 바둑돌의 색 구하기**
규칙에 따라 늘어놓으면 14번째에 놓이는 바둑돌은 흰색입니다.
○○●/○○●/○○●/○○●/○○

6 ❶ **반복되는 부분 찾기**
검은색, 흰색, 검은색이 반복됩니다.
❷ **16번째에 놓이는 바둑돌의 색 구하기**
규칙에 따라 늘어놓으면 16번째에 놓이는 바둑돌은 검은색입니다.
●○●/●○●/●○●/●○●/●○●/●

7 ❶ **→ 방향으로 몇씩 커지는지 알아보기**
→ 방향으로 1씩 커집니다.
❷ **↓ 방향으로 몇씩 커지는지 알아보기**
↓ 방향으로 8씩 커집니다.
❸ **❶과 ❷를 이용하여 ■에 알맞은 수 구하기**
33부터 시작하여 → 방향으로 2칸 간 수 35이고, 35부터 시작하여 ↓ 방향으로 3칸 간 수는 59이므로 ■에 알맞은 수는 59입니다.

8 ❶ **→ 방향으로 몇씩 커지는지 알아보기**
→ 방향으로 1씩 커집니다.
❷ **↓ 방향으로 몇씩 커지는지 알아보기**
↓ 방향으로 9씩 커집니다.
❸ **❶과 ❷를 이용하여 ♥에 알맞은 수 구하기**
77부터 시작하여 ↓ 방향으로 1칸 간 수는 86이고, 86부터 시작하여 → 방향으로 2칸 간 수는 88이므로 ♥에 알맞은 수는 88입니다.

9 도윤이가 만든 규칙에 따라 물건을 늘어놓아 봅니다.

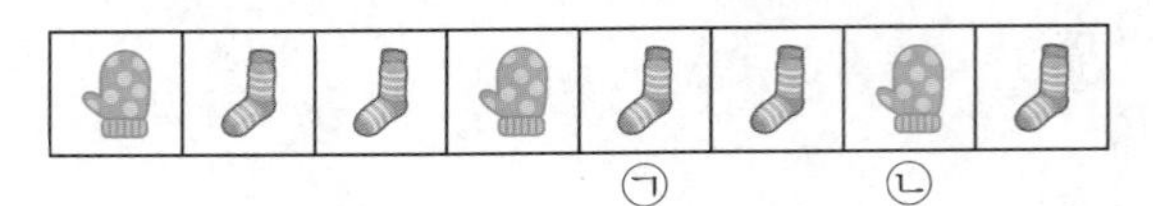

10 두발자전거, 세발자전거, 두발자전거가 반복됩니다. 빈 곳에 놓아야 하는 자전거는 차례로 세발자전거, 두발자전거이므로 바퀴 수는 모두 3+2=5(개)입니다.

11 [보기]의 수 배열은 4씩 작아지는 규칙입니다.
➔ 68부터 시작하여 4씩 작아지도록 수를 쓰면 68−64−60−56−52(㉠)−48입니다.

12 초록색은 같은 수, 보라색은 초록색에 있는 두 수를 더하는 규칙입니다.
$1+1=2$, $3+3=6$, $5+5=10$, $7+7=14$이므로 ㉠$=14$, ㉡$=7$입니다.

13

해	달	별	해	달	별	26	27
28	29	30		해	달	별	35
36	37					○	

→ 방향으로 1씩 커지므로 42가 들어갈 칸은 ○표 한 칸입니다. 해, 달, 별이 반복되도록 붙이면 42가 들어갈 칸에 붙일 붙임딱지는 달입니다.

14 검은색, 검은색, 흰색, 흰색이 반복됩니다.
➔ 검은색 바둑돌은 8개, 흰색 바둑돌은 7개이므로 검은색 바둑돌이 $8-7=1$(개) 더 많습니다.
●●○○/●●○○/●●○○/●●○

5단원 실력 평가 30~31쪽

1 ( )
(○)

2 ↑↓↑↓↑↓↑↓

3 22

4 오이

5 (색칠한 그림)

6 예 10씩 커집니다.

7

31	32	33	34	35	36	37	38	39	40
41	42	43	44	45	46	47	48	49	50
51	52	53	54	55	56	57	58	59	60
61	62	63	64	65	66	67	68	69	70

8 ㉠

9 ㉡

10 노란색, 초록색

11 23

12 ㉡

13 3

14 8번

15 검은색

1 하트, 별이 반복됩니다.

2 ↑, ↓가 반복됩니다.

3 30부터 시작하여 2씩 작아지는 규칙이므로 $30-28-26-24-22$입니다.

4 오이, 당근, 오이가 반복됩니다.
빈칸에 들어갈 채소는 오이입니다.

5 첫째 줄은 노란색, 주황색이 반복되고, 둘째 줄은 주황색, 노란색이 반복됩니다.

6 평가 기준
수가 몇씩 커지는지 규칙을 바르게 썼으면 정답으로 합니다.

7 31부터 시작하여 6씩 커지는 규칙이므로 61, 67에 색칠합니다.

8 ♥, ◆, ●, ◆가 반복되는 규칙입니다.
♥를 그려야 하는 칸은 ㉠입니다.

9 ㉠ 사과, 배가 반복됩니다.
➔ △□△□△□△□
㉡ 농구공, 축구공, 축구공이 반복됩니다.
➔ △□□△□□△□

10 빨간색, 초록색, 노란색이 반복됩니다.
초록색 다음인 ㉠은 노란색이고, 빨간색 다음인 ㉡은 초록색입니다.

11 $38-35-32-29-26-\underset{㉠}{23}$

12 보기의 수 배열은 2씩 커지는 규칙입니다.
2씩 커지는 수 배열을 찾으면 ㉡입니다.
참고 개념
㉠ 3, 5, 7이 반복됩니다.

13 무당벌레, 벌, 벌이 반복됩니다.
무당벌레는 2, 벌은 1로 나타내면 2, 1, 1이 반복되므로 ㉠$=1$, ㉡$=2$입니다.
➔ ㉠$+$㉡$=1+2=3$

14 ♩♩♩가 반복됩니다.
➔ 악보를 완성하면 ♩는 8번 나오므로 탬버린은 8번 쳐야 합니다.

15 흰색, 흰색, 검은색, 검은색이 반복됩니다.
규칙에 따라 바둑돌을 늘어놓으면 12번째 바둑돌은 검은색입니다.

6 덧셈과 뺄셈 (3)

6단원 응용력 강화 문제 32~35쪽

1 8	2 5
3 76−5=71	4 98−4=94
5 5명	6 6명
7 41	8 77
9 21	10 21자루
11 87개	12 혜미네 반
13 20	14 63

1 ❶ **덧셈식을 계산하여 식을 간단하게 나타내기**
54+3=57
❷ **□ 안에 들어갈 수 있는 수 구하기**
57<5□이므로 □ 안에 들어갈 수 있는 수는 7보다 큰 수인 8, 9입니다.
❸ **□ 안에 들어갈 수 있는 가장 작은 수 구하기**
위 ❷에서 구한 수 중 가장 작은 수는 8입니다.

2 ❶ **87−□=81이 되는 □ 안의 수 구하기**
87−6=81이므로 87−□가 81과 같아지는 □ 안의 수는 6입니다.
❷ **□ 안에 들어갈 수 있는 수 구하기**
87−□>81이므로 □ 안에 들어갈 수 있는 수는 6보다 작은 수인 1, 2, 3, 4, 5입니다.
❸ **□ 안에 들어갈 수 있는 가장 큰 수 구하기**
위 ❷에서 구한 수 중 가장 큰 수는 5입니다.

3 ❶ **수 카드로 만들 수 있는 가장 큰 몇십몇 구하기**
7>6>5이므로 수 카드 3장 중 2장을 사용하여 가장 큰 몇십몇을 만들면 76입니다.
❷ **위 ❶에서 만들고 남은 카드의 수 구하기**
남은 수 카드의 수는 5입니다.
❸ **두 수의 차가 가장 큰 뺄셈식 구하기**
76−5=71

참고 개념
(몇십몇)−(몇)의 뺄셈식에서 두 수의 차가 가장 크려면 가장 큰 (몇십몇)에서 가장 작은 (몇)을 빼면 됩니다.

4 ❶ **수 카드로 만들 수 있는 가장 큰 몇십몇 구하기**
9>8>5>4이므로 수 카드 4장 중 2장을 사용하여 가장 큰 몇십몇을 만들면 98입니다.
❷ **위 ❶에서 만들고 남은 카드의 수 중에서 더 작은 수 구하기**
남은 수 카드의 수는 5, 4인데 두 수의 차가 가장 크려면 빼는 수 몇은 더 작은 수인 4이어야 합니다.
❸ **두 수의 차가 가장 큰 뺄셈식 구하기**
98−4=94

5 ❶ **하윤이네 반 학생 수 구하기**
(하윤이네 반 남학생 수)+(하윤이네 반 여학생 수)
=14+14=28(명)
❷ **형준이네 반 학생 수 구하기**
(형준이네 반 남학생 수)+(형준이네 반 여학생 수)
=12+11=23(명)
❸ **두 반의 학생 수의 차 구하기**
(하윤이네 반 학생 수)−(형준이네 반 학생 수)
=28−23=5(명)

6 ❶ **수호네 반 학생 수 구하기**
(민지네 반 학생 수)+4=24+4=28(명)
❷ **진아네 반 학생 수 구하기**
(민지네 반 학생 수)−2=24−2=22(명)
❸ **수호네 반과 진아네 반 학생 수의 차 구하기**
(수호네 반 학생 수)−(진아네 반 학생 수)
=28−22=6(명)

7 ❶ **▲가 나타내는 수 구하기**
23+24=47 → ▲=47
❷ **■가 나타내는 수 구하기**
88−▲=88−47=41 → ■=41

8 ❶ **♥가 나타내는 수 구하기**
32+[36]=68 → ♥=36
❷ **●가 나타내는 수 구하기**
●−36=41, [77]−36=41 → ●=77

♥와 ●에 들어갈 수 있는 수를 넣어보고 계산이 맞는지 확인해 봐.

9 14+43=57이므로 78−□=57입니다.
→ 78−[21]=57이므로 □=21입니다.

10 연필 2타는 12+12=24(자루)입니다.
→ (남은 연필의 수)=24−3=21(자루)

11 (사과의 수)=(참외의 수)+23
=32+23=55(개)
➡ (참외의 수)+(사과의 수)=32+55=87(개)

12 (지우네 반에 남은 색종이 수)
=67−25=42(장)
(혜미네 반에 남은 색종이 수)
=75−32=43(장)
➡ 42<43이므로 혜미네 반에 색종이가 더 많이 남았습니다.

13 어떤 수를 □라 하면 잘못 계산한 식은
□+12=44입니다.
[32]+12=44이므로 □=32입니다.
따라서 바르게 계산하면 32−12=20입니다.

14 8>7>4>2이므로 수 카드 4장 중 2장을 골라 만들 수 있는 가장 큰 수는 87, 가장 작은 수는 24입니다.
➡ 87−24=63

참고 개념
- 가장 큰 몇십몇(□□) 만들기
  왼쪽부터 큰 수를 차례로 놓습니다.
- 가장 작은 몇십몇(□□) 만들기
  왼쪽부터 작은 수를 차례로 놓습니다.

6단원 실력 평가 36~37쪽

1 (1) 65 (2) 74 **2** 75
3 62 **4** 73, 75, 77, 79
5 > **6** 35
7 22 **8** 99명
9 45+32=77, 77개
10 45−32=13, 13개
11 (위에서부터) 6, 3 **12** 23
13 94장 **14** 58, 34
15 76−2=74

1 10개씩 묶음의 수는 내려 쓰고 낱개는 낱개끼리 더하거나 뺍니다.

2
```
   2 3
 + 5 2
 -----
   7 5
```

3 95−33=62

4 2씩 커지는 수에 같은 수를 더하면 합도 2씩 커집니다.

5 20+30=50, 80−40=40
➡ 50>40

6 큰 수부터 차례로 쓰면 78, 75, 43이므로 가장 큰 수는 78, 가장 작은 수는 43입니다.
➡ 78−43=35

7 34−□=12
➡ 34−[22]=12이므로 □=22입니다.

8 (성훈이네 마을 학생 수)=(남학생 수)+(여학생 수)
=56+43=99(명)

9 (캔 고구마의 수)+(캔 감자의 수)
=45+32=77(개)

10 (캔 고구마의 수)−(캔 감자의 수)
=45−32=13(개)

11
```
   ㉠ 5
 − 1 ㉡
 ------
   5 2
```
- 5−㉡=2 ➡ ㉡=3
- ㉠−1=5 ➡ ㉠=6

12 어떤 수를 □라 하면 □+15=38입니다.
➡ [23]+15=38이므로 □=23입니다.

13 (지호가 모은 딱지의 수)
=(하린이가 모은 딱지의 수)+14
=40+14=54(장)
➡ (두 사람이 모은 딱지의 수)=40+54=94(장)

14 낱개끼리의 차가 4인 두 수를 찾아 뺍니다.
58−34=24(○), 34−20=14(×)

15 7>6>3>2이므로 수 카드 4장 중 2장을 골라 가장 큰 몇십몇을 만들면 76입니다. 만들고 남은 수 카드의 수는 2, 3인데 두 수의 차가 가장 크려면 빼는 수 몇이 두 수 중 더 작은 수인 2이어야 합니다.
따라서 두 수의 차가 가장 큰 뺄셈식은
76−2=74입니다.

1~6단원 성취도 평가 38~40쪽

1 60 2 83
3 100 4 <
5 59 6 30
7 13+11=24(또는 11+13=24), 24개
8 16−11=5, 5개
9 (○)(□)(△)
10 (■, ▲, ●) 모양
11 6개 12 ㉢ 13 3
14 6+7=13(또는 7+6=13), 13자루
15 예 10−8=2, 2개
16 ㉡ 17 3, 15
18 9시 30분 19 6개
20 2개, 5개 21 89
22 6개 23 9개
24 14−7=7, 7 25 9

1 10개짜리 모형이 6개이므로 60입니다.

2 여든 | 셋
8 | 3

3 99보다 1만큼 더 큰 수는 100입니다.

4 10개씩 묶음의 수를 비교하면 7<8이므로 78<82입니다.

5 35+24=59

6 50−20=30

7 (분홍색 구슬의 수)+(초록색 구슬의 수)
=13+11=24(개)

8 (파란색 구슬의 수)−(초록색 구슬의 수)
=16−11=5(개)

9 거울: ● 모양, 액자: ■ 모양, 안전 표지판: ▲ 모양

10 모양을 만드는 데 ■ 모양과 ● 모양을 이용했습니다.

11 ■ 모양 6개, ● 모양 3개를 이용했습니다.

13 두 수를 바꾸어 더해도 합이 같으므로
9+3=3+9입니다.

14 (빨간색 색연필의 수)+(파란색 색연필의 수)
=6+7=13(자루)

15 10−(접힌 손가락의 수)=10−8=2(개)

16 ㉠ 1+3+1=4+1=5
㉡ 9−2−1=7−1=6
➔ 5<6이므로 ㉠<㉡입니다.

17 7과 더해서 10이 되는 수는 3입니다.
➔ 5+3+7=15
(3+7=10, 5+10=15)

18 짧은바늘이 9와 10의 가운데를, 긴바늘이 6을 가리킵니다.
➔ 지수가 본 시각: 9시 30분

19 검은색−검은색−흰색−흰색이 반복됩니다.
규칙에 따라 바둑돌 12개를 늘어놓으면 흰색 바둑돌은 모두 6개입니다.
●●○○/●●○○/●●○○

20 펼친 손가락이 2개−5개−5개가 반복됩니다.
㉠에는 펼친 손가락 2개 그림이 들어가고, ㉡에는 펼친 손가락 5개 그림이 들어갑니다.

21 오른쪽으로 1칸 갈 때마다 1씩 커지고, 아래쪽으로 1칸 갈 때마다 8씩 커집니다. 78부터 시작하여 오른쪽으로 3칸 간 수는 81이고, 81부터 시작하여 아래쪽으로 1칸 간 수는 89입니다.

22 12−5=7이므로 □ 안에는 7보다 작은 수인 1, 2, 3, 4, 5, 6이 들어갈 수 있습니다. ➔ 6개

23 (탬버린의 수)=(장구의 수)+8=7+8=15(개)
(트라이앵글의 수)=(탬버린의 수)−6
=15−6=9(개)

24 14>13>8>7
차가 가장 크려면 가장 큰 수와 가장 작은 수의 차를 구해야 합니다. ➔ 14−7=7

25 혜교가 꺼낸 공에 적힌 두 수의 합: 4+8=12
태우가 이기려면 꺼낸 공에 적힌 두 수의 합이 12보다 커야 합니다.
5와 더하여 12보다 큰 수는 5+9=14이므로 태우는 9가 적힌 공을 꺼내야 합니다.